CB067152

L.L. Warlitzer

As Crônicas de Olam
Luz e Sombras
volume 1

TOLK
PUBLICAÇÕES

W967c Wurlitzer, Leandro Lima
As crônicas de Olam / Leandro Lima Wurlitzer ; [ilustrado por Andrés Ramos e Carlos Alexandre Lutterbach]. – São José dos Campos, SP : Fiel, 2014.

540p. : il. ; 23cm.
Inclui glossário.
ISBN 978-85-8132-202-5

1. Ficção fantástica brasileira. 2. Literatura cristã. I. Título. II. Ramos, Andrés. III. Lutterbach, Carlos Alexandre.

CDD: B869.5

Catalogação na publicação: Mariana Conceição de Melo – CRB07/6477

CRÔNICAS DE OLAM
Vol 1: *Luz e Sombras*

por Leandro Lima Wurlitzer
Copyright © 2011 Leandro Lima Wurlitzer

∎

Todos os direitos em língua portuguesa reservados por Editora Fiel da Missão Evangélica Literária

PROIBIDA A REPRODUÇÃO DESTE LIVRO POR QUAISQUER MEIOS, SEM A PERMISSÃO ESCRITA DOS EDITORES, SALVO EM BREVES CITAÇÕES, COM INDICAÇÃO DA FONTE.

Copyright © 2014 Editora Fiel
Tolk Publicações é um selo da Editora Fiel
Primeira Edição: Novembro de 2014.

∎

Diretor: Tiago J. Santos Filho
Editor: Tiago J. Santos Filho
Revisão: Maria Cecília Junqueira e Márcia Gomes
Ilustração da capa: *Sa'irins e a batalha de Olamir* por Andrés Ramos
Ilustração do mapa: Carlos Alexandre Lutterbach
Capa: Rubner Durais
Diagramação: Rubner Durais
ISBN: 978-85-8132-202-5

TOLK
PUBLICAÇÕES

Caixa Postal 1601 | CEP: 12230-971 | São José dos Campos, SP | PABX: (12) 3919-9999
www.tolkpublicacoes.com.br

Prólogo 11

1 — O prisioneiro dos shedins 19

2 — Sonhos destruídos 37

3 — O início do caminho 51

4 — Demônios do deserto 85

5 — Uma manhã luminosa 125

6 — Um entardecer sombrio 159

7 — A noite do julgamento 177

8 — A madrugada dos segredos 207

9 — A jornada pelo Perath 247

10 — Bethok Hamaim 265

11 — Morada das estrelas 283

12 — A jornada rumo ao norte 297

13 — A estalagem de Revayá 319

14 — As Harim Keseph 335

15 — O teste do palácio de gelo 363

16 — A encruzilhada do destino 391

17 — Criaturas da noite 411

18 — Os irins de Ganeden 447

19 — O farol de Sinim 467

20 — Encontro marcado 489

21 — A batalha de Olamir 507

Epílogo 529

Glossário dos principais termos hebraicos 537

Map

YAM HAGADOL

HARIM ADOMIM

HAVILÁ

RIO YARDEN

REAH

Rota das Pedras

YAM HAMELAH

Bartzel

Hoshek

HARIM
KESEPH

Rota dos Peregrinos

YAM
KADEMONY

GANEDEN

Sinim

IR-SHAMESH

NOD

Rota dos Camponeses

RIO HIDDEKEL

RIO PERATH

URIM

NEHARAH

OLAMIR

BETHOK
HAMAIM

MAOR

Olam

HARIM
NEGEV

SCHACHAT

Prólogo

12 do mês Ethanim, do ano 2042 após o estabelecimento do Olho de Olam.

O mundo é um lugar mágico. Muitas vezes, histórias que já deveriam estar terminando, subitamente recomeçam.

Eu sou Enosh, atualmente chamado de o Velho. Tenho uma longa história para contar, porém, ironicamente, pouco tempo para fazer isso. Guardei estes acontecimentos durante tempo demais. Agora sinto que preciso compartilhá-los antes que meus olhos se fechem e eu leve tudo para o lugar de onde apenas um homem dessa história retornou...

A madrugada gelada que antecedia o inverno dificultava minha tarefa de descer as escadas de madeira do antigo casarão. Eu via meus pés enrugados enquanto os degraus rangiam. Tinha a sensação de que não pareciam ser meus pés, eu não podia estar tão velho. Meus cabelos pretos e minha mente se recusavam a aceitar a própria idade, porém as outras partes do corpo não eram tão rebeldes e, por isso, penosamente me lançava escadaria abaixo. Envelhecera mais rapidamente nos últimos anos. Meu tempo se abreviava, o poder estava chegando ao fim. Eu nem podia reclamar. Havia durado muito, e tivera uma existência mais longa do que eu mesmo poderia imaginar...

Sentia-me atordoado com a visão (que ainda era só um presságio). Visão repetida das últimas madrugadas... Um cavaleiro de Olam havia invadido a cortina de trevas. O antigo tratado estava quebrado. Eu já podia antever as consequências inevitáveis do ato. Por isso o presságio aterrorizante. A maior cidade de Olam cercada por exércitos malignos... As altas muralhas alvas suportando uma maré de guerreiros tenebrosos, sedentos de sangue e destruição. Tudo o que construímos, todas as coisas pelas quais lutamos, amamos, vivemos e morremos se desfazendo como pó. Isso, mais que os degraus, fazia minhas pernas tremerem.

Eu havia acumulado mais segredos do que um homem só deveria carregar... E eles estavam se tornando cada vez mais pesados. Mesmo assim, me dispunha a suportá-los um pouco mais, se fosse possível... Eu estava fora de cena há muito tempo. Continuaria assim se pudesse. Não sentia falta dos aplausos, e muito menos das vaias...

De uma pedra shoham avermelhada, sobre a haste da lamparina que eu segurava, refulgia uma luz quase cor-de-rosa, que fazia as sombras dançarem ao redor e depois se refugiarem nos cantos mais distantes da escadaria. A madrugada chegava ao momento máximo da escuridão e do frio antes da transição para a aurora. Era o horário do silêncio, em que todos os espíritos malignos deviam sair para atormentar os homens em seus pesadelos, ou, como era meu caso, para não deixá-los dormir.

Olhei por uns instantes para a pedra vermelha, cuja luz espantava as trevas. Eu sabia tudo o que alguém podia saber a respeito dela e de sua lapidação, mas mesmo assim as pedras shoham me aturdiam por sua beleza e poder. Elas possibilitaram a construção de toda a glória de Olam, mas, também, como quase sempre acontece, foram a razão de seu fim. As pedras do poder elevaram nossa civilização a um estágio de desenvolvimento jamais alcançado. Não apenas por algum valor atribuído por comércio ou cobiça (embora fossem belíssimas), mas pela possibilidade de armazenar informações. Isso foi possível devido a uma sofisticada técnica de lapidação que eu ajudei a desenvolver.

Mas armazenar informações não era a única façanha das shoham. Aos poucos descobrimos que diferentes técnicas podiam atribuir outras virtudes, como comunicação em longas distâncias e liberação de energia para movimentação de fatores de produção. No último estágio, como não é difícil antecipar, descobrimos que as pedras podiam funcionar como armas de destruição. E isso me traz outra vez aos assuntos daquela madrugada.

Sei que a palavra final sobre minha participação nos eventos que desencadearam a última guerra de Olam, não será minha... Entretanto, há muito tempo abandonei toda necessidade de me justificar... O fato é que agora, finalmente, não há mais nada para esconder, então os verdadeiros heróis desta história poderão aparecer. Esse será meu último tributo a eles, embora não possa mais trazê-los de volta, tampouco me considere digno de contar seus feitos...

Hoje percebo que, desde o dia em que o jovem guardião de livros partiu para Olamir, dirigido pelas torrentes do traiçoeiro rio Yarden e também do não menos ardiloso destino, a história de Olam se tornou fadada a seguir um novo curso, e nem mesmo um *cashaph* poderia ter previsto tudo isso. Por tanto tempo eu quis proteger o meu aprendiz de tudo isso... E depois o coloquei no meio do torvelinho...

Ainda me pergunto se, talvez, a História seja realmente aquilo que os antigos menestréis cantavam: um experimento extravagante de *El* ou um projeto monótono sem variações. Apesar de todos os longos anos que vivi e de tudo o que passei, ainda não tenho certeza a respeito dessas coisas. E, por isso, algumas perguntas continuam sendo tão dolorosas para mim: Será que minhas escolhas (nossas escolhas) poderiam ter sido outras? Será mesmo possível controlar o destino? O amor não deveria vencer a morte?

Acho que já aborreci o leitor o suficiente com essas minhas inquietações. É hora de ir aos fatos! Eles falarão por si mesmos. Eu espero...

Eu arrastava uma das pernas devido a um grave e antigo ferimento e queria teimosamente descer mais rápido do que meu corpo permitia. Se eu não conhecesse cada um daqueles degraus, diria que alguns novos eram acrescentados todos os dias. Fui obrigado a parar um instante junto a uma janela para recuperar o fôlego. Quando minha mão se apoiou na superfície do vidro, tive um estremecimento. O vidro frio parecia mais quente que minha mão, mas, provavelmente, um cadáver deveria se sentir menos gelado do que eu naquele momento. E a verdade é que, se *El* fosse justo, há muito eu já deveria ser um cadáver...

Olhei demoradamente para a noite lá fora. Talvez pudesse encontrar mais algum presságio que confirmasse minhas inquietações, ou algo para me fazer renunciar a espinhosa missão da madrugada. Meu tempo era curto, e mesmo assim, algo dentro de mim relutava em fazer o que precisava ser feito...

Após dois mil anos de relativa paz e segurança, uma guerra de proporções e consequências imprevisíveis estava para estourar em Olam. Luz e sombras se enfrentariam mais uma vez. Provavelmente eu era o único homem no mundo que sabia disso. E, curiosamente, era o que mais tinha a perder, independentemente de quem vencesse.

Por três ou quatro vezes naquela semana eu havia tido o presságio através das pedras shoham. A poderosa cidade branca de Olamir, capitã do mundo livre, rodeada de exércitos das trevas. Infelizmente, eu já havia visto aquela cena antes, não apenas em forma de presságio, mas em assombrosa realidade... Eu, provavelmente, seria o único homem da história a ver duas vezes o mesmo terrível acontecimento.

Isso me forçava a tomar uma decisão difícil. Precisava me comunicar com Olamir, o que significava deixar de ser um espectador do destino e me tornar um controlador — algo que há muito eu havia abdicado de ser. Minha experiência poderia ajudar a me colocar um passo à frente dos inimigos. Porém, não é fácil tentar controlar o destino; quando menos se percebe, ele assume as rédeas outra vez.

Por alguns instantes junto à janela, fiquei totalmente absorto, hipnotizado pelas estrelas que apareciam por entre as nuvens no céu da pequena cidade. Meu desejo era ver em minhas companheiras de insônia algo além do brilho desconfiado delas.

"Shamesh partiu, Yareah tem de chegar, *El* decretou, tem de cumprir."

As palavras sussurrantes saíram automáticas, sem passar pela mente; uma recitação de uma antiga prece pelo Sol e pela Lua. Como se em resposta, o clarão frio de Yareah quase cheia se desvencilhou de uma nuvem, se espraiando sobre os telhados das baixas e quadradas casas de pedra do vilarejo, e fazendo as estrelas ficarem ainda mais tímidas. Nesse instante me despertei do transe momentâneo. Bisbilhotei uma última vez a rua vazia, desejando ver o vulto do guardião de livros voltando para casa, mas Ben não dava notícias nem respondia aos meus chamados. Isso me deixava sem opção.

Após tantos anos oculto do mundo, os inimigos e os antigos amigos saberiam que Enosh, o Velho, ainda estava vivo. Eu temia mais os últimos do que os primeiros... Resignado, balancei a lamparina outra vez em direção aos fundos. O alvo era a última porta do lado direito do corredor.

À medida que ia passando por quartos e salas repletos de objetos de invocação, percebia-os como quadros sem personagens de rituais de purificação cerimonial. Atrás de uma cortina de estofo azul e púrpura de linho retorcido havia um incensário que há muito não fumegava. Também uma bacia de prata para lavar as mãos após o ritual. Vi de passagem um altar quadrado, feito de madeira de acácia. Nos quatro cantos do altar, chifres se levantavam, como se formassem uma só peça com ele. Era todo coberto de bronze, e os chifres que serviam para recolher óleo e cinza estavam vazios.

Ainda não entendia porque não me desfizera daquelas coisas que poderiam render um bom dinheiro. Apesar da prece recitada há pouco, eu não era religioso. Pelo menos não como os sacerdotes da nossa pequena Havilá obrigavam todos a ser. No máximo havia em mim algum resquício daquele tipo de religiosidade inata em todos os seres humanos e do qual, por mais que lutem, jamais conseguem se livrar.

"A marca de lapidação de *El*". Era assim que meu antigo mestre explicava este sentimento. "Uma marca deteriorada". Era minha atual explicação.

Por fim, alcancei a porta lateral e acessei outra escadaria já nos fundos do edifício que conduzia para o andar inferior. As lâmpadas estavam apagadas. Quando encostei a pedra shoham de minha lamparina nas pedras das lâmpadas laterais, elas não se acenderam. O guardião de livros, para variar, havia se esquecido de recarregá-las com a luz do sol.

Às vezes, eu me perguntava qual era a vantagem de ter um aprendiz. E, afinal, quando ele retornaria? Eu me perguntava por que razão Ben não atendia aos meus chamados justamente quando eu mais precisava dele?

Apesar da fraca iluminação, alguns objetos se destacavam em nichos nas paredes e nas áreas de ligação entre as escadas. Um grande vaso de alabastro estampava desenhos de antigos deuses que haviam perdido seus adoradores para novos deuses, que por sua vez, também os haviam deixado escapar... Olhar para eles me consolava, não era só eu quem extraviava as coisas.

Grossas argolas de prata dependuradas na parede me saudaram refletindo luz no *hall* antes do último corredor. Haviam sido extraídas e forjadas nas antigas minas de Ofireh. Ao vê-las, as primeiras palavras que vinham à mente eram raridade e esplendor. Depois a consciência trazia outras: sangue, sacrifício, morte. Era o preço que os antigos escravos pagaram para extrair aquele tipo raro de prata das profundezas das minas amaldiçoadas.

Códigos de antigas civilizações também estavam emoldurados; ensinavam como viver bem, alcançar a paz, o equilíbrio e a prosperidade; apesar disso, todas aquelas civilizações não haviam aprendido a lição, pois sucumbiram às forças inexoráveis do único inimigo que sempre vencia no final: o tempo.

As colunas curvas de pedras que sustentavam o teto sobre arcos e as paredes gastas iluminaram-se precariamente com a luz da pedra shoham de minha lanterna. A luz também materializou fileiras de livros-rolos dispostos em estantes. Era uma grande biblioteca desorganizada. Muitos livros ainda estavam espalhados pelo chão, dentro de potes de cerâmica. Os mais conservados eram de um material feito de fibras cozidas da casca interior de uma árvore, da qual se construía uma espécie de folha que facilitava a escrita. Mesmo correndo o risco de se deteriorarem, precisavam aguardar pacientemente até serem transferidos para a pedra shoham.

Atravessei as estantes sem prestar atenção aos títulos bem esquisitos de alguns pergaminhos que armazenavam sabedorias de obsoletas civilizações. Dentro de um jarro de cerâmica havia alguns especiais. Um deles dizia: "Como domar Re'ims". O outro era: "Por que não se pode confiar em tannînins?" Um de nível mais prático, porém improvável dizia: "Como sobreviver a um dilúvio". E outro, bastante manuseado, era uma relíquia, exemplar único a que os copistas jamais tiveram acesso, o título era Derek-Or, algo como "o caminho da iluminação". Esse era meu maior tesouro. Havia chegado o momento de revelá-lo.

Nas bibliotecas das grandes cidades de Olam, como na Biblioteca de Olamir, não existiam mais livros-rolos como aqueles. Todo o conhecimento já estava disponível nas pedras shoham. Mas ali, em Havilá, as pedras ainda não eram utilizadas para armazenar conhecimento, e provavelmente nunca seriam. Isso sem dúvida era uma grande ironia; afinal, justamente naquela região, nas encostas das Harim Adomim, praticamente todas as pedras shoham vermelhas eram extraídas. Eis um dos motivos pelos quais há tanto tempo me refugiava no decadente casarão, na distante e esquecida cidade aos pés das Harim Adomim. Às vezes, o melhor lugar em que o rato pode se esconder é bem perto do ninho do gato, pois como se diz, é aí que costuma haver mais sobras e menos vigilância.

No final do corredor formado pelas estantes me deparei com uma parede. Tateei com certo nervosismo e logo encontrei um tijolo de barro que só dedos treinados percebiam se sobressair dos demais. Eu abria aquela passagem todos os dias, mas naquela madrugada minhas mãos pareciam iniciantes. Um barulho seco disparou do outro lado, um pedaço da parede se soltou e começou a deslizar lentamente para baixo ao som das correntes que trabalhavam, abrindo um vão da largura de uma porta. O acesso para a sala particular anexada à biblioteca franqueou-se diante da luz rosada emitida pela pedra da lamparina.

A princípio, vi apenas mais rolos e pergaminhos sobre uma mesa comprida, costeada por duas cadeiras. Era uma sala abafada e singela, a qual jamais seria digna do tesouro que escondia. Retirei uma capa velha de sobre a mesa e mais um dos meus segredos se revelou: uma pedra shoham do tamanho de um punho fechado. Era vermelha como a ampla maioria das pedras shoham, mas essa era bem escura, mais do que a maioria.

Eu a chamava de Ieled. Ela ativou-se ao refletir a luz da lamparina, como se tivesse o poder de absorver a luz e depois a devolver ainda mais forte. Eu havia lapidado Ieled com o propósito de buscar e armazenar informações de um modo jamais alcançado. Ao fazer isso, quebrei todas as convenções e leis a respeito da lapidação das pedras shoham. Por causa dela, fui capaz de ver a série de acontecimentos sombrios que poderiam destruir Olam e todo aquele mundo, mais uma vez...

Eu só esperava que não fosse tarde demais. Temia que os inimigos me encontrassem antes que conseguisse mandar o alerta para as autoridades em Olamir. Na verdade, estava ciente de que demorara muito até entender e interpretar todos os sinais que a pedra insistia em me mostrar. As informações que Ieled captava das pedras retransmissoras chegavam para mim confusas, desconectadas, parecendo apenas coincidências. Eu só tive plena certeza do que os inimigos estavam planejando poucas horas antes, quando Ieled me mostrou o rosto de um giborim, na verdade, o próprio líder supremo daquela ordem de guerreiros sagrados de Olam, cavalgando em direção à cortina de trevas. Isso havia acontecido dois dias atrás. Instintivamente eu soube o que ele fora fazer nas cidades tenebrosas. Então, tudo fez sentido. Um tratado mantinha a paz em Olam há vários séculos. As sombras não se lançariam outra vez contra a cidade branca sem um motivo. Os inimigos haviam encontrado um homem obcecado o suficiente para proporcionar isso. O tratado estava quebrado. O poder da escuridão estava para renascer em Olam. Nada seria como antes.

Um barulho seco atrás de mim, quando as correntes da passagem se moveram outra vez, fez com que tivesse um estremecimento. Mesmo sabendo exatamente quem estava chegando, não consegui evitar o sobressalto. A pressão do momento era a responsável por isso.

Havia solicitado a presença de meu aprendiz, o jovem Ben, para me auxiliar a fazer o comunicado. Se Ben fizesse a comunicação, talvez, eu não fosse reconhecido... Havia também mais uma razão pela qual eu o chamara: estava na hora de Ben saber toda a verdade sobre seu passado e sua família, até porque tudo estava relacionado com os acontecimentos que estavam prestes a serem desencadeados. Era melhor que ele soubesse por meu intermédio, por mais doloroso que fosse...

— Até que enfim você chegou... — A censura em minha voz disfarçava o alívio que eu sentia por ele ter chegado.

O horror me impediu de completar a frase. Não era o guardião de livros quem estava ali. Por um momento, eu quis crer que era apenas uma aparição produzida por alguma técnica de manipulação das pedras. Mas eu conhecia todas as técnicas, e nenhuma poderia produzir aquilo. Era de carne e osso, ou algo parecido.

— Então, Enosh, o Velho, finalmente nos reencontramos! Um homem não deveria viver tanto tempo. Não é justo. — A sinistra figura encapuzada falou em voz baixa, revelando toda a sua antiga sagacidade.

A sombra escura sobre a face impedia que eu visse seu rosto, mas eu o reconheceria em quaisquer condições. Ninguém consegue esquecer-se do rosto da morte.

— Você? Aqui? — perguntei trêmulo, sem entender como haviam me encontrado. Ieled não deixava pistas.

Por instinto, recuei até ficar de costas para a pedra, como que para protegê-la. Mal sentia o sangue correr por minhas veias, enquanto todos os cursos de ação passavam vertiginosamente por minha cabeça. Uma possibilidade surgiu entre mil pensamentos, mas o preço seria alto.

— Achou mesmo que poderia se esconder para sempre, velho latash? Acreditou que permitiríamos que estragasse tudo? O Olho de Olam está se apagando. No eclipse, a hora da escuridão chegará para esse mundo e nunca mais passará. Não há nada que você possa fazer para impedir.

Não respondi. Apenas calculei se daria tempo de tomar a última atitude desesperada. Minhas mãos estavam perto da pedra. Eu sabia dos riscos. Mudaria o rumo da história. Colocaria tudo em movimento, ao mesmo tempo e antes do planejado. Mas se eu não estivesse um passo à frente dos inimigos, não haveria chances...

Mesmo de costas, coloquei as mãos sobre Ieled e disse as palavras. Parecia uma grande loucura. Um sacrifício absurdo. Mas como eu sempre disse, o mundo é um lugar mágico, quem sabe o que poderia acontecer?

Vi a ira transtornando a face macabra do visitante quando compreendeu minhas intenções. Mas estava feito. Instantes depois, o fogo tomou conta da sala secreta, da biblioteca e do casarão.

1 O prisioneiro dos shedins

Dois dias antes.

O cavaleiro viu o anoitecer chegar sem sinal de crepúsculo. As estrelas do deserto surgiram diante dele tão baixas que parecia possível alcançá-las com a mão. A escuridão mal deixava que ele visse as pedras do caminho. Abaixo, pela velocidade do cavalo, o chão da cor do chumbo assemelhava-se a um enorme mar negro e calmo. No alto, uma grande águia com uma penugem quase dourada se lançava num voo majestoso. Ela o acompanhava com seus olhos perscrutadores e confortadores.

A bela e resistente armadura com escamas metálicas reluzia sob a longa capa do cavaleiro, identificando-o como um experiente guerreiro. A longa espada furtada do templo estava dependurada em sua cintura e balançava com a movimentação do cavalo. Ela o denunciava como um invasor; pior, como um inimigo poderoso dos tempos antigos que parecia haver ressuscitado. Pequenas pedras brancas brilhavam nas hastes da espada, e, na área de ligação entre o cabo e a lâmina, uma grande pedra vermelha se destacava qual um coração, como uma testemunha de um poder adormecido que parecia estar sendo despertado; usurpadoramente despertado.

O cavaleiro se inclinou ainda mais sobre o cavalo para oferecer menos resistência ao vento. Seu rosto marcado pela experiência se projetou, como se quisesse cavalgar mais rápido do que uma tempestade de areia. Uma nuvem de poeira era a única prova de que havia passado. A poeira, parecida com um tipo de fuligem, levantava-se e se movia qual um monstro sem cabeça, até tombar inerte sobre o deserto cinzento.

Vultos se agitavam no caminho dele. Pontos mais escuros que a noite, quase palpáveis, atravessavam sua frente sem fazer barulho, exceto por um som baixo que ele sabia ser risos infantis e perversos. Eram *oboths* — seus velhos conhecidos —, velhos o suficiente para não mais prestar atenção a eles. Naquele momento pelo menos não o atrapalhariam. Nem mesmo aqueles espectros meio pueris, meio demoníacos, poderiam imaginar o que ele pretendia fazer.

A velocidade do cavaleiro aumentou tanto que parecia irreal, e os oboths ficaram para trás.

"Meor el-hoshek!"[1]

Ao dizer as antigas palavras, ele se deparou com a cortina de trevas que cobria o deserto e dividia a noite e o mundo em dois, como se fosse uma muralha. Raios cortavam assustadoramente o paredão sombrio que estava muito mais avançado do que se acreditava, talvez um dia de cavalgada à frente de todos os marcos. Era uma prova de que as trevas avançavam silenciosamente sobre Olam. Uma prova de que ele estava fazendo o que era necessário.

Sem diminuir a velocidade, ele enfrentou a barreira de escuridão. Um único guerreiro contra todo o poderio das trevas. Parecia uma grande loucura começar uma guerra daquele modo. Quando a adentrou, sentiu a energia escura envolver seu corpo e, em contraste, suas roupas brilharam por um momento. Logo uma névoa negra cobriu as estrelas e o envolveu, como se tivesse braços e garras capazes de prendê-lo. Ele ainda ouviu o piado da águia, como um augúrio, nas alturas. Evrá, a grande águia dourada, contornou e não adentrou as trevas. A partir desse momento o guerreiro sabia que estava por conta própria. Estava muito além do que há muitos anos alguém de sua terra pisara, e do que o juízo autorizava qualquer um a ir: a terra de Hoshek. O lugar onde todos os monstros e criaturas sombrias se refugiavam desde que a luz estabelecera seu domínio em Olam.

Guiado pela luminosidade da pedra shoham, que desvendava pouco mais de dois metros do seu caminho, o cavaleiro preparou-se para o equivalente a dois dias de cavalgada através da espessa escuridão. Crateras profundas, desfiladeiros mortos,

---

[1] Da luz para as trevas!

rochas pontiagudas seriam as únicas paisagens que a luz avermelhada da pedra revelaria durante todo o percurso. E também espíritos, espectros e todo tipo de criaturas perversas, os quais ele esperava que se assustassem com a luz nunca antes vista e saíssem do caminho.

Por sorte, suas expectativas se confirmaram durante o trajeto. Não encontrou resistência. Ninguém poderia imaginar que um giborim de Olam invadisse Hoshek sozinho. Por isso, atitudes loucas também tinham seu lado lógico.

Quando a magnífica égua negra diminuiu a impressionante velocidade mantida praticamente ininterrupta desde que adentraram a cortina de trevas, ambos estavam exaustos, cavalo e cavaleiro. Do alto de uma colina, o fogo das tochas amareladas de uma grande e sombria cidade se descortinou. As ruas pareciam rios de fogo.

Com um gesto, ele pronunciou uma bênção sobre a cidade inimiga, por puro hábito, mesmo sabendo que o ritual não representava valor algum ali.

Salmavet era uma das remanescentes de um mundo que, para todos os efeitos, não existia mais. Tão antiga quanto as rochas de Olam, a cidade parecia um grande monstro negro cheio de chifres e pontas. Era apenas a primeira de várias cidades terríveis que jamais viam a luz do sol. A principal da terra de Hoshek, Irofel, muito maior, ficava a cinco noites de cavalgada dali, no coração das trevas perenes. Mas ele não pretendia ir tão longe. O que precisava fazer, poderia ser feito ali mesmo, na primeira das cidades dos shedins.

Por um momento ele titubeou. Pensou nas implicações com as quais vinha lutando há meses. Já deviam estar resolvidas, mas como de costume, a imagem do mestre parecia estar diante dele.

"Não há ação sem reação" — teve a impressão de ouvir as suas conhecidas palavras. Também sua face sábia e envelhecida pareceu se materializar no deserto sombrio à sua frente. Os cabelos longos e inteiramente brancos que pareciam formar uma grinalda real e o gesto característico que fazia com a mão quando dizia algo importante reforçavam a impressão de realidade. Mas o mestre não estava ali. Estava em Olamir. O que o acompanhava eram as lembranças dos dias antigos e dos anos de estudos, das pesquisas infindáveis, das meditações solitárias, dos livros intermináveis e das línguas complexas que precisara aprender para lê-los. Haviam sido longos e solitários períodos de jejum e meditação espiritual, de celibato e renúncia a outros prazeres do corpo e da alma, numa busca pelo equilíbrio entre o conhecimento e a intuição. Castigara o corpo até o limite do insuportável, para alcançar a perfeição nos pensamentos e nas ações. E de tudo isso ele estava abdicando agora.

Não discordava do mestre quanto à sua filosofia que reinava em Olam. A reação se seguia naturalmente à ação, mas era melhor reação do que inércia, afinal, até quando permitiriam que as guerrilhas ceifassem tantas vidas? Até quando permitiriam que Olamir ficasse embriagada com o vinho de seu próprio poder, que dia a dia a corrompia mais e mais, como se o abismo a sua frente, que deveria defendê-la, a estivesse atraindo? Tempos depois, ele ainda tentaria se convencer com essas justificativas, principalmente quando a situação ficasse totalmente fora de controle, e isso não tardaria a acontecer.

Olhou demoradamente para as três pedras shoham em sua mão. Duas vermelhas e uma amarela. Precisariam ser suficientes. Cinco ou seis seriam bem mais desejáveis para aquela missão, mas nem mesmo ele poderia retirar tantas pedras especiais da torre dos giborins sem levantar suspeitas. Por um momento, olhando para uma das pedras, teve a impressão de ver um rosto observando-o. Assustou-se pensando ser o rosto enrugado como de um antigo fantasma que, por vezes, ainda o assombrava. Mas nem aquilo o impediu de fazer o que estava decidido. Os mortos não tinham direito de interferir no mundo dos vivos.

Tentando não se render ao cansaço, tratou de animar sua companheira a se mover em direção à entrada da cidade. Layelá, uma égua jovem com mais de dois metros de altura, negra e brilhante como uma noite enluarada, olhou curiosa e um pouco assustada para a estranha cidade que ela nunca vira. Sua curiosidade, mesclada com um discreto estranhamento, era justificável. Ela já havia galopado por incontáveis regiões daquele mundo e contemplado as mais impressionantes paisagens, mas nunca havia pisado naquele lugar. Não era mesmo esperado que um animal sagrado andasse por ruas tão imundas.

— Não a culpo — disse o guerreiro com indulgência. — E pensar que isso aqui já foi um lugar grandioso...

Layelá relinchou baixinho, parecendo entender as palavras do guerreiro.

Ele afagou a crina da companheira, sentindo-se culpado. Sabia que dificilmente sairiam vivos daquele lugar. E, mesmo assim, não podia retornar... A oportunidade de dar um golpe decisivo no poder do inimigo compensava as perdas.

Seguindo com o plano, o cavaleiro pegou uma das três pedras. Era arredondada, vermelha como sangue, lapidada por um latash, um mestre-lapidador clandestino. Fazia parte do estoque de pedras apreendidas pelos giborins de Olam. Era impressionante o que aqueles lapidadores conseguiam fazer com as pedras shoham. Olhou mais uma vez para a pedra, mas não viu o rosto enrugado do velho. Talvez tivesse sido apenas algo que sua mente projetou.

Ele a friccionou vigorosamente. Imediatamente uma imagem que a pedra armazenava se projetou sobre ele. A imagem tremeluziu um instante, mas logo se estabilizou. Um manto preto o encobriu inteiramente, dois olhos amarelados surgiram e flutuaram dentro da escuridão do elmo. A ilusão estava pronta. Foi como se um terrível guerreiro do inimigo, um cavaleiro-cadáver, se materializasse na entrada da cidade.

O giborim sabia que era um disfarce pouco digno, porém necessário.

Layelá troteou o mais discretamente possível em direção ao portal de Salmavet. Por sorte, ou talvez fosse mais justo dizer, por planejamento, aquele era o horário de menor movimento dentro da cidade das sombras. Não foi sem razão que escolhera exatamente aquele momento para colocar o revisitado plano em ação. Sentiu o cheiro fétido assim que se aproximou das torres negras, e resignou-se com a ideia de que, ainda que os maiorais dos shedins não estivessem, a escória continuava, e ele precisaria passar por ela de um jeito ou de outro. Esperava que o disfarce criado pela pedra durasse o suficiente.

Criaturas atormentadas se movimentavam pelos labirintos caóticos de Salmavet e exibiam todas as suas características horripilantes para nenhum espectador. As que olharam com seus olhos opacos e sem vida para o falso cavaleiro-cadáver num primeiro momento até estranharam a presença dele, mas ao ver o manto e seus olhos amarelados logo se desinteressaram. Enganavam-se pensando que não havia nada para devorar dentro daquela armadura escura, por isso saíam de seu caminho andando sobre quatro pernas, esgueirando-se pelas muralhas, deixando marcas amareladas de viscosidade nas pedras recortadas.

Se a pedra não as iludisse com o disfarce, tudo seria diferente. Veriam um rosto de alguém que já estivera ali, há quarenta anos. Tudo ainda era muito nítido em sua lembrança, principalmente pelo terrível fracasso daquela desastrosa missão. Nesse dia seria diferente. Havia planejado tudo minuciosamente; contava com as pedras e, principalmente, com a espada; além disso, estava sozinho, e isso fazia a margem de erro, em sua avaliação, cair para quase zero. O idealismo de seus tempos de juventude fora substituído por um endurecimento que lhe moldava a face mais profundamente. Décadas combatendo os terríveis guerrilheiros dos reinos vassalos eram a causa desse endurecimento. E havia algo mais: uma sede de vingança que atormentava cada um de seus dias.

No quarteirão seguinte, os seres criados pelas experiências dos shedins eram ainda mais esquisitos. Lembravam seres humanos vagando no meio da névoa enfumaçada que recobria a cidade, mas eram menores e mais magros. Rostos demoníacos, com dentes saltados para fora das bocas macabras, passaram ao seu lado, olhos opacos e esbugalhados o espreitaram. Estes também saíram da frente.

— *Vetochal esh!*[2] — decretou sem piedade, falando baixinho.

O fogo refletiu e bruxuleou sobre a imagem de seu manto negro enquanto ele atravessava a cidade.

Árvores mortas formavam um longo e tortuoso corredor que se afunilava até chegar a uma fortaleza. As pontas altíssimas dominavam o centro de Salmavet. À medida que se aproximava, ele via as torres pontiagudas ficarem maiores e mais altas. Ao seu redor tudo era desolação, podridão e mau cheiro; nada diferente do esperado. Apenas o baque seco das ferraduras de Layelá quebrava o silêncio amaldiçoado da madrugada perene.

Finalmente ele alcançou a entrada da fortaleza. As cinco torres centrais se elevavam sem serem rivalizadas por outras construções. Pareciam chifres brotando da terra. As nuvens negras giravam hipnotizadas em torno dos pináculos e raios intermináveis os golpeavam com estrondos, como numa dança furiosa. Tannînins voavam ao redor, pousando de quando em quando e disputando os ninhos nos pontos mais altos das torres. O barulho das asas podia ser ouvido mesmo ali embaixo. Os dragões duelavam pelas fêmeas no espaço vazio, soltando chamas uns contra os outros. Ele se sentiu aliviado ao perceber que estavam ocupados nas alturas.

O olhar atento do visitante desceu das pontas das torres e se fixou no amplo e alto portal de entrada. Uma luminosidade avermelhada brotava do interior da fortaleza, mas isso não representava receptividade. Eram apenas os resquícios do poder sombrio que emanavam dos antros malcheirosos da cidade das sombras.

Layelá se ocultou nos escombros enquanto o cavaleiro abandonou o disfarce. Cavaleiros-cadáveres não podiam adentrar a fortaleza, por isso era inútil mantê-lo agora. Desfeita a ilusão, a figura ilusória tremeluziu e desapareceu, e a imagem do giborim apareceu do nada, no alto da escadaria, diante do portal de acesso, com seus cabelos, barba e olhos negros. A longa capa vermelha honorífica ondulou, a armadura prateada refletiu as chamas dos archotes. A espada sagrada ficou na bainha. Só devia sair dali no momento certo. Sem perder tempo, ele invadiu a fortaleza de Salmavet. Sua sombra refletida pelas chamas bruxu-

---

[2] Que o fogo os consuma!

leantes tomou a dianteira e se projetou esticada e intrometida, deslizando sobre as pedras irregulares.

Logo ele enxergou o primeiro guardião em pé, ao lado do pórtico. Os olhos amarelados dentro do elmo negro subitamente se agitaram ao verem ali um guerreiro de Olam. Uma fração de segundos e teria sido tarde demais: a trombeta soaria, e ele não conseguiria realizar a tarefa. Por sorte, antes que isso pudesse acontecer, a segunda pedra shoham vermelha brilhou e atraiu o olhar do guardião. Imediatamente os olhos terríveis se acalmaram e descansaram hipnotizados. Uma realidade ilusória havia se formado — tudo o que o guardião da fortaleza via era um corredor vazio, precariamente iluminado pelos archotes.

O intruso passou ao lado segurando a pedra shoham e seguiu seu caminho sem ser molestado. O efeito duraria pouco, por isso apertou o passo em busca das escadarias que o conduziriam ao lugar almejado nas profundezas da torre central. Tochas nas paredes de pedra iluminavam os degraus que desciam, revelando outros guardiões postados como estátuas em recuos estratégicos. Dez ao todo, ele contou, enquanto ouvia o toc-toc do solado das botas sobre o que parecia ser uma escadaria sem-fim. Nenhum deles esboçou reação. Seus olhos e mentes eram prisioneiros da imagem ilusória, criada pela pedra shoham que brilhava na mão do guerreiro de Olam. Isso lhe deu a convicção de que o plano estava funcionando. A invisibilidade era confortadora nessa situação, porém, os guardiões eram insignificantes diante do que o esperava lá embaixo.

Quanto mais para baixo, mais quente ficava o ambiente e, paradoxalmente, mais gelo sentia em suas entranhas. As escadas finalmente o deixaram num amplo salão arredondado, sustentado por reforçadas colunas laterais e iluminado por seis ou sete tochas postadas ao redor. Era construído com pedras grandes e lisas, recortadas com perfeição por mãos muito mais dignas do que aquelas que agora habitavam Salmavet. No centro do salão, cercado por um parapeito redondo, também de pedra recortada, de aproximadamente um metro e meio de altura, um fosso mergulhava nas profundezas.

"O abismo de Salmavet" — sussurrou admirado. Abaixo dele havia uma passagem física para o Abadom, uma das poucas desde que o Abismo sugara o mundo antigo. Do alto só era possível ver escuridão e sentir o vapor quente e malcheiroso que subia das profundezas.

Então, teve seu último momento de indecisão. Sabia que aquele era o ponto limítrofe. Se seguisse adiante, de certo modo, nunca mais poderia retornar. Desencadearia eventos, como quando se retira uma única pedra de uma represa, e depois disso, ninguém consegue deter o avanço das águas. Consolou-se pensando que a pedra já havia sido retirada há quarenta anos.

Ele encaixou o guincho no parapeito. Com uma rapidez surpreendente para um homem da idade que aparentava, suspendeu-se e deixou-se deslizar pela corda em direção ao centro da terra. Suas mãos calejadas nem sentiram a fricção, seus pensamentos se projetavam para baixo, concentrando-se no desafio que o aguardava. Precisava estar mentalmente preparado. A batalha não seria apenas física. Ao mesmo tempo, tentava evitar a dúvida que surgia ao pensar na facilidade que encontrara até aquele momento.

Foi passando por pedras recortadas, raízes de árvores mortas e barro derretido de várias tonalidades.

"Por Olam e pelos giborins", ele sussurrou para si mesmo enquanto adentrava as profundezas quentes do submundo.

Um som estranho foi surgindo, crescendo, aumentando de volume. Quanto mais para baixo, mais grave era o som. No início era só um grunhido, depois foi ficando mais intenso, como se um tannîn estivesse preso lá nas profundezas. É claro que isso era impossível, pois não havia dragões aprisionados no abismo de Salmavet, estavam todos lá em cima, voando ao redor das torres, porém, havia outra coisa ali embaixo, muito mais terrível.

Seus pés finalmente alcançaram o chão. Ele percebeu que estava dentro de uma masmorra. Correntes soltas saudosas de antigos prisioneiros estavam por todo lado. Havia lama e água quase fervente no chão. O cheiro putrefato de restos de animais foi o primeiro golpe que precisou assimilar.

A luz da pedra shoham iluminou as paredes úmidas e mofadas e, também, os escombros deixados por antigos deslizamentos. Ossos estavam por todo lado. Não eram só de animais. Um fêmur se destacou. Seus olhos distinguiram o corredor e ele caminhou na direção onde percebia o som mais alto e o cheiro mais forte. Calculou que a razão de sua longa jornada estava poucos metros à sua frente.

Aqueles foram os metros mais longos de todo o percurso até Salmavet. O cheiro repugnante contrariava a lógica e ficava ainda pior, mas a causa do embrulho no estômago que o fazia sentir como se suas entranhas estivessem se enrugando estava bem ali na frente. Imaginava o que aconteceria se alguém despreparado aparecesse ali. Incredulidade seria uma possibilidade, afinal, mesmo frente à mais pura realidade, uma pessoa poderia não acreditar em seus olhos. Terror seria a sensação dominante, um terror que arrepiaria cada centímetro de pele, percorreria cada vaso sanguíneo, até explodir dentro do cérebro em forma de um pavor incontrolável, imobilizante. Uma sensação dolorosamente conhecida. Fora exatamente o que sentira quarenta anos atrás.

À medida que se aproximava da plataforma, ouvia o grunhido soar cada vez mais ameaçador. O som ia e vinha como uma respiração pesada. A luz da shoham deslizou trêmula e ansiosa pelas paredes de pedra, mostrando fendas e raízes de árvores secas que se infiltravam sorrateiramente das trevas exteriores. Pareceu levar uma eternidade até que finalmente focalizasse a plataforma. Então, ele o enxergou. Estava lá, exatamente como os papiros e pergaminhos antigos descreviam minuciosamente, e como o havia visto em sonhos incontáveis desde aquele dia fatídico. Bem no meio de uma estrutura circular de pedra mais antiga do que a própria fortaleza tenebrosa, preso por correntes, ele contemplou a razão de sua longa viagem: o prisioneiro dos shedins.

De costas e de longe lembrava um homem, exceto pela incrível palidez da pele, pela altura impressionante de quase seis metros e pelos chifres que se enroscavam na cabeça. Era tão magro que quase parecia esquelético. Os cabelos pretos como a noite lhe caíam pelas costas deformadas.

As correntes vinham de quatro direções de dentro das paredes e seguravam os pés e os braços que pareciam em carne viva. Suspenso e com os joelhos dobrados, parecia adormecido. Mesmo assim, vê-lo despertava os mais intensos e descontrolados sentimentos. Não era qualquer dia que um homem via um demônio.

Por um momento, por achar que ele realmente dormia, o giborim alimentou a ilusão de que sua tarefa seria mais fácil e menos gloriosa. Talvez os shedins tivessem sugado o poder da criatura mais do que deveriam, e o destino finalmente estivesse lhe sorrindo. Houve um tempo em que todas as esperanças de Irofel estavam nessa criatura. O projeto foi abandonado, mas os shedins ainda o usavam como fonte de poder do Abadom

Num instante, o monstro virou a cabeça balançando as correntes metálicas, confirmando que não se podia confiar em promessas fúteis do destino. O monstro revelou seus olhos malignos, escuros e sombrios, porém não opacos — na verdade vivos... ou mortos... — que chamejavam com um brilho malévolo e avermelhado. O olhar do monstro quase fez com que o sangue do guerreiro congelasse em suas veias.

— Achei que você não vinha mais, Kenan — a criatura rosnou, a voz demoníaca inundou o submundo. O monstro virou todo o seu corpo na direção do guerreiro. Fez um rangido quase ensurdecedor com as correntes em movimento e também com seus dentes afiados e desejosos de morder carne humana.

Kenan hesitou. Como sabia que ele viria? E como se lembrava de seu nome?

— Você me deixou esperando desde a última vez — a criatura riu desdenhosamente, transpirando malignidade. — E você sabe que esperar é uma das coisas mais desagradáveis, embora seja a única que me é permitida fazer.

Kenan levou a manga ao rosto e recuou por instinto uns dois passos. Isso só fez a criatura rir ainda mais.

— Você já devia estar acostumado — ironizou o demônio. — Não deve ser diferente do cheiro de sua alma. Ela também fede.

Suas palavras malignas e debochadas eram terríveis, castigavam como chicotes, eram carregadas de uma perversidade atordoante.

Kenan sabia que precisava agir. Não podia dar ouvidos ao que ele dizia e deixar que o dominasse, pois o medo seria a porta de entrada para que o monstro operasse. Dessa vez a história não devia se repetir. Mas, o fato de sua visita ali não ser surpresa, causou um efeito retardante. O guerreiro tentava compreender as implicações. Estaria fazendo a coisa errada? Ele sabia que, num sentido, tudo o que fazia ali era errado, mas poderia ser o caso de que estivesse sendo muito mais errado do que poderia imaginar?

— O que você acha que pode fazer? — a criatura se moveu agressivamente, balançando as pesadas correntes mais uma vez. — Não é o suficiente para você? Eu sou um prisioneiro! Você não está vendo?

Havia um sarcasmo arrogante e desafiador na voz do nephilim.

— Será que essas correntes realmente prendem você? — rebateu Kenan, encontrando forças para falar. Queria que sua voz tivesse saído mais firme, mas ela fraquejou. — Ou será que elas, de certo modo, o mantêm livre?

— Então, você descobriu? — a criatura riu maliciosamente.

— Nós deveríamos ter descoberto antes...

— Você tem razão. É tarde demais. — A criatura caminhou em sua direção, as correntes pareciam subitamente longas; os quatro grandes chifres se inclinavam como lanças. — Não há mais nada que você possa fazer. Você sabe há quanto tempo eu não devoro alguém como você? — o monstro soltou outra risada sarcástica. — Meus hospedeiros não costumam servir comida fresca. No máximo, de vez em quando jogam um cordeiro... Há milhares de anos eu não provo uma criança. Eles não são de retribuir o que lhes ofereço... Ficam com as crianças todas para eles... Acredite, eu nem vou ligar se sua carne estiver mais dura do que há quarenta anos.

A essa altura, eles estavam muito próximos. Kenan sentia o hálito horrendo da criatura. Perto assim, era possível ver as aberrações pelo corpo inteiro como pequenos chifres pontudos, também as cicatrizes que o encobriam, e até mesmo as escoriações pelo corpo. O sangue dos ferimentos escorria amarelado como lava de vulcão. Podia ver que os shedins o haviam sugado demasiadamente. Mesmo assim, a força do monstro desencorajava um enfrentamento.

— Eu sempre soube que um dia você voltaria — disse a criatura demoníaca com um misto de raiva e sarcasmo. — É uma grande idiotice a presa procurar o predador, especialmente após ter conseguido, por um misto de covardia e sorte, escapar uma vez. Mas uma alma atormentada como a sua não conseguiria mesmo ficar longe, não é? A vingança tem um sabor delicioso. Mas hoje eu terei a minha e não você a sua!

— O que você terá é o Abadom — esbravejou Kenan, sentindo as palavras do adversário como espetadas. Tinha que encontrar forças nelas para fazer o que precisava ser feito. E depressa.

— Estas correntes são indestrutíveis! — retrucou a criatura. — Mas são bem longas...

O monstro fez menção de atacá-lo, então Kenan acionou a terceira pedra, a amarela. Uma forte fricção liberou um clarão atordoante. A luz invadiu a câmara subterrânea como se o sol estivesse nascendo ali. A criatura das trevas recuou. Não podia suportar toda a luminosidade da pedra shoham carregada com a luz do sol.

Subitamente, uma lâmina refletiu a luz da pedra e faiscou naquele submundo. Kenan revelou seu grande trunfo, mantido em oculto até aquele momento pela capa vermelha.

Os olhos terríveis, mesmo feridos pela luz, se fixaram na lâmina e desceram para o cabo, então Kenan viu o ódio insuportável traspassar a face horrenda.

— Você não tem direito de usar essa espada! — vociferou a criatura. — Você está quebrando o tratado!

— Contemple Herevel, criatura do Abadom! — bradou Kenan segurando a espada bem alto. — Ela vai mandá-lo para o lugar ao qual você pertence!

Empunhando a pedra do sol em uma mão e Herevel na outra, o guerreiro de Olam investiu contra o nephilim. Havia se preparado para fazer isso durante praticamente cada dia dos últimos quarenta anos, só esperava que a espada ainda tivesse o poder depois de dois mil anos de descanso.

A criatura recuou diante da pedra e da espada. Urrava de ódio, porém não podia ignorar que estava diante de um adversário considerável. O nephilim conhecia o poder da espada sagrada dos kedoshins.

Kenan percebeu que aquela era sua oportunidade. Renunciando às dúvidas e a todos os pensamentos que questionavam sua atitude, ele atacou. Foram apenas dois ou três passos decididos, então moveu a espada e deu um golpe poderoso numa das correntes que prendiam o monstro. Fez tudo exatamente como ensaiara e sonhara incontáveis vezes; entretanto, nada saiu como ele planejara, e muito menos como sonhara, exceto em alguns de seus piores pesadelos.

O barulho do metal batendo contra metal ecoou pelo túnel escuro uma fração de segundo após as faíscas saltarem. Com o impacto, Kenan foi arremessado para trás, como se não tivesse peso e nem tivesse mais corpo. Mas ainda tinha. A forte dor na nuca ao se chocar contra a parede quente e úmida vários metros atrás comprovava isso.

Quando conseguiu olhar para a criatura, percebeu atordoado que nada acontecera. As correntes estavam incrivelmente intactas.

— Tolo! — o monstro escarneceu. — A espada não pode encontrar dignidade em um coração embrutecido! O poder depende daquele que a maneja. Seu ódio será o seu fim!

Kenan sentiu a dor aguda na cabeça. Então percebeu que seus problemas estavam só começando. A pedra do sol havia escapulido de sua mão e jazia apagada em algum lugar da câmara escura. A espada também lhe escapara.

A criatura veio em sua direção saltando e rastejando desajeitadamente como um animal asqueroso, provando que as correntes eram realmente longas.

— Preso e livre ao mesmo tempo — o nephilim riu do desespero do visitante —, agora você conhece todo o meu segredo.

Apavorado, Kenan abandonou todo o plano. Entre golfadas de ar e batidas descompassadas do coração, tentou se levantar e correr. Temia que o desespero se tornasse tão intenso que impedisse a fuga. Mas era inútil, não podia mais se afastar, estava preso numa espécie de teia devido ao campo de energia. Suas pernas ficaram pesadas, seus movimentos lentos, toda força de vontade se esvaiu, a cena de quarenta anos atrás começou a se repetir. E o desespero tomou conta de sua mente e coração.

Por um pouco de sorte, mas muito mais por misericórdia do destino, o que talvez seja a mesma coisa, ele viu Herevel caída bem ao seu lado. Talvez a espada estivesse lhe dando uma segunda chance. Diante do olhar faminto do monstro que vinha chacoalhando as correntes em sua direção, Kenan reclamou a espada sagrada outra vez para si. No auge do desespero, sabia que só lhe restava o caminho da humilhação. Não era digno de usar aquela espada. Porém, precisava confiar nela ou ser despedaçado.

Kenan fez todo o esforço do mundo para se aquietar. Tentou se acalmar. Respirou uma, duas vezes, três. Buscou toda a sabedoria e o equilíbrio emocional que jogara fora. Lembrou-se dele e do mestre nas montanhas geladas treinando com aquela espada. Segurou Herevel ereta com as duas mãos na altura do ombro esquerdo, como sempre fazia diante de todo tipo de ataques com artefatos materiais e imateriais que o mestre lançava contra ele. Frações mínimas de tempo passaram, mas ele esperou com a concentração como se fossem dias. Finalmente as sensações se acalmaram. As alegrias ou tristezas silenciaram dentro de si. Morrer deixou de ser algo que o impressionava ou que o atrapalhava. Então, de algum compartimento secreto de sua alma vieram a paciência e a obstinação para aguardar o momento exato.

O momento chegou. Numa fração de tempo que nem poderia ser medida, o monstro o encontrou e saltou abrindo a imensa boca para devorá-lo. E passou direto.

Kenan se esquivou, desferiu um golpe certeiro numa das correntes, e disse as palavras antigas.

— *Herev uri, rumah Herevel veutzekah*[3].

Um pedido para que a espada fizesse seu papel. Uma invocação de seu antigo poder.

A espada dos kedoshins se iluminou e as faíscas saltaram para todos os lados. A lâmina adentrou o metal abrindo um sulco como se fosse um trilho cortante, a corrente se partiu e soltou uma das pernas do monstro.

O demônio urrou e tentou atingir novamente o guerreiro.

Rápido e eficiente, Kenan golpeou a outra corrente que também se partiu sob o fio implacável de Herevel. No mesmo instante uma ofuscante luz avermelhada surgiu de uma fenda sobre a plataforma de onde as correntes saíam. Uma força invencível começou a sugar tudo para baixo.

O Abadom estava aberto, duas correntes partidas já eram suficientes para abri-lo, mas ainda não para arrastar a criatura. As outras duas ainda deviam ser partidas para que o prisioneiro dos shedins fosse libertado e enviado para o abismo das trevas eternas.

---

3 Desperta ó espada! Exalta-te Herevel em tua força.

Enquanto o monstro se debatia à sua frente, Kenan resistiu a tentação de atacá-lo diretamente com Herevel. Não devia destruí-lo, precisava mandá-lo de volta para o Abadom. Nenhuma ofensa seria maior aos shedins do que essa.

O nephilim urrava enlouquecido e tentava atingir Kenan por todos os meios possíveis. O poder de atração do abismo semiaberto o fez cair de costas sobre as pedras da plataforma. Urrava e se agitava numa confusão de pernas, braços, garras e chifres. Mesmo toda a sua avassaladora força era insignificante diante do poder do Abadom ao qual ele pertencia e que agora o reclamava para si.

As duas últimas correntes se partiram sob a espada de Kenan. Uma verdadeira explosão de luz vermelha alcançou o teto e saiu pelo buraco do fosso, semelhante à erupção de um vulcão. Depois começou a puxar tudo de novo para o centro da terra.

Sentindo suas botas deslizarem arrastadas para as profundezas, Kenan fincou a espada no chão e se segurou firmemente ao cabo. A luz avermelhada era tão forte que cegava. Abaixo dela, na escuridão, as criaturas da Era Anterior, julgadas e aprisionadas naquele mundo-prisão, podiam ser vistas. Se fosse arrastado para lá, viraria um brinquedo daqueles monstros.

Sua esperança mais uma vez era Herevel. Ela o manteria fora do abismo, se ao menos conseguisse se segurar por alguns instantes.

Apertou o cabo com mais força. Logo o portal se fecharia. Se aguentasse um pouco mais, teria realizado a primeira parte de sua missão, a segunda seria conseguir sair vivo de Salmavet e da terra de Hoshek.

"Defender Olam das trevas, servir à justiça e ao próximo, viver pela honra e cumprir todas as promessas, ser um guardião das pedras, nunca agir em benefício próprio, respeitar a Lei e o Melek..."

Ele recitou o longo juramento de um giborim de Olam. Era a única coisa que lhe vinha à mente e lhe dava forças para se segurar.

A força da sucção foi tão forte que sentiu seu corpo sendo levantado e girado no ar. Suas mãos se agarravam dolorosamente ao cabo da espada encravada na rocha.

Num instante final, para seu desespero, uma das mãos do monstro saiu do abismo e o alcançou. As garras praticamente esmagaram seus ossos.

Isso era tudo o que não podia ter acontecido, pois ou o monstro o arrastaria para o Abadom, ou a espada manteria ambos fora dele.

"Viver e morrer pelo bem do povo livre de Olam..." — Sua voz havia se transformado num gemido de agonia. — "Nunca deixar que as pedras sejam utilizadas para o progresso dos perversos ou o bem-estar pessoal. Entregar a própria vida pela causa da justiça e da verdade..."

Kenan sabia o que devia fazer e isso era o mais desesperador. Ele precisava se soltar e se deixar arrastar para aquele inferno. Seu treinamento exigia isso dele, e seu juramento também. O preço era justo e, de certo modo, previsto, mas ele não queria pagar. Sua mente mandava, mas suas mãos não obedeciam.

Se já era penoso suspender seu próprio corpo sendo sugado, o peso da criatura era colossal. Kenan sabia que, de qualquer maneira, não aguentaria mais tempo. Aqueles segundos demoraram uma eternidade. Kenan urrava de dor ao sentir todo o seu corpo esmagado, suas mãos sangrando e a espada escapulindo. Ele viu seu sangue escorrendo pelo cabo de Herevel, o mesmo sangue outrora derramado no juramento de vingança pela vida de sua noiva. Um juramento não cumprido. Não podia morrer ou descer ao Abadom, pelo menos não ainda. Não antes que os homens e criaturas que haviam feito aquilo com sua amada fossem completamente destruídos.

Suplicou que a espada o segurasse um pouco mais, embora fosse indigno de utilizá-la. Seus olhos se fixaram na pedra que se destacava qual um coração na ligação entre o cabo e a lâmina. O sangue de suas mãos se confundia com a cor da pedra. Então, a espada, a sorte ou o destino, ou talvez todos eles juntos, ofereceram-lhe a chance final. Herevel se soltou do chão como se estivesse se condenando a descer para o abismo, mas não escapou da mão dele. Talvez tenha sido ele próprio, ou talvez alguma energia incompreensível que o moveu — nunca soube dizer de onde vieram a força e a precisão — ele golpeou a garra da criatura; vários dedos foram decepados, o monstro desceu para as trevas absolutas. O último som que ele ouviu foi um rugido desesperador que foi sumindo enquanto o prisioneiro liberto dos shedins descia para o Abadom.

Num piscar de olhos o círculo se fechou, a luz vermelha desapareceu, e a força centrípeta parou. O corpo de Kenan, ainda impulsionado das alturas em direção ao portal fechado, bateu dolorosamente contra a pedra dura da plataforma. Ele soltou um gemido de uma dor tão intensa quanto o alívio que sentia.

Então tudo ficou súbita e estranhamente calmo, como quando um furacão instantaneamente se desfaz, e toda a energia em ação simplesmente volta ao estado de repouso.

Quando sua respiração se normalizou, conseguiu ouvir até mesmo os pingos da água que evaporava do chão e se condensava no alto, retornando em gotas quentes.

Ping, shring, ping, intermináveis se multiplicaram pelo calabouço de Salmavet, desmentindo com sua regularidade todo o caos daquele lugar.

Não havia mais sinal do híbrido, exceto por alguns dedos monstruosos, meio humanos, meio demoníacos, do tamanho de uma perna de homem, os quais também bateram no portal fechado e jaziam no chão de pedra. Até mesmo o calor insuportável do lugar parecia ter diminuído um pouco.

Kenan se levantou e viu as imensas correntes partidas.

"Vós que estivestes preso e livre ao mesmo tempo, alimentando-vos e alimentando o mal à vossa volta, punindo e sendo punido por todo o mal de vosso tenebroso coração, agora retornai ao Abadom, ao qual pertenceis, e dele nunca mais saiais."

Kenan disse as palavras imprecatórias misturadas com alívio, dor e exaustão.

Era até mesmo difícil acreditar na inusitada vitória que obtivera quando tudo parecia perdido. Conseguira mandar a criatura de volta para o Abadom, agora poderia mostrar aos seus líderes que esse feito era possível. Havia dado um golpe considerável no poder dos shedins de Salmavet. A energia malévola do Abadom, que fluía das profundezas e subia até a terra de Hoshek por meio do nephilim acorrentado sobre a passagem de pedra, estava interrompida. Sabia que era só um em centenas, talvez até mais, mas pelo menos poderia convencer seus líderes. O tempo da inércia acabara; isso já era uma vitória.

O guerreiro de Olam permaneceu alguns instantes no centro da plataforma com um dos joelhos no chão e as mãos descansando sobre o cabo da espada. Quarenta anos atrás havia escapado dali por um triz, e carregara o fracasso e a vergonha por todas aquelas décadas. Agora finalmente se livrara daquele fardo indesejável. Sua vingança começava a se cumprir.

Ele vagarosamente se levantou sentindo agulhadas por todo o seu corpo. Começou a verificar os estragos. Provavelmente duas ou três costelas quebradas e várias luxações pelo corpo. O saldo era incrivelmente positivo. Kenan ergueu Herevel e a contemplou orgulhoso e trêmulo. Parecia ainda mais bela. O cabo e as hastes cravejados de pedras brancas quais diamantes, a pedra vermelha, a harmonia de seus dois gumes. Era perfeita. A longa lâmina, apesar de ter cortado as correntes indestrutíveis como se fossem de papiro, não exibia nenhuma marca, como se nunca tivesse sido usada.

Ainda havia poder na espada dos kedoshins.

"Aproveite a estadia!", ironizou olhando para a plataforma onde há pouco o híbrido, que alimentava a cidade, estivera acorrentado.

Colocou Herevel para repousar em sua bainha. Agora ela lhe pertencia, conquistara o direito de usá-la, não era mais um usurpador.

Bem longe da cortina de trevas que isolava a terra de Hoshek da terra de Olam, a aurora despontava no horizonte quando o líder supremo da mais sagrada e temida classe de guerreiros de Olamir, os giborins de Olam, deixou o abismo da sombria Salmavet.

Kenan, o Guerreiro, surpreendeu-se por não encontrar resistência ao sair. Concluiu que o ato de mandar o nephilim de volta para o Abadom não havia causado o barulho que ele imaginava, ou talvez a realidade ilusória criada pela pedra shoham ainda imobilizasse os guardiões. Porém ele estava errado a respeito dessas coisas... De uma coisa, entretanto, ele estava certo: não havia mais retorno, havia começado uma guerra.

2 Sonhos destruídos

O fogo devorava o casarão de Havilá e Ben sentia os efeitos em sua própria carne. Mas a dor das queimaduras nas mãos não era nada diante da dor de sua alma ao ver a destruição causada pelas labaredas. O desespero o fizera tentar entrar na casa tomada pelo fogo. As chamas dominavam os dois andares do casarão e também o subsolo. A velha biblioteca estava destruída, seu mestre, o velho Enosh, morto...

Ben estava num estado de choque. Sentia-se paralisado, o que via não podia ser real. Nunca desejou tanto estar em um pesadelo, apesar de, no fundo, saber que não era. Ele ouvia e via indistintamente os gritos e as pessoas que tentavam jogar água nas labaredas ainda não saciadas. O casarão quadrado, o edifício mais alto da pequena cidade, tinha dois andares feitos com tijolos queimados. Os andares eram sobrepostos e recuados. Era sua casa... Não seria mais.

A noite não queria ir embora de Havilá. A manhã tentava expulsar as trevas de Olam com uma claridade tênue, pois pesadas nuvens encobriam a terra. Uma chuvinha fina acariciava o chão e revestia os telhados lisos e primitivos das casas com uma película branca, mas a garoa nada podia fazer em relação às chamas amareladas que a desafiavam. As chamas intensas se destacavam na paisagem acinzentada e enevoada. Eram quase belas. Tão belas quanto destruidoras.

Um sentimento de culpa devorava o guardião de livros, tanto quanto o fogo consumia a biblioteca. Sua desatenção havia cobrado um preço alto. Na noite anterior ele estivera organizando uma nova remessa de livros deixados por um colecionador para herdeiros que não sabiam valorizar o conhecimento. Devido à complexa lei de resgate vigente em Olam, Enosh precisou esperar meses até os herdeiros desistirem dos livros para, enfim, resgatá-los. Eram tantos que foi necessário alugar uma pequena casa para armazená-los até serem catalogados, pois não havia mais espaço na biblioteca, e ainda não podiam transferi-los para as pedras. No meio daqueles pergaminhos, a maioria sem valor, estava o exemplar sobre criaturas demoníacas que teriam habitado em Olam em milênios passados, antes que os shedins fossem subjugados pelo poder do Olho de Olam. Criaturas de uma era interrompida pelo julgamento dos irins. Ben se distraíra com o livro e adormecera com o pergaminho em suas mãos, por isso, não havia percebido o chamado urgente de seu mestre, o dono da biblioteca, no meio da noite.

Os homens que tentavam apagar o incêndio não o deixavam se aproximar. Especialmente depois que ele, com as mãos desnudas, havia tentado abrir a porta da biblioteca tomada pelo fogo. Só lhe restava ficar ali, impotente, olhando para a cena terrível, sentindo como se uma parte de sua vida também estivesse virando cinzas, e houvesse se tornado órfão pela segunda vez.

O velho e enérgico Enosh não era seu pai. Por muito tempo, saber isso, fora quase um alívio para o guardião de livros. Mas aprendera a gostar dele quase como a um progenitor, mesmo sem saber exatamente o quanto se devia gostar de alguém assim. Ben sempre se perguntava por que um homem com todo aquele conhecimento se exilava num lugar tão distante e atrasado quanto Havilá. O velho parecia esconder algo de seu passado, mas raramente falava sobre isso. Ben não perguntava, até porque também não gostava de falar sobre o passado. No seu caso não era porque havia algo de que não se orgulhasse, era porque não havia nada lá.

Chamavam Enosh de "o Velho". Nenhum outro título poderia ser mais óbvio, exceto, talvez, "o Amargo". Segundo o costume de Olam, acrescentava-se ao nome um epíteto representando algo feito pela pessoa, ou alguma qualidade especial que ficasse como um sobrenome. Ben esperava algum dia ser chamado de Ben, o Guerreiro, ou Ben, o Latash. Os latashim eram lapidadores clandestinos, atualmente considerados fora da lei, por isso, por enquanto, precisava se contentar com o apelido de "guardião de livros" dado por seus amigos, devido ao trabalho de catalogar e guardar livros na biblioteca. Enosh fora um dos últimos latash, talvez, o último.

A chuva fina engrossou um pouco. Ben sentiu seus cabelos ficando ensopados. Quase todos os dias chovia forte em Havilá, mas justamente naquele dia, só havia aquela garoa que pouco podia fazer para conter as chamas. E mesmo aquele repentino aumento chegava tarde demais.

Mais e mais pessoas começavam a se aproximar olhando horrorizadas para aquele acidente. Algumas se dispunham a ajudar a apagar as chamas, mas havia pouca coisa a ser feita. A maioria delas não gostava do velho, pois não tinham simpatia por forasteiros, mas na hora da tragédia havia algo no ser humano que superava as diferenças.

Ben viu a parte de cima do velho casarão desabar com um forte estrondo. Vários homens precisaram se afastar apressadamente para não serem atingidos pelos escombros. Ben soltou um gemido baixo. Lá em cima ficava o quarto do velho. Sabia que ele não conseguira sair a tempo. Com sua dificuldade de locomoção, isso era impossível.

O acesso para a biblioteca no subsolo também estava escancarado. O fogo havia consumido a porta e subia lá de dentro, crepitando satisfeito com o material do qual se alimentava com abundância.

Ben sentiu uma dor estranha em seu coração, como nunca sentira. Era como se um ferrolho incandescente estivesse atravessando seu peito. Uma náusea percorreu o canal que ia do estômago até a garganta. O espasmo interior foi incontrolável, atravessou todo o seu corpo, e ele vomitou sofregamente. O mundo girou mais uma vez, enquanto seus pés pareciam pregados no chão.

Quase toda a sua vida fora dedicada àquela biblioteca. Dias e noites de incansável trabalho. Pela primeira vez, Ben sentiu as lágrimas correndo por seu rosto. Pareciam tão quentes quanto as chamas que ainda estalavam.

— Se você não fosse tão teimoso! — ele lamentou, pensando no mestre Enosh e em todas as vezes que havia insistido com ele para que mudassem para um lugar com menos escadas. Nunca o havia chamado de pai. E agora que o havia perdido, isso lhe causava dor ainda maior.

O guardião de livros não conseguia entender a causa daquele incêndio. Não utilizavam mais lamparinas movidas a óleo na casa, pois as pedras shoham lapidadas por Enosh espargiam luz suficiente. Era verdade que as marcas de lapidação feitas nas pedras lançavam algumas faíscas, uma vez que as pedras eram duras como diamantes, e as incisões precisavam ser profundas em alguns casos, mas isso não parecia suficiente para causar um incêndio. Ben começava a temer jamais saber o que havia acontecido.

Então sentiu um estalo dentro de sua cabeça, na parte de trás, uma vibração que lhe percorreu o globo cerebral, dando várias voltas. Ele ouviu uma voz feminina dizendo seu nome. Olhou assustado em volta para ver quem estava chamando, mas ninguém estava lhe prestando atenção; todos corriam de um lado para o outro, tentando salvar o pouco que restara do velho casarão. Ben entendeu que a voz vinha de outro lugar. Era um chamado através de uma pedra shoham e, pelo chiado dentro de sua cabeça, sabia quem era.

— Leannah — disse Ben com um gemido ao colocar a mão sobre uma pequena e esférica pedra shoham pendurada por um colar, como um medalhão, dentro de sua camisa. Instantaneamente uma conexão se estabeleceu com o leve tremor característico, que lhe atravessou o corpo; nada mais que um arrepio, mesmo assim, não era uma conexão perfeita.

— Não havíamos combinado ao amanhecer, Ben?

A voz conhecida e melodiosa de Leannah parecia impaciente. Ela devia pensar que ele ainda estivesse dormindo. Como podia morar numa cidade tão pequena e não saber do incêndio? Mas então lembrou que era muito cedo. Ninguém iria acordar a filha do sumo sacerdote para dizer que um incêndio estava ocorrendo numa casa de forasteiros.

— Ao amanhecer? — ele perguntou ainda atônito contemplando o velho casarão destruído.

— Exatamente! — confirmou Leannah. — Você se esqueceu de nosso passeio até as Harim Adomim?

De algum lugar de sua mente conturbada veio a lembrança de que haviam combinado algo nesse sentido. Pretendiam ir até um alto mirante nas montanhas onde as pedras shoham eram extraídas.

— Você já está vindo? Vai demorar muito? — insistiu Leannah.

— Está tudo queimando... — ele disse tão baixo que quase não ouviu sua própria voz.

— O que está queimando, Ben? — perguntou Leannah com a voz um pouco assustada, percebendo que havia algo errado.

— Tudo... O casarão... A biblioteca... Os livros... Enosh... — a última palavra foi só um gemido.

A conexão se desfez bruscamente. Ben se sentiu aliviado. Sentia-se zonzo. As conexões frequentemente causavam isso, mas naquele dia havia mais motivos.

A fumaça que saía do casarão o envolvia no meio da rua enlameada, fazendo seus olhos e garganta arderem. Não havia sensação pior na vida do que a de ter chegado tarde demais.

Ben contemplou sua pedra de comunicação com um olhar angustiado. Diferentemente da pedra usada por Leannah, aquela era uma pedra de alta precisão. Era compacta, tinha a circunferência de uma grande moeda e a espessura de três. Era vermelha e brilhante. Tinha milhares de minúsculas incisões que formavam pequenas faces. Ben a chamava de Halom. Havia sido um presente de Enosh. Agora, era a única coisa que lhe restava.

Instantes depois, Ben viu se aproximar uma jovem com longos, lisos e abundantes cabelos da cor do cobre. Ao seu lado estava um rapazinho ruivo um pouco mais baixo. Sentiu-se surpreso com a rapidez com que chegaram ali. Nem percebeu que havia ficado vários minutos quase catatônico diante do casarão, contemplando sem ver as chamas serem apagadas pelo esforço dos homens e pela chuva aumentada.

Os dois amigos correram aflitos até onde Ben estava parado no meio da rua. Leannah, mesmo um pouco mais magra do que as outras garotas, era bonita, uma beleza ainda adolescente. Havia completado dezessete anos poucas semanas antes. Usava um vestido de uma única peça de tecido. Na parte de cima era justo, amoldando-se ao corpo e destacando seu busto, depois se afunilava na cintura esguia. Na parte de baixo, o vestido se abria um pouco para as laterais para facilitar a movimentação. O que mais se destacava nela era a cabeleira avermelhada.

— O que aconteceu? — perguntou Leannah assombrada diante daquela tragédia.

— Eu não sei — disse Ben.

— Onde está o velho Enosh? — perguntou Adin.

O nome do garoto era Admoni, mas eles o chamavam Adin. Às vezes, por zombaria, Ben o chamava de Adin, o Sardento. Seus cabelos também eram avermelhados. Porém, ao contrário de sua irmã que tinha um rosto totalmente sem manchas, o dele era cheio de sardas, daí o título zombeteiro que Ben lhe dera para deixá-lo ainda mais corado. Adin tinha quatorze anos e usava uma roupa semelhante à de Ben, uma camisa quadrada, feita de um tecido rústico de algodão. Era colorida, alternando as cores azul, amarelo, branco e vermelho. A camisa deixava os braços livres, por isso era apropriada para o verão. Abaixo da cintura o tecido se repuxava e escondia as partes íntimas, atravessando no meio das pernas e se interligando atrás. Ainda descia para as coxas, rodeando-as. Usava sandálias com sola de madeira e faixas de couro que prendiam seus pés.

— Ninguém o viu — respondeu Ben. — Enosh não conseguiu sair... O quarto dele ficava no segundo andar... Eu não estava aqui... — se justificou olhando para o casarão destruído. — Estava catalogando os livros novos... não pude fazer nada...

Alguns minutos depois, os homens terminaram a tarefa de apagar as chamas do velho casarão. Pouco a pouco foram se retirando desanimados, pois não haviam conseguido salvar nada. Ben se dirigiu a um deles.

— E meu mestre? Vocês encontraram seu... — Ben não conseguiu completar a pergunta.

O homem apenas balançou a cabeça, contrariado.

— O fogo devorou tudo muito rapidamente... Se tivéssemos sido avisados antes...

A informação fez com que Ben perdesse a noção dos riscos outra vez. Sem pensar em mais nada, ele se dirigiu para dentro do que restara do velho casarão.

— Cuidado! — o homem ainda advertiu. — Tudo está muito quente, as paredes que restaram podem desabar.

Mas Ben nem prestou atenção ao que ele disse.

Adentrou as paredes quentes respirando com dificuldade em meio à fumaça que ainda brotava dos montões de papiro e de couro, mas dessa vez tomou cuidado para não tocar em nada. O cheiro do couro queimado era enjoativo. A água que os homens lançaram encharcava o local. Lá dentro contemplou aquilo que sua mente já sabia: não havia sobrado nada dos livros da biblioteca. Mais uma vez Ben foi tomado por uma sensação de desolação. Como era possível perder tudo tão rápido? Centenas, ou talvez, milhares de anos de pesquisas e relatos agora eram carvão e couro retorcido. Ele andou em volta percebendo que nem um único livro restara. Só uma fração daquele conhecimento havia sido transferida para Ieled. O mundo havia perdido um patrimônio incalculável.

A lembrança da grande pedra armazenadora fez com que Ben se impulsionasse em direção à sala secreta. Ele foi seguido de perto por seus dois amigos que, silenciosos, respeitavam sua dor. A passagem estava aberta. Entrou cuidadosamente, temendo encontrar o corpo do mestre. Dentro da sala em que ficava Ieled, tudo estava revirado, mas fora o lugar onde o fogo menos agira, provavelmente porque não havia material abundante para queimar. Os aventais estavam derretidos, e os pequenos e delicados instrumentos de lapidação carbonizados, inclusive as lupas de alta precisão que só eram fabricadas em Olamir. Não havia sinal do velho e nem da pedra shoham que Enosh chamava de Ieled. A fumaça praticamente o sufocava.

Seus olhos lacrimejavam enquanto vasculhava o local, tentando encontrar alguma pista do que havia acontecido. No canto da pequena sala, um amontoado de pedras carbonizadas chamou sua atenção. Ele se aproximou e começou a manuseá-las. Ainda estavam quentes. Teve que fazer alguns malabarismos com elas enquanto esfriavam. Eram pequenas pedras shoham, refugo de vários formatos das Harim Adomim. A maioria não havia sido lapidada. As pedras shoham não se derretiam com fogo, por isso estavam intactas, mas uma camada escura as tinha encoberto. Buscou no meio do montão de pedras por uma em especial. Talvez ela revelasse os segredos daquela madrugada. Era um pouco maior do que as outras, e também um pouco mais escura. Naquele momento a cor não o ajudaria muito, pois todas estavam envoltas por uma grossa película de carvão, mas o formato sim, pois era único. Ben envolveu a pequena pedra que se destacava das demais por ser totalmente redonda, como um ovo de passarinho. Com o tecido de sua camisa colorida, ele a esfregou tentando livrá-la do invólucro preto, acrescentando uma nova cor à sua camisa. Aos poucos, o brilho avermelhado começou a aparecer por entre as manchas escuras.

Adin e Leannah tentavam espiar sobre os ombros de Ben, mas não entendiam o que ele estava fazendo.

— Encontrou alguma coisa? — Leannah não aguentou mais a curiosidade.

Ben se voltou para os dois amigos com uma cara de espanto. Estava tão concentrado em sua tarefa que havia se esquecido da presença dos dois. Então retornou para o salão da biblioteca onde havia menos fumaça. Segurava, um tanto quanto relutante, a pedra na palma da mão.

— É Ieled? — perguntou Adin ao ver a pedra vermelha redonda.

— Ieled é bem maior — explicou. — Essa é uma pedra observadora. Ela consegue captar tudo o que acontece num espaço de tempo de dois ou três dias. O formato arredondado possibilita captar tudo o que está à sua volta. É um pouco parecido com o processo de recepção de imagens feito por nosso olho.

— É uma pedra sentinela? — perguntou Leannah.

Ben se lembrou de que já explicara para ela o funcionamento das pedras sentinelas.

— Sim, mas o alcance desta aqui é bem pequeno, apenas dois ou três metros. Só serve para ambientes pequenos.

— Mas por que uma pedra sentinela aqui dentro? Elas não são utilizadas pelos giborins para monitorar estradas, portos e outros lugares suspeitos?

— Enosh queria uma pedra sentinela para revisar os procedimentos de lapidação. — Ben respondeu, entendendo a dúvida de Leannah.

Ele próprio havia ficado intrigado quando o velho lapidara aquela pedra e a posicionara num lugar estratégico onde não chamasse atenção. A sentinela estava acumulando provas das atividades deles. Se fosse usada no tribunal do Conselho de Sacerdotes, ele não queria nem imaginar o resultado. Sem falar que, se caísse em mãos erradas, o segredo da lapidação poderia ser descoberto. Agora, entretanto, talvez a pedra pudesse revelar o que havia acontecido.

— Vocês vão ficar conversando ou vamos logo ver o que a pedra gravou? — perguntou Adin, impaciente.

Ben terminou o polimento e a deixou reluzindo sobre a palma de sua mão. Naquele momento temeu o que a pedra poderia revelar. Mas o olhar insistente de Leannah e Adin o convenceu a ativar a pedra.

Ele se preparou para iniciar o procedimento-padrão de revisão do conteúdo, que constituía em limpar a mente e colocar a outra mão sobre a pedra para receber suas informações. Limpar a mente não foi fácil. Não só pelos acontecimentos já presenciados, mas pelo que ainda poderia observar através daquela pedra. Ben se esforçou para não pensar em nada. Fechou os olhos e respirou profundamente.

Quando finalmente conseguiu estabelecer a conexão, foi como se a sala devastada se reconstruísse imediatamente. Os instrumentos queimados, os móveis, as paredes destruídas, as estantes, tudo se recompôs. Ben contemplou a sala exatamente como ela estava no dia anterior.

A primeira imagem que viu foi de si mesmo. Até estranhou sua imagem alta e um pouco curvada enquanto manejava os rolos e ajudava a transferir o conhecimento para Ieled. Os cabelos castanhos escuros desordenadamente lhe cobriam as orelhas. O nariz era um pouco proeminente, e um tique no olho esquerdo era resquício das noites mal dormidas. Também havia certo mau humor, que aflorava facilmente em forma de irritação, principalmente quando o assunto era Havilá e suas tradições.

Sabia que sua fama não era muito boa na pequena cidade. As pessoas diziam que ele era um jovem muito inquieto. Não poucos comentavam sobre seu comportamento estranho e agressivo, e como se envolvia em brigas e discussões por motivos fúteis. Ben era um jovem alto e esguio, o corpo era atlético, apesar de nunca ter realizado tarefas físicas difíceis. Não havia nada de especial em sua aparência. Completara dezoito anos dois meses atrás.

O procedimento de lapidação que se viu fazendo precisava ser feito passo a passo, rolo por rolo, marca por marca. Uma marca de lapidação abria espaço para que a pedra armazenadora copiasse as informações do rolo, lendo-a com sua luz rosada; então, outra marca fechava a informação. Uma nova abria espaço para outro rolo, e assim por diante. Cada marca devia ser precisa, do tamanho exato em relação ao conteúdo do livro; isso era medido em milímetros, com a ajuda de uma poderosa lupa. Era um trabalho cansativo, mas para Ben, fascinante. Esse era o mais simples dos procedimentos de lapidação. A parte difícil era a necessidade de paciência. Enosh sempre dizia que nenhum homem se tornaria um mestre lapidador, um latash, sem desenvolver uma paciência ilimitada. Às vezes, Ben pensava que isso seria um empecilho até mesmo maior do que a proibição imposta aos latashim em relação ao casamento.

Ainda se lembrava da primeira vez em que o velho lhe explicara como Ieled conseguia ler as informações dos livros. Tinha sete anos, mas sentira-se um primitivo dos povos distantes, absolutamente incapaz de crer naquela magia vista por seus olhos. Na verdade, não havia nada de mágico, tratava-se apenas de técnica. Ou será que era a mesma coisa?

Através das imagens da pedra sentinela, enxergou também o velho e isso lhe causou uma estranha sensação de falta que jamais quisera admitir. Ele o viu passando um longo tempo sozinho na noite anterior, com o costumeiro cálice de prata e a mesma quantidade de vinho aromático. Ele estava com as duas mãos sobre Ieled e elas tremiam levemente; os olhos negros estavam fechados, enquanto vasculhava informações de outras pedras de lugares distantes. A curta barba negra que destoava para alguém tão velho tremia com suas respirações pesadas. Ben temia que o velho estivesse gravemente doente. Um dia Ben sugeriu que ele viajasse até Olamir, onde havia pedras curadoras, mas o olhar frio lançado, quando dissera isso, e também as palavras em seguida, fizeram Ben nunca mais tocar no assunto.

"Se eu precisasse de uma pedra curadora, eu mesmo a lapidaria".

Ben viu o velho entrar e sair da sala secreta pelo menos três vezes durante aquela noite, arrastando a perna ferida. Isso mostrava sua indecisão. Todas as vezes, ele colocava as mãos sobre Ieled e depois desistia do que pretendia fazer.

Enosh lhe confessou uma vez que Ieled era a mais perfeita pedra de comunicação e armazenamento existente em Olam. Possuía uma capacidade praticamente infinita para reter dados. Era também capaz de acessar informações de qualquer pedra presente em alguma rede, e fazia isso sem que pudesse ser detectada e sem jamais revelar a identidade da pessoa que a manejava. Enosh lhe dissera que ninguém mais conhecia a técnica de lapidação capaz de realizar isso, mas não lhe explicara como ele a conhecia.

Subitamente, a pequena pedra sentinela revelou as imagens dos últimos acontecimentos daquela madrugada. A mente de Ben foi inundada com as cenas brutais. Como se tivesse levado um golpe, ele soltou um grito de espanto, desequilibrou-se e quase caiu.

— Eles levaram Enosh! — foi tudo o que conseguiu dizer ao desconectar. — Ele não está morto!

Estava de volta à biblioteca destruída. Zonzo, agarrou-se a parede para não cair. Sentia um misto de alívio e apreensão. Por um lado, o velho de fato não havia morrido no incêndio, mas talvez isso não lhe devesse dar esperanças.

— Eles quem? — perguntou Leannah.

— Eu não sei. Um homem encapuzado... Alguém invadiu a biblioteca esta madrugada... Não foi um acidente...

— Mas foi alguém da cidade ou de fora? — perguntou Leannah ainda sem conseguir acreditar que um ato de violência pudesse ter acontecido na pacata Havilá.

— Vejam vocês mesmos... — Ben fez sinal para que eles se aproximassem da pedra sentinela. Isso lhe pareceu melhor do que tentar explicar.

Ben encaixou a pedra sentinela entre suas duas mãos abertas. Leannah e Adin colocaram as mãos sobre as de Ben. Com as seis mãos entrelaçadas, começaram a enxergar uma luta desproporcional dentro da sala secreta.

A sala se reconstituíra mais uma vez, a sensação nítida era de que a cena estava acontecendo no mesmo momento, bem na frente deles. Era tão real que parecia bastar esticar a mão para poder intervir, embora uma distância temporal intransponível os separasse. Leannah gritou ao ver a figura escura encapuzada, semelhante a um espectro. Havia algo de inumano no agressor. Por várias vezes, eles enxergaram Enosh sendo severamente golpeado pelo oponente misterioso. O intruso manuseava uma espécie de cutelo, uma adaga curta e pesada usada em cerimônias religiosas. Com ela infringia-lhe ferimentos.

Aquela violência explícita os chocou. Principalmente porque tudo parecia estar acontecendo bem diante deles. Ele precisou se segurar para não intervir. Era difícil convencer sua mente de que não havia nada a ser feito.

— Olamir saberá disso! — eles viram Enosh gritar enquanto se aproximava de Ieled sobre a mesa. O encapuzado o golpeava, mas parecia mais interessado em torturá-lo do que matá-lo. — Eles saberão o que vocês pretendem com essa guerra!

Diante das palavras, o invasor atingiu o velho com um forte golpe na cabeça.

— O caminho da iluminação! — Enosh conseguiu gritar, olhando diretamente para a pedra sentinela; o sangue escorria por sua face. — Olamir! Encontre Thamam!

Era a segunda vez que Ben via a cena e ouvia aquelas palavras, mas isso só fez aumentar a compaixão pelo esforço do velho, mesmo ferido, em tentar se comunicar com ele. Era óbvio que o velho sabia que a pedra sentinela gravava o que estava acontecendo. Por isso aquele recado final para procurar Olamir, Thamam e o caminho da iluminação.

Ben fechou os olhos quando o último golpe por trás o derrubou. Depois a pedra sentinela captou as imagens do invasor carregando o velho. Em seguida, as chamas tomaram conta da sala, e subitamente a pedra se escureceu quando uma película de carvão a encobriu.

— Quem era aquele homem? — perguntou Leannah, em estado de choque, assim que retiraram as mãos da pedra sentinela. Instantaneamente, retornaram ao casarão destruído pelo incêndio e precisaram esperar a zonzeira característica daquele tipo de procedimento desaparecer.

— Eu não sei o que aconteceu aqui — lamentou Ben ainda falando um pouco enrolado pelo efeito do procedimento de revisão. — Enosh tentou me chamar de volta esta madrugada, mas não conseguiu. Ele queria que eu viesse aqui ajudá-lo com alguma coisa... Aparentemente descobriu algo que não devia ter descoberto...

— O velho falou sobre uma guerra... — Adin se pronunciou. O rosto do garoto estava pálido.

— Ele vinha falando muito sobre isso ultimamente — concordou Ben com amargura. — Disse que Ieled havia mostrado que uma guerra começaria. Uma frase que ele repetiu várias vezes foi "as forças do mal sempre podem contar com os tolos, com os vingativos, e com os que querem ser heróis". Mas eu não entendia o que ele estava falando. E todas as vezes que pedi mais explicações, ele disse que para o meu próprio bem era melhor que eu não soubesse.

— Você não teve culpa — disse Leannah ao perceber o quanto Ben estava se culpando pelo ocorrido.

Ben se abaixou para pegar um pequeno formão metálico, utilizado para lapidar.

— Vocês viram? Ele deixou o recado para mim.

— O que é esse caminho da iluminação? — Leannah revelou que estava pensando exatamente naquilo.

— Um livro — Ben apontou, com o pequeno formão encarvoado, para o local onde os livros estavam todos destruídos.

Leannah caminhou decidida para o lugar que Ben indicou. Em seguida, um pouco relutante, Ben foi atrás dela até o jarro de cerâmica onde o velho guardava seus livros favoritos, só para confirmar o que já sabia.

Do jarro não havia restado nada, os pergaminhos estavam queimados. Um deles ainda estava enrolado, mas totalmente preto. Ben tentou cuidadosamente desenrolá-lo para ver se algo de seu interior estava conservado. O pergaminho subitamente se desmanchou em suas mãos, levando junto qualquer esperança de descobrir alguma coisa. Só restara fuligem.

— Será impossível saber o que ele queria dizer... — constatou Adin com desânimo.

— O que você pretende fazer? — perguntou Leannah. — Vai levar o assunto ao conhecimento dos sacerdotes de Havilá?

— E o que poderiam fazer? — perguntou com uma rispidez da qual se arrependeu assim que ouviu suas próprias palavras, afinal Leannah e Adin eram filhos do sumo sacerdote. — Se acreditassem nessa história, a única coisa que fariam seria encobri-la. Além, é claro, de me punirem por ter ajudado o velho a transmitir o conhecimento dos livros para a pedra shoham... Vocês se esqueceram? Ele era um latash! E eu, o aprendiz dele.

Enquanto falava, Ben posicionou a pedra sentinela no chão. Com o pequeno formão, tratou de apagar as informações coletadas. Elas provavam coisas demais. Só precisou fazer uma pequena incisão sobre a anterior, responsável pelo armazenamento das cenas. A pedra ainda dispunha de bastante espaço para novas incisões, pois sua capacidade armazenadora estava pela metade, mesmo assim, Ben a jogou no chão. Nada mais importava para ele.

— Quem é Thamam? — lembrou Leannah do nome dito por Enosh, após observar atentamente o procedimento que Ben havia executado sobre a pedra sentinela.

— Não sei. Aparentemente alguém de Olamir que Enosh conhecia... Se Ieled ainda estivesse aqui, eu poderia tentar consultá-la, mas também foi levada...

— Pobre Enosh... — lamentou Adin.

Só naquele momento Ben se deu conta do quanto gostava do velho. Enosh não o tratava com muita gentileza, pois isso não fazia parte de seu modo de ser, mas nunca o havia maltratado além do suportável e, em alguns momentos, Ben até mesmo achara que ele o olhava com alguma ternura. Principalmente quando lhe dera Halom, a pequena pedra shoham de comunicação, dentro daquela mesma sala, quando completara dez anos. Havia sido o único presente que recebera na vida.

A lembrança da pedra de comunicação fez com que tivesse um estalo.

— Será possível? — perguntou, olhando para o rolo do caminho da iluminação totalmente carbonizado.

Ele tirou Halom da corrente dependurada dentro da camisa e a contemplou. As milhares de faces na superfície da pequena pedra possibilitavam o armazenamento, a parte larga e arredondada permitia a comunicação, mas havia um número incontável de outras marcas que Ben não compreendia, nem sabia se tinham alguma função. Uma pedra lapidada com aquela qualidade era um presente valioso demais. Mercadores pagariam talvez o valor de uma pequena cidade por ela. Ben nunca entendera porque o velho havia lhe dado uma pedra tão perfeita e preciosa.

Leannah e Adin o olhavam, fazendo um esforço para adivinhar o que ele estava pensando. Se pudessem ler sua mente ficariam assustados. Havia uma junção de fragmentos de antigas conversas, de cenas que assistira algumas noites quando era muito pequeno e via o velho conversando com desconhecidos que vestiam capuzes cinzentos. Lembrava-se da preocupação do velho em não deixar que ele obtivesse certas informações das pedras, mas que, em algumas ocasiões, acidentalmente ele acessara... Tudo era um grande quebra-cabeça que, naquele momento, ele tentava juntar, mas não conseguia. Só tinha certeza de uma coisa: o velho escondia segredos perigosos. Segredos que, por fim, alcançaram-no na pequena e insignificante Havilá.

— Ontem, antes de eu sair para catalogar os livros, ele me pediu Halom de volta — revelou Ben. — Disse que precisava fazer alguns ajustes nela.

— Ajustes? — repetiu Leannah. — Isso quer dizer que...

— Enosh é um perfeccionista, ele sempre está tentando melhorar a própria técnica... Pensei que fosse isso... Mas talvez ele tenha... Sim. O livro... O caminho da iluminação... Talvez esteja aqui.

Adin e Leannah se aproximaram e, por um momento, os três permaneceram apenas olhando para a pedra na mão de Ben. Havia um sentimento de excitação e também de apreensão, como um prenúncio do que aquela pedra poderia revelar. Eles não podiam imaginar o quanto essa intuição estava correta.

Com a mão trêmula, Ben iniciou o procedimento-padrão para acessar o conteúdo de Halom. Se Enosh tivesse armazenado dentro dela algum tipo de informação,

Ben poderia descobrir, desde que não estivesse bloqueada. Com os olhos da mente, o guardião de livros mergulhou na imensidão da capacidade armazenadora de Halom. Ele viu os livros que ele próprio já havia adicionado. A estrutura imaginária criada era bem semelhante à própria biblioteca que existia no casarão. Os livros apresentavam formatos similares e ficavam nas mesmas posições. Criava a ilusão de estar dentro de uma biblioteca real. Entretanto, a experiência da leitura por meio da pedra era incomparável. O conteúdo dos livros era passado para a mente humana em alta velocidade; três vezes a velocidade que uma pessoa conseguia ler um livro.

Havia uma boa quantidade dentro de Halom, embora não representasse nem um décimo do que havia na biblioteca real, agora destruída. Então, ele o enxergou. Estava numa das laterais do ambiente óptico criado através da pedra. Ele se aproximou do jarro de cerâmica destruído no mundo real, mas, dentro de Halom, intacto. Sabia que o vaso real armazenava quatro ou cinco rolos, mas no virtual havia apenas um. O único transferido. Ben leu o título.

Quando retirou a mão da pedra Halom e abriu os olhos, Leannah e Adin tiveram a certeza de que o livro estava lá, antes mesmo que Ben dissesse alguma coisa. Estava em seus olhos.

— O livro é sobre o quê? — perguntou Leannah. — Você conseguiu ler algo?

— Há apenas um mapa. Um mapa da terra de Olam... Sem pontos de localização. E um poema.

— Um poema? — perguntou Leannah intrigada.

— Sim.

— Você o memorizou?

— Sim. Ele tem apenas quatro linhas.

— Fale logo! — disseram os dois irmãos uníssono.

Quatro etapas a seguir é o caminho da iluminação.
Para o poder redescobrir, é preciso guardar o coração.
Uma só verdade a luzir, por um caminho sublime.
A tarefa não irá se cumprir, até que a alma se ilumine.

3 O início do caminho

Kenan não sabia como havia ido parar naquele lugar terrível. Estava em território de shedins e sa'irins, e os demônios estavam furiosos. Por mais vergonhoso que fosse, tentava se esconder entre as fendas das rochas e nos esconderijos dos penhascos nus. Sem Herevel não podia enfrentar de igual para igual guerreiros shedins livres, nem mesmo sa'irins. No fundo sabia que era inútil, não havia saídas.

Todo o seu treinamento e a sua peregrinação espiritual haviam dado em nada. Banido da sociedade só lhe restava vagar pelos antros malcheirosos daquele submundo. Não havia esperança de retorno. Nunca mais veria os rostos dos poucos que amava, nem a luz dourada de Shamesh nascendo sobre a planície aos pés de Olamir, tampouco a luz do Olho de Olam no alto da torre da cidade branca, brilhando soberana, espalhando vida e conhecimento para um mundo que chegava ao seu ocaso.

Seu destino agora era descer cada vez mais ao submundo; sua condenação era conhecer as trevas, as profundezas, o ódio e a insatisfação de uma vida perdida, errante, sem jamais ter a oportunidade de consertar todos os seus erros. O mais difícil era aceitar sua condição inapelável, definitiva, e, acima de tudo, justa.

Quando ouviu os rosnados à sua volta, Kenan não fugiu mais. Não adiantava. Sabia que estava cercado. Logo as criaturas apareceram. Pareciam lobos possuídos, desfigurados e famintos. Kenan conseguia sentir o cheiro podre exalado dos corpos deformados das bestas possuídas pelos oboths.

"Pelo menos poderiam ter dado a honra de virem pessoalmente!", gritou para as rochas indiferentes. "Preferiram mandar os cães!"

Encontrando um último resquício de forças, Kenan tentou fugir, mas um dos animais abocanhou uma de suas pernas e ele caiu. Logo outro estava sobre suas costas. Sentiu as mandíbulas da criatura se afundando em sua nuca. Tudo era dor. Clamou pela morte, mas sabia que ali, ela não o atenderia.

Kenan acordou e percebeu que estava suado apesar do frio da noite. Aquele sonho terrível com o Abadom era recorrente. Lá fora, o silêncio calmo da madrugada em Olamir contrastava com seus sentimentos íntimos.

O giborim se levantou da esteira e caminhou para fora do apertado quarto do posto de observação, situado no alto da antiga fortaleza dos Vinte Valentes Mortos. Ainda era muito cedo, mas sabia que não conseguiria mais voltar a dormir. Ele ganhou o vazio da noite e sentiu o orvalho frio sobre os cabelos e ombros. Isso lhe trouxe uma sensação estranha. Andar sem sua Aderet, a capa honorífica que sempre trazia sobre as costas, era quase o mesmo que andar nu. Mas ela havia se rasgado em sua incursão em Salmavet, quando a garra da criatura o engolfou antes que o nephilim descesse para as trevas eternas. A capa repousava desfigurada em um canto de seu aposento.

Evrá, a grande águia dourada, o saudou com um piado triste. Estava aninhada no alto do penhasco escuro que servia de parede para a fortaleza. A partir daí sabia que os olhos eficientes não o deixariam. Isso o confortava. Eram os únicos olhos que jamais o olhavam com desconfiança ou juízo.

O guerreiro caminhou em direção ao parapeito e apoiou suas mãos sobre a muralha. A frieza das pedras lhe trouxe algum alívio. Provava que ainda estava no mundo real. Mas por quanto tempo? Uma lua que vencia a luta contra seu lado sombrio se despedia do céu de Olam.

— Yareah partiu, Shamesh deve retornar — recitou a prece. — A luz venceu as trevas... A luz sempre vence...

O posto de observação, acoplado à antiga fortaleza, ficava no alto da montanha. Kenan contemplou a grande cidade de Olamir, adormecida a centenas de metros abaixo. As luzes emanadas das pedras shoham, elevadas sobre postes, deixavam a cidade parecida com o céu estrelado. Daquela altura, havia uma visão generosa da mais poderosa cidade de Olam e também do deserto, objetivo máximo da vigilância dos giborins. Kenan olhou para a cidade com um sentimento dúbio. Ela representava tudo pelo que ele lutara e se sacrificara durante todas aquelas décadas. Manter seu esplendor sempre fora a razão de sua existência. Mas agora havia dúvidas e temores, e um sentimento de que em algum ponto do caminho havia perdido as verdadeiras razões pelas quais lutava.

Deixou seus olhos buscarem as silhuetas longínquas do deserto sombrio, o qual se estendia até Schachat, cidade torre da desolação em Midebar Hakadar, e depois até a cortina de trevas, onde todo o perigo que o mundo poderia enfrentar ainda se ocultava nas cidades como Salmavet, Ofel e Irofel. Se os habitantes de Olamir fizessem ideia do que havia naquelas cidades, por certo, ninguém conseguiria dormir tranquilo lá embaixo. Um mal profundo, inominável, ainda latente, mas disposto a crescer até engolir tudo, num retorno triunfante e destruidor de uma era de condenados. Lutara contra tudo aquilo durante sua vida, e agora, de certo modo, apressara tudo o que sempre tentara evitar.

Olhou para o chão do deserto que começava a ganhar a cor avermelhada aos pés da grande muralha branca com um sentimento de ansiedade, o qual não escondia certo remorso. Sabia que o local logo estaria cheio de carros, cavaleiros, aríetes, torres e todo tipo de soldados sombrios. O cerco seria terrível, e então, a cor avermelhada do chão não seria mais por causa do sol nascente.

Consolou-se com a ideia de que aquilo era a única opção. Quanto antes a guerra acontecesse, mais chances Olamir tinha de sair vitoriosa. Olamir só precisava estar preparada.

A fortaleza dos Vinte Valentes Mortos era seu lar quando estava em Olamir. Não conseguia ficar no centro da cidade com todo aquele vaivém de futilidades. Sacerdotes políticos brigando por espaço e poder, mestres lapidadores não muito confiáveis que precisavam de vigilância total para não desviar pedras, além das pessoas nobres e altivas que viviam uma ilusão de conforto e segurança dentro das altas muralhas. A única coisa que sabiam de combates era por causa dos debates filosóficos sobre inutilidades, os quais aconteciam diariamente nas praças milenares. Tudo aquilo era demais para seu estômago.

O posto de observação, em contraste, era puro silêncio. Principalmente porque era guardado dia e noite por apenas dois giborins a cada turno. Conversar não era uma de suas tarefas.

Kenan sentia-se orgulhoso em fazer parte do restrito grupo de cinquenta homens, os giborins de Olam, e mais ainda de ser o líder deles, embora no fundo soubesse que era indigno dessa missão. A temível ordem fora ressuscitada há pouco mais de cem anos. Era verdade que os atuais giborins não se comparavam aos antigos nasîs, os guerreiros que os kedoshins treinavam quando ainda estavam em Olam. Mas eram homens sóbrios e eficientes, preparados rigidamente para exercer a função de proteger as pedras shoham. Conversavam apenas o necessário, aspiravam a poucas coisas na vida e eram minuciosamente eficientes em seu trabalho. Não havia patentes, nem disputas políticas, apenas serviço. Só uma condecoração conquistada por méritos: um segundo cordão atravessado na armadura. Dos cinquenta, 45 giborins já o possuíam, e os demais não demorariam a recebê-lo. Um terceiro cordão era dado apenas ao líder supremo da ordem.

Kenan olhou outra vez para a Aderet desfigurada pelo híbrido. Precisava confeccionar outra capa com três cordões. Se voltasse para Olamir sem ela, se sentiria nu. Porém, agora, provavelmente nem a capa conseguiria esconder sua vergonha.

Somente quando um giborim morria, um novo recebia a Aderet. Ao contrário do que se dizia, cinquenta era uma imposição do Conselho de Olamir, pois os sacerdotes e lapidadores temiam que um poder muito grande e paralelo pudesse se estabelecer. Kenan desejava que o número fosse maior. Mas políticos nunca gostavam muito de soldados, principalmente, soldados que não podiam controlar.

Normalmente, duzentos ou trezentos guerreiros costumavam disputar uma vaga de giborim quando surgia. Esse número Kenan achava apropriado, considerando que um giborim de Olam, armado com armas potencializadas por pedras shoham, após todo o treinamento secreto, valia por duzentos ou trezentos soldados convencionais, e alguns, até mesmo mais do que isso. Com quinhentos giborins, o exército de Olamir seria imbatível. Se os políticos entendessem isso!

Ocorreu que nos últimos anos, precisaram oferecer a Aderet para cinco novos giborins. Número necessário para substituir os que haviam morrido em uma única batalha em Midebar Hakadar, quando perseguiam um grupo de salteadores que atacaram uma das caravanas das pedras shoham. Kenan e seus companheiros perceberam tarde demais que estavam sendo atraídos para uma armadilha dentro do deserto cinzento. Aquela fora a primeira vez que ele vira um sa'irim. Precisaram enfrentar dez deles, além de diversos cavaleiros-cadáveres e chacais possuídos pelos oboths. Eram sete giborins e mais vinte soldados de elite de Olamir. Nenhum dos soldados sobrevivera, e apenas dois giborins conseguiram escapar. As criaturas monstruosas, meio humanas, meio animalescas, feitas de uma mistura de seres humanos, bodes selvagens e leões, manejavam lanças capazes de perfurar a mais resistente das armaduras de Olam. Quando teve uma amostra do poder e da ferocidade com que os sa'irins lutavam, Kenan se convenceu de que os shedins estavam preparados para a guerra. De certo modo, aquilo fora a gota d'água para ele decidir colocar o antigo plano em ação.

Enquanto contemplava a cidade que jurara defender, mas que não mais lhe inspirava o respeito de outrora, Kenan pensou mais uma vez no terrível pesadelo. Queria se livrar daquele sonho que o perseguia desde que mandara o nephilim para o Abadom. Temia, mais cedo ou mais tarde, ver a concretização da visão. Já fazia três dias desde sua incursão em Hoshek, e, até agora, nada parecia ter acontecido. Porém, ele sabia que não demoraria até que tudo viesse à tona. E quando isso acontecesse, seria como uma avalanche, ou melhor, como uma tempestade de areia. Os shedins não iriam engolir a grande ofensa que lhes fora feita.

— Mesmo assim, o nephilim sabia que eu apareceria lá — sussurrou para si mesmo a dúvida que quase o impediu de agir dentro do abismo de Salmavet. — Como ele sabia?

Evrá decolou do penhasco e se lançou num voo rasante em busca do desjejum. O giborim de Olam a acompanhou com o olhar, admirando sua plumagem dourada que começava a se acender com os primeiros clarões da alva. Então se assentou sobre o alto parapeito da fortaleza, cruzou as pernas e fechou os olhos. Por quase duas horas, entregou-se à sua meditação matinal, se esquecendo de tudo o que acontecia na cidade abaixo e também das dúvidas que militavam em seu coração.

Quando terminou a meditação, levantou-se e tomou o caminho para o centro da cidade. Estava na hora de Thamam saber de tudo o que estava acontecendo. Sabia que pagaria um preço alto por isso. Mas, Olamir precisava se preparar para a guerra.

* * * *
* * * * *

Midebar Hakadar era o pior lugar do mundo fora da cortina de trevas. Era uma espécie de deserto recoberto de fuligem onde o sol raramente aparecia. Uma grande faixa de deserto que separava a terra de Hoshek da terra de Olam, mas obviamente assemelhava-se mais a Hoshek do que a Olam.

Uma reduzida e, ao mesmo tempo, letal comitiva composta de seis integrantes marchava sobre a fuligem do deserto cinzento. Seu destino era as Harim Neguev, as montanhas secas que se erguiam como uma cordilheira morta e espremida entre as areias escuras de Midebar Hakadar e as águas bravias do Yam Kademony. Uma área de penhascos altíssimos que, de um lado, sobressaíam-se estéreis ao deserto, e, de outro, detinham a fúria do mar oriental. Lá, em antigas e gigantescas cavernas esculpidas na rocha, habitavam os gigantes chamados de anaquins, a quem a comitiva estava procurando.

Quem liderava a comitiva era o guerreiro shedim chamado de "o tartan", o comandante dos exércitos sombrios de Hoshek. Seu verdadeiro nome era Mashchit, mas isso poucos conheciam ou sabiam pronunciar. Sua missão aquele dia era diplomática. O objetivo era conseguir aliados contra Olamir e, por outro lado, deixá-la desamparada o máximo que fosse possível para a guerra que começaria em breve.

O tartan parecia um espectro. Vestes escuras sob a longa capa negra envolviam todo o seu corpo, deixando à mostra apenas as mãos que eram retorcidas como garras. A cabeça era calva e esticada para frente, as orelhas pontiagudas esticadas para trás. Tudo nele transmitia uma sensação de distorção. Aberrações como pequenos chifres se espalhavam por seu corpo. Seus dentes eram ferinos e escuros, seus olhos eram vermelhos como o sangue. Era o segundo na hierarquia dos shedins, mas sob muitos aspectos, o mais temido. Não demonstrava nada do aparente refinamento de Naphal, o atual líder.

O corpo do tartan estava num estágio avançado de distorção. As antigas restrições impostas aos shedins os obrigavam a utilizar aquele tipo de corpo para se mover fora de Hoshek. Ele o estava utilizando há mais tempo que qualquer outro. Pelo nível de degradação atual não podia demorar muito a fazer a troca, mas não era apenas a comodidade que o fazia retardar, era também o tempo perdido. Com todas as modificações necessárias para suportá-lo, ficaria fora de combate por mais tempo do que poderia se permitir, e isso justamente quando finalmente as sombras se lançariam outra vez contra a luz com chances reais de apagá-la.

O tartan montava um estranho cavalo negro e segurava na mão esquerda uma longa alabarda — uma lança pontiaguda com um machado longo e afiado. O cabo da alabarda era adornado com pedras negras e pedaços de crânios humanos. Ele segurava o instrumento como se fosse o cetro de um feiticeiro.

Dirigia-se para as Harim Neguev para fazer uma convocação que não seria fácil de ser atendida, pelo menos não como havia sido nos outros lugares e povos já passados. No caso dos reinos vassalos de Bartzel, os quais ele acabara de deixar para trás, havia motivações para atender ao chamado. Eram inimigos históricos de Olam e aliados de Hoshek desde eras, e serviam aos shedins devido a uma mistura de medo e ganância.

O tartan ainda ria do brilho desconfiado e, ao mesmo tempo, cobiçoso no olhar dos reis vassalos; especialmente do rei do bronze, quando lhes prometeu que poderiam utilizar as pedras para seus próprios propósitos após Olamir ser subjugada e Salmavet vingada do ultraje realizado pelo giborim. Do mesmo modo, os refains de Schachat não tiveram razões nem condições para recusar o chamado, embora a situação de escravidão deles fosse bem diferente da dos reinos vassalos. Há muito tempo os refains não tinham vontade própria, não passavam de zumbis.

Entretanto, os numerosos exércitos de Schachat e Bartzel eram insuficientes para a ambição de destruir Olamir. Mesmo se a cidade branca não pudesse contar com o poder pleno da luz do Olho de Olam que estava se enfraquecendo, ainda dispunha de um exército poderoso, principalmente se convocasse todas as grandes cidades do vale do Perath, e não havia dúvidas de que faria isso quando se sentisse ameaçada. O poder combinado de todos os exércitos de Olam teria uma força considerável. E ainda havia o reino de Sinim, ao oriente, no Além-Mar. A jovem rainha provavelmente atenderia ao chamado de Olam, em honra da antiga aliança. Sem falar que Olamir, por sua própria constituição natural, com sua alta muralha branca sobre o precipício, era praticamente inexpugnável. Os exércitos invasores poderiam ficar por décadas aos pés do abismo branco, como alvo fácil da artilharia de Olamir, pois a cidade-fortaleza tinha condições de sobreviver por muito tempo.

Por tudo isso, quanto mais demorasse a invasão, menos chances isso teria de acontecer. O ataque teria de ser fulminante. Por isso, o conselho dos shedins havia decidido convocar os anaquins para a batalha iminente. Os gigantes seriam o fiel da balança. Precisavam deles para uma tarefa específica quando cercassem Olamir, pois só havia um modo de invadir a cidade, um estratagema cuidadosamente planejado por Naphal a ser realizado pelos gigantes. O problema seria convencê-los.

Nenhuma promessa de recompensa ou pressão poderia convencer os gigantes, pois sua inteligência, apesar de limitada, era razoável para rejeitar a primeira, e sua força mais do que suficiente para resistir à segunda. Lutariam até a aniquilação se fosse preciso, mas não seriam convencidos pela força, pois tinham um juramento com Olamir para cumprir. Entretanto, Mashchit articulava outra estratégia para fazer os rebeldes e valentes anaquins se submeterem à vontade de seu senhor.

As patas do cavalo negro afundavam na areia fofa do deserto, o rastro deixado para trás logo era encoberto devido ao vento monótono que a movimentava. O cavalo tinha uma cabeça deformada, a boca era mais larga do que o normal, os dentes protuberantes eram ameaçadores. Parecia um cruzamento com algum animal desconhecido. Chifres desalinhados na cabeça e escamas nas ancas destoavam de um cavalo; a cauda também era ameaçadora e pontiaguda, movia-se como se tivesse vontade própria e podia ferir como uma lança. E havia ainda duas asas membranosas drapeadas nos lombos. O tartan o chamava de Tehom.

Cinco companheiros a pé escoltavam o tartan: quatro sa'irins e um refaim. O refaim, andando como um zumbi, seguia à frente de Tehom indicando o caminho. Os refains de Schachat conheciam o deserto como ninguém, por isso Mashchit trouxera um, embora desprezasse profundamente aquelas criaturas meio mortas meio vivas.

Os sa'irins, entretanto, eram guerreiros terríveis; os preferidos do tartan. Manejavam uma longa lança, mediam cerca de três metros, e simplesmente não conheciam a palavra medo. Quatro deles poderiam vencer um exército de homens. Eram uma criação especial de Naphal, feitos de uma mistura genética de seres humanos, leões e bodes selvagens. Eram peludos, musculosos e aberrantes. O rosto desfigurado lembrava um humano, mas com traços animalescos e olhos demoníacos.

Inicialmente, os próprios shedins pretendiam utilizar aqueles corpos fabricados como hospedeiros para se movimentarem fora da terra de Hoshek. Entretanto, já nos primeiros testes perceberam que seu intelecto tornava os hospedeiros muito irrequietos e difíceis de controlar, separando as partes humana e animal. A experiência, porém, não foi perdida. Naphal convocou espíritos sombrios chamados de sa'irins para possuírem aqueles corpos. Eram espíritos de uma era anterior, antes mesmo da que havia sido engolida pelo Abadom. Os antigos espíritos vagavam amaldiçoados num espaço intermediário entre Hoshek e o Abadom, condenados a uma eterna espera por julgamento. Os sa'irins não podiam andar desencarnados pela terra como os oboths nem tampouco possuir corpos humanos como os shedins, pois eram bestiais demais e rompiam seus hospedeiros. Então, Naphal conseguiu convencê-los a possuir aqueles corpos. O único inconveniente era que, caso a parte material fosse destruída, os espíritos sa'irins se desintegrariam, pois não poderiam voltar ao estado intermediário precedente. Mesmo com esse risco, os sa'irins concordaram, afinal, assim seria possível andar novamente naquele mundo e saciar seus apetites.

A opção da comitiva reduzida era para não afrontar aos anaquins. De certo modo, o tartan estava ali para convencê-los amistosamente, mesmo sabendo que isso não anulava necessariamente o uso da força. Nos tempos antigos, os gigantes haviam sido aliados dos shedins. Lutaram diversas batalhas por razões exclusivas de conquista e despojos, depois fizeram uma aliança com Olamir, então, abandonaram as guerras dos homens e dos shedins. Até o momento nada os convencera a deixar essa posição.

Tudo havia acontecido numa época da qual poucos ainda se lembravam. O filho preferido do senhor dos gigantes fora acometido de uma doença incurável, então, o senhor dos anaquins engoliu o orgulho e buscou ajuda de Olamir. Ele implorou pelo uso das pedras curadoras, ofereceu todos os seus despojos de guerra em troca, suplicou desesperadamente por ajuda da cidade branca. Na época, o Conselho de Sacerdotes de Olamir se negou a ajudar os anaquins. A justificativa foi o risco de levar uma pedra curadora até as Harim Neguev. Por outro lado, também não podiam introduzir um gigante dentro de Olamir. Contudo um homem, um dos principais sacerdotes de Olamir, sabendo da situação, e mesmo não ignorando os riscos, viu uma oportunidade para desfazer uma inimizade desnecessária. Esse homem furtivamente se dirigiu até as Harim Neguev e levou uma das pedras shoham lapidadas com fins medicinais. Com ela, curou a enfermidade do filho do senhor dos gigantes, porém exigiu que Anaque jurasse não mais se lançar à guerra contra Olam. Foi um juramento formal, uma aliança de vida e morte sob a maldição dos pedaços. Uma grande serpente, um abutre gigante e dois touros selvagens foram partidos ao meio para que o representante de Olamir e o senhor dos gigantes jurassem aliança. Eles passaram lado a lado entre os pedaços, como era o costume, tornando a aliança inquebrável.

Os anaquins haviam cumprido o juramento desde então, apesar de Naphal ter enviado um contingente significativo de guerreiros shedins para puni-los por sua obstinada deserção. Naquela batalha, muitos gigantes foram mortos, e as forças de Naphal também sofreram baixas. Aquela havia sido a última ocasião em que o tartan se encontrara com os gigantes, por isso, definitivamente não poderia esperar receptividade nesse reencontro. Os anaquins só não sabiam que o poder dos shedins havia aumentado muito nos últimos anos, graças aos nephilins e às pedras escuras.

A comitiva finalmente pisou o solo composto de um estranho minério muito duro, utilizado pelos anaquins para fazer armas. Com elas, caçavam monstruosas aves de rapina, serpentes gigantes conhecidas como saraphs, e também outros animais imensos do deserto.

— Quem ousa invadir os domínios do senhor dos gigantes? — uma voz ruidosa interrompeu a marcha da comitiva. Isso os fez saber que já estavam na terra dos anaquins.

Eles ouviram a voz, mas não viram a figura que falava, apenas os estrondos no chão feitos pelos pés daqueles homens monstruosos.

Então, eles surgiram. Três gigantes. O enorme cavalo do tartan batia abaixo da cintura deles. Tinham mais que o dobro do tamanho dos sa'irins. Eram musculosos, lembravam um pouco os gorilas das terras distantes do oeste, mas não tão peludos. E eram mais inteligentes do que os gorilas, embora, certamente, essa não fosse a principal virtude deles.

O que havia de mais distintivo naquelas criaturas era uma fileira de protuberâncias ao longo de toda a coluna cervical. Destacava-se especialmente na nuca e no alto das costas, que era a parte mais desproporcional. Os três empunhavam enormes manguais, com duas estrelas de ferro ligadas por grossas correntes.

Subitamente o ar se tornou cheio de uma energia negativa, pois nenhuma das duas comitivas era amistosa. Os sa'irins rugiram diante da ameaça, e os gigantes levantaram seus manguais.

— Estamos aqui em nome de Naphal — anunciou o tartan com sua voz baixa e gutural. — Eu exijo falar com o Senhor dos Anaquins.

— Não foram convidados — rebateu um dos gigantes. — É petulância adentrarem nossos domínios, e também um grave erro — ameaçou.

— Quem decidirá isso é o seu senhor — desafiou o tartan. — Sua função é me levar até ele. Eu conheço as regras do seu clã.

Como esperado, o batedor atendeu ao pedido. O tartan esperava que seu conhecimento dos costumes deles o ajudasse a convencê-los, mas também sabia que os gigantes podiam se tornar bastante imprevisíveis.

As Harim Neguev não poderiam ter outro nome. Montanhas secas. Eram formações rochosas imensas, totalmente destituídas de qualquer vegetação e inteiramente modificadas pelos anaquins. Eles haviam construído várias cidades recortando a rocha das montanhas em forma de meia lua. Na principal das cidades, o altíssimo paredão ficara liso e a rocha recortada assemelhara-se ao mármore brilhando ao sol. No paredão semicircular, centenas de cavernas haviam sido escavadas umas sobre as outras através de toda a montanha. As cavernas eram grandes o suficiente para alojar os gigantes, mas pareciam pequenas de longe, pelo tamanho do paredão e pelo número de perfurações na rocha.

Ao adentrar o pátio da principal cidade das Harim Neguev, até mesmo o tartan sentiu admiração diante do tamanho daquela estrutura.

O atual senhor dos gigantes já aguardava a comitiva de Irofel diante de um contingente de vinte anaquins armados com manguais. E havia um sem-fim de cabeças imensas que saíam das cavernas ao redor para observar a cena.

— Naphal convoca o senhor dos gigantes para a batalha contra Olamir — adiantou o tartan, sem apear de Tehom, refletindo se havia sido uma boa ideia vir com tão poucos guerreiros até as Harim Neguev.

— Não lutamos mais suas guerrilhas — respondeu secamente o senhor dos gigantes. — Isso já ficou bem claro no passado. Temos um juramento!

— Não estou falando de guerrilha — retrucou Mashchit com desprezo. — Uma guerra vai começar, uma guerra como há muito tempo não acontece...

O gigante olhou desconfiado para o tartan.

— Guerra ou guerrilha não faz diferença. Se vocês querem mais uma vez tingir com seu sangue negro as alvas muralhas de Olamir, nós não temos nada a ver com isso. Nós temos um juramento!

— Não seremos esmagados! — esbravejou o tartan. — Estamos nos preparando há muito tempo para essa guerra. Cada detalhe, tudo foi planejado. E desta vez, nossos inimigos não poderão contar com todo o poder da pedra branca dos kedoshins. O Olho de Olam está perdendo sua luz.

O gigante pareceu não acreditar no que o tartan estava dizendo.

— Mesmo que isso fosse verdade — rebateu o Anaquim —, as cidades de Olam formam um exército invencível, principalmente se utilizarem armas potencializadas com pedras shoham. E, como diz o ditado, Olamir é inexpugnável. Além disso, nós temos um juramento — repetiu.

— Nenhuma cidade é inexpugnável — disse com sarcasmo o tartan. — Mesmo Irkodesh um dia caiu... E nossas informações são seguras, o Olho está se enfraquecendo. O fim de Olamir se aproxima.

O gigante deu de ombros.

— Não estamos interessados em suas batalhas. Temos um juramento!

Mashchit sabia que isso não era inteiramente verdade. Os gigantes eram um povo poderoso demais para ficar de fora dos grandes acontecimentos decisivos do mundo. O problema era realmente o juramento. Mas, talvez, ele pudesse dar um jeito nisso.

— Seu príncipe o está convocando. Não vai obedecer? — apertou o tartan.

— Não tenho príncipe, sou o senhor dos anaquins — retrucou o descendente de Anaque com raiva indisfarçada. — Isso já ficou claro no passado. Saia agora, ou vai se arrepender de ter voltado aqui! Nós temos um...

— Juramento! — tripudiou Mashchit. — Acho que já ouvi isso.

A tensão subiu como a lava de um vulcão entre os anaquins ao derredor. Mashchit viu mãos de ferro apegando-se aos manguais.

— Não estou aqui para lutar — disse o tartan com firmeza. — Tenho apenas um recado para lhe dar. Há algo importante que você desconhece. Saber isso, mudará sua mente e desfará seu juramento.

— Pelo nível de distorção de seu corpo, acho que você já ficou tempo demais exposto aos efeitos do Olho de Olam. É sábio de sua parte não querer lutar conosco. Pelo que sei, o Abadom não é um bom lugar.

Os gigantes riram ruidosamente daquela declaração. Mas a tensão só aumentou.

Os olhos vermelhos de Mashchit arderam de ira. Os sa'irins posicionaram suas lanças antevendo a batalha inevitável. Os gigantes também retesaram os músculos e fecharam os punhos em torno das claves dos manguais.

— Se eu quisesse lutar, teria trazido um exército — disse o tartan abafando a ira, calculando que deveria haver mais de duzentos gigantes só naquela cidade das Harim Neguev. — Há algo que você não sabe, uma informação sobre o antigo juramento com Olamir que poderá fazê-lo mudar de ideia e se juntar a nós.

— Não quero saber o que você tem para dizer, mas, já que virou menino de recados, se conseguir sair dessa cordilheira, leve este para seu príncipe: eu costumo cumprir meus juramentos.

O tartan percebeu que os anaquins não perderiam a oportunidade de se vingarem. Não tinham inteligência suficiente para entender a situação. Não adiantaria tentar convencê-los, pois estavam sedentos por uma batalha. Com quatro sa'irins, não podia enfrentá-los. De qualquer modo, não estava ali para isso, precisavam deles para tomar Olamir. Só os gigantes conseguiriam realizar o plano de Naphal.

— Eu o desafio para um combate — o tartan propôs a única coisa a ser feita naquele momento. — Apenas eu e você. Se me derrotar, iremos embora e aceitaremos a humilhação, e, de certo modo, você terá sua vingança. Se eu o derrotar, terá que ouvir atentamente o que tenho a dizer. Entretanto, se não quiser lutar comigo, eu lutarei com qualquer um que queira fazer isso, desde que aceitem ouvir o que tenho a dizer se eu vencer o combate.

O tartan sabia que o senhor dos anaquins não teria opção. Se não lutasse, ficaria desmoralizado diante dos gigantes. A liderança dele era imposta pela força. Se outro gigante se oferecesse para lutar e vencesse, os anaquins teriam um novo senhor. Eram as leis do clã.

— Se eu o derrotar, pode ter certeza de que o único lugar para onde você irá é o Abadom — disse fuzilando de ódio o senhor dos gigantes, enquanto exigia que lhe trouxessem seu mangual. — Se me derrotar eu não só o ouvirei como lhe darei meus tesouros, porém, isso não me convencerá a ir à guerra com você.

— Não preciso de seus tesouros — disse o tartan com desprezo. — Mas você irá a guerra sim, depois que ouvir o que tenho a lhe dizer!

Com um gesto de sua mão, os sa'irins abaixaram as lanças e se afastaram. Também os gigantes deram dois passos para trás.

O tartan shedim e o senhor dos anaquins ficaram algum tempo frente a frente se avaliando. Ambos sabiam não se tratar de um jogo. Havia contas antigas para acertar. O gigante segurava firmemente a clave do pesado mangual; Mashchit, montando seu cavalo, empunhava a alabarda.

Ao redor, os gigantes começaram a bater os pés no chão, e dentro das cavernas na montanha recortada, os punhos socavam as rochas. Bum. As Harim Neguev estremeciam com os golpes. Bum. Formavam uma assustadora música bélica.

O guerreiro shedim foi o primeiro a agir. Ele puxou um chicote e golpeou o anaquim, acertando-o na face. Foi um golpe poderoso, capaz de partir um cavalo ao meio, mas no gigante causou apenas uma verga, e encheu ainda mais de ira o anaquim.

O gigante respondeu. Movimentou o pesado mangual fazendo suas duas estrelas de ferro girarem e zunirem sobre o ar do deserto. O golpe violento afundou as estrelas no chão exatamente no lugar em que o tartan estava, mas Tehom se empinou e se desviou do golpe. Num instante, as duas asas do animal se alongaram e ele se elevou. O gigante continuou tentando acertá-lo nas alturas, mas as correntes não eram longas o suficiente.

— Desça para aqui e me enfrente como o homem que você gostaria de ser! — desdenhou o anaquim.

— Eu jamais quis ser um homem — silvou o tartan.

Num instante, Mashchit fez Tehom contornar e voltar. Passou num voo rasante próximo do anaquim, mas as estrelas de ferro não o atingiram. O tartan apeou e marchou contra o senhor dos gigantes.

Então, o gigante girou outra vez o pesado mangual. A estrela de ferro viajou com sua longa corrente em direção ao tartan. Uma fração de tempo antes de atingi-lo, Mashchit se moveu misteriosamente e a estrela passou ao seu lado, despedaçando as rochas do chão atrás de si. O gigante puxou o mangual e investiu outra vez. Novamente despedaçou as rochas atrás do shedim. Era inexplicável como não conseguia atingir o tartan. A estrela de ferro se dirigia com precisão, mas num instante o tartan não estava mais na direção dela, como se a trajetória do instrumento tivesse se modificado.

O gigante estava furioso. Girou a corrente sobre a cabeça e investiu com as estrelas, se alternando em zunidos assustadores para garantir a precisão do golpe. Dessa vez, o shedim não se desviou. A ponta da alabarda esperou o impacto da estrela de ferro. Pedras negras incrustadas na ligação entre o cabo e a lâmina brilhavam. A estrela de ferro explodiu e se despedaçou ao atingir a ponta da lança do tartan. O gigante puxou o mangual com apenas uma estrela. Parecia não acreditar no que havia acontecido.

O tartan avançou subitamente contra o anaquim. Movimentando-se com uma inexplicável velocidade, Mashchit deu três ou quatro passos, saltou contra o adversário e golpeou em diagonal o senhor dos anaquins na altura do peito. O gigante não teve tempo suficiente para se desviar e nem espaço para movimentar o mangual. O machado da alabarda passou perigosamente perto de seu pescoço, arrancando um tufo de sua barba. Com o susto, o anaquim caiu sentado no chão, fazendo estremecer o terreno sólido das montanhas mortas.

— Já está disposto a me ouvir? — disse o shedim, enquanto se movimentava como uma fera em volta do oponente caído.

Bum. Ao redor, os pés dos gigantes continuavam a dança da guerra. Bum.

— Estou disposto a acabar com você, demônio das trevas! — vociferou o gigante, levantando-se de um salto que chacoalhou o chão mais uma vez diante dos sa'irins.

O anaquim se lançou contra o shedim com fúria e força suficiente para arrebentá-lo. Girava enlouquecido a estrela solitária do mangual. O tartan o aguardou impassível. Um novo estrondo se ouviu, frustrando as intenções do gigante. A segunda estrela de ferro também se espatifou ao encontrar-se com a alabarda.

Imediatamente Mashchit avançou. Subitamente parecia ter pressa em terminar o combate. O capuz jogado para trás revelava sua cabeça aberrante. Seus olhos eram chamas vermelhas. O chicote estalou. Revestido de uma estranha energia, enlaçou o pescoço do anaquim. Uma força incompreensível arrancou os pés do gigante do chão. O corpo monstruoso voou em direção ao tartan, parando prostrado aos seus pés.

A dança dos gigantes cessou.

— Eu poderia matá-lo — ameaçou Mashchit com sua voz gutural baixa e perversa. Segurava a alabarda com a mão direita, raios de uma estranha energia escura atravessavam a arma e o corpo magro do tartan. — Seria prazeroso, mas você é mais valioso vivo — completou o shedim. — Chamem todos os anaquins — ordenou para os gigantes incrédulos que assistiram o duelo. — Eu tenho uma história para lhes contar. Ela vai convencê-los a marchar contra Olamir. Vocês vão tomar a cidade para nós.

*****

Poucos deram importância aos três jovens que, antes do amanhecer, deixaram a pequena Havilá carregando sacolas de couro cru penduradas por alças reforçadas. A cidade ainda estava praticamente adormecida enquanto eles a atravessavam.

Ben se apressava em deixar o lugar, pois sabia que logo surgiriam comerciantes de todos os lados para vender suas mercadorias. Então, como todos os dias, Havilá ficaria cheia de carros e carroças se movimentando freneticamente, lançando água e lama nos pedestres que transitassem pelas laterais das ruas.

Ben sabia que se demorasse mais, talvez jamais saísse, não por causa da movimentação da cidade, mas porque logo os religiosos descobririam que os moradores do velho casarão incendiado eram lapidadores clandestinos.

Ao deixar as ruas ainda desertas, só havia um sentimento no guardião de livros: alívio. Conhecia cada palmo da cidade. As ruas circulares que a rodeavam desde a baixa muralha externa até o centro, suas casas pequenas, sua população atrasada e ignorante; não havia nada nela que o pudesse surpreender. Era tudo conhecido. Monótono. Vazio. Até Shamesh, o astro rei, costumava economizar sua luz ao banhar de passagem a insignificante Havilá. Ben morava ali desde que se lembrava, mas nunca sentira que aquele fosse seu lar.

Os poucos olhos atentos que os seguiram foram dos dois guardas que estavam de plantão no portão da cidade. Os homens abriram a porta um pouco desconfiados, mas a presença de Leannah e Adin os livrou da necessidade de dar muitas explicações.

— Vamos até as Harim Adomim — disse Leannah para os soldados. — Queremos contemplar a vista lá do alto.

Os guardas ficariam admirados se vissem o conteúdo das sacolas que eles carregavam. Havia comida e roupas para vários dias, além de outras coisas que Ben imaginava ser úteis para a viagem. Ele estava levando alguns siclos de prata que há muito tempo vinha economizando — cinco, para ser preciso — e também duas pedras shoham com funções especiais, as únicas que encontrara no casarão incendiado. Em último caso, poderia vendê-las. Só não sabia como, nem para quem, pois era proibido comercializar pedras shoham fora dos grandes centros.

Os três jovens saíram pela porta principal do pequeno vilarejo vestindo ketonet, túnicas bonitas, mas não muito apropriadas para viagens, presas na cintura por cintos. E por baixo das túnicas, calções de linho que iam da cintura aos joelhos. As túnicas tinham capuzes, a de Leannah era azul com bordados prateados, as de Ben e Adin eram cinzentas, sem ornamentos. Carregavam também mantos que os protegeriam do frio das montanhas e serviriam como acolchoado se tivessem de dormir no chão.

Do lado de fora da cidade, o sol começou sua luta diária com as nuvens. Naquele momento, como que para saudar os viajantes, sua luz nascente se enfiou no meio delas e as separou, abrindo uma verga no céu no lado oriental, e empurrando um bloco escuro para o lado norte das Harim Adomim. Momentaneamente, uma faixa azul esplendorosa surgiu diante de seus olhos e os contrastes se espalharam pelos campos, como se tudo estivesse coberto de uma fina camada de metal brilhante. Mas as nuvens não desistiram. O duelo entre luz e sombras continuou por todo o percurso até as montanhas.

Leannah estava bastante animada, afinal conseguira duas coisas: manter o passeio e ir com Ben. O guardião de livros pensou que, talvez, tivesse um pouco de culpa no desejo da garota de partir de Havilá. Afinal, ele lhe falava o tempo todo de lugares fantásticos dos quais tomava conhecimento através das pedras. Quando recitara o poema da pedra dentro do casarão queimado, os olhos de Leannah brilharam, e a partir dali, nada que ele dissesse ou fizesse faria com que ela desistisse de ir com ele, pelo menos até uma parte do caminho.

Olhando para a garota, Ben não conseguia entender muito bem como havia começado aquela amizade, pois ele não fazia parte do círculo social dela. Leannah era a principal cantora do pequeno templo de Havilá. Diziam ser muito bela sua voz, mas Ben jamais a ouvira cantar, pois ela só podia usar seus talentos a serviço de *El*. E Ben não frequentava o templo, nem mesmo a área externa onde era permitido que as pessoas comuns se achegassem para ouvir os cânticos e observar alguns ofícios dos sacerdotes. Ben brincava com Leannah dizendo que, pelo menos, o patrão dele era menos ciumento.

A amizade deles havia começado há pouco mais de dois anos. Em um dia de primavera, um dos poucos agradáveis e ensolarados que ele se lembrava de ter visto em Havilá, Enosh o enviara ao templo para entregar algumas cópias de escrituras sagradas utilizadas nos rituais. O velho fazia aquele trabalho ocasionalmente para os sacerdotes, a fim de não despertar suspeitas. Carregando os rolos, sem perceber, Ben adentrara a área restrita dos sacerdotes. Leannah o advertiu do descuido, e ele imaginou que ela fosse alguém responsável pela limpeza. Então desandou a falar mal de todas aquelas regras e restrições, principalmente dos sacerdotes que, segundo suas palavras, deveriam trabalhar e parar de pedir dinheiro ao povo. Foi quando ele viu o sumo sacerdote se aproximar, com suas tradicionais roupas azul e preto, e chamar Leannah de filha. Sem saber o que dizer, desejando muito encontrar algum lugar para esconder o rosto, Ben entregou os rolos e desapareceu. Sua única certeza era de que jamais pisaria naquele lugar novamente.

Alguns dias depois, ela e Adin apareceram na biblioteca do velho Enosh procurando um exemplar dos nove rolos das Histórias Antigas. Os livros narravam a segunda fase dos homens em Olam, após a Grande Queda. Leannah dissera que estava interessada nos cânticos registrados naqueles livros, pois estava fazendo pesquisas e desejava compor um grande poema para o aniversário da construção do templo da cidade. O velho Enosh permitia que as pessoas de Havilá tomassem emprestados alguns livros, pois isso também ajudava a manter as aparências, mas raramente alguém os procurava. Ben nem sabia do que se tratava o livro, porém, constrangido com a presença dela, ficou de verificar e prometeu responder-lhe mais tarde.

Antes de sair, entretanto, ela lhe devolvera o constrangimento, ou melhor, Adin.

— Até que para um forasteiro ele não é tão estúpido como você disse — desdenhara o garoto ao atravessarem a porta da biblioteca.

Foi Enosh quem conseguiu encontrar os livros, não para agradar Leannah, e sim para testar Ieled, a qual ele estava acabando de lapidar. Os livros só existiam armazenados em pedras na grande biblioteca de Olamir; assim acessou secretamente a biblioteca da grande cidade e puxou os rolos armazenados, mostrando que a pedra funcionava e o processo de lapidação havia sido apropriado.

Ben transmitiu o material para a pequena pedra que ele próprio havia lapidado e, sem dizer nada para Enosh, a deu à jovem Leannah. Ainda não sabia porque havia feito aquilo. Havia corrido um risco muito grande, pois se ela o denunciasse... Mas algo no olhar da jovem dizia que podia confiar nela. A garota ficou maravilhada com aquele prodígio. A partir dali eles realmente ficaram amigos.

Ele tinha certeza de que ela guardara seu segredo, do contrário não estaria mais andando livremente por Havilá.

Todos lhe diziam que se ele conseguisse se casar com ela seria como ter tirado a sorte grande. Afinal, um órfão casando com a filha do sumo sacerdote do pequeno templo era um grande feito, algo como uma dádiva estranha de *El*. Principalmente porque *El*, na interpretação das pessoas de Havilá, preferia manter os relacionamentos dentro das próprias classes. Todos também lhe diziam que ela era a jovem mais bonita de Havilá. Mas os latashim não podiam se casar, e Ben sempre entendera que era seu destino ser um latash.

A estradinha campestre de chão batido que os libertara de Havilá ainda oferecia bastante lama, como que para não facilitar tanto a saída dos viajantes. O tempo todo eles encontravam carroças sobrecarregadas de mercadorias que seguiam para o centro da pequena cidade. Algumas emperravam pelo peso das mercadorias. Os pobres jumentos zurravam para conseguir arrancar as carroças dos atoleiros enquanto os chicotes estalavam.

À beira do caminho que contornava vinhas e olivais, as flores se abriam ao sol fraco, cortejadas por passarinhos e abelhas. A luz do sol, nos momentos em que aparecia, tornava tudo mais alegre, e não ter os olhos das pessoas de Havilá em suas costas parecia até mesmo aliviar o peso das sacolas. Se Ben não estivesse tão abatido pelos acontecimentos, quase poderia se alegrar com a viagem.

Pouco a pouco as montanhas foram ficando mais próximas e aumentando de tamanho. As Harim Adomim começavam baixas, mas iam ganhando imponência em direção ao leste. Havia uma antiga rota que serpenteava entre as montanhas, porém ninguém nesses dias a utilizava; era impossível sobreviver ao frio e aos outros perigos, humanos e não humanos. Então só havia uma opção: pelo Yarden, o rio que ligava as montanhas ao grande lago salgado no sentido sul.

A chuvinha fria do dia anterior antecipava a neve que logo começaria a cair. Ela deixaria o telhado das casas de Havilá cobertos e forçaria os moradores do vilarejo a ficar entocados por quase seis meses, desgastando os mesmos assuntos. No inverno que se aproximava, teriam um novo roteiro para alimentar seus espíritos sagazes: o incêndio e o desaparecimento do latash e seu aprendiz. Falariam sobre isso até não terem mais nada para contar ou imaginar. Já o faziam com assuntos bem menos expressivos.

Havia passado do meio-dia quando eles se aproximaram do local onde ficava a plataforma e o mirante.

— E depois, o que faremos? — perguntou Leannah com as faces avermelhadas pelo frio e pela excitação enquanto subiam a pé, o mais rápido possível, o caminho íngreme que conduzia até o mirante. As mochilas agora pareciam bem mais pesadas.

— Vamos alcançar o mirante, depois eu seguirei até a nascente do Yarden, e de lá tentarei pegar um dos barcos que seguem para fora do território de Havilá. Enquanto isso, conforme combinamos, vocês retornarão pela trilha e voltarão para casa. Vocês sabem que não posso levá-los depois disso.

Nenhum deles demonstrava grande habilidade como escalador, mas a trilha não era tão difícil a ponto de precisar ser escalada, pois a plataforma não se elevava tanto sobre a montanha. Mais para cima, quase no meio de uma das altas montanhas, havia outro mirante, o qual exigia muito mais, mas recompensava com uma vista assombrosa, quando as nuvens permitiam, é claro. Nesse dia, eles se contentariam com a vista intermediária do mirante mais baixo que também não decepcionava, até porque, o passeio era o que menos importava.

Dos três, como sempre, Leannah era a mais empolgada e seguiu indicando o melhor percurso. Carregando as sacolas mais pesadas, Ben e Adin vinham logo atrás, tentando ficar em pé e evitando pelo menos os tombos óbvios. Por fim alcançaram o final da trilha e encontraram o mirante.

— Aqui é o fim da linha — concluiu Ben quando ele e Adin alcançaram o lugar onde Leannah já os esperava.

Ela livrara-se da sacola e estava com os braços cruzados contemplando a vista que, de fato, compensava a árdua subida. Os mirantes haviam sido construídos há centenas de anos e ninguém sabia dizer ao certo por quem. Antes de as pedras shoham terem sido descobertas naquela região, as montanhas eram habitadas por povos mineradores. Lendas diziam que haviam escavado tanto a montanha em direção ao centro da terra em busca de ouro que encontraram uma passagem para o Abadom. Pelo menos isso explicava o desaparecimento deles.

O vento gelado agitava os longos cabelos da cor do cobre, agora libertos do capuz, da jovem cantora de Havilá. Ben a admirou por um momento. Com aquele pano de fundo fantástico, parecia mais bela do que ele normalmente percebia. Sua silhueta esguia ainda podia ser discernida, apesar da longa e grossa capa que ela vestia sobre a túnica azul. Era de peles amaciadas com ácido tânico, extraído das cascas de salgueiros e carvalhos, apropriada para o frio das montanhas. E a deixava muito elegante. Ben precisava admitir que a garota tinha o porte de uma princesa. O manto de Ben era mais simples, também de peles, mas não tão amaciadas.

Ao se aproximar da beirada do mirante, a pequena Havilá surgiu ao noroeste com seus telhados brilhando ao sol e sua muralha circular baixa. Do alto, parecia ainda menor e mais insignificante diante da imensidão da paisagem. Causava uma sensação estranha pensar que passara toda a sua vida dentro de um lugar tão pequeno e tão frágil. Qualquer exército teria pouca dificuldade em conquistar uma cidade como aquela.

Ao redor do vilarejo as vinhas ainda resistiam com suas folhas claras, oferecendo uvas pretas de boa qualidade, as quais eram usadas para produzir o Yayin, o forte vinho fermentado, famoso em todas as cidades de Olam. Se o nome Havilá era conhecido naqueles dias em Olam, não era pelo bdélio, nem pelo ouro, nem mesmo pelas pedras shoham, mas pelo Yayin.

Depois do vilarejo, o verde dos olivais deliciava a vista, e ia se estendendo e se rebaixando até se encontrar com o brilho cinzento e infinito de Yam Hagadol, o grande mar ocidental.

Ao norte, diversas pequenas cidades e vilarejos ainda menores se apinhavam próximos às minas. Eram praticamente cidades-fantasmas, pois seus moradores estavam mergulhados no coração da terra a duzentos ou trezentos metros de profundidade, em busca das pedras shoham que alimentavam a economia de Olam.

Ao sul, bem mais próxima, a cadeia de montanhas abaixava e se recobria de vegetação escura. Em algum lugar lá embaixo ficava a nascente do rio e também os portos das minas para onde Ben pretendia se dirigir.

Ben contemplou a paisagem que já havia visto tantas vezes. Aquele era seu mundo até agora; do lado oposto, ainda encoberto pelo paredão de montanhas, havia outro inteiramente novo. Para lá ficavam Olamir e as grandes cidades do vale do Perath e do Hiddekel, cidades imensas, repletas de histórias empolgantes e de aventuras pelas quais Ben ansiava.

No entanto, olhando para seus dois amigos, o guardião de livros sentiu o coração ficar apertado. A hora do adeus havia chegado.

— Agora vocês devem voltar pela trilha, e eu vou seguir em direção à nascente do rio — disse, tentando disfarçar qualquer emoção na voz, mas tentou não ser rude.

Olhou uma última vez para Havilá. Quase sentiu uma pontinha de tristeza. Não veria mais os jardins das nogueiras nas pequenas propriedades ao redor da cidade, nem se deliciaria com os renovos do vale, ou com as vides que brotavam ao longo do caminho onde as romeiras também floresciam. E, principalmente, não veria mais seus dois fiéis amigos...

— Você acreditou mesmo que nós voltaríamos para casa e deixaríamos você partir sozinho nessa aventura? — Leannah perguntou, com um sorriso maroto. — Nós vamos com você!

— Foi o que nós combinamos — respondeu Ben. — Vocês sabem que não podem ir. Seu pai...

— Mas não podemos voltar — explicou Adin. — Deixamos um bilhete que nosso pai já deve ter lido. Dissemos que estávamos tomando a rota norte em busca do velho Enosh que fora raptado antes do incêndio; assim, eles vão perder algum tempo seguindo a pista falsa. Se voltarmos agora, precisaremos confessar o que realmente aconteceu. Você sabe muito bem que eles têm como saber quando uma pessoa está mentindo. Descobrirão que você é um aprendiz de latash. Certamente apanharão você antes que consiga deixar o território de Havilá, pois vão pensar que nos obrigou a vir.

Ben olhou desesperado para Leannah e Adin, sem poder acreditar que eles realmente tivessem feito aquilo. Precisou se controlar para não gritar com eles.

— Escutem. Eu não estou partindo numa aventura. Vou em busca de Enosh. Só *El* sabe o que pode ter acontecido com ele e quais os perigos que essa jornada pode esconder. Se Enosh estava certo a respeito da guerra, é possível que nos vejamos no meio de batalhas e tenhamos que enfrentar inimigos que nem em sonhos ousamos imaginar.

— E você não chama isso de aventura? — brincou Leannah.

— Quanto mais demorarmos aqui — complementou Adin — menos tempo teremos. O sucesso de sua missão depende inteiramente de nos levar com você. É simples.

Ben balançou a cabeça exasperado. Instantes depois se pôs a descer a encosta, saltitando desengonçadamente pelo terreno irregular. Não olhou para trás, mas foi seguido de perto por Leannah e Adin. As conversas alegres não acompanhariam os solavancos montanha abaixo a partir dali. Mas isso não significava que ele havia sido convencido a levá-los junto.

A descida até a nascente do Yarden foi lenta, pois a trilha era precária e pouco utilizada. Eles precisavam se desviar de pedras e de pequenos matagais fechados que cobriam as encostas.

Adin era uma espécie de admirador da natureza, pois gostava de dizer o nome de tudo. Ele ia dizendo o nome de todas as plantas e animais encontrados. Leannah discordava de alguns títulos que o garoto dava. Ben não entendia qual era a vantagem de saber que aquelas árvores maiores e mais grossas eram cedros e as aromáticas eram acácias. Também não via muita diferença entre ciprestes, olmeiros e buxos. Ele estava mais preocupado em evitar escorregões que poderiam resultar em arranhões e até mesmo em algum ferimento grave. Acima de tudo não tinha nenhuma vontade de conversar com eles.

Shamesh, que percorria sua caminhada diária para o oeste já estava próximo de seu destino quando eles finalmente alcançaram a nascente do rio. O cheiro de lama de ardósia úmida lhes deu a certeza da proximidade da nascente, ou de uma delas. Logo o barulho bucólico característico de água correndo entre pedras confirmou que a haviam encontrado. A água gorgolejava no chão pedregoso através do caminho aberto pelo meio dos pinheiros que desciam a montanha. Por ele, eles seguiram. O porto ainda estava longe.

Quando Shamesh terminou seu caloroso discurso, Yareah cheia, fulgurosa, porém fria, tomou seu lugar enquanto os viajantes seguiam seu percurso, acompanhando o leito do rio. As estrelas ainda pálidas já tremeluziam desconfiadas no céu quando eles finalmente alcançaram o primeiro porto de escoamento de pedras shoham.

O porto estava cheio de gente e de barcos humildes. As lamparinas penduradas nos galhos das árvores iluminavam, meio indistintamente, a noite. Os galhos se projetavam sobre o lago formado pela curva do rio sobre o qual uma névoa tornava as luzes mais ou menos opacas. Os trabalhadores que descarregavam os jumentos e carregavam os barcos esfregavam as mãos de vez em quando para aquecê-las. Olhando para aquela movimentação e para a precariedade do local, Ben não conseguiu evitar o pensamento de que nenhuma grande aventura poderia começar num lugar tão singelo.

O guardião de livros enxergou alguns soldados. Usavam o tradicional uniforme marrom dos soldados comuns, com adagas curtas penduradas na cintura e arcos rústicos capazes de realizar disparos potentes. Estavam ali para garantir a segurança do transporte. Havia um grande temor de que guerrilheiros dos reinos vassalos dos shedins atacassem os portos e os barcos que transportavam as pedras shoham, por isso, os soldados montavam guarda por todo o percurso. Também os renomados giborins de Olam podiam ser vistos ocasionalmente por aquelas bandas, vindos da distante Olamir. Eles eram os guerreiros especializados no combate aos guerrilheiros. Faziam um trabalho não apenas de confronto, mas também de inteligência e prevenção. Uma vez Ben viu um giborim em Havilá, com suas vestes características: uma armadura leve e prateada sobreposta por uma magnífica capa vermelha da mesma cor das pedras protegidas por eles. A cidade praticamente inteira parou para observar o guerreiro. Muitos cidadãos de Havilá não veriam outro durante a vida inteira.

Os três amigos se aproximaram cautelosos de alguns homens que estavam carregando um pequeno barco com cestos cheios de pedras shoham brutas. Os homens não usavam camisas e vestiam hezor, saiotes rústicos que não cobriam os joelhos.

— Esperem aqui — Ben sinalizou para os amigos.

Os dois irmãos viram o guardião de livros se dirigir aos homens e trocar umas palavras rápidas com eles. Viram também quando alguém apontou para o outro lado, onde um grupinho aparentemente ainda estava selecionando as melhores pedras. Ao lado do grupo, soldados vigiavam.

Ben se dirigiu até eles e conversou por alguns instantes. Por duas vezes apontou para os dois amigos. Um dos soldados se aproximou e lhe fez diversas perguntas. Por fim, Ben retornou ao lugar onde Leannah e Adin aguardavam.

— Vão nos levar — disse com um sinal de positivo.

— Até que foi fácil — reconheceu Adin.

— Os trabalhadores são insuficientes. Eles precisam de ajuda em cada parada onde é necessário remanejar toda a carga por causa das cachoeiras. Disseram que, durante a noite, o número de trabalhadores diminui bastante. E acho que os soldados olharam para nós e não acreditaram que possamos oferecer alguma ameaça.

— Então somos bem-vindos! — alegrou-se Adin.

— Vamos neste barco? — perguntou Leannah olhando desconfiada para o pequeno barco já cheio de sacos.

— Um maior está subindo o rio e, assim que for carregado, poderemos seguir com ele. — Mas precisaremos ajudar a carregar.

Demorou cerca de meia hora até que o outro barco apontasse. Sua luz avermelhada na proa espalhava a névoa como se fosse um dragão soltando fumaça. Nesse ínterim o primeiro barco já havia sido carregado e partiu rio abaixo, deslizando desengonçadamente sobre a correnteza.

Ben e Adin ajudaram os homens a carregar os cestos. O barco recém-chegado era maior e, aparentemente, um pouco mais confortável, pois tinha até mesmo uma pequena cabine. Leannah se ofereceu para ajudar, mas os homens fizeram sinal para que ela não participasse.

— Ainda resta um pouco de cavalheirismo nestas bandas — o carregador sorriu, revelando dentes amarelados e também alguns espaços onde eles faltavam.

Carregado todo o barco, havia chegado a hora de partir. Ben foi o primeiro a pular para dentro da embarcação. Em seguida Leannah e Adin se prepararam para entrar. Dois homens se aproximaram para ajudá-los, pois era fácil perder o equilíbrio e cair na água. Por um momento os dois irmãos não entenderam o que estava acontecendo. Em vez de ajudá-los, os homens os pegaram pelos ombros e os seguraram firmemente.

— Perdoem-me, meus amigos — lamentou Ben enquanto a embarcação se afastava. — Não posso arriscar a vida de vocês. Muito obrigado por tudo... Assim que possível eu retornarei.

A frustração de Leannah e Adin era evidente. Ben, por sua vez, não estava sentindo a satisfação que antes imaginara sentir.

— Eles devem retornar para Havilá — mesmo assim relembrou o acerto feito com os homens quando pediu a carona. — São filhos do sumo sacerdote... Cuidem bem deles!

Enquanto se afastava, Ben teve a impressão de ver lágrimas nos olhos de Leannah.

Logo a escuridão da noite garantiu sua solidão, mas não lhe trouxe alívio. A imagem frágil da cantora de Havilá e de seu irmão enquanto ele se afastava permaneceu por muito tempo em sua memória durante aquela longa noite.

O barco desceu pesadamente o rio e em instantes começou a ser arrastado. O madeiramento rangeu quando a correnteza o agarrou e o impulsionou rio abaixo, rumo à escuridão. Os cestos e sacos de pedras chacoalharam violentamente, porém miraculosamente, nenhum caiu dentro da água, para alívio do condutor.

As árvores escuras na margem passaram cada vez mais rapidamente, como pensamentos sombrios que apareciam, sumiam e tornavam a aparecer. A superfície lisa e manuseada do encosto de madeira da cabine à qual se segurava, nesse momento, era a única coisa responsável por fazê-lo não acreditar que tudo não passava de um sonho.

Yareah cheia se desvencilhou dos galhos das árvores altas e subiu livre após vencer a névoa do rio, então se refletiu em prata sobre as águas limpas e agora mais calmas do Yarden. Ben sentiu seu coração mais calmo também. Precisava se conformar. Fizera o que precisava ser feito. Não podia mesmo levá-los.

O primeiro trecho do percurso foi rápido. Levou apenas cerca de uma hora até que enxergasse o barqueiro os conduzindo para um pequeno cais na margem da direita. Aquele cais não passava de um precário pontilhão de madeira possibilitando que os barcos encostassem. Fazia parte da estrutura do segundo porto e estava poucos metros acima da primeira cachoeira.

Assim que atracaram, dois homens se aproximaram e começaram a esvaziar o barco. Cestos e sacos foram colocados sobre pequenas carroças puxadas por mulas e jumentos. Como havia combinado, Ben os ajudou nessa tarefa. O fato de se ocupar afastava um pouco os pensamentos. Todo o trabalho foi feito sob as vistas atentas dos soldados.

Depois, as carroças sobrecarregadas tomaram o difícil caminho que primeiro se desviava da cachoeira e a seguir descia por uma trilha bem íngreme. Misturado com a multidão, Ben se sentiu mais seguro. Porém, precisou descer a pé carregando sua própria sacola, tentando não pensar na informação de que aquele rio tinha dezesseis cachoeiras até desaguar no Yam Hamelah.

Ao pé da cachoeira, diversas embarcações aguardavam os cestos e sacos para o segundo trecho do percurso. A cascata se pulverizava das alturas com seu murmúrio lânguido, mas na escuridão apenas um reflexo esbranquiçado da água podia ser visto.

Uma hora depois, o guardião de livros estava dentro do segundo barco, navegando rapidamente sobre as águas iluminadas pelo luar. A embarcação era maior, e, além de Ben e do condutor, levava dois soldados. A partir daí, sempre haveria soldados os acompanhando dentro dos barcos.

Então, tudo pareceu acelerar. Logo estava mais uma vez descendo a encosta íngreme, andando tortuosamente no meio da floresta, enxergando praticamente nada no caminho, e ouvindo o turbilhão da água que caía com fúria. O rio havia crescido consideravelmente.

Quando a primeira noite terminou, Ben nem sabia dizer quantas cachoeiras havia descido e quantas ainda faltavam. Seu corpo, além de ensopado, estava puro cansaço.

Ao amanhecer, o sol devolveu as cores que a noite surrupiara da paisagem. A luz do dia fazia tudo parecer menos assustador. As águas limpas do Yarden resplandeciam. Até mesmo os gritos dos pássaros e dos animais, que durante a noite eram agourentos, com a chegada do dia pareciam alegres e festivos. Ben olhou para a natureza exuberante e se surpreendeu ao ver como tudo podia mudar tão rapidamente. Começou a sussurrar uma canção que não cantava desde quando era criança.

> Quando um novo dia começa
> A noite enfim passou
> Quando a alva faz promessa

É Shamesh que retornou
Então, é a hora da prece a *El*
Sim, chegou a hora da prece a *El*.

As pedras brilham na escuridão
Esperam ser encontradas
O trabalho duro de escavação
Fará que sejam reveladas
Então, é a hora da prece a *El*
Sim, chegou a hora da prece a *El*.

A música de mineiros, por alguma razão desconhecida, veio aos seus lábios depois de tanto tempo. Era uma melodia de sua infância. Vinha de algum compartimento de sua memória que parecia coberta com tinta preta do destino. Era um hino matinal de louvor a *El*. Talvez por isso, há tanto tempo não o cantava. Não sabia se acreditava em *El*, ou em qualquer deus, apesar de todo o esforço de seus antigos professores em dizer o que *El* exigia. Basicamente era que todos vivessem quietos e comportados, sem nunca desejar nada além do necessário para uma vida simples, acomodada e sem ostentação. Ben achava totalmente dispensável tantos sacerdotes para lhe dizer isso.

A rotina da noite se repetiu durante todo o longo dia. O rio crescia cada vez mais e as cachoeiras ficavam mais perigosas. O trabalho de carregar e descarregar os barcos cansava o corpo, mas não amortecia a mente. Era como se uma pedra sentinela tivesse gravado toda a sua breve vida e agora a estivesse repassando. Não que houvesse muita coisa para lembrar, na verdade eram justamente as lacunas dos tempos da infância em sua memória que sempre o inquietavam, como sombras na linha do tempo.

A imagem mais antiga que havia em sua memória era a dele e a do velho em frente ao casarão de Havilá. Haviam chegado à cidade com uma carroça cheia de livros e algumas poucas pedras shoham. Ben tinha cinco anos.

Enosh mudara-se para Havilá pela facilidade em conseguir pedras shoham brutas nos arredores das Harim Adomim. Nunca falava sobre o passado. Sempre o advertia que logo precisariam se mudar outra vez. Mas acabaram ficando bastante tempo em Havilá.

"Seus pais morreram" era a única coisa que ele sempre dizia. "Eu criei você. Seja agradecido!"

É claro que lhe era grato, apesar de saber que os latashim costumavam pegar crianças para criar. Como não podiam ter filhos, adotavam meninos para lhes ensinarem as técnicas secretas de lapidação.

"Eu o roubei de uma família de criadores de porcos", ele disse uma vez em tom de zombaria. "Você será um latash. Isso é bem melhor do que criar porcos. Um dia você vai lapidar grandes pedras".

Ben lembrava-se da sensação indescritível quando o velho o ensinou a fazer a primeira incisão numa pedra shoham. Sabia que era algo totalmente proibido, passível de uma condenação à morte pelas leis de Olam, mas certas coisas na vida realmente valiam a pena. Ficara hipnotizado com a energia liberada pela pedra, a luz dançava diante de sua face e adentrava seus olhos, mexendo algo dentro de sua cabeça. A sensação era deliciosa, fazia a vida ter significado. No entanto, quando a luz foi embora ficou o vazio, um sentimento de não pertencer a lugar algum, uma revolta contra o mundo e contra *El*, se é que ele existia.

"Quando vamos completar a tarefa de transmitir o conhecimento dos livros para Ieled?", perguntou um dia para Enosh, enquanto trabalhavam dentro da pequena biblioteca.

"Quando não houver mais livros" — ele respondeu com bom humor, apontando para as estantes repletas de rolos.

Enosh achava necessário guardar o máximo possível do conhecimento daquela era para o futuro. Ele estava sempre dizendo que alguma grande catástrofe não tardaria a acontecer.

"É o destino" — dizia. — "É inevitável. *El* sempre limpa o quadro e começa tudo de novo. Por isso precisamos transferir os livros para as pedras. Será nosso legado para o amanhã, e nosso protesto contra *El*".

— A décima cachoeira se aproxima!

O aviso de um dos homens o arrancou daquelas lembranças. Ele olhou para a água e viu que estava se acelerando.

— Esta é a maior de todas — um dos homens explicou. — Nós merecíamos receber mais pelo imenso trabalho de descer todo o longo percurso da trilha. Somos nós que garantimos a sobrevivência e o conforto das grandes cidades de Olam. E lá, eles nem sabem que nós existimos!

— Pare de discursar e me ajude a encostar o barco! — O outro homem o advertiu. — Ou então, ofereça-se como orador dos filósofos nas praças de Olamir. Assim, todos o conhecerão e terão a oportunidade de rir de você.

Em instantes o barco estava sendo puxado por uma corda em direção ao cais.

Quando a noite chegou, Ben estava exausto. Não havia conseguido dormir nada durante todo aquele percurso, e não havia mais qualquer pedacinho de seu corpo que não sofresse com uma dor lancinante.

Perto da meia-noite, eles navegavam pela área mais larga do Yarden. O barco se aproximava da cachoeira que deveria ser a décima terceira ou a décima quarta. Era a última das três grandes do percurso. Não conseguiam ver as margens devido à escuridão, e o silêncio da noite só era quebrado pelos piados dos pássaros e rugidos dos animais noturnos que chegavam mais baixos no meio do rio.

Refugiado do frio dentro da pequena cabine, Ben lia e relia os livros armazenados em Halom. Era uma maneira de fazer o tempo passar mais rápido. Começava a perceber que as aventuras reais eram um pouco mais monótonas do que as descritas nos livros. Naquele momento estava lendo outra vez sobre o julgamento do mundo antigo, quando diversas criaturas, que sucumbiram às forças das trevas, foram condenadas pelos irins e aprisionadas no abismo, incluindo o ser mais poderoso do mundo antigo, conhecido apenas como "o senhor das trevas".

O guardião de livros percebeu que havia algo errado, pois o condutor do barco começou a gritar subitamente. Mesmo concentrado na leitura, ouviu os gritos do homem. Apreensivo, desconectou Halom. Alguns zunidos na escuridão soaram muito estranhos. Demorou a entender o que significavam até avistar flechas encravadas na estrutura do barco. Os dois soldados acompanhantes haviam sido perfurados por várias delas. Nem tiveram tempo de reagir. Então, com um incontrolável sentimento de horror, Ben entendeu que estavam sendo atacados.

Seu desespero aumentou ao ver um barco escuro se aproximar rapidamente e emparelhar. De modo atordoante, homens começaram a abordar o barco carregado de pedras. Os ladrões vestiam roupas pretas e apressadamente começaram a transferir os sacos e cestos.

Ben ficou imóvel, implorando aos céus para que acabasse rápido. Talvez os ladrões estivessem interessados apenas nas pedras, e após conseguirem o que desejavam, fossem embora. Enquanto sussurrava preces desconexas, ele viu um homem alto com longos cabelos negros passar para sua embarcação. Tinha uma cicatriz que lhe cortava a face em diagonal. Seus olhos emanavam um brilho perverso. O guardião de livros viu a temível insígnia sobre a capa: uma espada de bronze e um martelo de ferro, entrecruzados. Era o símbolo dos reinos vassalos. Então, confirmou o que já havia deduzido: eram guerrilheiros de Bartzel. A longa espada atravessada na cintura deixou-o ainda mais imóvel.

O invasor constatou que os dois soldados estavam mortos e se dirigiu para o barqueiro. O pobre homem tremia de medo. De dentro da cabine, Ben viu um reflexo cinzento, metálico, quando uma lâmina surgiu do nada e faiscou com o luar. Nem teve tempo de soltar um grito de horror, este ficou preso em sua garganta. A lâmina entrou pelo abdômen e apareceu nas costas do homem. Em seguida desapareceu instantaneamente, abandonando o corpo sem vida do barqueiro.

Ben não queria acreditar que aquilo fosse verdade. Os três tripulantes estavam mortos. Percebeu ainda mais aterrorizado que a intenção dos guerrilheiros era não deixar sobreviventes. O assassino veio em sua direção, resoluto a completar a tarefa. Ben pensou em mergulhar no rio e em uma porção de outras possibilidades, mas não teve tempo nem forças para fazer coisa alguma. Em instantes, o assassino estava na porta de acesso da cabine.

Ben fechou os olhos e implorou a *El* que o livrasse da morte, embora parecesse tarde demais. Até imaginou a lâmina gelada adentrando sua carne. Talvez nem desse tempo de sentir dor. Alguns terríveis segundos se passaram, Ben percebeu que nada havia acontecido, a menos que a morte fosse realmente algo indolor. O assassino ainda estava na sua frente. A espada continuava em sua mão. Havia sangue nela. Mas o homem não o atacou. Apesar disso, os olhos escuros não demonstravam emoção. Eram apenas frios. Mais alguns segundos se passaram. Novos zunidos cortaram a escuridão. Os soldados do porto haviam flagrado o ataque e estavam revidando. As flechas rasgavam a noite com um barulho parecido com uma revoada de pássaros batendo as asas.

Por um momento Ben imaginou que o ataque dos soldados fizesse o salteador ir embora, mas num segundo, o homem o golpeou. Foi vertiginoso. A espada mergulhou em direção ao seu ventre. A lâmina curva subiu para perfurá-lo no peito, pouco acima do abdômen. Não deu tempo de pensar em nada. Nem de se preparar para morrer. Tempos depois, Ben tentaria se lembrar do que sentira quando a morte lhe parecera algo tão certo. Só chegaria a uma conclusão inquietante: não sentira nada. A ponta da espada acertou algo resistente, como se a pele de Ben fosse revestida de algum tipo de material muito duro. Algo no peito dele brilhou. O impacto foi tão forte que Ben se viu arremessado para trás. O guerrilheiro também. Ambos se chocaram com as paredes opostas da cabine. Então, tudo ficou ainda mais insano. Ben agarrou um dos remos enquanto caía. Não ter morrido lhe trouxe coragem, ou talvez uma dose de loucura. Ele segurou o instrumento como se fosse uma lança e o apontou para o assassino, defendendo-se como um animal ferido.

O guerrilheiro o olhou sem entender nada. Era difícil dizer qual dos dois estava mais confuso com a situação. O golpe da espada deveria ter atravessado o guardião de livros. Mais flechas zuniram na escuridão, e gritos repercutiram sobre as águas que começavam a acelerar, já bem próximas da cachoeira. O assassino percebeu que não teria mais tempo e abandonou a cabine.

Instantes depois, as embarcações foram desconectadas bruscamente, e o barco dos salteadores se dirigiu para a margem oposta sob ataque dos soldados que disparavam flechas em sua direção.

Ben se levantou apalpando o próprio peito, sem acreditar que ainda estivesse vivo. Dentro da camisa, dependurada por um cordão, ele encontrou sua salvadora. Segurou Halom firmemente, como num agradecimento. A ponta da espada atingira exatamente o lugar onde a pedra estava, no meio do seu peito, como se Halom tivesse atraído a lâmina. Ben sentiu que ela estava quente, ou talvez, sua mão estivesse gelada. Ele ainda enxergou o assassino observando-o enquanto os barcos se afastavam. Nunca mais se esqueceria daquele rosto. Nunca havia visto olhos tão cruéis. Mesmo na escuridão podia ver ódio e frustração no olhar do homem que quase o matara.

Por um momento, o guardião de livros não conseguiu acreditar na sorte que tivera, mas logo descobriu que o fato de ter sido recusado pela morte não era motivo de comemoração. O barco desgovernado adentrou a correnteza da grande cachoeira. O porto passou ao seu lado rapidamente. Pelo jeito, a morte lhe daria uma segunda chance.

— Socorro! Socorro! — gritou para os soldados e carregadores, gesticulando vigorosamente as mãos e braços.

A atenção de todos se voltou para Ben.

— Pegue os remos! — ele ouviu os carregadores gritando nas margens.

Já haviam ultrapassado o porto, ainda assim ele tratou de manejar o remo, o mesmo que há pouco usara com se fosse uma arma. Empregou toda a sua força batendo desesperadamente o instrumento na superfície da água, mas isso não fez qualquer diferença. Eram necessários vários homens para conseguirem manobrar aquele barco dentro da correnteza.

— Joguem a corda! — ele gritou para os carregadores, percebendo que não conseguia fazer o barco voltar.

Eles se apressaram em jogar uma corda, mas o barco estava muito longe do porto. Desesperado, Ben voltou ao remo. Batia furiosamente o instrumento na água. Sentia que as águas o puxavam para baixo com braços poderosos ao redor do barco, atraindo-o para a boca do abismo. Ele ouvia indistintamente os gritos dos carregadores que estavam nas margens tentando transmitir alguma instrução, mas não conseguia mais entendê-los. Tudo o que via era o abismo irresistível se aproximando.

O barco foi arrastado para as profundezas. Quando a água gelada lhe envolveu o corpo suado, o chão sumiu debaixo de seus pés. No mesmo instante desapareceram as luzes, os sons, os cheiros, e ele desceu pelo turbilhão, sugado para o abismo de águas. Só restou o frio.

Após a longa queda que não durou mais do que um piscar de olhos, o choque com a superfície do rio foi doloroso. Ben se sentiu empurrado violentamente para o fundo, como um brinquedo manipulado por forças gigantescas.

Mesmo assim ele lutou para salvar a vida. Naquela noite descobriu pela primeira vez que havia muito mais força dentro de si do que imaginava. A primeira vez que conseguiu alcançar a superfície foi açoitado pelas águas que despencavam da cachoeira. Elas o empurraram impiedosamente para o fundo. Já sem ar, Ben buscou o que restava de forças para tentar subir novamente. Uma eternidade pareceu passar para seus pulmões vazios até que conseguiu arrebentar na superfície. Estava um pouco mais afastado da queda d´água, então pôde respirar, porém as fagulhas do ar gelado em seu peito lhe deram a sensação de que sobreviver podia ser mais doloroso do que morrer.

De algum modo, apesar de completamente exausto, ele conseguiu se arrastar para fora do rio. Os homens que carregavam os barcos o ajudaram a chegar até um lugar enxuto. Sua visão estava turva, seu peito doía, e todo o seu corpo reclamava de frio e do excesso de esforço. Suas pernas tinham hematomas e as costas ardiam como fogo pelo choque com as águas.

Assentado na doca rudimentar, Ben ouvia os gritos abafados dos homens. Percebeu que eles ainda estavam procurando o condutor do barco no poço da cachoeira. Instantes depois encontraram o corpo do pobre homem. Os corpos dos soldados seriam encontrados mais tarde.

Os barqueiros e os soldados o rodearam e ele se viu bombardeado por perguntas sobre o ocorrido.

— Guerrilheiros — foi tudo o que conseguiu dizer. — Atacaram o barco, mataram todos.

Os soldados queriam a descrição dos homens que os atacaram, mas Ben só se lembrava do assassino.

— Era alto, tinha cabelos negros, e uma cicatriz no rosto...

A descrição impressionou os guardas. Pelo jeito, o guerrilheiro era conhecido.

Quando os interrogadores o liberaram, os barqueiros o aconselharam a retornar para Havilá.

Ben até pensou em fazer isso, mas a essa altura, Adin e Leannah deviam ter chegado à cidade e contado tudo. Em Havilá todos estariam falando que nunca haviam confiado nele, que suas atitudes sempre foram suspeitas, que, afinal das contas, ele nunca pertencera àquele lugar mesmo, e outras coisas do gênero. Todas verdadeiras.

Esses pensamentos lhe deram ânimo para seguir adiante. Talvez o destino, que até o momento havia sido tão rigoroso, estivesse lhe preparando algo melhor.

— Não posso voltar — disse para os homens batendo o queixo por causa do frio. — Preciso seguir em frente.

* * * *
* * * * *

Kenan apenas observava o ancião. Os cabelos do velho eram inteiramente brancos, longos e levemente ondulados. Ele manejava o que parecia ser um pequeno pergaminho escrito por dentro e por fora. Era calvo no alto da cabeça e os cabelos pareciam uma luminosa grinalda real. Diante do velho, sobre uma escrivaninha de madeira ricamente entalhada, uma pedra shoham magnífica estava em estado de repouso.

Os móveis do escritório eram antigos, porém perfeitamente conservados. As janelas altas como portais em arcos ofereciam uma vista esplendorosa da cidade de Olamir, com suas cúpulas pontiagudas e domos arredondados. A luz da cidade entrava cálida pela janela e se espalhava pelas paredes, criando uma sensação de conforto e segurança que somente a cidade mais poderosa da terra poderia oferecer. Mas Kenan sabia que era uma sensação enganosa.

O velho utilizava uma lupa para conseguir ler as letras minúsculas escritas sobre o antigo artefato de couro de ovelha. O pequeno pergaminho não apresentava mais do que um dedo de largura e de comprimento, e mesmo assim se enrolava várias vezes. A mão experiente manipulava uma pinça e com ela fazia o pergaminho girar; enrolava-o e desenrolava-o, indo e vindo, conforme fosse necessário para que pudesse ler o texto manuscrito. Embora suas mãos estivessem firmes, seu rosto demonstrava preocupação.

O manuseio cuidadoso do pergaminho apontava para a preciosidade do mesmo. Era a primeira vez, em décadas, que o velho pegava aquele artefato. A situação presente exigia.

Kenan aguardou respeitosamente que o velho completasse a tarefa. Enquanto isso, olhou mais uma vez para a cidade iluminada, porém, antes, viu sua própria imagem refletida no vidro da janela. Não era mais um jovem. Seus cabelos negros começavam a ficar grisalhos; a barba, entretanto, era inteiramente preta, longa e encaracolada. Usava a armadura leve e prateada sob uma Aderet de giborim nova, com três cordões atravessados sobre a cota de malha. Seu rosto parecia esculpido como uma pedra shoham pelos instrumentos de lapidação que só o tempo possuía. Era difícil reconhecer aquela imagem de si mesmo.

Após cerca de meia hora analisando o pergaminho, o velho finalmente se voltou para o guerreiro que o esperava.

— Realmente parece um dos antigos... — disse com uma voz cansada. — Pelo menos ele usa uma técnica muito antiga. O segredo da descodificação da mensagem não é utilizado há mais de um milênio. Não faz sentido... Estamos lidando com um grande mistério aqui... — suspirou — Por *El*! Justamente agora isso precisava acontecer...

O guerreiro continuou silencioso. Ele fez um gesto com a mão, mas o velho não percebeu, pois se voltara para a pedra shoham, despertando-a. O ancião começou a vasculhar com seus olhos treinados, que mesmo fechados podiam ver a vastidão de imagens e informações proporcionadas pelo instrumento. Se houvesse algo nas pedras, qualquer informação, em qualquer lugar de Olam, ou alguma pista a respeito do homem misterioso que havia desaparecido como a bruma da manhã, ninguém melhor do que ele para descobrir. Só ele era capaz de unir o poder do pergaminho com o poder das pedras.

Após alguns minutos, entretanto, ele retirou a mão da pedra shoham com uma expressão de desânimo.

— Nada. O lapidador simplesmente sumiu...

O guerreiro assentiu parecendo ainda mais preocupado.

— Era mesmo um latash? Há alguma indicação de que tenha sido levado para o sul? — perguntou o giborim, e após alguns instantes completou: — Para Midebar Hakadar?

— Sim... e não —, respondeu o ancião sem se virar. — Era um latash, mas nenhuma pedra sentinela, fixa ou móvel, captou movimentação no sentido do deserto cinzento. Para o sul ele não foi levado. O problema é que não há indicação de que o latash tenha sido levado para qualquer lugar. É como se tivesse evaporado. Mas uma coisa é certa. Ele não morreu no incêndio.

Então o velho se virou e disse o que nenhum dos dois queria ouvir.

— Você terá que fazer uma visita a nossa distante Havilá...

O giborim arregalou os olhos diante do imprevisto. Aquele era o último lugar de Olam que ele desejaria ir naquele momento.

— Mas você disse que não há indicação de que ele tenha sido levado para o sul... — apelou.

— Faz tempo que os reinos vassalos buscam um lapidador — continuou o mestre. — Talvez esteja sendo mantido cativo em algum lugar até que possam levá-lo para Bartzel... Em Havilá teremos as respostas...

— Eu preciso ficar aqui, Thamam — insistiu, mesmo sabendo que era inútil.

O olhar do mestre foi suficiente para Kenan confirmar que não havia mesmo escolha. Ele abaixou a cabeça submissamente.

— Quando?

— Imediatamente.

Kenan assentiu mais uma vez. Não podia contrariar o mestre. Principalmente depois da estranha reação dele quando contou tudo o que fizera em Salmavet com o nephilim. Esperava uma forte repreensão, até mesmo uma acusação formal diante do Conselho, mas o que recebeu foi um olhar enigmático e as palavras que ainda reverberavam em sua mente:

"*El* cumpre seus desígnios utilizando os meios e os objetos mais imprevisíveis".

4 Demônios do deserto

Ben sabia que era um tipo de sonho *da pedra*. Mesmo assim, parecia real. Estava voando. De algum modo, estava ligado a um pássaro. Alguns pássaros tinham pedras shoham acopladas. Serviam para vigiar territórios. Ele não se lembrava de ter feito uma conexão. Mas a sensação de voar com o pássaro era ótima. Nunca havia se sentido tão livre. Ele se viu sobrevoando cidades jamais conhecidas. Avistava terras selvagens e imagens estranhas de montanhas desnudas, também de grandes rios serpenteando em planícies, brilhando como prata ao entardecer.

Enxergou uma imponente cidade construída no recorte de uma montanha. A cidade era guarnecida por altíssimas muralhas brancas e luminosas. Havia uma torre principal no meio dela e, no alto, uma luz refulgente, quase impossível de contemplar. O pássaro piou ao contemplar a cidade. Ben percebeu pelo som que tratava-se de uma águia. Ela sobrevoou a cidade várias vezes, fazendo longos círculos em volta dela, como se fosse atraída pela luz. Depois pousou numa torre no centro da cidade. Através dos olhos da águia, Ben viu a luminosidade da cidade tornando-se mais fraca. Ele viu que da imensidão do deserto escuro e frio que se estendia diante das muralhas, até alcançar o infinito, as trevas cresciam. Terríveis nuvens tempestuosas marchavam do deserto sombrio, desferindo raios em direção à cidade iluminada. Parecia ser só uma questão de tempo até as trevas abocanharem a luz.

O estranho sonho continuou. Ele não estava mais conectado ao pássaro. Viu-se pisando a areia de um deserto cuja tonalidade cinzenta era tão escura quanto chumbo. Fuligem recobria o chão. Enquanto isso, ao seu redor, uma sangrenta batalha se desenvolvia. Havia guerreiros vestindo pesadas armaduras metálicas e tannînins alados despejando fogo. Soldados gritavam, espadas brandiam, criaturas urravam, homens se desesperavam e o mundo girava sem parar.

Sentiu que havia uma longa espada em suas mãos. O cabo era cravejado de várias pedras brancas. Por um momento, ele olhou hipnotizado para a espada, alheio à batalha que acontecia à sua volta. Como havia chegado ali? Que espada era aquela? A indecisão durou só um segundo. Uma criatura maligna veio rosnando em sua direção e ele a atacou com força e destreza, como se tivesse sido um soldado a vida inteira, ou tivesse nascido para lutar. Decepou a cabeça animalesca com um único golpe, e cortou os braços e as garras de outra criatura que surgiu no mesmo instante.

Só então percebeu que havia pessoas lutando ao seu lado. E também estranhos seres que não pareciam humanos — suas faces cinzentas reluziam — dispostos a dar a própria vida por ele. Confiavam nele, esperavam que os liderasse. Porém, subitamente, ele estava do outro lado, dominado pela escuridão, lutando ao lado do exército das trevas. Com uma fúria desmedida e incompreensível atacava aqueles, que outrora foram seus amigos. Em seu coração só havia ódio e ressentimentos.

A última coisa que Ben enxergou, antes de se desfazer a visão ou sonho, foi o sorriso doce de uma jovem com abundantes cabelos escuros. Ela o olhava com uma expressão de curiosidade. Seus olhos cinzentos o fascinavam como lagos profundos e também o acalmavam como o mar em dias tranquilos. Tinham o poder de abrandar o velho lobo dentro de si. Traziam paz. Porém, aqueles mesmos olhos, em outros momentos, pareciam rir dele e faziam com que toda a sua confusão íntima retornasse.

Quando Ben despertou, outros olhos que, à sua maneira, também mexiam com ele estavam à sua frente. Eram da cor do mel e pareciam preocupados.

— Leannah? — ele se levantou num sobressalto. — O que você está fazendo aqui? — Não conseguia acreditar que ela estivesse realmente ao seu lado dentro do barco.

— Você está muito ferido? — A cantora de Havilá perguntou com ansiedade indisfarçada. — A cachoeira era muito alta! A queda foi horrível! Os ladrões machucaram você?

— Como...? Como vocês chegaram aqui?

Atrás da garota, Adin deu um risinho disfarçado.

— Sempre estivemos a apenas um barco atrás de você — informou o garoto. — Porém descemos a cachoeira pelo caminho correto.

Ben olhava com descrença para seus dois amigos. Tivera a certeza de que eles já estavam em Havilá, no entanto, estiveram sempre por perto. Queria ficar bravo com eles, mas não conseguia mentir para si mesmo: estava um pouco feliz por eles estarem ali.

Ainda dentro do último barco, antes de chegar ao seu destino em Yam Hamelah, Leannah explicou a maneira como conseguiram fazer os barqueiros desistirem de levá-los de volta para seu pai. Ela havia oferecido a eles a pedra lapidada por Ben. Os homens provavelmente nunca haviam visto uma pedra lapidada.

— Sem você, ela não tinha mais valor para mim... — justificou-se Leannah. — Não haveria com quem usá-la.

O olhar de Ben ainda procurava mostrar desagravo.

— Desde que nossa mãe morreu, nós também não temos mais nada em Havilá... — complementou a garota. — Nosso pai mal percebe que nós existimos.

O olhar de Adin atrás era de pura expectativa.

Ben capitulou, mesmo sabendo que era uma insanidade.

— Se querem ir comigo, já não posso mais impedi-los. Mas depois não digam que eu não tentei.

Enquanto o barco se aproximava do Yam Hamelah, as imagens do sonho esquisito ainda o inquietavam. Um sonho de pedra. Era assim que chamavam aquele tipo de sonho. Halom, a pequena pedra vermelha brilhava em sua mão. O sonho, provavelmente, tinha vindo dela. Talvez enquanto estivera adormecido, algum tipo de conexão houvesse se estabelecido entre Halom e outra pedra sentinela conduzida por uma águia, ou mesmo, com várias delas. Em situações normais o estabelecimento de múltiplas conexões era impossível, mas com aquela pedra, às vezes ocorria de modo acidental. Já havia acontecido antes. Nessas ocasiões, Halom lhe mostrara cenas que só aconteceram tempos depois.

Halom, segundo as explicações de Enosh, possibilitava previsões do futuro devido à técnica especial utilizada na lapidação. Entretanto, somente quando a mente ficava livre das restrições da consciência era capaz de navegar através de diversas pedras ao mesmo tempo, e, em sonhos, ver cenas do passado e até mesmo do futuro. Por isso chamavam aquelas visões de sonho de pedra. As previsões eram apenas as somatórias dos eventos presentes oferecidos por todas as pedras conectadas, como um cálculo matemático, por isso não eram infalíveis, mas prováveis. Ben estava apreensivo. Será que viveria aquelas batalhas? Será que encontraria a jovem do sonho? Será que trairia seus amigos?

Uma das muitas experiências que Enosh desenvolvia em Havilá era justamente uma tentativa de produzir essas múltiplas conexões de maneira controlada. Se fosse possível estabelecê-las num estado pleno de consciência, então poderia selecionar as informações recebidas e, provavelmente, ver o futuro de modo mais estável e preciso. Todas as tentativas fracassavam porque as múltiplas conexões nunca aconteciam enquanto se estava acordado. Ele fizera até mesmo uso de alguns chás que diminuíam o estado de consciência para ver se funcionava, mas sempre faltava alguma coisa, como se uma certa aleatoriedade das conexões fosse necessária para se prever o futuro, ou como se o futuro só se revelasse quando quisesse.

A manhã estava adiantada e radiante quando o barco carregado de pedras shoham rasgou, com sua proa desgastada, as águas intensamente salgadas do Yam Hamelah. Finalmente o mundo novo começava a se descortinar diante dos olhos do guardião de livros. Entretanto, com a presença dos dois amigos, ele sempre levaria junto um pouquinho do velho.

O imenso lago rodeado por montanhas brancas e desnudas de sal e calcário era o ponto mais baixo de Olam; um lugar quase sem vida, mas impressionantemente luminoso. O azul intenso da água refletindo o céu, e o contraste das montanhas esbranquiçadas brilhando sob um sol forte eram diferentes de tudo o que estavam acostumados a ver na nebulosa Havilá. Fazia muito calor também.

Na orla nordeste havia um grande porto junto a Reah, a cidade de tendas. Para lá todos os barcos que desciam o Yarden conduziam as cargas de pedras que iam para o leste.

As embarcações navegavam o mínimo possível dentro do Yam Hamelah, pois somente a parte norte do grande lago era considerada segura.

Enquanto o barco se aproximava lentamente do local de desembarque, os três jovens olharam espantados para a multidão de pessoas que circulava nos arredores. Nunca haviam visto tanta gente num mesmo lugar e, principalmente, nunca haviam visto tanta gente *diferente*. Os mercadores eram identificados por suas roupas típicas, compostas de longas togas e turbantes coloridos. Também havia pessoas de pele escura das cidades livres e atrasadas do Ocidente, vestidas com roupas feitas de couro rústico. E trabalhadores braçais vestindo hezor, uma tanga, na verdade um simples pedaço de pano que cobria os quadris, como um avental até os joelhos.

Ben se admirou ao ver pessoas de Além-Mar, com suas roupas cheias de adereços e bordados, e pesada maquiagem em volta dos olhos. Eram principalmente as mulheres que costumavam pintar as pálpebras com um produto escuro, próprio para isso, mas alguns homens também eram vistos com esse tipo de pintura. Ben sabia que eram eunucos a serviço de mercadores da distante Sinim.

Viu ainda alguns homens com cabelos longos e presos em tranças que desciam até o meio das costas. Tinham olhos negros e o corpo cheio de tatuagens e pendentes. O que mais chamava a atenção, entretanto, eram os coletes grossos de couro, como uma meia-armadura, que protegiam o tórax dos pouco confiáveis habitantes do deserto. Muitos deles transitavam entre Olam e os reinos vassalos dos shedins sem distinguir um do outro. Eram famosos pela capacidade de forjar espadas e adagas, e também de arrumar confusão por qualquer motivo. Eram mercenários. Em caso de guerra lutariam por quem pagasse mais. Ben pensou que alguns deles podiam estar entre os salteadores da noite anterior.

Assim que atracaram, os cestos cheios de pedras foram descarregados e conduzidos para as caravanas praticamente prontas para iniciar a longa jornada pelo deserto até Olamir.

Reah era um imenso complexo de tendas. Pareciam várias cidades juntas e, ao mesmo tempo, separadas por afinidades. Cada uma delas era formada por labirintos quase infinitos de pequenas bancas onde se vendia de tudo o que se podia imaginar, além de algumas coisas que poderiam ser difíceis de imaginar. A cidade era tão móvel quanto as dunas do deserto.

Os gritos dos comerciantes faziam uma estranha música cheia de altos e baixos, tempos e contratempos.

Alguns produtos pareciam caros.

— Seda do outro lado do mundo! A melhor de Sinim!

Outros pareciam pouco úteis.

— Espinhos de porco-espinho, muito resistentes! Úteis para palitar os dentes.

Outros pareciam incomuns.

— Peles! Peles de todos os animais. Até de ursos!

E alguns pareciam completamente falsos.

— Unhas de tannînins! Cascos de re'ims! Penas de ya'ana!

Diziam que Reah era mais populosa que algumas das seis grandes de Olam, mas, ao contrário daquelas cidades, era desprovida de qualquer estrutura, um verdadeiro caos de tendas.

Passando pelas tendas eles enxergaram praticamente de tudo. Ferreiros batiam metal, amoldando ferramentas e espadas; negociantes avaliavam ouro e pedras preciosas; mulheres tentavam adivinhar o futuro, lendo o caminho do sangue em cumbucas de barro; animais de todas as espécies aguardavam resignadamente por compradores; pilhas de tapetes com fios coloridos entrelaçados se equilibravam precariamente atrás das cortinas. Era tudo assustador e admirável ao mesmo tempo. Ben pressentiu que seriam necessários vários dias para conhecer a cidade e ver todas as novidades que existiam ali.

Por sorte, suas cinco moedas de prata não estavam em sua sacola que ainda devia estar descendo alguma cachoeira, estavam presas no pequeno compartimento que trazia dependurado ao pescoço. Ali também estavam Halom e as duas pedras shoham que trouxera de Havilá. Com as moedas eles puderam alugar dois dromedários e continuar a viagem para Olamir.

O guardião de livros contou o dinheiro diante dos donos dos dromedários no forte calor dentro da tenda onde negociavam: quatro moedas de prata. O valor do aluguel era uma moeda para cada dromedário, mas precisava deixar mais uma para cada animal; estas poderiam ser resgatadas se trouxessem os animais de volta. Se eles voltassem sozinhos, o dinheiro não seria devolvido. Em seguida, retirou sua sandália para formalizar o negócio, segundo o costume da região, e a entregou para um deles. O homem fez o mesmo. Simbolicamente, Ben calçou a sandália velha do negociante que era menor do que seu pé. O homem, por sua vez, calçou a de Ben. Assim, o negócio do aluguel foi firmemente selado. Finalmente, Ben saiu com seu próprio calçado puxando dois dromedários para fora do cercado.

— Só restou uma moeda? — perguntou Leannah preocupada, aproximando-se do dromedário e fazendo um carinho no focinho do animal. O dromedário pareceu gostar do toque de Leannah.

— Sim — confirmou Ben. — Mas ainda tenho as duas pedras shoham. Acredito que não seja difícil encontrar compradores, pois são pedras de boa qualidade.

Ben falou isso para não deixar Leannah ainda mais assustada. Mas no fundo sabia que vender aquelas pedras poderia ser difícil e perigoso. Enosh, de vez em quando, vendia secretamente pedras shoham lapidadas com técnicas especiais para mercadores misteriosos que visitavam Havilá. Era o modo como sobreviviam e arrumavam dinheiro para comprar livros. Se Enosh quisesse poderia ter sido um homem muito rico, mas ele sempre dizia que na sua idade, dinheiro não era a coisa mais importante.

Providos de dois cantis cheios de água fresca que logo se tornaria choca, comida suficiente nas sacolas para três dias inteiros e disposição que não duraria tudo isso, eles iniciaram a viagem. A estratégia adotada era seguir o trajeto de alguma caravana. Por sorte, uma delas estava partindo de Reah naquele exato instante.

A primeira dificuldade foi se acostumar à movimentação dos animais. A sensação era de cavalgar lentamente. Ben quase sentiu saudades dos barcos.

— Quando chegarmos a Olamir, o que você pretende fazer? — Leannah fez a pergunta que Ben estava fazendo para si mesmo há um bom tempo. As infindáveis tendas esbranquiçadas de Reah começaram a ficar para trás sob o sol da manhã.

— Procurar o homem chamado Thamam. — Respondeu Ben aparentando confiança, mas percebendo cada vez mais as dificuldades de sua missão.

A areia branca misturada com sal começou a escurecer enquanto subiam e se afastavam do Yam Hamelah. Praticamente todo aquele percurso inicial foi de subida. Com muito esforço os animais superavam as dunas. No início, a areia fofa deixava aparecer de quando em quando pequenas murtas, mas depois de um tempo só restaram espinheiros e abrolhos. Os viajantes sentiam-se pequenos pontos insignificantes na imensidão vazia do deserto. O vento quente ressecava a pele e era difícil manter os olhos abertos por causa da areia.

O primeiro dia foi monótono. O sobe e desce das dunas, o calor do deserto, a cor esmaecida da areia e o horizonte sempre baixo e distante embaçavam a paisagem. A mente se desnorteava muitas vezes, dando a impressão de estarem exatamente no mesmo lugar. Os únicos sons do deserto eram o vento quente zunindo nos ouvidos, o blang, clang, blang do chacoalhar dos dromedários balançando os enfeites das celas, e os gritos dos condutores da caravana à frente que chegavam distorcidos até eles.

"Vai Erlog! Anda Rumi! Força Lezg!"

Shamesh cumpria sua rotina para o oeste, sem pressa, e queimava implacavelmente a pele dos três jovens acostumados a passar os dias na sombria Havilá, porém, apesar do desconforto, Leannah e Adin não reclamaram em momento algum. Sob a luz do sol, os cabelos ruivos de Leannah brilhavam, como se cada mecha espalhasse uma língua de fogo.

A lentidão dos dromedários garantia a continuidade da jornada pela resistência. Embora não oferecessem conforto, transmitiam segurança; além disso, eram muito dóceis, obedeciam a todos os comandos, e conheciam bem a trilha; ou seja, como os alugadores haviam dito, "valiam cada centavo do aluguel". Apesar de todas essas vantagens, tudo o que Ben mais desejava era terminar a viagem para não precisar mais andar sobre eles.

— Por que não há rei em Havilá como em Olamir? — perguntou Adin, que ia à frente de Leannah.

Ben estava sonolento, a pergunta de Adin o despertou.

— No passado houve reis em Havilá — respondeu tentando remover a areia que se apegava aos seus lábios. — Vocês não acreditariam se eu dissesse que Havilá já foi uma cidade considerável... Antes das pedras shoham serem encontradas nas Harim Adomim, havia muito mais ouro nas montanhas e bdélio... Cada cidade de Olam também tinha seus próprios reis, mas isso foi antes da descoberta da técnica de lapidação. Hoje só existe um rei em Olam, o soberano de todas as cidades. É o rei de Olamir. Eles o chamam de Melek.

— Como um rei consegue manter a submissão de cidades tão grandes e distantes? Acho que ele nunca esteve em Havilá.

Ben balançou os ombros demonstrando apatia.

— Provavelmente nunca esteve mesmo. Um dos recursos é a religião — disse com um pouco de desprezo, mesmo sem querer ofender Leannah ou Adin. — Em cada cidade há um conselho de sacerdotes submisso ao conselho de Olamir, que por sua vez é submisso ao rei. — Então Ben sorriu com ironia. — Vocês deveriam ficar felizes, se ainda houvesse um rei em Havilá, o pai de vocês não seria o sumo sacerdote de lá.

— Mais uma razão para que tivesse um rei — disse Leannah com uma careta.

— Dizem que esse sistema de governo adotado pelas cidades de Olam foi inspirado num antigo e desaparecido povo que ensinou a técnica de lapidação aos sacerdotes de Olamir — explicou Ben, lembrando-se das histórias dos livros. — Eram os kedoshins. Eles se governavam por conselhos de sacerdotes e tomavam decisões compartilhadas. Mas foram embora...

— Eles não tinham rei?

— Isso eu não sei dizer...

— Para onde eles foram? — insistiu Adin.

— Isso eu também não sei.

— Além de Olam, mais alguém adotou esse modelo? — perguntou Leannah, parecendo mais interessada na conversa.

— Agora você já está querendo saber demais...

Leannah sorriu, um brilho perpassou seu olhar.

— Será que, algum dia, alguém vai registrar nossa aventura em livros? Ou talvez compor um cântico, um épico de nossa história? — ela perguntou.

— Aventura? — questionou Adin. — Até agora não vi aventura nenhuma, só areia, sol e calor insuportável.

Os três alcançaram o primeiro oásis quando Shamesh já estava começando a se esconder. A bola vermelha se afundou no horizonte atrás deles e pintou da mesma cor toda aquela imensidão de areia.

Eles enxergaram a faixa verde escura se destacando no horizonte plano do deserto. As palmeiras do oásis balançavam seus galhos ao vento seco, como se fossem braços saudando a chegada dos visitantes após a escaldante jornada. Depois das palmeiras, apareceram as tamargueiras, árvores leves do deserto com numerosos ramos delgados, folhas pequenas e uma camada de flores rosas e brancas para alegrar um pouco a vista. Por entre os galhos, pequenos macacos se moviam e brincavam, olhando curiosos para os visitantes que chegavam.

Ver árvores novamente, após um longo dia em que só viram areia causou uma sensação de reconforto.

O oásis era um local bem movimentado. Ben achou parecido com Reah, porém menor. Hospedava tanto as caravanas que iam para Olamir levando pedras shoham, quanto as que voltavam em direção ao porto ocidental trazendo outros produtos. Ben viu estranhos homens de olhos puxados, das primitivas tribos orientais, vendendo seda fina não encontrada em Olam. Eles eram originários de terras hostis que contornavam as geladas Harim Keseph. Ben nunca havia visto esse tipo de pessoas, e precisou fazer um esforço para não fixar o olhar nelas, pois isso não era muito educado.

Os jovens de Havilá se admiraram também com o comércio. Aproveitando a segurança oferecida por Olamir para a rota das pedras, as caravanas transportavam e distribuíam todo tipo de mercadorias nos oásis. A rota das pedras era a maior em extensão e a segunda maior em volume de comércio de Olam, perdendo apenas para a rota fluvial através do Perath, que interligava as principais cidades de Olam.

Logo identificaram o bdélio de Havilá. O produto amarelado extraído de uma árvore podia ser utilizado como tintura para roupas, e com algum refinamento, servia como perfume, exalando um aroma mais atraente do que o da mirra. Prata e bronze também circulavam e alimentavam o comércio das caravanas. Em bancas, eles viram tecidos como estofos azul, púrpura e carmesim; linho fino, pelos de cabra, peles de carneiro tingidas de vermelho, e peles finas que se acumulavam. Nos oásis, as mercadorias eram mais baratas do que nas grandes cidades. As caravanas de terras distantes não podiam adentrar as cidades de Olam, por isso abasteciam os oásis que, por sua vez, através dos comerciantes autorizados, abasteciam as cidades, com preços mais elevados, é claro.

Andando pelo meio das bancas era difícil se livrar dos vendedores que ofereciam todo tipo de produtos. Perfumes, especiarias, chapéus de guaxinins, longas rendas coloridas, bolos de nozes, tudo misturado em bancas onde os comerciantes disputavam os clientes e espantavam os micos que tentavam roubar os produtos. Um mercador segurou Leannah pelo braço assustando-a, enquanto oferecia anéis, colares de pedras, broches e medalhões trabalhados para fazer um cinto para prender a túnica. Ben riu com gosto ao ver o homem tentar pendurar os enfeites em Leannah, mas ela se livrou de suas mãos e o deixou anunciando preços cada vez menores.

Não havia quartos disponíveis nas tendas. Aquele era o período de maior movimentação de mercadorias, pois com a aproximação do inverno, as caravanas com pedras shoham diminuiriam e, consequentemente, a segurança na rota também. De qualquer maneira, mesmo que houvesse quartos, provavelmente eles não teriam dinheiro suficiente para alugar um.

Precisaram se contentar com três redes penduradas entre palmeiras para passarem a noite. A maioria dos viajantes carregava as próprias tendas e as armavam de oásis em oásis.

A claridade natural ainda era intensa após o pôr do sol. A atenção deles foi atraída para uma arena onde as pessoas se apinhavam; gritos e assobios podiam ser ouvidos.

Ben, Leannah e Adin se aproximaram curiosos, esgueirando-se entre as pessoas para observar o que parecia ser a encenação de um combate.

Nunca haviam visto em Havilá qualquer tipo de apresentação ou espetáculo, até porque as cidades de Olam não costumavam permitir esse tipo de apresentação.

— É uma batalha? — perguntou Adin com um rosto que mesclava medo e excitação.

— É uma encenação — explicou Ben. — Não é de verdade. Os oásis são as regiões mais livres da terra, provavelmente por serem lugares apenas de passagem. Por isso, muitas coisas que acontecem aqui seriam consideradas impróprias pelas pessoas menos recatadas de Havilá e uma abominação por todas as demais.

Os dois principais lutadores eram um homem e uma mulher, ambos de pele e cabelos negros. Cada um segurava uma espada. Vestiam roupas curtas de couro, eficientes para o calor do deserto e para a movimentação. O homem vestia um saiote até os joelhos, além de usar duas faixas, que se cruzavam em seu peito e se escondiam atrás dos ombros. A mulher também trajava um saiote um pouco mais comprido com adereços brilhantes, e uma faixa atravessada, que lhe cobria satisfatoriamente os seios. Eram incrivelmente ágeis.

Estavam enfrentando doze soldados vestidos com pesadas armaduras semelhantes aos terríveis soldados dos reinos vassalos. Ben se encolheu só de olhar para eles, lembrando-se do encontro recente que tivera.

Com movimentos acrobáticos, o casal se desviava dos golpes dos soldados e, com certa facilidade, conseguia derrubá-los. Estava claro que era uma encenação, mas os movimentos eram tão fortes, e as quedas dos soldados tão autênticas que parecia ser um combate real. Em certo momento, o homem suspendeu a mulher sobre os ombros, então eles começaram a lutar como uma só pessoa com quatro braços e duas espadas. O homem era canhoto e a mulher destra, assim, as espadas golpeavam dos dois lados, sincronizadas como numa dança.

A multidão estupefata aplaudia freneticamente cada movimento bem executado, incentivando-os com gritos e assobios.

Observá-los lutar causou uma estranha sensação em Ben, um anseio por lutas heroicas e batalhas como as que ele encontrava nos livros. Mal sabia ele que, um dia, aqueles dois guerreiros ainda cruzariam seu caminho.

Mais tarde, os três amigos, ainda maravilhados pelas cenas, compartilharam a comida das sacolas com dois mercadores de bdélio. Os homens vestiam túnicas cinzentas e escondiam o cabelo com turbantes baixos. Um deles tinha uma barba pontiaguda, a do outro era um tanto quanto desgrenhada. Este, fazia Ben lembrar-se o tempo todo de um porco espinho. Ambos já haviam passado por Havilá.

Segundo os mercadores de bdélio, os lutadores da arena vinham de um distante clã de guerreiros do oeste, de cidades-tribos de uma região muito além da grande depressão que formava o Yam Hamelah. As cidades livres haviam sido muito prósperas no passado, mas com o cessar das guerras, aquela terra entrou em decadência, então os clãs passaram a se dedicar à criação de cavalos. Mas ainda havia guerreiros; o casal de lutadores da arena era uma prova disso, embora fossem muito mais atores do que guerreiros.

Era costume em Olam repartir os alimentos. Os dois mercadores compartilharam suas provisões: sementes secas, queijo coalho feito com leite de dromedário comprado no próprio oásis e um pouco de sekar, uma cerveja forte de baixa qualidade que sobrevivia ao calor do deserto e ficava fresca à noite. As sacolas de Adin e Leannah tinham algumas frutas, pão sem fermento e água. Os alimentos foram colocados sobre uma mesinha rústica e baixa sob as palmeiras. Eles se assentaram no chão, porém nenhum dos jovens provou a sekar.

— O que três jovens da pequena Havilá fazem nesta rota reservada aos proscritos? — perguntou um dos mercadores, o da barba pontiaguda, com indisfarçada curiosidade e um pouco de exagero nos gestos e palavras.

— Estamos procurando uma pessoa — explicou Ben sem mais detalhes, enquanto mordiscava uma castanha. — Vamos para Olamir.

Os homens assentiram e continuaram compartilhando os alimentos. Uma música alegre começou a ser tocada para animar o jantar dos viajantes. Harpas e címbalos ditavam o ritmo.

— Vocês já ouviram falar dos guerrilheiros? — Ben resolveu aproveitar a deixa.

— E quem não ouviu falar? — admitiu o mercador. — As caravanas têm sofrido alguns ataques, embora raramente apareçam nos registros oficiais.

— Esta rota é muito perigosa? Vocês já presenciaram algum ataque? — perguntou Adin.

— Fica perto do Midebar Hakadar que sem dúvida alguma não é um bom lugar... Poucos sabem dizer o que há dentro daquele deserto cinzento e escuro...

Os dois homens olharam para Leannah com uma expressão estranha.

— Muitos considerariam arriscado uma jovem tão bonita andar por estas bandas... — disse um deles.

Leannah corou e olhou assustada para eles, mas logo seu rosto se tornou um desafio, revelando sua impetuosidade.

— Mas não se preocupem — aliviou o mercador da barba desgrenhada. — A rota das pedras é monitorada pelos giborins de Olam e suas águias que carregam pedras sentinelas. Os giborins têm informações contínuas de todos os acontecimentos neste caminho do Yam Hamelah até Olamir. Costumam aparecer do nada quando há alguma ocorrência. A única situação a ser evitada é adentrar aquela parte sul do deserto.

Ben entendeu a inquietação dos mercadores. Histórias terríveis eram contadas naquela região sobre mulheres sequestradas pelos guerrilheiros com o intuito de gerarem filhos híbridos e monstruosos para os shedins. Mas eram apenas lendas.

— Por que os guerrilheiros querem as pedras shoham? — insistiu Adin.

— Pela mesma razão que todos querem: progresso e conforto — respondeu o mercador. — Eles até conseguem desviar umas poucas pedras brutas ou lapidadas, mas sem o segredo de lapidação, isso não adianta muita coisa.

Ben sentiu vontade de dizer que não eram tão poucas as pedras desviadas.

— Então eles desejariam muito ter um latash a seus serviços? — perguntou Adin.

— Sem dúvida alguma, mas nunca vão arrumar um... Olamir não permitiria.

— Por que Olam não compartilha o segredo da lapidação com os outros reinos? — insistiu Adin.

Ben até estranhou o garoto estar fazendo tantas perguntas. Provavelmente a excitação pela viagem e as novidades o ajudassem a se soltar um pouco.

— É difícil dizer — o mercador da barba pontiaguda respondeu. — É uma decisão histórica. As grandes cidades do vale lideradas por Olamir têm mantido a mesma posição por dois milênios: ninguém fora de Olam pode utilizar as pedras lapidadas. Essa é a causa da descomunal diferença de progresso que existe entre Olam e as outras terras distantes.

— E também da inveja das outras terras — completou Leannah.

— Não seria mais fácil compartilhar? — questionou Adin. — Não seria bom se todos tivessem acesso ao conforto e ao progresso proporcionados pelas pedras?

— Não é tão simples assim — respondeu o mercador. — Elas não proporcionam somente isso, podem ser usadas como armas... Se os reinos vassalos tivessem lapidadores, vocês podem ter a certeza de que não enfrentaríamos apenas essas guerrilhas...

— Então, haveria riscos sérios para Olamir? — perguntou Ben, demonstrando, pelo tom de sua voz, não acreditar naquela informação.

— É difícil dizer... Enquanto o Olho de Olam estiver brilhando sobre Olamir, dizem que não haverá grandes riscos, porém ninguém sabe ao certo qual é o poder do Olho; nenhum ser vivo jamais o viu em atuação. E há rumores de que o Olho esteja lentamente se enfraquecendo... Eu já passei por lá, e realmente me pareceu que o brilho já não era tão forte. Além disso, ninguém sabe dizer qual lado tomariam os muitos povos fora de Olam numa eventual guerra. Além dos reinos vassalos dos shedins, há as terras do Além-Mar, os povos do oeste, os rions das montanhas ao norte das Harim Adomim, os anaquins das Harim Neguev...

— Os gigantes? — perguntou Ben. — Pensei que os anaquins tivessem uma aliança com Olamir.

— As terras do Além-Mar também têm uma, mas essas alianças são muito antigas, feitas por reis que já morreram... O fato é que as cidades de Olam reservam apenas para si mesmas as vantagens da utilização das pedras...

— As cidades de Olam juntas são invencíveis! — rebateu Ben. — Mesmo se todos esses reinos as atacassem, não conseguiriam nada!

— Se as cidades de Olam permanecerem unidas, você pode estar certo, porém a aliança das cidades não é algo espontâneo, é uma imposição de Olamir.

— Você está sugerindo que as outras cidades poderiam se voltar contra Olamir? Isso não faz sentido algum!

O mercador deu de ombros, mas não desistiu. — O Olho de Olam garante a soberania de Olamir, por isso ela não compartilha a técnica de lapidação das pedras shoham com as demais cidades, apenas fornece pedras já lapidadas. Isso, sem dúvida, gera alguns descontentamentos...

— Mesmo assim não faz nenhum sentido — insistiu Ben. — É melhor receber pedras lapidadas do que não receber pedra alguma.

O mercador assentiu, mas Ben percebeu que ele não estava convencido.

A conversa silenciou daí para frente, mas a música não. A sensação era que ela aumentava de volume instigando os viajantes a ensaiarem estranhos passos de danças.

Ben, Leannah e Adin estavam muito cansados. Não conseguiam entender como aqueles homens, que haviam passado um dia inteiro sob o forte calor do sol, ainda tinham ânimo para dançar.

Os três trataram de se acomodar, cada um em seu quase aposento ao ar livre. Leannah estirou-se na rede próxima a de Adin e o garoto rapidamente adormeceu. Ben se assentou ao lado dela. Os dois ficaram algum tempo lado a lado vendo os mercadores dançarem e rindo dos passos desajeitados que eles faziam.

— Você ainda está chateado? — perguntou Leannah com um semblante levemente preocupado. Seus grandes olhos da cor do mel pareciam ansiosos.

Ben fez uma cara séria, mas depois sorriu.

— Seria muito difícil encarar essa longa jornada sozinho. Estou feliz por você estar aqui comigo. Apesar de que, também tenho medo a respeito do que possa acontecer... Os mercadores...

— Você não vai acreditar nessas lendas, vai?

— Sobre shedins e mulheres? Não. Mas muitos homens de carne e osso podem se interessar por garotas bonitas.

Leannah sorriu para ele. Um sorriso de pura felicidade. Só então Ben percebeu que havia dito que ela era bonita. Sentiu o rubor subindo por sua face. Mas, pela primeira vez, percebeu o quanto gostava de estar perto dela. Num impulso, tocou o rosto da garota. Foi um sentimento estranho, quase irresistível, como se aquele deserto os estivesse aproximando. Talvez a distância de Havilá permitisse ver as qualidades de Leannah, ou talvez fosse o sentimento de solidão por estar em um mundo totalmente desconhecido. Passou a mão por seus cabelos que, apesar do clima seco do deserto, ainda estavam sedosos. Desceu a mão por suas orelhas e acariciou levemente sua face mais uma vez. Seus dedos sentiram a resistência dos minúsculos grãos de areia sobre a pele macia. A vontade de beijá-la era quase incontrolável.

— Parem com isso! — gritou Ben e Leannah não entendeu nada.

Ele se levantou da rede e correu para espantar os micos que estavam roubando os alimentos que eles haviam se esquecido de guardar.

Leannah também levantou de um salto, e os dois, rindo sem parar, espantaram os micos e recolheram o que havia sobrado dos alimentos nas sacolas.

Sentiam-se felizes. Estavam conhecendo um mundo novo. E até aquele momento, nada de ruim parecia estar na rota deles.

— Pode descansar — disse Ben carinhosamente quando retornaram para as redes. — Eu vou cuidar de vocês.

Instantes depois, Leannah adormeceu encostada no peito de Ben. A sensação de protegê-la, envolvendo-a com seus braços, foi agradável. Os cabelos acobreados ainda emitiam uma fragrância suave, diferente de tudo o mais que havia naquele deserto.

Enquanto ouvia a respiração suave da cantora de Havilá, ele pensou mais uma vez na difícil decisão que, mais cedo ou mais tarde, precisaria tomar. Se tornar um latash era o que ele sempre acreditou desejar, por outro lado, cada vez mais os sacrifícios requeridos lhe pareciam muito difíceis. Nunca poderia se casar, nem ter filhos. Um preço que estava se tornando muito alto.

Ben praticamente não dormiu. Ficou vigiando o sono dos dois amigos enquanto os mercadores ainda dançavam. Leannah e Adin eram as únicas pessoas que lhe restaram naquele mundo. Não queria mais os perder.

Teve a impressão de que a música só cessou quando já era alta madrugada. Foi quando também adormeceu. Mesmo evitando tocar na pedra Halom, sonhou com Havilá, com Enosh, com os homens de capuzes cinzentos que se reuniam secretamente com ele, com as pedras shoham, com o ritual do juramento e a incisão misteriosa de iniciação que causava esterilidade. E também com batalhas e guerreiros negros que pareciam dançar enquanto lutavam.

Ao amanhecer, antes que Shamesh nascesse, o oásis começou a fervilhar de calor e movimentação. Ao despertarem as caravanas, começou o corre-corre para garantir a eficiência do transporte. Instantes depois, os dois dromedários também deixaram o local levando os três jovens de Havilá para o segundo dia da jornada para Olamir. Ainda faltavam cinco ou seis dias, se tudo corresse bem.

Shamesh surgiu preguiçosamente à frente deles. A imensa bola alaranjada os saudou no horizonte enfumaçado do deserto, assumindo matizes azulados e acinzentados ao seu redor. Os três jovens nunca haviam visto uma sequência tão grande de dias ensolarados.

Partiam para o que parecia ser mais um longo, monótono e escaldante dia no deserto. O vento da manhã estava mais forte, as palmeiras balançadas por ele se despediram com o oásis. Rapidamente Shamesh espantou a lassidão e deu calorosas e brilhantes boas-vindas aos viajantes, obrigando-os a proteger os olhos. Logo no horizonte só havia areia outra vez, nas quatro direções.

A imensidão do deserto parecia fazer os viajantes encolherem ainda mais. As dunas eram quase intransponíveis, a lentidão que se moviam acentuava a monotonia da paisagem, e o vazio se multiplicava em todas as direções.

O sol quente caminhou sem pressa em direção ao ponto mais alto do céu, enquanto eles seguiam a caravana. Pareceu demorar dias até se posicionar na retaguarda, e, então começar sua descida brecada ao horizonte. Como no dia anterior, e como faria nos próximos mil, cruzou o céu indiferente aos sofrimentos ou às alegrias dos filhos dos homens. Mas castigou a já avermelhada pele dos três exploradores.

Para duplo alívio, já havia escurecido quando a caravana que eles seguiam alcançou o próximo oásis. Assim poderiam se livrar do sol e dos dromedários, pelo menos por algumas horas. Se houve algum espetáculo antes, eles não souberam dizer. De qualquer modo, estavam exaustos, tudo o que desejavam era uma rede para dormir a fim de recuperar as forças. A essa altura, os três já estavam se perguntando se havia sido realmente uma boa ideia se lançar naquela aventura. Ben desconfiava que não demoraria até Leannah e Adin pedirem para retornar.

Durante o jantar, em meio à euforia dos comerciantes que contrastava com o silêncio do deserto, os três conversaram sobre o quanto aquele mundo era diferente do que eles conheciam. Em Havilá, todos os dias parecia amanhecer o mesmo dia; nos oásis, nenhum era igual. Em Havilá a vida se tornava enfadonha e apegada às coisas pequenas e sem importância, mas nos oásis tudo era passageiro, não havia nada em que se apegar.

A noite, por fim, apagou todos os sons e anseios. O descanso minimizou o desânimo e as inquietações, como o fino orvalho da madrugada refrescou o chão escaldante do deserto.

No amanhecer do terceiro dia, o sol e o calor se apresentaram sem acanhamento logo cedo. Ben percebeu alguma movimentação estranha num dos lados do oásis. Chegou a pensar que estivesse acontecendo alguma encenação de combate, mas ao se aproximar percebeu que era outra coisa. Ele enxergou uma liteira transportada sobre os ombros por uma pequena multidão. Era imensa. Dezenas de soldados faziam guarda em volta dela. Mesmo de longe era possível sentir um perfume emanando da liteira, muito diferente dos cheiros fortes e azedos do oásis. Era perfume de mirra, de incenso e de vários tipos de pós-aromáticos de mercador. Era possível ver as curvas harmoniosas dos entalhes na madeira de qualidade. Colunas de prata sustentavam o teto de tecido fino bordado com ouro. Destacavam-se os ricos e macios assentos almofadados de púrpura, e sobre eles, um homem deitado. Era obviamente alguém muito importante. Tinha pele morena, mas não negra. Vestia uma bela estola azul com fios de ouro sobre um manto branco retorcido, que lhe encobria até os pés. Na cabeça havia uma mitra sacerdotal dourada. A barba negra era comprida e quadrada.

— O sumo sacerdote de Olamir! — Ben ouviu alguém dizer.

Todos curvaram a cabeça e dobraram os joelhos quando a liteira passou. Adin e Leannah depressa se abaixaram. A liteira passou bem perto de Ben; porém, por alguma razão, ele não se ajoelhou. Não foi desrespeito ou petulância, foi falta de entendimento mesclado com certo atordoamento e admiração por nunca ter visto tanto luxo. Por causa de sua altura, Ben se destacava no meio da multidão prostrada. O homem sobre as almofadas púrpuras o visualizou em pé e seus olhos não pareceram nada satisfeitos. Ben até pensou em se ajoelhar, mas ao ver o olhar de desaprovação do homem, algo fez com que ele continuasse em pé. Nesse caso, foi petulância.

Quando a comitiva do sumo sacerdote de Olamir deixou o oásis carregando diversos produtos para os ofícios religiosos, as pessoas retornaram aos seus afazeres.

A maioria partiu para seus destinos longínquos e desconhecidos. Os três jovens também montaram seus dromedários e partiram para o que imaginavam ser mais um dia monótono.

O ar do meio dia estava quieto e seco. O zum-zum das moscas era algo incorporado à paisagem. Os três seguiam a caravana sonolentos, acompanhando o sobe e desce das dunas. Como não sentiam mais tanto desconforto sobre os dromedários, não poucas vezes cochilavam até quase cair dos animais. Porém, num dado momento, Adin cochilou mais do que o normal. O garoto despencou para o lado e Leannah fez um esforço por segurá-lo, mesmo assim, ambos ficaram dependurados.

Ben precisou descer de seu dromedário para ajudá-los. Eles estavam presos nas cordas, de cabeça para baixo, praticamente sob a barriga do animal. Com grande esforço, Ben soltou os arreios e cortou as cordas que prendiam a sela. Os dois caíram sobre a areia entre risadas e reclamações de dor.

As risadas pela situação cômica, porém, duraram pouco. Perceberam que a caravana estava se afastando.

— Depressa! — orientou Ben. — Temos que prender os arreios da sela antes que a caravana desapareça.

— Como é que se dá o nó? — perguntou Leannah com aflição, tentando prender a corda ao redor da barriga do animal.

Adin tentava ajudá-la, esticando a corda por cima do dromedário. O animal se movimentava desconfiado da evidente falta de prática dos três, dificultando ainda mais o trabalho.

— Não vai dar tempo! — alertou Adin. — Estão sumindo.

— Vamos com um único animal! — Ben desistiu, e foi correndo até o seu dromedário que assistia a cena com um olhar impassível.

O animal suportou a carga dos três e se pôs a andar sacolejando pela trilha deixada pela caravana. O outro dromedário os seguia, mesmo sem a sela, andando desajeitado, livre do peso extra. Por sorte, os animais e as rodas da caravana deixavam profundos sulcos na areia do deserto. Bastava segui-los. O próximo oásis não deveria estar muito longe e, quando lá chegassem, poderiam prender a sela outra vez.

Mas logo os problemas aumentaram. O horizonte se escureceu muito rapidamente, como se o dia tivesse virado noite, ou Shamesh tivesse se eclipsado. Uma tempestade de areia vinha do sul. Os três nunca haviam presenciado esse fenômeno, nem imaginavam que ele pudesse surgir tão rapidamente.

Uma assustadora onda negra veio se avolumando ao lado deles, sugando a areia e ameaçando cobrir o mundo inteiro com sua escuridão.

O animal se assustou com o súbito escurecer e se pôs a andar desordenadamente, tentando fugir da tempestade. Em desespero, Ben tentava fazê-lo retornar para o caminho, porém, o dromedário disparou perdendo a trilha da caravana.

Enquanto o animal fugia apavorado da tempestade, Ben viu uma paisagem diferente elevar-se por trás das dunas. Eram montanhas. Ben quis acreditar que, talvez, o dromedário os estivesse levando para algum lugar seguro onde pudessem se proteger da tempestade que os perseguia. Por um momento, olhando para trás, teve a impressão de ver uma face maligna se projetando da crista da tempestade.

Quando chegaram às montanhas, depararam-se com um desfiladeiro entre as formações. Parecia ser o único lugar transitável, uma vez que, à direita e à esquerda, as montanhas se elevavam agigantadas. Talvez fosse um antigo e comprido cânion de rio, mas não havia qualquer sinal de água.

O dromedário adentrou o desfiladeiro bufando de cansaço pelo esforço de correr com peso extra, porém não diminuiu a velocidade. Logo encontraram uma gruta onde puderam se esconder do turbilhão de areia que, em instantes, passou sobre eles. O outro animal também conseguiu se refugiar dentro do desfiladeiro a tempo.

Ben não sabia se devia ficar agradecido ou enfurecido com o dromedário. Por um lado ele os havia salvado da tempestade que poderia feri-los, e até mesmo enterrá-los vivos, mas por outro, estavam completamente afastados da trilha da caravana.

Quando a tempestade seca passou, eles puderam sair da gruta e contemplar o desfiladeiro. Uma olhada rápida era suficiente para perceber que o lugar era desolador, tudo absolutamente árido. No chão o turbilhão havia se desfeito, porém o céu continuava encoberto e escuro.

— Onde estamos? — perguntou Adin.

— Estamos perdidos — Ben reconheceu a situação com um rosto preocupado.

— O dia não vai durar muito — observou Leannah aflita. — E o homem dos dromedários falou que não deveríamos passar a noite fora do oásis...

— Temos que tentar encontrar a caravana ou algum lugar seguro — disse Ben, que havia se lembrado, antes mesmo de Leannah, da advertência dos homens dos dromedários, e também das lendas dos mercadores de bdélio sobre mulheres raptadas. — Só nos resta retornarmos e torcer para que outra caravana logo passe por aqui e nos encontre.

No chão, dentro do desfiladeiro, a areia era estranha. Nem parecia mais areia, mas algum material esquisito, semelhante à fuligem, pois se movia naturalmente com qualquer ventinho. Abaixo da fuligem havia um tipo de farelo metálico como o que sobra quando algum metal é trilhado. Ben se abaixou e pegou um pouco daquele estranho material deixando-o escorrer por entre os dedos. Por ser fino se tornava difícil prendê-lo na mão. Desprendia um cheiro forte de metal queimado. Foi impossível não se lembrar do sonho de pedra onde lutara sobre um deserto recoberto de fuligem.

À sua volta havia uma única cor dominante: cinzento. Tudo, do chão até o céu. Ele ergueu os olhos e enxergou à esquerda os cumes altíssimos das montanhas, bem acima do desfiladeiro. Elas se erguiam de forma ameaçadora, com seus picos secos perfurando as pesadas nuvens escuras. As nuvens revidavam descarregando furiosamente raios sobre as montanhas mais altas. Parecia uma batalha de monstros.

Do lado direito do desfiladeiro as montanhas eram baixas, porém mais íngremes, com paredões escarpados que o costeavam. A escuridão das nuvens se refletia sobre o esbranquiçado dos paredões, mesclando cores em preto, branco e cinza. E no chão, um estranho vento gelado zunia, fazendo aquela bizarra fuligem se mover facilmente, tomar direções aleatórias e formar redemoinhos baixos que disparavam para todas as direções.

— Que lugar é esse? — Adin perguntou com uma voz apavorada. Com a ventania, eles praticamente precisavam gritar para ouvir uns aos outros.

O zunido do vento em seus ouvidos era como gritos de almas desesperadas. Ben lera nos livros sobre Midebar Hakadar, o deserto cinzento que ficava ao sul de Olam a meio caminho da terra de Hoshek, mas nunca encontrara qualquer descrição desse lugar. Nesse momento não precisava mais de descrições, seus próprios olhos contemplavam a desolação.

No horizonte, no sentido em que o desfiladeiro conduzia, o céu ia ficando cada vez mais escuro. Depois, numa distância incalculável, só se via uma faixa totalmente preta. Pela ótica comum, não dava para saber se era de terra ou se o próprio horizonte ficava escuro daquela maneira. Entretanto, pelas informações dos livros da biblioteca de Enosh, lá ficava a cortina de trevas, e atrás dela, a terra de Hoshek. Então, Ben entendeu que o desfiladeiro conduzia para o coração de Midebar Hakadar, e depois dele, para a terra das sombras.

— Precisamos retornar imediatamente! — decidiu-se o guardião de livros.

Mas era tarde demais.

Naquele momento ouviram as vozes. A princípio, eram chiados malignos passando com o vento. Diziam palavras e maldições terríveis. Em meio à fuligem, Ben imaginou ver rostos demoníacos formados pelo próprio material cinzento que revoava. Os rostos bizarros se esticavam e abriam bocarras ameaçadoras através da fuligem, então com a força do vento, as imagens se desmanchavam. As vozes continuavam soltando imprecações e maldições. Após alguns instantes aterrorizantes, o vento mudou de direção, e as vozes malignas foram diminuindo.

— Por *El*, o que foi isso? — perguntou Adin, quando a fuligem repousava mais uma vez sobre o chão.

— Há algo maligno no ar! — notou Leannah.

— Vejam! — Adin apontou apavorado.

Eram chacais. Dezenas. Vieram rosnando famintos na direção deles. Os dromedários apavorados correram na direção contrária. Vários chacais os perseguiram, mordendo as pernas dos animais.

Num instante, os carniceiros estavam ao redor dos três, ameaçando-os com os dentes à mostra. Ben tentava espantá-los com a sacola, mas as feras foram encurralando-os junto ao paredão de pedra.

Eram esqueléticos, quase desfigurados. Não devia ser muito fácil encontrar alimento naquele deserto. Ben sabia que bastava um deles criar coragem para atacá-los que todos os demais também atacariam. Sozinhos não ofereciam grandes riscos, mas em bando eram muito perigosos.

Ben tentou atingir um deles com a sacola, mas o animal a abocanhou e a arrancou das suas mãos. Vários disputaram os alimentos que se espalharam. O resto de comida evaporou do chão num segundo, e os animais se voltaram outra vez para os três.

Um dos chacais tomou coragem e avançou contra Ben, mordendo a manga da ketonet. Ben se debateu tentando se livrar da fera. Subitamente, um estranho grito ecoou pelo desfiladeiro. Foi um som estridente, impossível de discernir a origem. Instantaneamente o chacal largou a manga e os demais contiveram a investida, porém continuaram cercando os três, rosnando.

Então puderam ver um grupo de homens vindo do interior do desfiladeiro para a direção deles.

Em meio à obscuridade cinzenta do deserto, pesados coletes metálicos se destacaram, também colares de ossos pontiagudos em volta dos pescoços, dos pulsos e dos tornozelos.

Os chacais abriram caminho e os três se sentiram espreitados por olhos inexpressivos, de uma cor acinzentada e opaca — olhos de mortos — era assim que Ben se lembraria deles; cabeças calvas e rostos pálidos completavam a descrição daqueles homens assombrosos.

— São zumbis! — sussurrou Leannah.

— São refains! — corrigiu Ben, vendo as lendas dos livros se materializarem à sua frente.

O líder do bando fez um gesto para os companheiros. Quatro se aproximaram carregando pesadas correntes, enquanto outros os ameaçavam com espadas pouco maiores do que adagas. Ben pensou em reagir, mas diante das espadas, o risco de Leannah e Adin ficarem feridos era muito grande.

Os refains acorrentaram os três pelos braços e pernas. As correntes foram interligadas, isso os obrigou a andar juntos.

— Por que estão nos aprisionando? — perguntou Ben, mas a única resposta foi uma risada esquisita do líder do bando. Pelo menos Ben acreditou que fosse uma risada, pois era quase como um chiado, causava uma sensação de gastura nos ouvidos. Esse era o único som emitido por eles.

Adin e Leannah choravam enquanto os homens os prendiam. Ben era puro desespero. Mas não havia o que fazer, a não ser torcer para que fosse um pesadelo.

Quando terminaram de prender as correntes, o líder dos refains apontou na direção em que o deserto ia ficando mais escuro, e se pôs a caminhar.

Escoltados pelo grupo de soldados, os três andaram sobre Midebar Hakadar arrastando-se penosamente naquela areia fofa e metálica. Alguns chacais também os acompanharam.

Os soldados faziam uma barreira com seus escudos contra o vento carregado de fuligem e farelo metálico. Isso protegia um pouco; mesmo assim, eram açoitados por aquela areia esquisita. Se não estivessem usando roupas que cobriam todo o corpo, aquele material provocaria sérios ferimentos. No entanto, era difícil proteger o rosto.

Em alguns momentos, o desfiladeiro se abria consideravelmente, dando a ideia de que fosse um lugar onde o antigo rio se espraiava, mas em outros se estreitava claustrofobicamente, e os paredões quase se encontravam.

A mais difícil caminhada que já haviam feito na vida se completou quando depararam com uma cena assombrosa. No lugar onde o desfiladeiro acabava, uma grande e escura torre surgiu, rodeada por montanhas de construções apinhadas umas sobre as outras.

Ao reconhecer, em meio às nuvens de fuligem, a torre que já havia visto nos livros, o resto de coragem que havia no guardião de livros evaporou como a névoa do deserto.

— Aquilo é Schachat — disse para os amigos, — a cidade-torre da desolação. Estamos no coração de Midebar Hakadar.

— Não parece bom — respondeu Adin com voz chorosa.

A cidade-torre era um grande bloco arredondado de mil faces, feito de tijolos queimados e algum tipo estranho de metal cinzento bem escuro. Ainda era possível ver os detalhes impressionantes da arquitetura, bem como os arcos e os antigos desenhos que a ornamentavam esplendidamente, mas tudo estava em total deterioração.

Ben sabia o nome da cidade porque lera nos livros secretos de Enosh a respeito de uma enorme e antiga torre que subia às alturas rodeada de plataformas superpostas, como andares escalonados. Mas ao vivo era muito mais assustadora. Os livros diziam que um estranho povo habitava essa cidade: os refains. Eram apenas lendas, ou pelo menos deveriam ser. Essas lendas diziam que eles haviam sido homens antes de sucumbirem ao poder das trevas. Hoje eram escravos dos shedins.

A torre solitária havia sido levantada na encosta da montanha que a cercava em meia-lua ao final do desfiladeiro. A encosta era tomada por infindáveis e rústicos casebres, uns sobre os outros, sem qualquer organização. Acompanhavam apenas a topografia íngreme do terreno. Aquele lugar ficava exatamente no meio do caminho entre Olam e Hoshek, a terra das sombras. Talvez por isso tudo fosse cinzento. Não havia a luz de Olam, mas também não havia a completa escuridão de Hoshek.

A torre no centro era tão alta quanto as montanhas ao redor. Mesmo assim, dava a impressão de que os habitantes pretendiam construir mais andares, pois a base era larga, mas por alguma razão pararam a obra. No alto da torre, o lugar onde a construção havia sido interrompida lembrava a boca deformada de um vulcão. Em volta da construção o vento levantava a fuligem cinzenta, fazendo-a girar aleatoriamente pelo vão entre as montanhas repletas de casebres. E atrás das montanhas, ao sul, numa distância impossível de medir, a cortina de trevas englobava tudo e avançava lentamente com seus raios intermináveis liberados pela energia do mal.

— Como viemos parar aqui? — perguntou Leannah assombrada.

— Eu quero voltar para casa — choramingou Adin, expressando pela primeira vez um desejo ainda a se repetir muitas vezes, mas que não poderia mais ser atendido.

Os refains os empurraram sem gentileza em direção à torre. Os obrigaram a passar sobre uma ponte seca de pedra em forma de arcos. O barulho metálico dos adereços e objetos de metal que eles usavam nas vestes ecoou no vazio do vale do antigo rio. Alcançaram o portal onde vários soldados montavam guarda, vestidos com os mesmos coletes rústicos feitos de uma mistura de couro e metal cinzento.

Quando a escolta se aproximou empurrando os três prisioneiros, quase todos os refains que vagavam em volta da torre fizeram uma pausa para observá-los. Ben percebeu que todos tinham aquela cor estranha e opaca de olhos e pareciam não ter qualquer tipo de pelo sobre o corpo. Por um lado eram ameaçadores, devido às roupas e aos adereços, mas por outro, inexpressivos. Ben não viu mulheres ou crianças. Ele reparou que não conversavam, o único som emitido era aquele parecido com uma risada, num tom agudo, que lembrava metal esfregando metal.

Um pórtico revelou o interior da torre e mais uma vez Ben e seus amigos se admiraram com o tamanho da estrutura. Foram obrigados a entrar e acessar escadarias caóticas que os impulsionaram para as alturas, atravessando os andares sobrepostos. As escadarias desordenadas, sem qualquer tipo de planejamento, causavam desorientação.

Enquanto eram obrigados a subir, entravam em antros e acessavam outras salas, atravessando pequenos salões e sempre subindo novas escadarias que se entrelaçavam e levavam a níveis superiores. Havia muita sujeira no chão, e as paredes depredadas eram escuras e opressivas.

A certa altura, os soldados pararam e desconectaram as correntes, então, para desespero de Ben e Adin, eles separaram Leannah e a conduziram noutra direção. Apesar dos gritos de protesto dos três e da tentativa de Ben de se livrar das correntes, foram empurrados escadaria acima.

Não enxergaram mais Leannah.

— O que vão fazer com ela? — Adin soluçava ao ser separado de sua irmã.

Ben não queria nem imaginar.

Algumas vezes a impressão era de estar descendo, outras subindo, mas logo uma abertura surgia, revelando o horizonte cinzento. Então Ben podia perceber que estavam em algum nível mais elevado. Finalmente adentraram uma sala ampla e mal iluminada em forma de tubo. No centro havia uma estrutura circular elevada. Vários degraus conduziam ao topo, onde uma espécie de mesa ampla ou altar dominava o ambiente. A julgar pelo tanto que haviam subido, deviam estar no cume da cidade-torre. Uma grade metálica vedava a abertura no alto, onde o céu cinzento parecia querer entrar, mas era larga o bastante para não impedir a passagem de uma pessoa. De qualquer modo, parecia ser impossível chegar lá em cima, a menos que se dispusesse de asas.

O líder dos refains os empurrou para dentro do salão, os outros soldados os fizeram subir até o alto da plataforma. Uma pesada porta metálica foi movida quando os soldados saíram, e selou a entrada do salão. O local só não ficou em completa escuridão porque uma luz cinzenta e débil entrava pelas grades através da abertura no alto. A fuligem também entrava e flutuava dentro do tubo, lembrando insistentemente aos prisioneiros onde estavam, como se isso fosse necessário...

Ben e Adin se deixaram cair e encolheram-se no chão frio ao lado da mesa de pedra em completo desânimo.

— Diga que tudo isso é um pesadelo — Adin foi o primeiro a quebrar o silêncio, sua voz estava mais fina e chorosa.

— Só pode ser um pesadelo — confirmou Ben desolado, querendo mais do que tudo acreditar nisso.

Sentia uma coceira na garganta, provavelmente por causa da fuligem do deserto. Seus olhos também ardiam, e o nariz estava congestionado.

Entretanto, se fosse um pesadelo, estava demorando muito para acordar, ou será que as leis do tempo não se aplicavam aos pesadelos?

— Para onde eles levaram Leannah? — perguntou Adin apavorado, fazendo eco aos pensamentos de Ben.

O guardião de livros percebeu o quanto havia sido precipitada sua decisão de partir de Havilá acreditando que resolveria tudo por um ato de heroísmo tolo. Por outro lado, apenas obedecera ao seu coração; nunca viveria em paz se não fizesse algo pelo velho. O destino não deveria recompensar os atos de heroísmo?

Os choramingos de Adin ainda duraram um bom tempo, mas finalmente silenciaram quando ele adormeceu de exaustão.

Ben sentia Halom, a pequena pedra shoham, aquecida onde estava dependurada e oculta dentro da camisa. Por sorte, os refains não os haviam revistado. Com dificuldade, por causa das correntes, conseguiu enfiar a mão por dentro da camisa e a alcançou. Além de quente, ela brilhava. Ben estranhou o fato, pois não havia feito nada para ativar a pedra. De algum modo, ela havia se ativado sozinha.

Ben não sabia o que isso podia significar, mas não ignorava que uma pedra de comunicação sempre podia ser encontrada por outras pedras. Por outro lado, sabia que ninguém os procuraria no meio de Midebar Hakadar. Eles eram apenas três jovens desconhecidos que, se nunca retornassem, ninguém na rota das pedras sentiria falta. Mas talvez, com aquela pedra, ele pudesse pedir socorro...

Por um momento relutou, pois poderia haver riscos, inimigos piores poderiam encontrá-los, mas a situação já parecia ter chegado ao estágio máximo do desespero. E, provavelmente, não houvessem inimigos piores do que os refains.

Vencendo a relutância, conectou mentalmente com a pedra e se pôs a chamar por socorro. Foi um chamado aberto, sem direção, qualquer pessoa que estivesse por perto e em contato com alguma pedra shoham poderia ouvir. Ben chamou repetidamente sem obter qualquer retorno. Por fim, se conscientizou de que não fazia mesmo sentido pensar que, no meio daquele deserto infinito, alguém pudesse estar acessando uma pedra shoham.

Já estava desistindo da ideia, quando teve a impressão de alguém tentar se comunicar com ele. Restabeleceu a conexão. Enxergou um vulto. Parecia um homem. Não o conhecia. Subitamente foi como se os dois ficassem face a face. Era um homem calvo, muito alto e forte. Sentia que batia abaixo do peito dele. Usava um capuz negro, seu rosto era repuxado, e havia algo de inumano naqueles olhos terríveis. Era um guerreiro sem dúvida, ou talvez, um feiticeiro. Então soube que estava diante de um shedim. As descrições de Enosh conferiam, mas o mal que habitava aquela criatura, Ben jamais imaginou que fosse possível. Era atordoante. Tentou retirar a mão da pedra, mas não conseguiu. Parecia grudada a ela, como se o shedim o estivesse aprisionando. Ben lutou com todas as forças para se soltar, mesmo assim teve a impressão de que só conseguiu se libertar quando o shedim permitiu. Então a imagem do vulto terrível desapareceu.

Depois disso, Ben sentiu o desespero aumentar. Será que os shedins estavam por perto? Teria conseguido piorar a situação?

Ao mesmo tempo, o encontro com o shedim fez com que Ben compreendesse a gravidade da situação. O corpo distorcido da criatura tinha traços humanos. As lendas eram verdadeiras. Os shedins fabricavam corpos para si. E usavam mulheres humanas para isso...

A lembrança de Leannah sendo arrastada pelos refains lhe incutiu forças. Mesmo com dificuldades por causa das correntes ele se levantou.

O guardião de livros observou mais atentamente o local. O salão possuía o formato de um estranho tubo de pedras com uma parte metálica no alto. Só havia aquela mesa elevada bem debaixo do fosso de luz. Em princípio ele pensou que fosse um altar, mas agora... Um pensamento absurdo lhe ocorreu. A sala assemelhava-se a uma oficina de lapidação! Como as antigas que Enosh lhe descrevera certa vez.

Ben se esticou e olhou para a superfície da mesa. Estava bastante gasta e arranhada. Notou várias aberturas sobre a mesa. Eram pequenas, apropriadas para o encaixe de pedras shoham. Isso o surpreendeu. Enosh dissera que, em Olamir, os mestres lapidadores possuíam mesas especiais de lapidação. Os encaixes naquelas mesas em alguns casos funcionavam como moldes e, em outros, como potencializadores. Ben sentiu-se assombrado. Aquilo de fato era uma oficina abandonada de lapidação. Schachat já tivera lapidadores!

Uma das aberturas para o encaixe parecia ser apropriada para o tamanho de Halom. Ben pegou a pedra e percebeu que ela continuava brilhando e estava ainda mais quente. Retirou-a do colar. Se fosse realmente um encaixe para pedras, poderia ser possível se comunicar em uma distância muito maior, talvez até com Olamir ou outra das grandes cidades de Olam, desde que o mecanismo ainda funcionasse. O desespero não o fazia ignorar os riscos. Sua mão tremeu quando ele a esticou. Temia que o shedim aparecesse mais uma vez. Titubeou. Aquele foi um dos piores momentos de indecisão da jornada. Não tinha coragem de encaixar a pedra. Então uma imagem de Enosh veio subitamente à sua memória. Ele usava o capuz cinzento de latash e estava sorrindo.

"O mundo é um lugar mágico", ouviu-o dizer sua frase favorita. "O destino é uma pedra bruta a ser lapidada. Aplique a técnica correta e ele revelará potencialidades incríveis. Estimule o destino! Ouse! Quem sabe o que o universo responderá?"

Ben empurrou a pedra para dentro da abertura. O encaixe foi preciso. Estendeu outra vez o braço, tocou a pedra e pediu socorro. Lembrou-se do nome que Enosh mencionara. Thamam. Chamou por Thamam três vezes. A pedra subitamente brilhou com uma intensidade anormal. Sua mão levou um tranco e foi repelida.

O tubo cinzento tornou-se inteiramente brilhante. Uma luminosidade irreal dava a impressão de que havia sido transportado para outro lugar.

A luminosidade diminuiu tão subitamente quanto havia surgido. A luz se confinou dentro de Halom.

Halom estava desencaixada como se o mecanismo a tivesse recusado ou então completado o processo de lapidação. Ben se esticou e a pegou mais uma vez. Teve a sensação de que ela estava diferente. A cor havia mudado, o vermelho estava um pouco mais claro. Ele estranhou essa mudança. Não conseguia entender o que havia ocorrido.

Ben olhou outra vez para o céu cinzento acima da abertura fechada com grades e implorou a algum deus que os ajudasse a sair dali, mas tudo acima continuava vazio e distante. Um céu sem respostas. Não lhe parecia bom nem mau, apenas indiferente.

— Se *El* existe, por que não ouve nossas orações? — seu grito de desabafo ecoou pelas paredes.

Tum. Tambores soaram. Tum. Tum. Tum. Aquela não era a resposta que Ben desejava ouvir.

Adin havia acordado assustado com o barulho. Com um movimento conjunto, os dois se colocaram em pé. O som vinha de todas as direções.

Tum. Tum.

Parecia algum tipo de música ou invocação. Era um ritmo estranho. Desconectado. Não formava uma melodia. Pelo menos não uma melodia compreensível. Parecia uma invocação.

Os tambores alcançaram o volume máximo e soaram enlouquecidos ao redor do salão por vários instantes. Cessaram subitamente. O coração de Ben continuou batendo forte e aceleradamente no mesmo ritmo em que os tambores estavam antes de pararem.

As grades no alto se moveram com um rangido estridente. Ficaram abertas por um bom tempo. Ben só ouvia as batidas de seu próprio coração. Esperaram. Nada aconteceu.

Os tambores recomeçaram. Tum. Tum. Tum... Aumentaram, aumentaram... Quando chegaram outra vez a uma altura ensurdecedora, silenciaram. Outra vez esperaram. Nada.

Os refains recomeçaram o ritual. E fizeram a mesma coisa por cinco vezes, sempre silenciando quando o som dos tambores alcançava o ápice, sempre esperando em vão, e recomeçando outra vez.

Na quinta vez, após um período de silêncio absoluto, eles finalmente ouviram um grasnido distante e estridente. Lembrava um pouco o som que aqueles homens emitiam, mas era mais longo, mais forte, e muito mais assustador.

Então os tambores retumbaram novamente, agora com muito mais animação.

O grasnido se tornou alto e mais próximo.

No interlúdio seguinte ouviram outro som. Estava muito perto. Eram asas.

Ben achava que seu coração ia sair pela boca. Adin, ao seu lado, tremia de medo. Adivinhavam o que estava acontecendo. Os dois só olhavam para a abertura no alto, esperando ver o que a mente deles já imaginava. Tudo se confirmou quando um grande pássaro passou sobre a abertura e suas asas deslocaram o ar. Mal deu tempo de vê-lo, mas foi o suficiente para perceber que era enorme.

Na segunda vez que ele passou sobre a abertura o enxergaram melhor. Era muito maior do que o maior dos condores que habitavam os picos das Harim Adomim. Era preto e devia ter vários metros, a cabeça era pelada como a cabeça dos refains e seu bico era curvo, pontiagudo e ameaçador.

Após vários voos rasantes circulares sobre o tubo, o pássaro pousou na abertura. Equilibrou-se sobre a borda, e suas garras produziram um ruído insuportável ao arranhar a parede metálica. O olhar cruel procurou por algo dentro do tubo. Logo visualizou os dois jovens. Satisfeito, pôs-se a tatear o interior com uma das garras.

— Corra! — gritou Ben, praticamente arrastando Adin para longe da plataforma elevada.

Em total desespero, os dois amigos desceram as escadarias e tentaram manter-se distante das garras, mas não havia onde se esconder dentro do tubo vazio.

— Para cá! — gritou Ben esgueirando-se junto à parede.

As correntes dificultavam a locomoção e garantiam que se um fosse apanhado, ambos seriam içados para o alto.

— Abaixe-se! — gritou Ben quando percebeu que as unhas do pássaro vinham mais uma vez em sua direção. De tão perto chegou a rasgar um pedaço da roupa de Adin.

A única coisa que podiam fazer era se deitar no chão e rolar para o lado enquanto o pássaro vasculhava o interior.

O abutre soltava piados estridentes, descontente com a persistência de suas vítimas, mas se aplicava ao trabalho que parecia ter todas as garantias de sucesso. Em algum momento, cometeriam um erro e suas garras experientes estariam prontas. Não demorou. Numa das manobras, Adin escorregou e não conseguiu rolar o suficiente para o lado certo. Um forte puxão na corrente os desequilibrou, e ambos se estatelaram no meio do salão.

— Segure-se! — Ben ainda gritou, mas não teve forças para suportar o peso de Adin. Rolaram para junto da plataforma.

A sensação foi de que o fim havia chegado. O grasnido estridente do pássaro atestava isso. Enrolados nas correntes, seus alvos estavam temporariamente imobilizados. A garra viajou no ar novamente, dessa vez com destino certo.

Então ouviram um barulho de metal sendo cortado. Enxergaram uma espada que atravessou a porta metálica. A porta se fendeu em duas e a imagem de um homem de barba negra encaracolada surgiu diante deles. Logo reconheceram a armadura prateada reluzente e a capa vermelha esvoaçante. Ben pensou que o desespero o estava fazendo ter a ilusão de ver ali um giborim de Olam. A espada reluzia em sua mão.

Então tudo foi ainda mais alucinante. O homem invadiu o salão circular e avançou em direção à garra que procurava suas vítimas. A espada encontrou as unhas antes que elas capturassem os dois jovens e decepou uma delas. O pássaro soltou um piado lancinante e retirou a perna de dentro do tubo. Eles o enxergaram afastando-se temporariamente do local, tão surpreso quanto furioso.

Percebendo o que havia acontecido, os refains começaram a entrar no tubo. Com escudos, lanças e espadas, eles se espremiam ao passar pela porta. Revoltados por seu ritual ter sido interrompido, pareciam dispostos a terminá-lo com as próprias mãos.

O giborim se voltou para os soldados com a espada em punho. Quando o primeiro avançou, a espada o atravessou no peito após furar o escudo e o colete metálico. Ben se assustou com a facilidade com a qual a espada atravessou a armadura do refain. Mais dois foram abatidos com movimentos precisos do giborim. Um foi ferido no abdômen, e o outro foi atingido na altura do ombro. Os escudos de ambos foram menos resistentes do que papiro para a espada.

Ben reparou que os três refains feridos sofriam espasmos e soltavam grunhidos incompreensíveis, mas não morriam. Observou-os retorcendo-se em agonia, soltando guinchos estridentes e esguichando um líquido acinzentado pelos locais dos ferimentos, porém ainda vivos, ou ao menos se mexendo.

Os outros refains começaram a se afastar do giborim. Olhavam assustados para a espada e recuavam com expressões de ódio e temor.

O invasor partiu as correntes, que prendiam os dois jovens, e os arrastou para fora do tubo metálico. Em vertiginosa fuga, foram passando por salas infindáveis e construções deterioradas. Rostos inexpressivos também surgiam no caminho, mas permaneciam imóveis. Nessa parte da cidade-torre ninguém mais ousou atacar o giborim. Logo Ben entendeu a razão: havia corpos ainda tendo espasmos ao longo das escadas. O guerreiro os havia deixado como aviso para que ninguém tentasse impedi-lo.

Ben e Adin seguiam o guerreiro. Acessavam salões, atravessavam antros, desciam escadarias, e quase despencavam de altos parapeitos. Não dava tempo para sentir alívio, pois a saída da cidade ainda estava muito abaixo.

— Leannah! — Ben gritou ao perceber que estavam se dirigindo para a saída e gesticulou para o libertador. — Eles a levaram!

O giborim interrompeu a descida.

— A garota estava aqui? — perguntou o guerreiro quase gritando.

— É a minha irmã! — implorou Adin. — Eles nos separaram!

O giborim balançou a cabeça negativamente.

— É tarde demais! Não podemos mais ajudá-la! Temos que sair daqui! Coisa pior logo vai aparecer.

Ben e Adin se recusaram a continuar.

— Eu tenho que achá-la! — desesperou-se Adin, enquanto começava a subir as escadarias novamente. Ben o seguiu, mesmo tendo ciência de que o amigo não sabia para onde ir, nem ele próprio.

O giborim disse algumas palavras de desaprovação numa língua esquisita, mas também começou a subir os degraus.

— É por aqui! — ele gesticulou para Ben e Adin ultrapassando-os. Indicou um corredor que para os garotos de Havilá era apenas mais um naquele labirinto infernal.

Acessaram uma região diferente da cidade-torre. Os refains os enfrentaram mais uma vez só para seus escudos serem atravessados, sem qualquer resistência, pela espada brilhante. O giborim deixou-os ao longo do caminho esguichando o líquido cinzento. Ben e Adin apenas o seguiam, implorando aos céus que não fosse tarde demais para salvar Leannah. Será que ela havia sido atacada pela ave de rapina? Ou por algo pior?

Quando depararam com outra porta metálica, o guerreiro parou por um instante. Parecia relutante, mas logo a espada reluziu mais uma vez e atravessou o metal sem resistência. Com um chute violento ele abriu caminho para uma sala ampla. Então, Ben e Adin viram uma cena que jamais esqueceriam. Eram mulheres. Mulheres humanas. A sala estava cheia delas. As barrigas eram protuberantes. Estavam grávidas, mas havia algo muito esquisito em seus olhos. Elas pareciam tomadas por alguma força maligna. Pequenas veias escuras estavam à mostra em seus rostos, e também nos braços e barrigas. No meio delas, encolhida e apavorada, estava a cantora de Havilá.

— Leannah! — Ben gritou, e ela correu em direção à porta. Puxou-a pela mão e percebeu que estava gelada.

Ben não poderia descrever o alívio que sentiu ao vê-la. Parecia que nada havia acontecido de ruim com ela.

O giborim segurava a espada de maneira ameaçadora e olhava para as mulheres grávidas com uma expressão de repúdio.

— Você não vai salvá-las? — gritou Ben, mesmo sem fazer ideia de como tirá-las daquela cidade-torre.

— Eu preciso exterminá-las! — ameaçou o guerreiro.

— São mulheres humanas! — interveio Adin.

— Não são mais.

Tum. Ouviram os tambores soando outra vez dentro da cidade-torre. Tum. Tum. Tum. O giborim ouviu o som e desistiu de atacar as mulheres, para alívio de Ben.

— Temos que sair imediatamente, ou nunca mais sairemos — advertiu, e se pôs outra vez a descer as escadas.

Os três o seguiram.

As escadarias passaram vertiginosamente sob seus pés mais uma vez. No entanto, a imagem das mulheres grávidas demoraria a abandonar a mente de Ben.

Lá embaixo, os refains pareciam ter vencido o medo da espada. Uma multidão barrou o caminho da saída da cidade.

Então, o que se viu foi um massacre. Era impossível acompanhar os movimentos da espada do giborim. Ben e os amigos apenas viam as cabeças abandonando os corpos dos refains.

Ben pegou uma das espadas que os refains deixaram cair, e Adin copiou o mesmo movimento. Mesmo sem saber lidar com aquelas armas, tentaram ajudar o guerreiro a se defender das criaturas, que os cercavam. Com certa lentidão, o giborim abria caminho em direção ao portão da cidade, abatendo todas as criaturas semimortas que se aproximavam.

Parecia que iam conseguir abandonar Schachat. Ben só não conseguia entender a rapidez com que o giborim havia chegado ali. Teria seu pedido de socorro sido ouvido? Parecia improvável. A menos que o giborim estivesse perto da cidade-torre.

Subitamente, os soldados pararam de atacar e se afastaram. Por um momento até pareceu que tivessem desistido e estivessem abrindo um corredor para que eles saíssem da cidade. Até que apareceu um tipo de criatura bloqueando a saída.

— Um sa'irim! — reconheceu o giborim.

Ben acreditava já ter ouvido aquele termo, mas não conseguia se lembrar de onde, nem o que significava. A criatura era grande; tinha mãos humanas com as quais segurava uma comprida lança. Entretanto, as outras partes do corpo eram monstruosas. O rosto era deformado, lembrava um homem apenas vagamente; porém, seus olhos eram demoníacos. Ao ver aqueles olhos, subitamente Ben se lembrou de algo lido num antigo livro de Enosh. Um sa'irim era um espírito das trevas, um demônio condenado a viver entre duas esferas, sem poder acessar o lugar dos vivos nem o dos mortos. O giborim só podia estar enganado. Aquela criatura animalesca não podia ser um sa'irim. Os sa'irins não tinham corpo. A menos que...

O monstro rugiu como um leão e posicionou a lança para o ataque.

O giborim olhou fixamente para a criatura, e todos puderam ver algum receio em seu rosto. Mesmo assim ele não recuou. Segurou a espada com as duas mãos.

— É um espírito das sombras! — gritou Ben. — Um espírito da era anterior. Como ele conseguiu um corpo?

— Pergunte aos shedins! — respondeu o giborim.

Foi quando o horror dobrou de intensidade, pois outro sa'irim apareceu atrás do primeiro, também empunhando uma lança.

O giborim amaldiçoou o fato de terem demorado tanto para sair da cidade.

Ben segurava a espada curta dos refains, mas ela parecia um brinquedo diante das poderosas lanças dos sa'irins. Mesmo a espada do giborim, bem maior, era insignificante diante da ameaça.

Os refains ao redor batiam as espadas nos escudos, fazendo um barulho como uma invocação. Os tambores ressoaram por toda a cidade-torre. Tum. Tum. Tum. E repercutiram nas construções apinhadas nas montanhas ao redor. Todos os refains de Schachat saíram para assistir à batalha. Batiam freneticamente as espadas nos escudos no mesmo ritmo dos tambores. Só o coração de Ben batia mais acelerado.

O giborim apertou a espada com as duas mãos. Ben teve a impressão de que um reflexo, algo como um relâmpago, percorreu a lâmina.

— Saiam da frente espíritos sombrios! — bradou em alta voz o guerreiro. — Eu sou um giborim de Olam. Esta é Herevel. Saiam ou enfrentem o juízo!

O primeiro sa'irim não pareceu se intimidar com as palavras. O espírito das trevas viu a espada e isso aguçou ainda mais sua fúria. Avançou contra o guerreiro com sua enorme lança projetada. O segundo sa'irim permaneceu barrando a porta de saída de Schachat.

Quando a criatura se aproximou, as pedras brancas da espada do giborim brilharam subitamente. Pareciam carregadas de poder. Os reflexos percorriam a lâmina. O guerreiro não se moveu, apenas esperou impassível pelo ataque furioso de seu oponente de aspecto meio humano, meio animal, mas inteiramente demoníaco.

Ben, Adin e Leannah recuaram, deixando o giborim sozinho no meio da arena criada pelos habitantes de Schachat. Braços viscosos os envolveram e os seguraram. Eles se esforçavam inutilmente por se livrar daqueles braços.

A enorme lança do sa'irim se chocou com um estrondo contra a espada do guerreiro de Olam, e se espatifou. O barulho terrível ecoou pelas rochas e paredes metálicas da cidade-torre. O sa'irim se surpreendeu ao ver sua lança despedaçada. Ben, Adin e Leannah também. A espada do guerreiro, apesar do impacto, estava intacta.

Antes que o sa'irim pudesse fazer alguma coisa, o giborim o atingiu no flanco. A criatura urrou. Outro golpe poderoso lhe decepou uma das pernas e a derrubou, como se estivesse derrubando uma árvore. Então, o guerreiro cravou a espada no peito da criatura dos shedins. O corpo terrível ainda se debateu e empurrou o guerreiro para trás. A espada continuou encravada, e como se agisse por si mesma, parecia se afundar cada vez mais. Após diversos urros assustadores, o corpo monstruoso ficou imóvel.

De olho no outro sa'irim, o giborim se aproximou da criatura prostrada e arrancou-lhe do peito a espada. Estava manchada de um sangue preto. Em seguida, uma forma negra como fumaça abandonou o corpo abatido. Eles ouviram um barulho esquisito, algo semelhante ao zunido do vento sobre as águas. A forma escura ainda se lançou contra o giborim, querendo atacá-lo, mas desapareceu quando tocou a ponta de Herevel, desfazendo-se no ar.

O segundo sa'irim urrou ao ver o companheiro abatido. O monstro dos shedins investiu contra o giborim, que não esperou o ataque, avançando na direção do soldado das trevas. A espada ainda suja do sangue negro do primeiro sa'irim faiscou mais uma vez, as pedras brancas se carregaram de poder. Os três jovens de Havilá olhavam extasiados e não acreditaram quando o giborim saltou na direção da lança estendida do sa'irim. Numa fração de segundo, os dois guerreiros se encontraram, a lança do sa'irim se partiu ao meio, e, no mesmo golpe a cabeça da criatura monstruosa foi decepada.

Novamente, uma forma escura abandonou o corpo abatido e subiu até se misturar com a fuligem do deserto. Os dois corpos deformados permaneceram no centro da arena dos refains.

Depois que os dois sa'irins foram surpreendentemente abatidos, os refains não ousaram mais se aproximar. Ameaçados por Herevel, liberaram os prisioneiros e os deixaram atravessar o portão.

Os quatro fugitivos se viram fora de Schachat, a cidade-torre de Midebar Hakadar. De longe Ben avistou dois cavalos negros galopando ao encontro deles. Percebeu que um tinha uma estranha crina prateada. Os cavalos se aproximaram e se deixaram montar.

A silhueta escura e arredondada de Schachat ficou para trás, enquanto os cavalos rumaram para o desfiladeiro numa velocidade atordoante. Ninguém mais os perseguiu, mesmo assim o giborim continuava com pressa.

Ben guiava com muita facilidade o outro cavalo, o que possuía uma crina avermelhada. Só se agarrava ao animal, e Leannah em sua cintura, enquanto quase voavam sobre o deserto. Em poucos instantes eles chegaram ao desfiladeiro.

O barulho de deslocamento do vento feito por asas poderosas gelou as entranhas de Ben. Um grasnido soou acima deles e instantaneamente souberam que os obstáculos ainda não haviam acabado. A imensa ave de rapina não desistira de suas presas; estava acima deles com suas poderosas asas abertas, surfando as correntes de ar, e suas garras feridas clamando por vingança. Midebar Hakadar não dispensava facilmente seus convidados.

Em campo aberto seriam alvos fáceis, mas o desfiladeiro apresentava dificuldades para a aproximação do pássaro gigante. Os cavalos continuaram em alta velocidade, enquanto a ave de rapina tentava várias aproximações. Numa delas conseguiu chegar bem perto de Leannah, a ponto de quase roçar seus cabelos, mas as rochas pontiagudas daquela parte do desfiladeiro obrigaram o pássaro a se afastar. Ele se elevou outra vez sobre a imensidão cinzenta. Suas asas se inflaram pelo vento e seu instinto de predador pela persistência de suas presas.

Por um momento eles perderam o pássaro de vista. As formações rochosas no caminho ofereciam algum abrigo contra as investidas do predador, mas todos sabiam que não poderiam ficar muito tempo ali. Por isso, cautelosamente, seguiram em frente.

Logo perceberam que seus verdadeiros problemas estavam só começando. Mais a frente, o desfiladeiro se abria consideravelmente, criando um grande vão que parecia largo o suficiente para o pássaro alcançá-los. O giborim vasculhou o céu cinzento antes de se lançar em campo aberto. Ben também procurou pelo pássaro, e embora não o avistasse, lhe pareceu tolice acreditar que houvesse desistido.

Após alguns instantes, o giborim incitou o cavalo e disparou no meio do desfiladeiro. Sem opção, Ben o seguiu. Um piado horripilante confirmou que o pássaro esperava por isso.

Percebendo que não adiantava mais fugir, o guerreiro parou os cavalos e fez os jovens desmontarem. Com um dedo estendido, indicou um local atrás de uma rocha onde os três podiam se esconder. Sua mão direita retirou a longa espada da bainha mais uma vez. Ele aguardou em campo aberto o ataque iminente do pássaro. Para Ben, era loucura se oferecer assim à imensa ave de rapina, pois o giborim parecia bastante cansado depois dos embates dentro de Schachat. E certamente ele não era jovem.

Logo o pássaro estava bem acima dele, batendo violentamente as asas e equilibrando-se sobre as correntes do forte vento do deserto, o qual tomava direções imprevisíveis no meio do desfiladeiro. A postura do pássaro lembrava um gavião sustentando-se no mesmo lugar. Seus olhos perversos focalizavam bem seu objetivo, esperando o momento certo.

Então o pássaro atacou. Desceu numa velocidade impressionante em direção ao guerreiro, com as garras prontas para destroçá-lo. Com uma força terrível, as unhas atingiram o chão vazio apenas uma fração de segundos após o guerreiro rolar para o lado.

Mesmo caído, o giborim contra-atacou antes que o pássaro pudesse alçar voo. O contragolpe surpreendeu a ave de rapina. No chão, o pássaro era mais vulnerável. A espada atingiu outra unha, arrancando mais um pedaço. As asas se debateram e o impulsionaram ao alto. Elevou-se consideravelmente buscando forças nas alturas.

O guerreiro não saiu do lugar e esperou impassível pelo novo ataque.

A cena pareceu se repetir. O segundo ataque atingiu mais uma vez o vazio e levantou a areia do deserto. Dessa vez, antes que o guerreiro pudesse contra-atacar, o abutre estava no ar mais uma vez. Parecia ter aprendido a lição.

Ben, Leannah e Adin assistiam à batalha de perto. Escondidos dentro da fenda de uma rocha, sabiam que seriam os próximos se o guerreiro fosse derrotado. Estavam cada vez mais admirados com a habilidade dele. Sua velocidade era impressionante para a idade que aparentava. Agora sabiam que a fama da elite dos guerreiros de Olamir era merecida.

Cada ataque do pássaro atingia apenas o vazio, e os contra-ataques começavam a chegar cada vez mais perto, arrancando outros fragmentos de unhas e soltando penas gigantes.

De longe, Ben entendeu a tática do guerreiro. Ele estava cansando a ave de rapina. Cada vez que precisava se alçar ao alto para fugir dos contra-ataques, gastava muita energia levantando todo o seu peso; em contrapartida, aumentava sua fúria. O problema era que o guerreiro também estava ficando cansado.

Vários ataques e contra-ataques se passaram e nenhum dos dois estava disposto a desistir. Ben podia ver que ambos já estavam exaustos. Uma oportunidade surgiu para o giborim quando o pássaro desceu numa posição menos vertical. Isso significava que já estava impaciente, disposto a arriscar tudo num ataque mais violento, mas que também o tornava vulnerável, pois as rochas do desfiladeiro poderiam impedi-lo de decolar.

O guerreiro permanecia imóvel, permitindo que o abutre chegasse o mais perto possível. As garras abertas tinham força e ódio suficientes para destroçá-lo; mesmo assim, o giborim deixou que praticamente o atingissem. As garras chegaram tão perto que Ben e seus amigos realmente pensaram que o destroçariam.

Na incrível rapidez da cena em meio à fuligem que se levantava, algo inusitado aconteceu. Antes que o pássaro chegasse perto o bastante para atingir o giborim ou para ser atingido por ele, outra coisa monstruosa apareceu sobre a fuligem. Ben ouviu um sibilado e viu um vulto sinuoso deslizando. Então, a coisa saltou praticamente levantando voo e atingiu a ave de rapina antes que ela alcançasse o guerreiro. O monstro abocanhou o pássaro e passou sobre a cabeça do giborim.

Preso na boca da imensa serpente, o enorme pássaro afundou-se na areia do deserto e foi arrastado violentamente numa confusão de penas, garras e asas que se despedaçavam.

Com um horror indizível, Ben identificou as escamas pontiagudas no dorso da serpente. Viu também os três chifres sobre a cabeça e as pequenas asas laterais que lhe davam a capacidade de decolar por alguns metros. Era uma saraph; uma serpente de fogo. Em nenhum livro ele havia encontrado a descrição de uma saraph deste tamanho. O animal era grosso como o tronco de uma enorme árvore, mas não era tão comprido, por isso conseguia decolar. Era de todas as coisas apavorantes que já havia visto, a pior.

Após despedaçar a ave de rapina com facilidade, a saraph se voltou para o giborim. Ela deslizou furiosa na direção do guerreiro. Ben e Leannah gritaram ao antever o que estava para acontecer. A serpente-demônio arou o deserto, sua cauda pontiaguda e suas pequenas asas a impulsionaram, ela o atingiu, a espada foi lançada para longe e uma nuvem de fuligem cobriu a visão dos três amigos.

Quando a fuligem baixou, eles viram com horror que o giborim estava caído. A saraph o prendia no chão com sua cauda. Deliciava-se com a visão de sua caça. De suas longas presas pingava um líquido da cor do fogo.

Sem pensar no que estava fazendo e sem reconhecer sua própria atitude, Ben abandonou o esconderijo e correu em direção à espada caída. Quando a segurou, sentiu um forte tremor perpassar por todo o seu corpo. Foi como uma descarga elétrica provocada por uma conexão mal sucedida com uma pedra shoham. Ficou sem ação por alguns instantes, sentindo-se como alguém que toca um objeto sagrado indignamente. Sem calcular as consequências, e ainda sem acreditar no que estava fazendo, ele se lançou contra a serpente e a golpeou no dorso. O couro era tão duro que parecia de ferro, mas a espada abriu uma pequena verga nas costas do animal. Isso foi o suficiente para a serpente abandonar o guerreiro e se voltar contra o guardião de livros.

O giborim parecia terrivelmente ferido, talvez morto. A saraph provavelmente se alegrou ao ver que teria duas vítimas ao invés de uma. Só então Ben teve uma verdadeira noção do que havia feito.

A serpente-demônio estava diante dele com todo o seu tamanho e ferocidade. O sibilado maligno desfez o resto de coragem que havia no guardião de livros. De modo consciente pela primeira vez até o momento, Ben fez a única coisa possível: correu.

Em desespero tentou encontrar a fenda onde Leannah e Adin se escondiam. Sua velocidade era insignificante diante da do monstro sibilante, que se movia com agilidade sobre a areia lisa. E a serpente podia até mesmo voar...

Sem pressa, a saraph deslizou atrás da vítima, divertindo-se em perseguir a presa, ou talvez permitindo que ele a levasse até o local em que os outros amigos estavam. E mesmo sem perceber, foi o que Ben fez.

O guardião de livros conseguiu se ocultar antes que o animal o alcançasse, mas logo o monstro estava posicionado em frente à abertura, visualizando os três. A serpente se debatia e se contorcia, seu silvo zunia de expectativa, seus olhos amarelos brilhavam de crueldade.

Era uma visão terrível contemplar aquele animal horripilante com três chifres sobre a cabeça e dois dentes salientes se destacando. O veneno pingava diante deles.

A saraph terminou sua apreciação da comida e resolveu agir. Ela se impulsionou e deu um bote poderoso. Desferiu um golpe contra a fenda da rocha como um aríete arremessado por uma catapulta. Com isso, conseguiu arrancar um grande pedaço da pedra.

Adin e Leannah gritaram de terror quando perceberam o quão próximo a fera havia chegado. A boca do animal era grande o suficiente para engoli-los inteiros.

A serpente atacou novamente, suas presas se encravaram na rocha prendendo-a temporariamente. Ela sacudiu todo o corpo violentamente e sua cauda se debateu nas rochas. A saraph conseguiu se desprender e arrancou outro pedaço de pedra abrindo ainda mais a fenda. Então, sua cauda pontiaguda entrou como uma lança pela abertura tentando atingi-los.

Ben percebeu que não demoraria até que a saraph conseguisse abrir um buraco grande o bastante para alcançá-los.

A espada em sua mão esquentou subitamente. Halom em seu peito também. Ele as sentiu pulsando no mesmo ritmo e sendo atravessadas por feixes de energia. Sentiu sua mão apertando o cabo firmemente. Apesar da situação desesperadora, sua mão não tremia ao segurá-la. Era como se algo nela estivesse tentando se comunicar com ele. Dentro de sua cabeça, a própria espada parecia estar lhe dando instruções, impelindo-o a manuseá-la. Ao mesmo tempo, sua mente recusava aqueles impulsos, pois considerava que não teria qualquer chance se enfrentasse uma saraph.

No entanto, sentiu-se confortado. As batidas do coração retornaram ao ritmo normal. Para desespero de seus amigos, Ben saiu do esconderijo e correu para o campo aberto, gritando e gesticulando para chamar a atenção do monstro.

A saraph percebeu que um dos alvos escapara e deslizou como um raio atrás dele, apesar dos gritos desesperados de Leannah e Adin.

O animal contornou uma formação rochosa no meio do caminho, derrapou e se posicionou bem na frente do guardião de livros, encurralando-o.

— Ben! — Leannah gritou em desespero, mas não havia nada que ela pudesse fazer.

A saraph se impulsionou para o ataque. Ben era uma vítima indefesa diante dela.

O guardião de livros teve certeza de que seu fim havia chegado quando a serpente se lançou. Ele segurava a espada na altura do peito. O cabo parecia ainda mais quente. Nunca antes havia manejado uma espada realmente e, no momento, não tinha ideia do que fazer, mesmo assim a empunhava com firmeza. Quando a serpente desferiu o bote mortal, Ben se defendeu por puro instinto, ou talvez, a espada tenha se movimentado sozinha. Palavras surgiram em sua boca. Não sabia de onde haviam vindo. Talvez viessem da própria espada.

— *Shamreni* El *qui-hasiti vakh*[4].

Herevel avançou e atingiu uma das presas da saraph. Um terrível ruído metálico ecoou no desfiladeiro, enquanto faíscas brancas abrasavam a fuligem.

Apesar do peso colossal, a serpente foi arremessada para trás, rebatida por uma força avassaladora. Um pedaço do dente da saraph se partiu com o impacto. O veneno esguichou sobre a areia do deserto, porém um pouco do veneno espirrou sobre Ben. Instantaneamente ele sentiu a queimadura e em seguida um adormecimento na pele.

O gigantesco animal recuou sibilando e se contorcendo de dor. A saraph agora estava enlouquecida. Ela se sacolejou sobre o deserto, desferindo ataques para todos os lados, sibilando furiosamente, mas toda a sua ira se concentrava apenas em sua vítima grogue.

O animal contornou e ganhou velocidade, suas pequenas asas zuniram, riscou o chão do deserto com a cauda e decolou num bote certeiro.

Ben percebeu vagamente que ia ser partido ao meio, ou talvez engolido inteiro. Não tinha forças para fugir. A essa altura, ele já estava totalmente zonzo por causa do veneno que havia espirrado sobre sua pele. O máximo que conseguiu foi recuar um ou dois passos. Sentiu vagamente que a pedra dependurada em seu peito esquentou outra vez, mas sua visão estava turva, seu corpo não obedecia aos comandos. Ele perdeu o equilíbrio e escorregou — e isso foi o que salvou sua vida. A serpente-demônio, ao passar sobre ele, foi atingida no ventre pela espada que parecia ter vida própria. A lâmina quente atravessou o couro menos duro e rasgou a pele por vários metros. As entranhas do animal se derramaram.

O monstro ainda tentou se mover após ter sido rasgado por Herevel, mas parou pouco depois, abatido sobre a areia fria daquele estranho deserto cinzento.

Caído, o guardião de livros tremia por inteiro. Sentindo os espasmos da morte, ele vomitou um líquido branco. Sua pele rapidamente ficou amarelada, veias roxas lhe saltaram no rosto, a escuridão começou a cair sobre ele, enquanto tudo rodopiava à sua volta.

Adin e Leannah correram desesperados em sua direção.

Muito acima do desfiladeiro, o piado límpido de uma águia dourada se fez ouvir. A pedra sentinela da águia captou a imagem de dois monstros destroçados e dois homens prostrados sobre a areia de Midebar Hakadar.

---

4 Guarda-me *El*, porque em ti eu me refugio.

5 Uma manhã luminosa

25 do mês de Ethanim, do ano 2042 do estabelecimento do Olho de Olam.

O sobe e desce seria monótono se não fosse assustador. As colinas chamejantes justificavam o nome. Nenhuma vegetação havia, apenas refugos de minérios que recobriam o solo, resultantes das inumeráveis minas que se estendiam por todo o imenso território. De noite, o fogo que saía das colinas assemelhava-se a vulcões em erupção. Dentro delas, um número incontável de escravos alimentava as fornalhas para a modelagem do ferro e do bronze. O ritmo do trabalho nas minas era acelerado, o objetivo era a construção de um império, e tudo estava bastante adiantado. O poder dos vassalos dos shedins em Bartzel crescia a cada dia.

No meio de todas aquelas colinas ardentes, um imenso castelo de ferro se elevava cheio de pontas escuras. A impressão de qualquer visitante ao vê-lo é que haviam se esforçado bastante para construir um lugar opressor... e conseguido.

— Quatrocentas pedras de excelente qualidade — relatou o arauto à porta do salão real. — E milhares de pedras comuns.

Do alto de seu trono, os olhos do rei do bronze brilharam de satisfação. Tinha razões. Nunca obtivera uma carga tão grande e de qualidade tão elevada de pedras shoham.

O rei vassalo era velho e estava acima do peso, porém, ainda tinha a força e a destreza de um soldado. Ao lado havia outro trono, desocupado há muito tempo. Ao redor do amplo salão escuro, soldados com pesadas armaduras se mantinham imóveis quais estátuas, sem o direito de demonstrar emoções. E diante dele, ao lado do arauto, seu sobrinho, o responsável pela façanha, merecia ser coberto de ouro, embora isso não lhe fizesse nenhuma falta.

— Como foi o ataque à embarcação? — perguntou o rei do bronze.

— Foi fácil. Apenas dois guardas. Muitas pedras shoham.

— Excelente! — alegrou-se o rei do bronze. — Finalmente parece que as circunstâncias se nos oferecem para uma nova oportunidade... Principalmente agora que teremos um lapidador...

— Já não era sem tempo... — disse sem aparentar muita animação o homem responsável por aquele prodígio.

— O que foi, Arafel? Não está satisfeito?

— Com as pedras, sim — disse o sobrinho do rei do bronze.

— O que o inquieta?

— Encontrei um garoto durante o ataque...

— E daí? — perguntou o rei do bronze. — Desde quando garotos o incomodam?

— Havia algo estranho nele... — respondeu Arafel com um dar de ombros. — Eu não consegui entender plenamente. Não consegui matá-lo... Tentei, mas não consegui... Foi como se algo impedisse... Eu o atingi, ninguém sobreviveria, mas ele simplesmente não morreu...

— Eu acho que você não devia se arriscar tanto com essas incursões no território de Olam — disse o rei do bronze, tentando não dar importância ao fato, mesmo sabendo que era coisa rara alguém escapar da espada do sobrinho. — Você sabe que os giborins estão cada vez mais atentos. Com as pedras sentinelas, são capazes de ver praticamente tudo o que acontece dentro de Olam e até mesmo fora...

— Nem tudo — disse o homem alto com longos cabelos negros e uma cicatriz que lhe atravessava a face, do olho esquerdo até embaixo da orelha direita. Ainda aparentava preocupação. — Diga-me uma coisa: é certo que os shedins não podem mesmo viver fora da cortina das trevas, não é?

— O Olho de Olam não permite — confirmou o rei do bronze. — Para sair da terra de Hoshek, eles precisam utilizar corpos que Naphal aprendeu a construir, porém só podem fazer isso durante à noite, pois de dia, o poder do Olho somado à luz do sol, apressa grandemente a destruição dos corpos malignos. Por isso, precisam ser trocados de tempos em tempos. E, a cada vez que isso acontece, ficam fora de ação por meses, às vezes anos.

— Não é sábio esperar que Naphal e os shedins se contentem em ficar para sempre atrás da cortina de trevas...

— Enquanto o Olho de Olam brilhar, eles não têm opção — disse com desconforto o rei do bronze, sem entender a razão de todas aquelas perguntas.

— O que aconteceria se algum dia eles conseguissem criar corpos para si de um modo mais natural? — insistiu o príncipe do ferro. — Se pudessem ser gerados como os homens? Nesse caso, o Olho ainda os restringiria?

— Nesse caso provavelmente jamais deixaríamos de ser vassalos... — disse sombriamente o rei do bronze. — Mas isso não é possível, eles sempre precisam retornar para a terra das sombras... E chegará o dia quando não poderão mais sair de lá... Eles não pertencem mais a esse mundo. Foram julgados! Condenados! Algum dia terão que aceitar isso. Então, nós seremos o único poder... Só precisamos ter paciência.

— Continuo achando um erro esperar por isso... E também não consigo entender como alguém julgado e condenado pode ter tanta liberdade!

— Não estamos esperando sem fazer nada! Estamos nos preparando à nossa maneira. Você sabe que quando leões lutam, os chacais saem ganhando... Em breve os leões se enfrentarão, e no final, nós ficaremos com os despojos.

— Você acha que conseguimos enganar os vigilantes das pedras em relação ao lapidador? — mudou de assunto o sobrinho do rei do bronze.

O rei do bronze deu de ombros.

— Fizemos apenas o que Naphal orientou. E ele disse ter informações seguras sobre o melhor modo de tirar o lapidador de Olam e trazê-lo para cá. A rota foi cuidadosamente escolhida, a única com poucas pedras sentinelas, e, mesmo as que existiam, foram removidas. Naphal acredita ter alguém infiltrado dentro da linha inimiga, alguém importante e influente.

— De qualquer modo, se não o trouxerem logo para cá, não haverá tempo de preparar as armas e essas pedras que roubei terão pouca utilidade.

— Haverá tempo. E não se esqueça de que já temos muitas armas preparadas. — O rei do bronze olhou para o trono ao seu lado e, subitamente, seu olhar ficou mais concentrado. — Por quanto tempo esse trono ainda ficará vago?

— Ele pode esperar — retorquiu o príncipe do ferro também olhando para o trono vazio. — Ainda pertence ao meu pai.

— Seu pai está morto! — disse com firmeza o rei do bronze. — Foi pelo caminho que todos nós iremos um dia... Não pode mais se assentar no trono de ferro! Eu estou velho para governar todo o nosso vasto território.

— Meu pai ainda não foi vingado! Portanto, este lugar ainda não é meu.

Havia muito ódio na voz do herdeiro do trono do ferro, um ódio que o tempo não arrefecia, apenas aumentava.

— O reino do ferro precisa de um rei — insistiu o rei do bronze. — Você é o rei do ferro, o legítimo herdeiro das cidades de Bartzel. Está na hora de assumir sua posição. Naphal já autorizou isso.

— Se eu fosse mesmo um rei não precisaria de autorização para me assentar no trono.

— Ouça Arafel. Sei que sua sede de vingança ainda não foi saciada, mas o que realmente importa é destruirmos Olamir. Esse objetivo deve estar acima de nossos sentimentos pessoais, inclusive do orgulho. Foi por não estarmos atentos a isso que fracassamos da última vez, apesar de termos chegado tão perto de reacendermos a glória de Bartzel...

— Ele o matou covardemente! — descarregou o príncipe do ferro. — Não teve chance de lutar, não teve chance de se defender! Enquanto eu não sentir o sangue daquele maldito giborim escorrendo por minhas mãos, não descansarei, e este trono continuará desocupado.

— Ele passou por aqui... O giborim... Há alguns dias.

— E você não me informou? — a ira ardeu no rosto de Arafel.

— Naphal não permitiu. Disse que ninguém deveria impedir o giborim. E graças a isso agora Naphal tem justificativa para a guerra.

— Justificativa? E por que ele precisaria disso?

— Para desunir as cidades de Olam. Para garantir que Olamir tenha mais inimigos.

O rei do bronze sabia que a sede de vingança do sobrinho o impedia de ver a situação como um todo. Estavam mais perto do que nunca de esmagar Olamir e conquistar Olam. Então, deixariam de ser vassalos dos shedins, para se tornarem senhores de Olam e de todo o mundo. Afinal, os shedins não podiam viver fora da terra das sombras por muito tempo, e com o Olho de Olam apagado e Olamir destruída, não havia outra força que rivalizasse com Bartzel. Finalmente poderiam conquistar uma a uma as poderosas e ricas cidades de Olam. Naphal havia prometido as pedras de Olamir. E armas e soldados eles tinham suficientes.

O sobrinho não se conformava com a morte do pai, mas a verdade é que o rei do ferro fora o grande responsável pelo fracasso do plano brilhante de roubar o Olho de Olam de dentro da própria Olamir. Agora, graças a Arafel, já possuíam um estoque de pedras suficiente para preparar um exército. Em breve teriam um lapidador para cortar mais pedras e equipar mais armas, então, quando Naphal abrisse o caminho pelo pântano de Leviathan, seus numerosos exércitos atravessariam e se reuniriam aos exércitos dos shedins em Midebar Hakadar, para riscar Olamir do mapa de Olam. O eclipse lunar se aproximava e com ele a glória de Olam também se eclipsaria.

O plano estava se encaminhando de uma maneira perfeita. Quando o maior exército já reunido em milhares de anos marchasse contra uma Olamir temporariamente desamparada pelo Olho de Olam, Arafel poderia saciar sua sede de vingança. Permitiria isso a ele, mas somente quando estivesse assentado num trono diante do qual Olam, Sinim e todas as terras se ajoelhassem. E por que não, até mesmo Irofel e toda a Hoshek? Se tudo corresse bem, os shedins também sairiam enfraquecidos do confronto.

— Eu não entendo essa tática — disse o príncipe do ferro. — Por que atrair mais leões para a disputa?

— Porque quando os leões se enfrentam, os chacais ficam com os despojos.

* * * *
* * * * *

As mãos que o carregavam eram gentis... Foi sua primeira sensação quando despertou. Era uma boa sensação. Foi suficiente para fazer com que sossegasse. Talvez estivesse sendo levado para casa... A ideia aquietou seus pensamentos. Percebeu que estava sobre uma liteira, mas também poderia ser um esquife. Os homens davam passos sincronizados para que balançasse pouco.

O guardião de livros se sentia flutuando na imensidão, como se tivesse longas asas, que permitissem a ele o planar sobre as correntes de vento banhado pela luz morna da manhã. Sabia que estava trilhando o caminho da morte, mas isso não lhe importava. Morrer não era ruim.

O guardião de livros nunca soube quanto tempo ficou desacordado ou quanto durou sua estranha viagem. Mesmo tempos depois, ele ainda teria dificuldades para calcular exatamente quantos dias haviam se passado enquanto esteve num estado que era difícil caracterizar de outro modo, senão como "morte". Era como se uma parte do tempo ou talvez de sua mente tivesse sido apagada. Ele nunca se lembraria plenamente de como havia derrotado a terrível saraph. Nem do momento quando um ancião com uma longa barba branca se aproximou e derramou um líquido dentro de sua boca, e colocou uma pedra shoham retangular quente sobre sua testa. Lembraria apenas de ter ouvido o piado e visto o reflexo de uma águia dourada no céu, e também os gritos de Leannah e Adin. Depois tudo ficou escuro. Ele foi colocado numa liteira e transportado por diversos homens.

Ao seu redor, tudo ficava cada vez mais escuro. Ele vagava numa floresta. As raízes de árvores grossas pareciam se movimentar como se fossem serpentes. O céu era negro, e não havia estrelas. De quando em quando, rostos apareciam à beira do caminho, por entre as árvores, mas não eram rostos conhecidos. Não sentia a presença de algo bom, mas também não sentia o mal.

Sua sensação foi de passar dias naquela escuridão, talvez meses, até que viu uma luz brilhar. Em algum lugar, à frente de seu caminho de trevas, um ancião vestido de branco ao lado de um jovem com um capuz vermelho, segurava uma pedra luminosa. Ben olhou para a pedra e seus olhos doeram devido à luminosidade vermelha como sangue. O ancião fez um gesto, virou-se e começou a caminhar. Ben seguiu a luz.

Dois dias depois, abriu os olhos e percebeu que estava numa cama. Era feita de pedra, mas confortável. Os lençóis brancos eram macios e perfumados como jardins floridos. O primeiro objeto que ele observou foi uma pedra shoham sobre um criado-mudo ao lado da cama. A tonalidade quase alaranjada indicava ser uma pedra curadora. Agora entendia a razão de ainda estar vivo e também de todos aqueles sonhos conturbados.

Em seguida, observou o quarto espaçoso. Tinha móveis de formatos arredondados e uma janela baixa que deixava entrar a luz do dia. Ouviu passarinhos. De algum modo, o cântico deles estivera em seus sonhos o tempo todo. Melodias desconhecidas, porém alegres, que agora estavam dentro de sua cabeça, como uma música repetida que tocava sozinha na memória. Produzia uma agradável sensação interior, uma espécie de refrigério, como quando se coloca um bálsamo sobre um ferimento que está doendo muito.

— É uma melodia bonita, não é? Eles sempre cantam melodias novas quando temos visitantes. Esta é bem alegre.

Uma voz feminina um pouco rouca o arrancou do devaneio. Ben abriu os olhos e percebeu que a porta estava entreaberta. Alguém havia entrado no quarto, ou talvez estivesse ali há algum tempo. Por um lado, toda a mágica do momento se desfez, mas por outro, uma nova mágica se iniciou. Uma que duraria muito tempo. Pela vontade de Ben, a vida toda...

Seus olhos se fixaram numa jovem de silhueta esguia. Seu vestido era longo, verde e brilhante. Tinha algumas tonalidades mais escuras e outras mais claras. Um véu branco cobria parcialmente seus cabelos negros e se escondia em suas costas.

Ela se aproximou com uma bandeja nas mãos. Ao andar, seus cabelos levemente ondulados, parcialmente presos pelo véu no alto da cabeça, moveram-se livres. Eles paravam não muito comportados próximos à sua cintura. Ben viu seus olhos cinzentos e instantaneamente soube que eram os mais belos já vistos. Rodeados por uma maquiagem escura e delicada, pareciam ainda mais claros.

— Desculpe, eu não quis incomodá-lo. — A jovem falou com um leve curvar de cabeça. Parecia um pouco enrubescida. — Eu trouxe seu jantar.

Ben não soube o que falar. Ainda estaria sonhando?

— Você é minha camareira? — perguntou ao vê-la abrir as cortinas e revelar um céu azul límpido.

— Sim... — ela disse com um sorriso divertido. — Mas só hoje.

— Onde eu estou? — Ben percebeu que sua voz estava um pouco embargada, como se estivesse bêbado. Sentia um gosto amargo na boca, sua mente parecia estar vazia, tão vazia que, quando falava alguma coisa, ouvia ecos dentro da cabeça. Ele sabia que tudo aquilo era resultado dos remédios e, principalmente, da pedra curadora.

— Em Olamir — ela disse com um sorriso tímido.

Ben arregalou os olhos quando ela pronunciou o nome do lugar.

— Olamir? Mas como?

— Você foi trazido para cá. Precisava de cuidados, mas já está muito melhor...

Ben não conseguia parar de olhar para a garota. Aqueles olhos cinzentos eram como lagos profundos e melancólicos. Lembravam mesmo as lagoas aos pés das Harim Adomim, que refletiam o céu e o cinza das rochas nos dias limpos da primavera.

— Acho bom você se alimentar — ela o aconselhou, ao mesmo tempo em que parecia constrangida pelo modo como ele a olhava. — As pedras curadoras lhe deram energia para vencer a enfermidade, mas agora é sua vez de colaborar.

Percebendo que estava sendo inconveniente, Ben desviou os olhos. Foi difícil fazê-lo. Teve a sensação de ter assustado a garota. Sentia-se estranho. Não conseguia discernir o limite entre a realidade e a fantasia.

— Eu quero lhe agradecer por tudo o que você fez por mim — a jovem deu mais dois passos à frente. Ben reparou que ela segurava uma bandeja.

Cada vez que ela se movimentava emitia uns barulhinhos como sininhos, nos vários pendentes em volta de seus pulsos e nas orelhas. Havia vários deles em anéis em volta dos tornozelos. Ben se distraiu com aquele som hipnotizante. Ele ecoava em sua cabeça. Seu vestido com tons escuros e claros brilhava conforme a luminosidade do dia que entrava pela janela.

— Fiz questão de vir aqui porque queria lhe dizer isto — ela continuou. — Sua coragem evitou uma grande tragédia.

— Do que você está falando? — Ben se sentia ainda mais confuso.

Ela apenas sorriu. Ele se esqueceu de tudo mais uma vez.

— Coma agora e depois descanse mais um pouco — ela estendeu a bandeja e aquele som de sininhos que pareciam mágicos se espalhou mais uma vez pelo ar. — Haverá tempo para todas as perguntas. Talvez você não se lembre de tudo o que fez; afinal, é um milagre que esteja vivo depois de todo o veneno que penetrou sua pele.

A jovem deixou a bandeja sobre a cama e saiu do quarto.

— Qual é seu nome? — Ben perguntou antes que ela atravessasse a porta.

— Tzizah — ela respondeu com um sorriso tímido e sumiu no corredor levando os sons mágicos consigo. Deixou-lhe a sensação de que havia feito algo que a espantara.

— Tzizah... — ele repetiu. — Linda como a mais linda das flores...

O quarto ficou subitamente vazio depois que ela saiu, embora o perfume suave ainda o impregnasse. Ben olhou desestimulado para a bandeja. Parecia que a luminosidade do dia desaparecera. Até os cânticos dos passarinhos agora eram melancólicos.

Então percebeu que a bandeja parecia ter algumas coisas bem apetitosas. A cor das frutas o atraiu definitivamente. Percebeu que estava com fome. O sabor não decepcionou. Havia uma espécie de pão sem fermento que ele comeu, com um tipo de queijo magro e saboroso. Nozes e mel completaram a refeição. E para beber, um copo de leite; pelo sabor, Ben imaginou que fosse de cabra.

Quando terminou de comer estava com muito sono novamente. Dessa vez, adormeceu sabendo exatamente onde estava: a cidade que durante toda a sua vida desejara conhecer. Dormiu com um sorriso no rosto, ouvindo as melodias dos passarinhos, e sonhou a noite inteira com aqueles olhos claros e melancólicos da jovem camareira. Ben tinha uma sensação de que todos os seus sonhos finalmente se realizariam. Em parte, isso se provaria verdadeiro.

Na segunda vez que acordou, os passarinhos cantavam uma melodia mais sóbria. Ben teve novamente a impressão de que havia alguém dentro do quarto. Ele procurou ansioso pela bela camareira e seus olhos cinzentos, mas o que enxergou foram os olhos esmaecidos de um velho. Ele estava posicionado aos pés da cama e se apoiava num estranho cajado curvo. Vestia uma toga elegante que lhe atravessava dos ombros para a cintura. Não havia nada de especial em suas roupas; mesmo assim, o homem transmitia autoridade. Ben o achou familiar. A luz cinzenta do entardecer o envolvia.

Então viu que, ao lado da cama, havia outra pessoa assentada. Era um jovem com cabelos loiros. Ben viu que ele usava um capuz vermelho de aprendiz de lapidador e analisava a pedra curadora. Lembrou-se da imagem dos dois no sonho esquisito que tivera enquanto vagava na floresta escura. Compreendeu que eles o haviam trazido de volta com a pedra curadora.

— Pensei que fosse dormir para sempre — disse o velho com uma voz que não combinava com alguém tão idoso. Era uma voz melodiosa e suave, que transmitia sabedoria e bom-senso. E havia algo mais que Ben não pôde discernir totalmente, talvez fosse preocupação. Ao mesmo tempo, Ben achou engraçado o modo como o homem falava, cortando as frases pela metade. *O velho das frases reticentes*. Era assim que pensaria nele mais tarde.

Ben tentou se assentar na cama, porém sentiu fortes dores por todo o corpo.

O jovem loiro quis impedi-lo, mas o ancião fez um sinal para que o deixasse.

— Ele já está melhor Anamim. Você fez um excelente trabalho — elogiou o velho. — Como sempre...

— Foi a pedra meu senhor — explicou o jovem aprendiz de lapidador com alguma timidez. — Mas ela está mostrando que ele ainda não está recuperado — disse apontando para o instrumento em suas mãos.

— Mas vai se recuperar logo... — disse o ancião. Ben não soube se ele estava feliz ou triste por causa disso. — Você pode ir agora.

Um pouco relutante, Anamim posicionou a pedra sobre a cômoda mais uma vez. Antes de deixá-la, suas mãos ativaram algo nela. Instantaneamente Ben sentiu um tremor em sua cabeça e as dores que sentia desapareceram. Então com uma reverência, o jovem deixou o quarto.

Aliviado das dores, Ben o acompanhou com um olhar agradecido enquanto atravessava a porta, em seguida voltou a se concentrar no ancião.

O velho apenas analisava-o e alisava a longa barba branca com uma das mãos. Os cachos da barba se esticavam e, teimosamente, voltavam a se enrolar. O modo como o observava, sem dizer palavra alguma era um pouco constrangedor, como se pudesse ler o que se passava em seu íntimo. Ben aguardou que ele dissesse algo, mas o velho continuou apenas o observando com uma expressão ora divertida ora preocupada. Reparou que sob o turbante ele tinha longos cabelos brancos, levemente enrolados, mas era calvo no alto da cabeça. Lembrava um pouco Enosh, não porque fossem parecidos fisicamente, mas por algo que havia no olhar, um brilho inteligente e, ao mesmo tempo, desconfiado. Novamente a sensação de perda voltou ao seu coração ao se lembrar do velho lapidador.

O rosto do ancião exibia manchas na testa e ao redor dos olhos. Isso apontava para uma idade avançada, porém, depois de alguns instantes com ele, já não o achava mais tão velho. Era estranho, pois ele parecia mudar rapidamente. Num momento parecia abatido, no seguinte, quando dizia alguma coisa, parecia rejuvenescer trinta anos.

— Vamos às suas perguntas — o ancião sorriu, ainda apoiando-se no cajado, como se soubesse das dúvidas que desfilavam pela cabeça de Ben. — Nós o trouxemos para cá depois de sua dança com a saraph do deserto...

Ben teve a sensação de ter ouvido errado o que ele disse. Dança? Naquele momento, sentiu um estalo na cabeça, como se as palavras do ancião o tivessem devolvido à realidade. Lembrou-se de Leannah e Adin.

— Seus amigos estão bem — o velho não o deixou fazer a pergunta. — Estão passeando, conhecendo a cidade, satisfazendo uma das necessidades básicas do ser humano: explorar lugares desconhecidos. — O homem deu outro risinho que revelou dentes pequenos e brancos.

— Eu pensei que tudo isso fosse um sonho... — Ben deixou escapar um suspiro.

— É possível... — respondeu com um balançar de cabeça.

— Que eu ainda esteja sonhando?

— Não. Você disse que tudo pode ser um grande sonho. Talvez nada à nossa volta seja realidade, pelo menos não como concebemos a palavra realidade. Não é impossível que tudo seja mesmo um grande sonho. Um sonho de *El*...

Ben olhou para o velho sem entender nada daquela filosofia. Esperou que ele completasse o pensamento, mas ele não o fez. Precisaria se acostumar com aquilo também.

— Como vim parar em Olamir?

— Não se lembra dos refains de Midebar Hakadar? E da cidade-torre de Schachat? Esqueceu-se do pássaro e da saraph?

As perguntas do homem foram preenchendo os espaços vazios na mente de Ben. Ele começou a se lembrar. Cada palavra criava imagens do nada dentro de sua mente.

— Foi uma cena impressionante aquela — disse o ancião. — Um pássaro gigante e uma saraph destroçados... Porém, foi muito veneno. Só de entrar em contato com sua pele era suficiente para matá-lo várias vezes. Mas nós chegamos a tempo... Se demorasse um pouco mais, você estaria conversando com *El* agora e saberia se tudo é um grande sonho ou não...

Aos poucos, Ben foi conseguindo montar o quebra-cabeça dos acontecimentos que presenciara. Não parecia que ele próprio tivesse vivido todas aquelas coisas. Havia lutado com uma saraph?

— Você está sendo considerado um herói por aqui — continuou o ancião. — Os menestréis deveriam cantar em Olamir como o guardião de livros matou a saraph, a terrível serpente-demônio do deserto... Não há registros de que algum homem já tenha feito isso... Pena que não haja mais menestréis em Olamir há pelo menos uns dez séculos...

Ben sentiu um estranho orgulho quando o homem dissera aquilo. Sempre havia desejado realizar grandes feitos. No entanto, sabia que sua vitória havia sido acidental, provavelmente graças à espada do giborim. Havia algo especial naquela espada. E também em Halom. Tinha a certeza agora de que ela o salvara duas vezes. A pedra ainda estava em seu peito. Ficou aliviado ao perceber que não a haviam retirado. Foi como se a pedra e a espada trabalhassem em sincronia. Ele começava a descobrir que havia mais potencial em Halom do que imaginava, e também em si próprio.

O velho continuava observando-o com aquela expressão de divertimento mesclada com preocupação. Ben não sabia dizer se ele estava feliz ou zangado com a sua presença.

— Este lugar... — Ben disfarçou e apontou para fora. — Estamos mesmo em Olamir?

— Por que não comprova por si mesmo?

Ben atendeu ao estímulo. Levantou-se e caminhou até a janela. Estava cansado de ficar deitado. Sentir o chão frio com os pés descalços lhe trouxe uma sensação boa, a sensação de estar vivo. Ao passar ao lado do ancião, ele percebeu que era bem mais alto do que seu hospedeiro.

— O senhor é o dono dessa hospedaria?

Quando Ben olhou pela janela, seu espanto cresceu e ele se esqueceu do que perguntara. Sempre havia imaginado que Olamir fosse uma cidade imponente, mas o que via superava em muito suas expectativas. A cidade branca era tão luminosa que, por um instante, Ben fechou os olhos. A imagem continuou em sua mente. Desfilava construções altas e um sem-fim de torres alvas espalhadas em todas as direções. As cúpulas altas das torres eram de formatos variados, algumas arredondadas, outras, pontiagudas. O dia já estava avançado e a escuridão começava a se projetar; logo Shamesh deixaria o mundo entregue às trevas, porém, a cidade brilhava como se as trevas nunca pudessem vencê-la, como se tivesse luz própria.

Uma cidade daquele tamanho era incompreensível para quem havia passado toda a vida em Havilá.

Havia muito verde nos pátios entre as torres, como também flores de todas as cores possíveis. Após ter passado por Midebar Hakadar, olhar para Olamir era como contemplar uma pintura de primavera. Ben enxergou as árvores que balançavam com a brisa suave. Os passarinhos coloridos lotavam os seus galhos e cantavam alegremente. No chão as flores se esticavam à réstia do sol, em cores douradas e vermelhas. Girassóis, bocas-de-leão e nastúrcios se espalhavam pelos jardins internos, colorindo e perfumando o ar. Havia vários jardins suspensos nos terraços dos andares superiores das construções de tijolo branco. Tudo ali respirava beleza, alegria e harmonia. Ele não entendia como podia haver tanto verde no meio do deserto.

— É como o paraíso — disse Ben extasiado.

— Acho que você nunca esteve lá! — o velho riu. — Mas chegou perto, ou talvez não...

— Eu quase morri, não é?

— Quase não é morrer.

Os olhos do guardião de livros se voltaram para uma torre que ficava num dos lados, no aglomerado de torres próximas da grande muralha. Ela se elevava sobre todas as outras. No alto, a luz branca cintilava e vigiava o escuro deserto sem fim.

— Alguns acham que ele está enfraquecendo — o ancião disse ao perceber o interesse de Ben.

— Então aquilo é o Olho de Olam?

O ancião assentiu, olhando fixamente para a luz branca. Quando falou, sua voz demonstrou cansaço.

— Aí está a razão de nossa longa paz e segurança — completou.

— É lindo — admirou-se Ben.

— Sim, é.

— É uma pedra branca?

O ancião assentiu silenciosamente.

— Do que ela é capaz?

— De muitas coisas... Como deter o avanço das trevas, por exemplo, e sustentar toda a nossa civilização. Mas isso é um assunto um pouco complexo para conversarmos agora, você não acha?

Naquele momento Ben se lembrou de Enosh, do incêndio e de tudo o que havia acontecido em Havilá antes de partir.

— Não se preocupe — o ancião o tranquilizou como se compreendesse suas inquietações íntimas. — No tempo certo nós entenderemos tudo. Por hora, eu o aconselho a retornar para a cama e descansar. É uma grande surpresa que ainda esteja vivo... É o que eu posso chamar de mais uma das surpresas de *El*... Entretanto, você não está suficientemente recuperado para as batalhas maiores que parecem estar em seu caminho... Depois, Tzizah voltará e trará algo para você comer. Ela é muito grata pelo que você fez... E o pai dela também, apesar de tudo.

Após proferir aquelas palavras, o velho deixou o quarto de maneira tão abrupta quanto encerrava suas frases. Ben não sabia se estava mais excitado pelo velho ter falado sobre batalhas ou sobre Tzizah. Entretanto, aquela conversa toda, ou talvez o fato de ter ficado tanto tempo em pé, havia deixado-o zonzo, e ele voltou para a cama. Se teve algum sonho, não conseguiu se lembrar depois. Nem mesmo os passarinhos pareceram cantar.

Na terceira vez que Ben despertou só havia silêncio no quarto. Estava se sentindo plenamente recuperado. Um novo dia estava amanhecendo. A pedra curadora não estava mais sobre a cômoda e em seu lugar havia uma bandeja de prata com alimentos apetitosos. Ele se lamentou por não ter acordado quando Tzizah trouxe a comida, mas estava com fome outra vez e, embora o cardápio fosse o mesmo, isso não o desagradou. Comeu tudo com avidez.

Após a refeição, Ben sentiu seu estômago satisfeito, porém sua curiosidade estava faminta. Cansado de permanecer no quarto, decidiu caminhar um pouco. Queria conhecer a cidade, reencontrar Leannah e Adin e, talvez, Tzizah. Ninguém o autorizara a sair do quarto, porém ninguém o impedira. E a ausência da pedra sobre a cômoda talvez significasse que já estivesse recuperado.

Do lado de fora havia um longo corredor branco e, no final dele, uma porta que conduzia para o exterior. Do lado de fora, o perfume das flores o saudou com doçura. Os passarinhos começaram a cantar no exato instante em que atravessou a porta. Ouviu-os por um momento. Alguns cantavam animadamente, outros pareciam mais cautelosos.

A manhã estava bela e clara. Uma névoa branca outonal ainda encobria parcialmente os edifícios, mas logo se dissipou quando o sol vermelho se elevou. A luz morna acariciou sua pele causando-lhe uma sensação de conforto. Após a escuridão do deserto e também dos sonhos da convalescência, aquele amanhecer tinha o efeito de devolver as forças.

Ben contemplou Shamesh se elevando do leste sobre o deserto sem fim, iluminando a alva Olamir e lhe oferecendo suas últimas remessas de calor antes que o inverno chegasse.

Enquanto caminhava, sentiu o estalar das folhas secas debaixo de seus pés descalços, provando que estavam no outono. Próximo dali um lago dourado se espremia entre as construções e convidava para uma volta ao seu redor. A névoa ainda dançava sobre as águas, e estas pareciam profundas, inspirando sossego e meditação.

Não sabia onde suas sandálias estavam, detalhe que não o preocupou, pois a sensação de liberdade ao caminhar descalço sobre aquela grama macia recoberta de folhas, era agradável. Ele só precisou se desviar de algumas aberturas no chão. Pareciam fossos profundos semelhantes a tubulações para escoamento de água, mas estavam cobertos por grades metálicas.

Ben contemplou as ruelas irregulares de Olamir. Elas cruzavam-se de modo incompreensível e se dirigiam para lugares que ele não podia enxergar, pois eram encobertos pelas construções. Os livros diziam que a cidade era compacta. Agora ele podia perceber que a localização entre as montanhas e a muralha sobre o precipício exigia que cada espaço fosse muito bem aproveitado. Jardins, lagos tranquilos e estradas sinuosas disputavam o pouco espaço disponível com os numerosos e altos edifícios. Mesmo assim, tudo ali transmitia uma sensação de conforto e harmonia. Não uma harmonia por ordenação similar das construções; pelo contrário, justamente pela complexidade, pois o desordenado mostrava a possibilidade de as diferenças conviverem harmonicamente.

Ele percebeu que estava mais ou menos no centro de Olamir. Para todas as direções havia edificações altas, mas a visão era sempre atraída para um dos cantos da muralha, onde, rodeada pelos quatro grandes palácios brancos, a torre principal subia como um monumento até as alturas. Sobre a torre, o misterioso brilho detinha o avanço da cortina de trevas e distinguia Olamir como a soberana do mundo livre.

Ben sentiu uma incontrolável emoção ao caminhar por aquelas ruas milenares. As pessoas que andavam pelas calçadas feitas de lajotas brancas pequenas e perfeitamente recortadas se mostravam sóbrias e compenetradas, mesmo assim, a maioria olhava para ele com expressões indecifráveis. Ben sabia que não podia passar despercebido. Somente os nascidos em Olamir tinham o privilégio de viver dentro de suas muralhas. Todos eram descendentes dos primeiros homens que haviam fundado a cidade, cerca de dez milênios atrás, após as primeiras batalhas com os shedins. Fora de Olamir, dizia-se que o mais serviçal dos habitantes da cidade branca tinha sangue mais nobre do que os reis das outras cidades e terras.

A maioria dos homens vestia o meil, um manto longo e flexível que chegava aos pés. Era uma peça inteira de tecido que precisava ser vestida pela cabeça. Algumas pessoas o saudaram quando passaram por ele, com um leve curvar de cabeça. Eram muito discretas, mas Ben percebeu que o observavam com curiosidade. E algumas cochicharam algo quando o viram. Mesmo sem entender o que falavam, Ben distinguiu a palavra "saraph".

Apesar de toda a beleza, Olamir era uma grande fortaleza e Ben percebeu isso. A muralha que a protegia de uma possível invasão pelo lado do deserto era altíssima porque aproveitava o desnível do terreno que caía como precipício bem à sua frente. A imensa construção fazia algumas curvas, acompanhando o desenho do precipício, e se ligava aos blocos de montanhas laterais. As montanhas escarpadas, por sua vez, protegiam-na de uma invasão pelas costas. Inexpugnável era um título merecido. Mais tarde, Ben entenderia (pois veria isso) que a cidade havia sido construída — e reconstruída — numa espécie de gigantesco degrau natural entre as montanhas e o deserto.

Havia apenas duas entradas. A principal era uma plataforma imensa, construída há menos de trinta anos, feita de madeira de carvalho que consumiu quase uma floresta. O objeto se elevava através de um mecanismo acionado pela energia das pedras shoham. Correias grossas como árvores, reforçadas por correntes, faziam o instrumento subir desde o chão do deserto até o imenso portal no alto da muralha.

A plataforma deslizava acompanhando os recortes da rocha, esculpidos com perfeição a fim de dar sustentabilidade ao mecanismo. A cada vinte metros, se acoplava aos encaixes que garantiam que deslizasse suavemente, sem risco de recuar. Praticamente qualquer coisa poderia subir pela plataforma levadiça, mas ela só era acionada do lado interno, e isso garantia a segurança da cidade. O portal aonde a plataforma chegava era duas estátuas gigantes de kedoshins, tão altas quanto a muralha.

A plataforma era o orgulho dos mestres-lapidadores de Olamir, porém muitos cidadãos, especialmente os mais antigos, se recusavam a utilizá-la, e continuavam entrando e saindo pelo antigo portal, agora considerado secundário, mantido apenas para questões emergenciais, para um eventual mau funcionamento da plataforma. Através de uma milenar ponte estreita sobre o abismo que se ligava à montanha vizinha, o portal secundário podia ser acessado após uma sinuosa estrada que subia por aquela montanha. A ponte era vigiada e poderia ser destruída em caso de ameaça, isolando Olamir do mundo. Havia estoques de água e comida capazes de manter a cidade por anos. Por isso, apesar de bela e pacata, Olamir era uma fortaleza jamais conquistada por exército inimigo. Talvez por essa razão, as pessoas andassem com tanta altivez por suas ruas, segurando os mantos nobres na altura do peito. Não ignoravam todo o mal que se refugiava ao sul, depois do Midebar Hakadar, na terra das sombras, mas na cidade branca com seu poderoso Olho de Olam, não parecia haver razão para se sentirem ameaçadas. Em dois mil anos, ninguém ousou desafiá-la abertamente.

— Aonde você pensa que vai? — Ben ouviu a voz rouca de Tzizah atrás de si e seu coração disparou. A voz era diferente, um tom um pouco grave, mas muito feminino. — Acha que já melhorou o suficiente para fazer um passeio?

— Estou querendo conhecer a cidade. Você não gostaria de ser minha guia? Posso pagar bem — disse com um sorriso. — E assim poderei me desculpar pela maneira estranha como a tratei.

Ela sorriu, parecendo um pouco na dúvida. Ben sentiu uma palpitação. Ele até mesmo pensou que ela recusaria.

— Está bem — ela cedeu fazendo com que Ben abrisse um sorriso de satisfação —, tenho algum tempo agora, e você merece crédito.

— Mas antes preciso arrumar umas sandálias — ele apontou para os pés descalços.

Ela riu outra vez e fez um sinal para que a acompanhasse. Ben sentiu vontade de fazê-la rir o tempo todo.

Após reencontrar seu conhecido par de sandálias e amarrar os longos cordões até os joelhos, Ben se animou com a ideia de seguir Tzizah pelas ruas ensolaradas de Olamir. Ela andava de maneira elegante, segurando o vestido que se amoldava ao seu corpo para que não arrastasse no chão. Retribuía as saudações de praticamente todos que a encontravam com sorrisos gentis. Parecia que todos a conheciam. Enquanto isso, ia informando Ben sobre os edifícios e pontos de interesse da cidade. A sede dos mestres lapidadores era uma construção impressionante, cheia de arcos sob um domo branco; o palácio real era imenso e apinhado de jardins suspensos; a torre dos giborins de Olam era quase tão alta quanto a torre do Olho, e bem lá em cima, as águias que transportavam as pedras sentinelas pousavam para trocar as pedras quando necessário. No início, ele prestava mais atenção em Tzizah do que na cidade, mas a empolgação da jovem em descrevê-la fez com que começasse a se interessar pelas informações.

— Quando Olamir foi construída pelos primeiros homens que migraram do sul, era apenas um vilarejo sobre essa montanha — explicou Tzizah. — Hoje cerca de 300 mil pessoas vivem dentro dessas muralhas.

— Tudo isso! — admirou-se Ben, lembrando que pouco mais de quinhentas habitavam em Havilá.

— Haveria muito mais se os limites da cidade entre as montanhas não tivessem sido alcançados há muito tempo.

— Não consigo imaginar tanta gente vivendo num mesmo lugar...

— Então você precisa conhecer Bethok Hamaim e Maor.

— Pensei que Olamir fosse a principal cidade de Olam — disse Ben confuso.

— De fato é. Mas não pelo número de habitantes, e sim pela lapidação das pedras shoham. E principalmente, por causa dele. — Tzizah apontou para a torre do Olho.

Ben acompanhou o gesto dela.

— Por que há tanto verde aqui se estamos no meio de uma montanha em pleno deserto? É por causa dele?

— Você não viu a névoa que estava sobre a cidade hoje pela manhã?

Só naquele momento Ben se deu conta de que, em pleno deserto, não poderia haver aquele tipo de névoa. Tzizah sorriu.

— Venha comigo! — ela o chamou com um gesto.

Caminharam algumas quadras até alcançarem a área dos principais palácios que se apinhavam em volta do Olho, próximos da muralha. O brilho no alto parecia oscilar à medida que se aproximavam. Era a visão mais espetacular que já havia presenciado. Então percebeu que ao lado havia duas torres menores e mais estreitas. Sobre elas havia pedras.

— São pedras shoham amarelas? — Ben não conseguiu conter a excitação ao reconhecer a tonalidade daquelas pedras por causa do brilho. Sabia que eram muito raras e muito difíceis de lapidar. — Qual é a função delas?

Tzizah apontou para um grupinho que estava praticamente embaixo das torres e fez sinal para que ele a seguisse, aproximando-se dos jovens. Ben logo identificou os capuzes vermelhos. Eram jovens aprendizes de mestres-lapidadores. No meio do grupinho, um mestre-lapidador começava a ministrar uma aula ao ar livre.

— As pedras amarelas armazenam o calor do sol durante o dia — explicou o mestre-lapidador. Sua barba castanha era curta e perfeitamente aparada, destacando-se sob o capuz vermelho. — Depois canalizam o calor para baixo, através de um duto até um lençol freático em algum lugar nas profundezas. O calor potencializado pelas pedras amarelas faz as águas subterrâneas evaporarem, o vapor sobe pelos fossos estreitos cobertos com grades, espalhados pela cidade inteira. Vocês já devem ter visto alguns... Assim, a névoa se eleva sobre a cidade e a refresca, além de irrigar os jardins todas as noites. Nos dias muito quentes do verão, o sistema é ativado durante o dia também, para amenizar o calor dentro da cidade. O mesmo sistema é utilizado para abastecer a cidade com água potável, só que o vapor é resfriado e se condensa em cisternas. É possível até mesmo fazer chover...

— Mas e se a água subterrânea acabar? — um dos alunos perguntou.

— Há uma quantidade muito grande. Deve durar muito tempo. Entretanto, se isso acontecer, o aqueduto pode trazer água do Perath.

— Há um aqueduto construído do Perath até aqui? — perguntou Ben para Tzizah.

— Sim — ela cochichou —, mas não é utilizado porque daria muito mais trabalho fazer a purificação da água. Sem falar que, utilizar o antigo aqueduto deixaria a cidade vulnerável. Olamir não pode depender de nada do que seja externo, pois isso comprometeria sua segurança.

Ben não conseguia parar de admirar o sistema. Depois disso, cada vez que enxergasse uma grade metálica no chão, ele imaginaria a água subindo das profundezas. Mas naquele momento, estava ainda mais admirado pelos capuzes vermelhos. Eles eram o que, de certa forma, Ben sempre desejara ser. Os mestres-lapidadores de Olamir eram a classe autorizada a lapidar as pedras shoham. Podiam lapidar sem nenhum temor de represálias. Ben imaginou que deveria ser agradável trabalhar sem sentir o risco constante de uma condenação pelo Conselho. Enosh, porém, sempre dizia que esses mestres, diferentemente dos latashim, eram como os sacerdotes que esfolavam o cordeiro para o sacrifício, mas não tinham coragem de enfiar o cutelo no coração. Aprendiam todas as técnicas de lapidação, mas nunca realizavam a incisão que abria a mente para receber todo o conhecimento sobre lapidação acumulado ao longo dos milênios. Há dez séculos aquela incisão fora proibida pelo Conselho de Olamir. Essa era uma das diferenças entre os capuzes vermelhos e os capuzes cinzentos.

Entre os aprendizes, Ben enxergou Anamim, o jovem que manipulara a pedra curadora durante a sua recuperação. O jovem loiro o saudou com um gesto. Ben percebeu que ele olhou demoradamente para Tzizah ao seu lado, porém a camareira não pareceu reconhecer-lhe, pois não retribuiu o olhar.

O guardião de livros já sabia que, em Olamir, as pedras shoham eram utilizadas para realizar praticamente todas as funções. Os lapidadores desenvolviam técnicas de modo a possibilitar comodidades como luz e aquecimento para o frio, comunicação, tratamento de doenças, bem como segurança e vigilância dentro dos muros da cidade. Até as crianças utilizavam pedras que possibilitavam brincadeiras e jogos.

Ter a oportunidade de ver tudo isso com os próprios olhos era uma experiência pela qual ele já podia agradecer ao destino. E pelo jeito, ainda precisaria agradecer por muitas coisas mais. Num instante, eles se viram rodeados por crianças. Até aquele momento, Ben nem havia percebido a presença delas, mas agora podia ver que havia muitas ao redor deles. Elas pegavam nas mãos dele e de Tzizah.

— Foi você que salvou a vida do líder supremo dos giborins de Olam? — um garoto perguntou.

— Conte como você matou a saraph! — outro insistiu. — Você a estrangulou com as mãos?

Ben olhou divertido para o garotinho com cabelos escuros.

— Disseram que você era um descendente dos anaquins — outro menino complementou, desconfiado. — Tão alto quanto as muralhas — ele fez um gesto com a mão. — Você é alto, mas não é tanto.

— Você é um nasî? — outro menino perguntou, tinha cabelos ruivos como os de Adin. — Por que lhe chamam de "guardião de livros", você é um filósofo?

Era um verdadeiro bombardeio de perguntas.

Ben apenas riu satisfeito.

— Você deve mesmo ser um grande guerreiro — admirou-se Tzizah, enquanto caminhavam, cercados pelas crianças, atravessando os jardins ao redor do Olho. — Nenhum homem jamais conseguiu matar uma saraph gigante.

As pessoas da cidade olhavam para os dois rodeados de crianças e estranhavam um pouco aquela movimentação, mas ninguém ousava interromper o que estava acontecendo. Ben só não entendia como aquela história era de tanto conhecimento público em Olamir.

— Não era tão grande assim — disse tentando manter a modéstia, embora a imagem da serpente voando em sua direção o fizesse ter estremecimentos.

— Era sim. Eu vi. Eu estava lá quando você foi resgatado... Vi o corpo do animal. Era assustador.

— Você esteve lá? — Ben perguntou curioso.

— Sim, acompanhei a escolta por causa de meu pai. Eles poderiam precisar de alguém para cuidar dos ferimentos... Mas, diga-me, como você sabia que o único modo de ferir uma saraph é atingi-la na parte debaixo? Onde aprendeu essas coisas?

— Nos livros... — disse Ben, tentando mudar de assunto. Não queria dizer que não fazia ideia de como havia conseguido realizar aquela façanha. — Você sabia que a maioria das pedras vem da minha terra?

— Sim, me disseram que você veio das distantes Harim Adomim.

— Você já esteve lá?

— Infelizmente não. Gostaria muito de conhecer Havilá... Sua cidade deve ser muito bonita.

— É bem pequena...

Não queria falar sobre Havilá, então, só lhe restou mudar mais uma vez de assunto. — Eu sempre quis saber como é que os mestres-lapidadores fazem para que as pedras produzam energia.

— Elas não produzem energia! — ela parecia admirada por ele ignorar isso. — A energia só precisa ser canalizada, pois já está nelas. Assim como há energia a nossa volta, em todo o lugar.

Ben sabia dessas coisas, mas resolveu fazer de conta que as ignorava.

— E como aquela pedra lá em cima emite a luz branca eternamente?

Tzizah olhou com nítida admiração para o brilho branco sobre a torre.

— Mesmo o Olho não a produz. Ele é especial porque é a concentração de toda a energia boa deste mundo. A energia da natureza, da força dos rios, do fogo, dos ventos e da própria terra. Ele é como um fruto. Para produzirem frutos, as árvores canalizam toda a energia à sua volta — do sol, do ar, da água e da terra — e a concentram nos frutos que produzem. O Olho de Olam é o fruto que concentrou toda a energia boa deste mundo.

Ben nunca havia visto as coisas por esse ângulo, e o velho Enosh, apesar de ser um latash experiente, não gostava de conversar sobre a natureza das pedras shoham. Será que eram realmente frutos da terra? Por outro lado essa lhe pareceu uma visão muito mística das coisas.

— Mas quando nós lapidamos as pedras — insistiu Ben — as incisões fazem com que elas desempenhem funções bem específicas por si mesmas...

— Você é um lapidador? — ela perguntou com um misto de susto e incredulidade por causa da palavra *nós* que Ben usara.

— Não, não — Ben percebeu que havia falado demais. — Estou dizendo que quando nós, *os homens,* lapidamos as pedras, como os mestres-lapidadores fazem aqui em Olamir, é o processo de lapidação que faz com que as pedras adquiram qualidades que, na natureza, em estado bruto, elas não têm.

Tzizah ainda estava desconfiada, mas então pareceu se convencer de que se ele fosse um lapidador ou um latash não deveria ignorar aquelas informações.

— As pedras shoham são especiais. Nenhuma técnica de lapidação consegue produzir o mesmo efeito em outras pedras. Isso mostra que o segredo, em última instância, não está na lapidação, mas nas próprias pedras.

— Ou talvez, ainda não tenhamos descoberto a técnica correta de lapidação para extrair a potencialidade das outras pedras.

— Pode ser... — ela respondeu como quem estava realmente levando a sério aquela discussão. — E se isso for verdade, então, toda a natureza teria sido dotada por *El* com recursos extraordinários, que estariam apenas esperando o ser humano descobri-los. Não seria maravilhoso?

Ben riu. Tudo para ela era empolgante.

— O que é um nasî? — perguntou lembrando-se do termo usado por uma das crianças que ainda os rodeavam.

— Um guerreiro do passado — explicou Tzizah. — Um príncipe das pedras. Os nasîs deram origem à classe dos antigos giborins de Olam, que ficou desativada por quinhentos anos até que o Conselho a recompôs...

— Por que os giborins não são mais chamados de nasîs?

— Eu não tenho certeza... Quando os kedoshins ainda viviam neste mundo, eles treinavam os nasîs para serem os mais poderosos guerreiros. Um nasî precisava passar nos testes deles. Talvez porque não há mais kedoshins neste mundo, nem os antigos testes...

Ben assentiu, e logo sua atenção se voltou para outro lugar.

— Eu sempre quis conhecer a biblioteca...

Tzizah abriu um novo sorriso de satisfação.

— É um dos meus lugares favoritos em Olamir.

Ben achou que ela merecia um beijo por ter dito aquilo.

A biblioteca era um edifício quadrangular com três faces lisas de tijolos muito brancos e uma quarta face recuada onde havia um jardim de inverno. A porta principal era larga e costeada por duas colunas altas. Sobre as colunas havia dois capitéis de fundição de bronze, enfeitados com desenhos de correntes entrelaçadas e duas carreiras de romãs feitas de bronze. Era o símbolo do conhecimento, porém, olhando para os capitéis, Ben não sabia dizer por qual razão.

Eles subiram uma escadaria que conduzia a um corredor acompanhado por arcos. Ele circundava todo o prédio pelo lado interno onde ficava o jardim, dando acesso às diversas salas utilizadas como biblioteca. A luz do sol atravessava os arcos e dourava a fina poeira em intervalos perfeitos, como se fossem portais para outros mundos.

O lugar estava bastante movimentado. Pessoas entravam e saíam o tempo todo. Era o local mais movimentado que ele havia visto até aquele momento.

Ben parou alguns instantes ao lado de um parapeito, admirando o jardim de inverno. Naquele instante estava iluminado pelo sol. Tzizah lhe explicou que no alto havia um complexo sistema que se fechava na época do frio, para que a neve não destruísse as plantas. A luz do sol banhava todo o quadrado interior da biblioteca, e as plantas pareciam se esticar para receber o calor de Shamesh.

— As pedras também precisam da luz — ela explicou. — É assim que conseguem armazenar informações.

Ben sabia aquilo. Enosh havia explicado o jeito mais simples de apagar todas as informações de uma pedra shoham. Era só as deixar vários dias dentro de algum compartimento absolutamente escuro. No velho casarão de Havilá, a grande dificuldade sempre fora a falta de luz do sol. Como trabalhavam escondidos no subsolo, eles precisavam encontrar soluções criativas para que as pedras pudessem absorver a luz solar. Uma delas era colocá-las sobre o telhado, mas como chovia muito, precisavam ficar de guarda para recolher as pedras quando começava a chover. Uma vez Ben havia escorregado do telhado e ficado pendurado pela túnica, lá nas alturas. Foi a única vez em Havilá que acreditara que morreria. A túnica cedeu, e ele caiu lá do alto. Acordara três dias depois, deitado em sua própria cama, sem qualquer ferimento. Enosh lhe dissera que tudo havia sido um sonho induzido por algum procedimento mal feito de lapidação de uma pedra shoham, e que ele não havia subido ao telhado naquele dia. Mas, algum tempo depois, ele encontrou a túnica rasgada.

O jardim de inverno da Biblioteca de Olamir se interligava com o jardim externo através de uma abertura. Por sua vez, este se estendia até a torre onde o Olho fulgurava. Ben podia ver agora os outros três imensos edifícios, postados como guardiões em volta do Olho. Eram o Palácio dos Lapidadores, o Palácio Real e o Grande Templo de *El*. As construções não eram idênticas, mas pelas posições em volta do Olho representavam os principais poderes dentro de Olamir, o do conhecimento, o da lapidação, o real e o sacerdotal.

Tzizah conduziu Ben até uma das salas laterais da Grande Biblioteca onde estavam dispostas mesas estreitas e compridas. Em cima delas havia pedras shoham tão grandes quanto Ieled, a pedra que o velho Enosh lapidara. No entanto, antes de sua atenção se fixar apenas nas pedras, Ben viu pequenos altares com chifres nas laterais da sala, queimando alguma substância aromática.

— É incenso — explicou Tzizah.

— Mas o cheiro é diferente!

— É composto de substâncias odoríferas como estoraque, ônica e gálbano. Foram misturados com incenso puro, cada um de igual peso. Formam um perfume segundo uma antiga e secreta arte de perfumista, temperado com sal. Dizem que ajuda no estabelecimento das conexões com as pedras, preparando a mente.

Ben entendeu. Para acessar as informações das pedras, a mente precisava estar consciente, porém relaxada e isenta de outros pensamentos.

Ele olhou mais uma vez para as pedras distribuídas sobre as mesas em intervalos de aproximadamente um metro umas das outras. Devia haver centenas delas, e, como havia várias salas, o número de pedras se multiplicava por milhares. Cada pedra shoham grande levava de dez a vinte anos para ser lapidada. Eram vermelhas, de uma tonalidade bem escura. Ben sabia que aquelas eram as melhores para armazenamento de informações. Cada uma possuía um formato exclusivo e isso possibilitava que uma complementasse as informações da outra.

Ben estava sem fôlego. Nesse lugar poderia encontrar as respostas para todas as suas muitas perguntas sobre Enosh, Thamam e o caminho da iluminação. Porém não era o momento de buscá-las.

Ele observou as pessoas estabelecendo conexões. Colocavam as mãos sobre as pedras, então ficavam algum tempo absortas, como que desligadas do mundo; a seguir, retiravam a mão e saíam do local ou se dirigiam a outra pedra e repetiam o mesmo procedimento. Estavam fazendo pesquisas. Nenhuma ficava muito tempo na mesma pedra. Por questão de segurança, as conexões não duravam mais do que meia hora. A biblioteca havia sido projetada para ser desse modo, pois algumas pessoas poderiam ter dificuldades para sair do ambiente virtual caso ficassem muito tempo conectadas. Uma vez Enosh dissera, em tom de brincadeira, que a melhor coisa que o Conselho de Olamir poderia fazer era estabelecer uma conexão ininterrupta para todas as pessoas do mundo. Assim, todas viveriam para sempre num estado de ilusão e não precisariam encarar as duras realidades da vida.

"Mas isso é possível?", Ben perguntara assombrado com essa ideia.

"Possível seria", ele dissera ainda em tom de brincadeira. "Se houvesse uma pedra fonte de onde toda a realidade ilusória fosse projetada para as outras pedras".

Ben ainda se lembrava do riso malicioso de Enosh. "Assim, todas as pessoas viveriam o mesmo sonho feliz, ou o mesmo pesadelo, dependendo de quem estivesse controlando a pedra fonte".

"Seria mesmo possível?", lembrava-se de ter insistido.

"Não", ele dissera com seriedade. "É claro que não".

O guardião de livros sabia que limites eram necessários, pois as pedras shoham podiam mexer com a mente das pessoas. Algumas eram capazes de criar ilusões tão reais que as tornariam prisioneiras da falsa realidade. Um dia Enosh falara das pedras escuras, de tonalidade quase preta. Não eram lapidadas, pois ninguém dominava a técnica. Os estudos apontavam o quanto elas eram propícias para manipular as pessoas. Se fossem lapidadas com a técnica correta, iriam obrigá-las a fazer coisas que não desejavam.

Ben percebeu que Tzizah havia dito algo.

— Vá em frente — ela repetiu.

Ben se aproximou de uma pedra que não estava sendo utilizada. Antes de tocá-la, admirou sua beleza e equilíbrio. Era do tamanho de uma mão fechada, praticamente do mesmo tamanho de Ieled. Havia sido esculpida com grande perícia. Conseguia ver isso pelos detalhes. Cada face no tamanho exato, todas na sequência apropriada, as camadas de lapidação se destacando em sincronia, a inclinação que garantia o volume indicava perfeição. Ben não conseguia disfarçar a emoção ao ver todas aquelas pedras lapidadas pelos maiores peritos da história de Olam.

— É incrível.

— Coloque a mão sobre ela — Tzizah incentivou, satisfeita com a admiração dele.

Meio trêmulo, ele obedeceu. No mesmo instante, recebeu uma espécie de descarga elétrica que fez com que retirasse a mão depressa. Nunca havia sentido uma descarga tão forte ao colocar as mãos sobre as pedras de Enosh.

— Não tenha medo — ela insistiu. — É só uma vibração, não faz mal algum, é necessária para a conexão com as outras pedras.

Ben entendeu o que ela estava dizendo. Fazia sentido. O conhecimento compartilhado precisava de várias conexões dentro do cérebro, e isso criava aquele estremecimento um pouco mais forte.

Colocou a mão novamente. A mesma descarga percorreu todo o seu corpo e parou em algum ponto dentro da sua cabeça. Ele já experimentara uma sensação parecida antes, no deserto, quando havia empunhado a espada.

— É gostoso — ele disse.

Tzizah riu condescendente para ele.

— Acho que ninguém nunca descreveu dessa maneira... Pense em alguma coisa que você deseja saber.

— Como assim? — ele se fez de desentendido.

— Algo que você queira entender, alguma pesquisa sobre história ou lugares, qualquer coisa que queira descobrir...

— Humm, acho que existem muitas... Está bem. Quero conhecer melhor Olam.

Então, Ben percebeu que sua brincadeira havia sido um erro. Instantaneamente ele se viu bombardeado por um número imenso de imagens e informações que o fizeram sentir vertigens. Parecia que estava tudo dentro de sua cabeça, mas sua mente era incapaz de receber todas aquelas informações. Ele as via como se estivessem diante de seus olhos ou mesmo dentro deles. Eram numerosas demais, ele perdeu o equilíbrio, deu dois passos para trás e retirou a mão da pedra mais uma vez.

— Você precisa ser mais específico — Tzizah riu gostosamente da cara de medo dele. Várias pessoas olharam com reprovação pelo barulho que estavam fazendo. — Deve buscar algo bem definido — ela sussurrou — ou a pedra lhe fornecerá muito mais informações do que você suporta receber. Vai ficar com muita dor de cabeça.

Ben já devia saber aquilo. Era uma rede de armazenamento e compartilhamento em que todas as informações de todas as pedras da biblioteca estavam disponíveis a um simples impulso. Poderia ser bem mais informações do que alguém pudesse abarcar pelas próprias limitações da mente. Por isso era preciso delimitar bem as pesquisas. No caso da pedra shoham do velho Enosh, não havia esse risco porque Ieled não estava conectada a outra. Ela podia se conectar a qualquer uma, mas nunca em rede, exceto naquelas situações misteriosas em que, como Halom, podia prever o futuro. Ieled apenas absorvia as informações das outras, sem oferecer nada, por isso Ben a batizara jocosamente de "pedra egoísta".

— É possível saber qualquer coisa aqui? — perguntou Ben agora sem precisar exagerar o quanto estava impressionado.

— Qualquer coisa que tenha sido transmitida a ela — corrigiu Tzizah. — Algo que tenha sido armazenado nessa fonte por meio da técnica de lapidação.

— Os lapidadores vêm todos os dias acrescentar informações nestas pedras?

— Não precisam vir aqui, fazem isso nas pedras matrizes do conhecimento.

— E se alguém fornece uma informação errada?

— Somente os mestres-lapidadores podem transmitir informações, mesmo assim, toda informação transmitida é avaliada à luz de tudo o que já está armazenado. Há um rígido controle nesse sentido. Se algo errado deliberadamente for introduzido, o sistema reconhece e rejeita. E se for algo duvidoso, a informação permanecerá sob suspeita, assim todos aqueles que a acessarem saberão que é algo ainda sujeito à confirmação.

— Quem criou esse sistema? Foram os mestres-lapidadores de Olamir?

— O sistema é muito antigo. Acreditamos que tenha sido desenvolvido pelos próprios kedoshins, antes de abandonarem Olam. Eles sempre acreditaram que o conhecimento é o maior tesouro que alguém pode ter.

Ben colocou novamente a mão sobre a pedra. Quando a conexão se estabeleceu ele fez alguns testes, mas foi mais específico e cauteloso. Pensou na estrutura da cidade de Olamir. Instantaneamente visualizou a cidade-fortaleza sobre o precipício, a muralha branca protegendo as altas torres, no centro, a torre principal que se destacava. Descobriu que podia acessar edifícios e lugares só com um impulso mental ao desejar ir para o lugar indicado. Era como estar dentro daqueles lugares. Era possível, por um efeito visual, até mesmo caminhar pelas ruas da cidade, por entre seus edifícios e jardins.

A visão de Olamir o empolgou. Ele quis visualizar toda a terra de Olam para entender sua geografia e suas cidades. Ben elevou-se de Olamir e enxergou uma vasta terra dividida ao meio por uma região clara e outra escura. Olamir ficava mais ou menos no centro de tudo. Os desertos escuros ficavam ao sul, e as montanhas recobertas de gelo, ao norte. Florestas se intercalavam em todas as direções. Para o leste havia um grande mar e ao oeste, outro ainda maior. No extremo oeste ele viu as Harim Adomim se elevarem e depois descerem para o sul até a grande depressão do Yam Hamelah. Do lado oposto, ao leste, não muito distante de Olamir, viu os dois grandes rios que cortavam a terra, serpenteando por um longo percurso desde as altas montanhas que faziam um baluarte contra o norte até desaguarem no mar chamado de Yam Kademony, o ponto mais oriental de Olam. Ao longo do leito irregular dos rios gêmeos cresciam as grandes cidades: Ir-Shamesh, Nehará, Bethok Hamaim, Maor. Mas em toda a terra de Olam havia cidades médias e vilarejos. Até mesmo Havilá estava lá, insignificante diante de toda aquela grandeza.

Para conseguir as imagens de sobrevoo, os mestres lapidadores treinavam pássaros que carregavam as pedras. Eram as águias dos giborins só encontradas no lado oriental das Harim Keseph, já próximo ao mar que dividia Olam de Sinim. Cada águia precisava de dez anos de treinamento. Eram enormes, as únicas capazes de voar tão alto.

— Chega por hoje! — Tzizah colocou a mão sobre a de Ben e o fez retirá-la da pedra. Ben sentiu a mesma descarga em seu cérebro. Entretanto não sabia o que lhe tinha causado a maior reação, se era a desconexão ou a mão de Tzizah que havia tocado a sua.

Foi com certo esforço que ele não refez a conexão. Podia ficar ali por horas.

— Também há coisas interessantes ao ar livre. — Ela apontou para fora, parecendo ansiosa para sair dali. Subitamente ela parecia apressada, como se tivesse se lembrado de algo que precisava fazer.

Menos ansioso do que ela, Ben a acompanhou para fora da biblioteca.

De volta ao pátio, o sol forte os recepcionou. Tzizah disse que estava na hora de retornarem, pois Ben ainda precisava de repouso.

— Mas está tão bom este passeio, eu gostaria muito de conhecer aquela região. — Ele apontou o dedo aleatoriamente para um dos lados da cidade, mesmo sem saber o que havia lá.

Ela olhou na direção apontada.

— Não tem nada lá — disse Tzizah. — A menos que você queira conhecer os criadouros de animais, o cheiro não é muito bom...

— Então quem sabe aquilo — Ben apontou para a direção norte, com um sorrisinho maroto.

Os olhos cinzentos de Tzizah se iluminaram quando ela olhou para aquela direção.

— Está bem. Os pomares e os jardins são bonitos. Vou lhe mostrar só mais uma coisa, depois precisamos retornar.

Ela saiu andando apressadamente segurando o longo vestido como sempre fazia. Ben praticamente precisou correr para alcançá-la, sem acreditar que havia conseguido mantê-la mais um pouco. Estava cada vez mais fascinado por seu sorriso radiante. Tentava adivinhar quantos anos ela teria. Ao mesmo tempo, havia algo estranho nela, uma sombra que, às vezes, lhe perpassava a face, como se escondesse algum grande segredo ou sofrimento.

As construções altas foram ficando para trás, e eles começaram a ver alguns pomares de romãs com frutos que pareciam excelentes. Ben também identificou canteiros com hena, nardo, açafrão, cálamo e cinamomo. Viu cultivos de todo tipo de árvores de incenso, mirra e aloés. Era um jardim aromático.

Ele parou em frente a um canteiro.

— É um canteiro de bálsamo — explicou Tzizah. — Nos campos quando crescem formam colinas de ervas aromáticas. Você já esteve em uma?

— Infelizmente não.

— É maravilhoso, o perfume parece nos impregnar, preenche a alma. Ao mesmo tempo, quando alguém está com muita fome, o aroma só faz aumentar o sofrimento.

Ben passou a mão sobre os brotos que mal se elevavam da terra, sentindo o aroma característico. Dava mesmo vontade de comer.

— Em Havilá há vinhas e olivais que também emitem cheiros gostosos — disse, lembrando-se das poucas coisas de que gostava na cidade. Se bem que as vinhas e os olivais ficavam nos arredores e não dentro da cidade.

— Eu tenho certeza de que sim — concordou Tzizah, e se pôs a caminhar. Ben a seguiu.

Entraram num pequeno bosque de bétulas brancas. O gramado verde e os troncos brancos e finos, cobertos por uma folhagem verde reluzente, se destacavam sob um céu azul de encher os olhos. As bétulas já começavam a perder suas folhas pela aproximação do inverno.

Um pouco além do bosque, a cidade continuava com seus edifícios brancos, não tão altos quanto os que ficavam do outro lado, próximos da muralha.

— A primavera é a estação mais bonita do ano — riu Tzizah. — É cheia de flores maravilhosas. Aqui também há figueiras que começam a dar figos, e as vides em flor exalam seu aroma maravilhoso. Não deve ser tão bom quanto Havilá, porém esse lugar fica muito bonito. Mas o inverno é bem frio e tudo morre. Você vê à sua volta como tudo está morrendo?

Ela fez um gesto com as mãos esfregando os braços, como se estivesse sentindo frio. Ben riu da expressividade dela. Tudo nela parecia sincero e intenso. Numa única frase ela conseguia expressar a alegria da primavera e a tristeza do inverno.

Porém, Ben se lembrou do inverno de Havilá. No fundo, ela não fazia ideia do que era ver tudo morto.

— Eu gosto do outono — disse Ben, ainda sem entender o que ela pretendia. — Gosto destas folhas todas pelo chão — apontou com o dedo para a relva coberta de folhas secas. — Causa em mim um sentimento diferente. Não sei explicar. É uma sensação de perda, mas também de recomeço.

Ela olhou assombrada para Ben.

— Mas estão todas mortas! Como é que você pode gostar de coisas mortas?

Foi a vez de Ben olhar assombrado para a camareira.

— A morte também é necessária — respondeu meio sem graça, sem saber se ela estava brincando com ele, ou testando-o. — As folhas morrem para alimentar a terra a fim de que a vida continue surgindo. Não precisa ser assim?

— A morte é uma anomalia, é uma grande tragédia. Ninguém deveria morrer, nem mesmo para que qualquer outro ser, plantas, animais ou pessoas, pudesse viver.

Ben não soube o que responder. Ela parecia levar aqueles assuntos sobre plantas muito a sério.

— O que você disse que queria me mostrar?

O rosto de Tzizah voltou a ficar iluminado.

— O contrário da morte — ela respondeu. — Algo que aprendi a produzir, graças a isto.

Ela apontou para uma pedra shoham comprida que trazia pendurada ao pescoço por um cordão. Só o cordão aparecia, a pedra estava escondida dentro do vestido.

Era a primeira vez que Ben percebia que ela carregava uma pedra vermelha especial e ficou imaginando intrigado qual seria sua função. Ele próprio mantivera Halom escondida todo aquele tempo dentro da roupa, pois sempre soubera que o Grande Conselho tolerava o uso pessoal apenas das pedras comuns. As pedras especiais só podiam ser utilizadas coletivamente. Onde Tzizah havia conseguido aquela pedra?

A garota parou diante de um canteiro suspenso cheio de terra fofa e escura. Não havia raminhos verdes brotando, apenas terra.

Ben se colocou ao lado, olhando para o canteiro sem entender nada.

— Eu vou lhe mostrar a coisa mais linda de todas.

Ben percebeu que os olhos dela apresentavam um brilho quase infantil, uma expectativa pelo que ia acontecer. Observando-a, era impossível não se deixar tomar por um sentimento semelhante.

Então, ela colocou as duas mãos sobre a terra e afundou levemente os dedos delicados, encobrindo-os parcialmente com a terra escura. Fechou os olhos e começou a sussurrar alguma coisa. Quando sua voz aumentou, ele percebeu que era uma canção. A melodia era bonita e a letra também.

> Da terra faz tudo nascer
> Mãos que originam a vida
> Fonte de toda alegria e prazer
> Remédio que cura a ferida
>
> Que faz a vida plena florescer
> Até o mundo amadurecer.
>
> Sustenta e completa o ser
> No mundo percorre energia
> Da manhã ao entardecer
> Sempre traz de volta alegria
>
> Que faz a vida plena florescer
> Até o mundo amadurecer.

Ben arregalou os olhos quando viu os brotos saindo da terra escura enquanto ela cantava. Cada palavra era dita lentamente, e, como se estivesse acordando, uma plantinha nasceu naquele exato momento. Os raminhos verdes claros romperam a barreira de terra e cresceram, esticando-se e desdobrando-se. O pequeno caule quase transparente subiu, alongou-se e escureceu-se, dividindo-se em pequenos galhos diante dos olhos assombrados de Ben. Em seguida, surgiram as folhas verdes que magicamente se abriram e se espalharam pelos galhos recém-nascidos, preenchendo-os com uma penugem verde. E, finalmente, bem na ponta, surgiu um lindo botão vermelho, que permaneceu fechado.

Tzizah abriu os olhos e sorriu para Ben, depois admirou a planta como quem admira um filho.

— Como você fez isso? — Ben tinha a consciência de ter a maior cara de espanto que já fizera na vida.

— Energia — ela explicou — tudo é energia. *El* nos dotou com um pouco de sua energia criadora também. Aprendendo a usá-la, nós podemos fazer algumas coisas que ele faz. Com esta pedra, isso é possível.

Ben não entendeu o que ela quis dizer. Estava assombrado com aquela mágica e fascinado demais com o resultado para prestar atenção às palavras.

— Como é possível fazer uma planta nascer do nada? Crescer e florescer com as mãos?

— Não nasceu do nada — ela explicou com paciência — as sementes já estavam aí. Eu apenas acelerei o processo natural, pois todos os recursos de que ela precisava estavam disponíveis. A pedra shoham, por meio dos meus dedos, concentrou a energia de que ela necessitava para nascer e crescer.

— É maravilhoso! — foi tudo o que Ben pôde dizer.

Ben tocou o botão e naquele exato momento ele se abriu formando uma linda flor vermelha.

— Viu só? — ela brincou. — Você também tem a energia.

Ele riu ao ver a bela flor se abrindo e saudando a luz do sol que se infiltrava por entre as folhas das bétulas.

— Mas eu nunca soube que uma pedra podia fazer algo assim... Quem a lapidou?

— Os kedoshins. Eles dominavam uma técnica de lapidação que conseguia fazer as pedras potencializarem as melhores capacidades de uma pessoa. Essa é a única pedra que restou... Eu a chamo Yarok. Pertenceu a minha irmã...

— Pedras que potencializam nossas melhores qualidades? Às vezes me parece que os homens só têm potencialidades para o mal.

— Dizem que a maior busca dos kedoshins era minimizar o que temos de ruim. Alguns acham que, se eles não tivessem deixado este mundo, teriam conseguido um bom resultado com o uso das pedras. Outros dizem que por terem fracassado, deixaram este mundo.

Instantes depois, sentado sobre a grama macia com Tzizah ao seu lado, Ben sentiu as folhas das bétulas caindo sobre seus cabelos e afagando sua face como seda. Sua sensação era de estar vivendo um sonho. Deslizava sua mão sobre a grama verde sentindo a textura viva das pontas cutucando seus dedos. Sentia-se tão vivo quanto tudo o que estava ao seu redor.

Todos os aromas eram deliciosos à sua volta, mas ele tinha uma consciência quase dolorosa do perfume de Tzizah. Como queria que tudo aquilo durasse para sempre.

— Dizem que estas bétulas são muito antigas — explicou Tzizah olhando para o alto onde os galhos se moviam ao vento numa dança suave. As folhas continuavam caindo. — Já estavam aqui antes que Olamir fosse formada.

— Mas parecem tão jovens... — disse Ben também olhando para as árvores e para os olhos cinzentos de Tzizah, quase que simultaneamente.

— Elas têm a capacidade de se renovarem — continuou a garota deslumbrada com as folhas verdes e os troncos brancos. — Quando seus troncos já estão muito envelhecidos, as sementes que caem ao lado fazem com que novas árvores nasçam.

— Então não são muito diferentes do modo como os homens se procriam.

— Mas elas mantêm sempre o mesmo número de árvores. Quando uma morre, outra nasce. Não antes. Eu conheço todas pelo nome.

Ben olhou admirado para ela.

— As árvores são seres vivos maravilhosos — continuou a jovem. — Muito antes de os homens existirem neste mundo, elas já estavam aqui. São generosas, oferecem sua sombra e seus frutos, não pedem nada em troca. Vivem e deixam viver. É tudo o que desejam...

— Do jeito que você fala até parece que elas têm sentimentos...

— E quem disse que não? — Tzizah sorriu enigmaticamente. — Uma antiga lenda diz que, no princípio, quando *El* criou várias categorias de seres iluminados, muito antes de os homens e os shedins habitarem este mundo, ele criou as árvores com a capacidade de andar e conversar. Elas eram um tipo de criatura especial e deveriam ser depositárias do conhecimento. Por eras, o tempo passou muito lentamente neste mundo, e as árvores eram os seres mais inteligentes, apesar de nunca terem sido muito rápidas e sempre preferirem a vida mais calma. Aos poucos, quando *El* fez o tempo passar mais depressa, porque estava acelerando sua obra de criação e recriação, elas sentiram que, cada vez mais, ficavam para trás, sem conseguir acompanhar o ritmo das mudanças e das novas criaturas de *El*. Então criaram raízes e se estabeleceram no solo. Quando os homens apareceram sobre a terra, a maioria já estava mergulhada num sono profundo. Entretanto dizem que algumas ainda guardam mistérios de eras passadas, quando este mundo era muito maior e diferente. Dizem que, no fim dos tempos, as árvores despertarão outra vez e revelarão segredos ocultos dos homens e dos seres celestes. De fato ninguém armazena mais conhecimento do que elas, nem mesmo as pedras... Minha irmã tinha o poder de despertar as árvores com esta pedra. Dizem que ela podia fazer as árvores moverem seus galhos.

Ben olhou para Tzizah sem saber o que dizer. Não sabia se ela estava brincando, ou se acreditava mesmo naquelas coisas. Ela mesclava características que pareciam incomuns numa mesma pessoa. Era ao mesmo tempo impetuosa e tímida, sorridente e melancólica, adulta e infantil.

Tzizah também sorriu. Foi um sorriso que parecia feliz e triste ao mesmo tempo. E o coração de Ben também ficou simultaneamente alegre e apreensivo.

Três palavras lhe vieram irresistíveis à língua. Antes que a covardia o impedisse de falar, ele as disse:

— Você é linda...

Parecia que sua timidez havia desaparecido.

— Inteiramente linda... — completou.

Ele estava fascinado não apenas pela beleza dela, mas também pelo seu jeito de ser, sua sinceridade, sua delicadeza e seu sorriso que, mesmo parecendo ferido, entregava-se por completo. Tinha a consciência de estar indo muito depressa, estava sendo afoito e inconsequente, temia também estar fazendo papel de bobo, porém estava apenas fazendo o que seu coração ordenava. Talvez, fosse a primeira vez que fazia isso.

Em resposta, surpreendentemente Tzizah o beijou. Foi um beijo rápido. Ela tocou os lábios dele com a suavidade das folhas das bétulas que caíam. De certo modo, ambos ficaram surpresos com aquilo. Imediatamente o rosto dela corou. Assustada com a própria atitude impulsiva, Tzizah se levantou e, sem dizer nada, retornou apressadamente para Olamir.

Ben acompanhou a jovem camareira com os olhos. Deixou-a ir. Por um momento, ficou sem ação. A sensação dos lábios dela nos seus era a coisa mais extraordinária que já havia experimentado. E o perfume da garota ainda impregnava sua alma.

O solo mesclado com luz e sombras tinha vida própria e se mexia com a brisa suave que carregava as folhas das bétulas. A luz do sol dançava como um grande mosaico em movimento sobre a terra, e o chão parecia uma tapeçaria do criador onde cada pequena parte tinha importância, beleza e, principalmente, sentido.

O guardião de livros se deitou sobre a grama e continuou olhando para os galhos das bétulas. Por um momento, teve realmente a sensação de que os galhos estavam se movendo de forma estranha. Mas devia ser apenas seu próprio peito que arfava de alegria e excitação.

— Tzizah... — ele sussurrou.

Ela fazia jus ao seu nome. Era uma flor do campo. Uma bela e frágil flor, como a que ela própria havia feito nascer no canteiro ali próximo.

Ben se sentiu parte de tudo à sua volta. Pela primeira vez não era um intruso. Era uma sensação tão grande de felicidade, um sentimento de plenitude tão intenso, que ele poderia viver ali para sempre.

Ben não tinha dúvidas de que havia vivido a manhã mais maravilhosa de sua vida. Muito tempo depois ele se lembraria daquele momento de risos e trocas quase infantis com uma saudade bonita dentro de seu coração, como algo que jamais voltaria, mas que, de certo modo, sempre estaria com ele. Seria seu tesouro. Ele nunca mais poderia retornar para aquele dia em Olamir, quando a cidade ainda era bela e pacata, e nada ameaçava a manhã agradável e luminosa, porém levaria tudo aquilo junto consigo. Quando estivesse empenhado nas muitas batalhas que precisaria travar, tanto dentro como fora de si mesmo, algo daquela manhã reviveria.

Talvez ainda devido à sua fraqueza, o guardião de livros adormeceu sob a sombra das bétulas com todos aqueles sons e aromas entrando em seus sonhos. Ele também estava flutuando como as folhas do outono levadas pela brisa.

6 Um entardecer sombrio

Em algum lugar ermo no norte gelado, dois homens conduziam um prisioneiro. Apesar das peles protetoras que o envolviam, era possível ver que se tratava de um velho. O prisioneiro apresentava grande dificuldade em se locomover devido a um ferimento na perna.

O grupo já havia completado uma longa distância, porém ainda restava uma parte considerável do caminho a ser percorrida sobre a neve. A região montanhosa dificultava a caminhada, e o velho arrastava uma das pernas praticamente obrigando os homens a carregá-lo. Mesmo assim, os captores pareciam insensíveis às dificuldades dele.

O caminho escolhido, apesar de perigoso, era o único que garantia o segredo da missão. Havia poucas pedras sentinelas posicionadas na rota esquecida, e mesmo estas, foram convenientemente desconectadas.

Os condutores, contratados por um homem misterioso que usava o símbolo dos reinos vassalos, receberam ordens expressas: conduzir o velho até o local combinado antes do terceiro dia. De lá, ele seria transportado para fora de Olam. Isso era tudo o que sabiam. Não deixava de ser estranho, pois o melhor jeito de sair de Olam era pelo sul, e eles seguiam para o norte... Como incentivo, e também para que não fizessem perguntas, o contratante pagara parcialmente o serviço. Porém, os responsáveis pelo transporte sabiam que, além de não receber o restante, a punição, em caso de descumprimento, seria terrível. Por outro lado, não havia grandes riscos na missão, exceto, talvez, a de congelarem.

A certa altura do caminho o velho tropeçou e caiu sobre a neve. Rolou penosamente por alguns metros. Quando parou, permaneceu inerte. Os dois condutores pensaram que talvez estivesse morto e temeram não receber o dinheiro. Porém, eles ainda não conheciam a capacidade de resistência do velho.

Aguardaram um instante para ver se ele se mexia, mas como permanecesse imóvel sobre o chão gelado, aproximaram-se cada vez mais apreensivos. Haviam lhes dito que o ancião valia seu próprio peso em ouro. Era difícil para eles entenderem isso, afinal era só um velho que mal conseguia caminhar e não falava coisa com coisa. Ele falava sobre pedras shoham e os ameaçava com todo tipo de punições as quais poderiam ser cumpridas somente no dia em que o sol nascesse no Yam Hagadol.

Os dois homens se aproximaram e viram o rosto pálido queimado pelo gelo. Os cabelos escuros contrastavam com a neve branca e pareciam impróprios para alguém tão velho. Os olhos estavam fechados sob espessas sobrancelhas franzidas. Subitamente os olhos se abriram. Só então, os captores perceberam que o velho tinha algo em suas mãos. Era uma pedra shoham. A pedra brilhou intensamente. Fogo jorrou. Os dois homens gritaram de dor.

* * * *
* * * * *

Uma revoada de pardais passou próxima do bosque das bétulas e salpicou ainda mais o chão com pequenas sombras. O barulho das asas despertou o guardião de livros.

Shamesh estava a pino no alto do céu e lançava seus raios amarelos sobre toda a cidade. A temperatura continuava agradável, mas Ben sentiu um frio em seu coração com a ausência de Tzizah. Imaginou que ela tivesse trabalho a fazer. Os dois ficaram passeando quase a manhã inteira. Deveria haver muitos hóspedes numa cidade grande como Olamir. Consolou-se pensando que, por certo, a veria mais tarde na hospedaria.

A lembrança do beijo ainda era suave em seus lábios. Tzizah era linda, e havia algo mais nela que o fascinava, uma certa aura de mistério. No entanto, pensou em Leannah e se sentiu culpado. Durante a viagem pelo deserto parecia que estava se aproximando da cantora de Havilá, mas quando acordou em Olamir, viu Tzizah, e agora, a jovem camareira, dominava seus pensamentos.

Pensou também em Enosh e lembrou-se da difícil decisão que sempre soube precisar tomar algum dia. Para ser realmente um latash, deveria abrir mão de se casar. O primeiro procedimento de lapidação que dava ao latash o conhecimento sobre as técnicas secretas dessa prática surtia um indesejável efeito colateral. A energia liberada pela pedra shoham, no momento em que o aprendiz fazia a incisão, dava-lhe o conhecimento das diversas técnicas de lapidação desenvolvidas ao longo dos séculos, mas causava esterilidade. O código secreto dos latashim exigia que eles, durante o ritual de iniciação, fizessem um juramento de renúncia ao casamento. Enosh havia lhe dito há poucos dias que estava na hora de Ben tomar a decisão, pois já conhecia todas as técnicas preliminares de lapidação. O velho temia morrer sem deixar um substituto.

A luz sobre o alto da torre, agora que Shamesh estava no esplendor de sua força, parecia mais fraca, mas ainda podia ser vista. Ben ficou alguns instantes assentado olhando para aquela bela paisagem formada pelas bétulas e, atrás delas, os edifícios brancos e imponentes de Olamir.

Perto dali, a flor de Tzizah ainda estava no canteiro. Continuava radiante e totalmente aberta com seu vermelho vivo atraindo as abelhas. Ele se aproximou e a admirou mais uma vez, sentindo um desejo estranho de colhê-la e levá-la para si, como algo para guardar.

O impulso foi irresistível. Ben tocou a flor vermelha. Então, instantaneamente ela se desmanchou, murchou e secou. Isso o assustou, e ele depressa recolheu a mão, sentindo-se perturbado como se aquilo fosse um presságio.

No retorno ao centro da cidade, Ben ultrapassou o local em que estava hospedado, apesar do desejo de entrar para procurar Tzizah. Desviou-se dos vendedores que traziam produtos dos oásis para Olamir, e caminhou em direção ao prédio onde funcionava a biblioteca.

No meio do caminho, ao passar perto da torre dos giborins, percebeu que dois guerreiros o viram e caminharam em sua direção. Andavam com a austeridade da experiência e Ben se assustou quando eles pararam na sua frente com as longas capas vermelhas balançando ao vento. Será que eles tinham algum modo de saber o que ele estava planejando fazer?

— Não queremos atrapalhá-lo. É um prazer conhecer o matador de saraph — um deles saudou Ben, com a mão direita erguida, desfazendo a preocupação do guardião de livros.

Ben ficou meio sem graça com a saudação.

— Eu sou Merari — disse o que era negro como os povos do ocidente. — E esse é Uziel — apontou para um homem branco com cabelos escuros compridos. Será uma honra se quiser nos fazer uma visita mais tarde na torre dos giborins. Assim também poderá nos contar um pouco mais sobre a saraph, e nos dizer como não sabíamos da existência de um guerreiro tão poderoso fora de Olamir.

Ben assentiu admirado.

Tão abruptamente quanto se aproximaram, os dois se afastaram. Disciplina e austeridade era o que transpareciam através de seus atos e das poucas palavras.

O guardião de livros seguiu para a biblioteca, sentindo-se cada vez mais fascinado com Olamir.

Após acessar o portal do conhecimento entre os capitéis de bronze, acessou o corredor que circundava o jardim de inverno, porém preferiu entrar em uma sala diferente da que visitara antes com Tzizah. Não queria que as mesmas pessoas o vissem ali de novo.

Quando conseguiu utilizar uma das pedras, a primeira pesquisa realizada foi sobre o nome que Enosh mencionara antes de ser raptado. Thamam. Todavia a pesquisa se revelou pouco frutífera. Thamam era um nome comum. Pelo menos cem pessoas vivas tinham aquele nome em Olam. Ele precisava de mais dados. Outra tentativa frustrada foi sobre o "caminho da iluminação". Só havia uma referência em toda a biblioteca, e estava num dos livros que descreviam a história de Olamir. Era uma informação bastante resumida, dizia apenas que os kedoshins haviam idealizado um mecanismo que poderia redimir os caídos e o chamavam de Derek-Or, o caminho da iluminação. Porém, segundo as informações do livro, o mecanismo jamais fora plenamente desenvolvido. Entretanto, Ben encontrou algo inusitado: o caminho da iluminação havia sido concebido pelos kedoshins em Schachat, na cidade torre de Midebar Hakadar. Lá, segundo as informações do livro era o ponto de partida dele.

Ben admirou-se com a descoberta. E ficou ainda mais espantado pelo fato de eles terem passado por lá. Será que precisariam retornar ao domínio dos refains? Só de imaginar, tinha calafrios.

A alusão à cidade-torre de Midebar Hakadar fez com que Ben voltasse a pensar na região sul de Olam. As pedras responderam aos seus pensamentos, e ele recebeu imagens do deserto que começava com uma cor acinzentada, depois ia se tornando cor de chumbo e finalmente pura escuridão. Em algum lugar naquele deserto ficava

Schachat, a torre dos refains. Ele enxergou o desfiladeiro onde foram atacados pela ave de rapina e depois pela saraph. Aquela região estava muito próxima da terra de Hoshek e por isso não haviam enxergado o sol no deserto de fuligem. Ben tentou localizar a cidade de Schachat, porém algo o bloqueou. A sensação foi de ter batido num muro, e depois ser arremessado para trás. Precisou soltar as mãos da shoham. A conexão se desfez bruscamente, e ele sentiu uma forte dor dentro de sua cabeça.

Enquanto a confusão ainda embaralhava seus pensamentos, ele imaginou que não devia haver imagens daquele lugar sombrio, porque não havia pedras lá para transmitir informações. Porém, se fosse isso, um bloqueio seria desnecessário, simplesmente não apareceriam imagens. O obstáculo testemunhava alguma coisa incomum.

Provavelmente tentara acessar algo proibido e um mecanismo o impedira. Existiam algumas técnicas de lapidação que escondiam ou burlavam o conhecimento depositado nas pedras. Para fazer isso, o latash precisava fechar a pedra com uma marca específica de lapidação. Nesse caso, ninguém conseguiria acessar o conhecimento armazenado se não conhecesse a marca exata que funcionava como uma chave, a qual precisava ser desfeita. Contudo isso não fora aplicado às pedras da biblioteca de Olamir, pois essas pedras eram abertas, estavam ali justamente para serem pesquisadas.

No entanto, para evitar que alguns conhecimentos fossem acessados, havia outra técnica sofisticada de codificação de informações, a qual bloqueava apenas parcialmente os dados das pedras. A técnica havia sido criada para restringir as informações que chegavam em tempo real por meio das pedras sentinelas. Nesse caso, os dados eram acrescentados de forma codificada. Para poder acessá-los em linguagem compreensível, era necessário ter outra pedra com a mesma codificação, caso contrário tudo seria visto de forma distorcida ou simplesmente em forma de um bloqueio como aquele que Ben sentiu ao tentar acessar Schachat.

O mais impressionante é que Ben tinha a chave. Ela estava dependurada em seu pescoço. Sua mão subiu por dentro da camisa e encontrou Halom. Um dia o velho lhe dissera que Halom possuía o mesmo código da biblioteca de Olamir. Só nesse momento, ocorreu a Ben a dúvida sobre como o velho conhecia o código. Por outro lado, cada vez mais Ben percebia o valor de Halom. Era como se tudo do que precisasse já estivesse nela desde o começo.

Com a mão na pedra oculta sob a camisa e a outra na pedra sobre a mesa, o caminho mental se abriu. Ben começou a acessar os desertos cinzentos que ficavam próximos da região escura. Mais uma vez se viu naquela fuligem metálica e foi tomado pela conhecida sensação de opressão. O fato de estarem codificadas significava que aquelas imagens chegavam em tempo real por meio de uma águia condutora que sobrevoava Midebar Hakadar. Certamente, os giborins estavam vigiando o deserto cinzento.

Conectado à pedra da grande ave, por um bom tempo ele contemplou a desolação composta de dunas móveis, elevações e baixadas mortas. A sensação era muito parecida com a do sonho que tivera no último barco antes de entrar no Yam Hamelah. A diferença era que lá havia recebido uma junção de imagens, agora, tinha apenas uma perspectiva, a do alto.

Percebeu que as imagens iam ficando cada vez mais escuras e compreendeu que o pássaro se dirigia para a terra das sombras. Quando contemplou o paredão de trevas temeu que o pássaro o adentrasse. Mesmo sabendo que estava apenas usando os olhos da águia, a ideia de adentrar a escuridão era apavorante.

Então enxergou algo que o alarmou: uma movimentação de tropas que saíam da terra de Hoshek. Reconheceu os refains, os estranhos homens que os haviam aprisionado. Viu também outros soldados numerosos, usando pesadas armaduras. Depois, enxergou um homem calvo vestindo uma longa capa com capuz negro. Parecia o líder do numeroso exército. Subitamente Ben se sentiu atraído, puxado para baixo. Não conseguia se desconectar da pedra. Como se estivesse unido à águia condutora, tentou fugir, bater suas poderosas asas e voar para longe, porém se viu arrastado. Ele se debateu, tentando se soltar, mas uma força maior o atraíra.

A sensação de ser arrastado era tão nítida que parecia que alguém agarrava seu braço e o puxava com força. Apavorado, Ben se viu diante do cavaleiro negro. Viu seus olhos vermelhos como sangue e seu rosto repuxado. Então o reconheceu. Era o mesmo homem que ele havia visto dentro do tubo do pássaro em Schachat, por meio da pedra shoham. O guerreiro shedim parecia um feiticeiro com aquele capuz e com a alabarda cheia de pedras escuras.

— Quem é você? — o homem maligno perguntou. Ben não sabia se aquela voz perversa estava dentro de sua cabeça ou se ele estava realmente naquele deserto.

O pavor tomou conta do guardião de livros. Ele gritou de desespero, debateu-se, lutou com todas as forças para se soltar daquela garra que o aprisionava, mas era inútil.

— Quem é você? — o shedim esbravejou mais uma vez. — Por que me procura?

Ben estava quase sufocando quando o shedim esmagou o pássaro condutor. Então se sentiu arremessado para trás. Retornou vertiginosamente com a sensação de despencar de algum lugar elevado. Soltou as mãos da pedra shoham e caiu sem forças no chão da sala da biblioteca de Olamir. Os olhares das demais pessoas que manejavam as pedras se voltaram para ele com preocupação.

Com grande esforço, apesar da zonzeira, ele se pôs de pé e deixou o local consciente dos olhares que o acompanharam até a porta. Um dos olhares que, entretanto, ele não percebeu, era do jovem Anamim, o manipulador das pedras curadoras, que o observava atentamente.

Quando Ben atravessou o imponente portal dos capitéis e ganhou outra vez as ruas brancas de Olamir, não conseguia mais reparar na beleza das flores ou no cântico dos passarinhos. As pessoas que conversavam nas esquinas, ou os poucos vendedores que ainda tentavam negociar produtos não muito desejados pelos sóbrios habitantes da cidade, também lhe foram imperceptíveis. Começava a desconfiar que algo estava muito errado em Olamir. Se aquele exército estava se formando diante da cortina de trevas, e se as pedras tinham o conhecimento, por que razão ninguém falava a respeito? E por que bloqueavam aquelas informações das pessoas?

Perto de seu alojamento, ouviu vozes e percebeu que vinham de seu quarto. Por um momento, pensou que fossem Leannah e Adin, mas logo compreendeu que eram vozes de homens. Um pouco apreensivo, ele se aproximou da porta e reconheceu a voz do ancião que o visitara aquela manhã.

— A mente dele já foi reconstruída, porém ele não sabe as coisas que nós precisamos descobrir... Há algo errado com ele... Mesmo assim, eu posso dizer que a mão do destino age por intermédio dele, provavelmente, para nos punir por nossos pecados.

Havia um tom de preocupação na voz do ancião. Ben se sentiu mal por estar ouvindo uma conversa alheia, mas afinal eles estavam em seu quarto, e pareciam falar a seu respeito.

— Isso é... inconveniente — outra voz respondeu. — Como podemos nos tornar reféns de alguém que nem conhecemos?

— Precisamos avisar as pessoas do que aconteceu, antes que seja tarde demais — completou o ancião.

— Kenan terá que ser julgado... — o outro homem respondeu. — Nunca imaginei que alguém seria tolo o suficiente para romper o tratado e provocar uma guerra...

A outra voz era desconhecida para Ben, entretanto podia perceber que os dois estavam agitados e falando um pouco acima do volume normal. Só por isso os ouvira, mas Ben não entendia sobre o que falavam.

— Há muito tempo que eles nos atacam e ceifam vidas inocentes... — lamentou o ancião.

— Compartilho sua dor — o outro homem arrefeceu o tom. — Mas não podemos colocar tudo a perder. Uma guerra nunca compensa... Não é isso o que você sempre disse? E não as traria de volta... Talvez haja algum modo de revertermos tudo isso e impedir a guerra... Mesmo que vencêssemos, em algum sentido, perderíamos...

— Talvez não seja mais possível evitar a guerra — o ancião suspirou. — Nossos inimigos procuram uma ocasião há muito tempo... Infelizmente, ela foi dada. Agora tudo vai acontecer de um modo ou de outro. Naphal não vai engolir a ofensa que lhe foi feita. Por *El*! Nós dois sabemos que ele estava esperando por isso!

— E o seu discípulo deu a ele... — suspirou o outro homem. Ben conseguiu ver que se tratava de um homem moreno. — Se a guerra realmente for inevitável, então, mais do que nunca teremos que confiar no poder do Olho...

— O Olho de Olam não foi utilizado em dois milênios — lembrou o ancião. — Para a guerra, precisaremos do poder pleno dele. Não há garantias de que a trombeta de prata o despertará... Por ora, devemos avisar os conselhos das cidades, reunir um exército suficientemente preparado para nos defender. Os shedins estão muito mais fortes... Eles conseguiram preparar uma nova geração de corpos... Corpos que permitem que utilizem praticamente todo o seu poder fora da terra de Hoshek... e pedras escuras...

— Você ainda acredita que eles tenham descoberto a técnica de lapidação das pedras escuras? — perguntou o homem com incredulidade.

— As águias condutoras têm flagrado alguns acontecimentos estranhos e suspeitos... Nossos inimigos estão se preparando. Isso é um fato. Nós não podemos ficar de braços cruzados. Eles não ficaram todo esse tempo.

Ben percebeu que eles realmente sabiam que havia alguma ameaça e estavam discutindo o que fazer para tentar impedi-la. Isso o aquietou um pouco. Mas por que estavam dentro do seu quarto?

— O poder do Olho está adormecido, mas ainda está nele — rebateu o homem moreno. — Se os exércitos sombrios ousarem nos ameaçar, enfrentarão a força que os destroçou diante dessas mesmas muralhas há dois mil anos. O aparente enfraquecimento não é definitivo tampouco significativo, antes é apenas uma tendência natural. Sem ameaças, o poder da luz age de outras maneiras, espalhando conhecimento e vida de forma tranquila e gradual. Mas se for ameaçado, concentrará seu poder como das outras vezes e será terrível para nossos inimigos. Se convocarmos as outras cidades agora, poderemos criar pânico desnecessário. Enfraqueceremos o comércio e criaremos descontentamentos ainda maiores nos conselhos... Concordo que precisamos fazer algo concreto para reparar o dano. Algo que possa satisfazer Naphal, fazê-lo desistir da guerra e reconsiderar o tratado...

— Isso significa...

— Significa que Kenan terá que ser julgado... e punido. É a lei. Não temos opção.

— Jogá-lo diante de um tribunal será o mesmo que lançá-lo numa arena cheia de leões famintos — disse o ancião com incontido descontentamento.

— Ele foi nomeado líder supremo dos giborins para nos defender dos ataques dos guerrilheiros, e não para começar uma guerra... — justificou o homem moreno. — Acho que foi um erro tê-lo nomeado. De certo modo, para ele isso sempre foi uma questão de vingança pessoal... Se ele for punido, talvez Naphal desista da guerra. É melhor que apenas um homem sofra do que toda uma terra. Eu sei que ele é seu discípulo Thamam...

Quando Ben ouviu o estranho chamar o velho de Thamam teve um sobressalto. Será que aquele era o Thamam que Enosh mandara procurar?

Com o sobressalto, Ben esbarrou na porta e ela se moveu. O velho o enxergou.

— Eu... eu... eu sinto muito — gaguejou Ben. — Não queria atrapalhar a conversa de vocês. Eu só queria voltar para o quarto...

O ancião o observou e Ben não soube dizer se ele parecia bravo ou apreensivo com a intromissão. O homem moreno que conversava com Thamam virou-se e o olhou com frieza. Ben arregalou os olhos ao reconhecê-lo.

— Este é Har Baesh, o Mestre dos Lapidadores — apresentou Thamam.

O homem vestia uma bela estola azul com fios de ouro sobre um manto branco retorcido que lhe encobria os pés. Na cabeça havia uma mitra sacerdotal dourada, como um cone baixo que cobria parcialmente a cabeça, porém deixava aparecer os cabelos pretos no alto e também os que caiam pelas costas. A barba negra era comprida e retangular. Era bastante velho, mas não tanto quanto seu interlocutor. Ben reparou que pessoalmente não era tão imponente. Dentro da liteira, lá no oásis, ele parecia um deus.

— Mestre dos lapidadores? — perguntou espantado. — Eu pensei que fosse o sumo sacerdote!

— Ele acumula as duas funções — explicou o ancião.

— Então você é o jovem do oeste que matou a serpente-demônio de Midebar Hakadar? — O sumo sacerdote o olhou de cima abaixo, parecendo não acreditar. — Disseram que era mais velho... e mais forte.

Ben sorriu, meio sem graça. Ele próprio não fazia ideia de como conseguira fazer aquilo.

— Você e seus amigos serão ouvidos pelo Conselho hoje à noite — pronunciou-se Har Baesh, com rispidez. — Eu espero que tenham boas explicações para toda essa balbúrdia em que nos encontramos.

O homem não esperou resposta e saiu do aposento tomando em seguida uma pequena trilha costeada por cercas vivas. Obviamente havia ficado descontente com o fato de Ben escutar a conversa deles.

Ben o acompanhou com o olhar através da janela, enquanto ele andava altivamente segurando o manto branco na altura do peito.

— Acho que ele não ficou muito feliz em me ver — disse Ben em tom de desculpas.

— Har Baesh tem muitas responsabilidades — a voz do ancião transparecia cansaço. — Ele vai estar no olho do furacão durante os próximos dias. Não o julgue pela aparência.

— Vamos ser ouvidos por quem? — Ben virou-se para o ancião, percebendo que também não devia julgá-lo pela aparência. Seria aquele o Thamam que Enosh mandou procurar?

— Pelo Grande Conselho. É o grupo de sacerdotes anciãos que governa a cidade com o Melek. Eles querem ouvi-los a respeito do que aconteceu no deserto dos refains.

— Mas por qual razão? — perguntou Ben desconfiado, temendo que já soubessem qual era sua atividade em Havilá. — Fizemos algo errado?

— Tudo é importante quando se trata da segurança de Olamir. Não há ação sem reação. O que vocês fizeram em Midebar Hakadar trará consequências. E de certo modo, o que aconteceu lá já foi uma reação ao que Kenan fez antes disso. E por isso ele será julgado esta noite. É o homem que libertou vocês dos refains, o líder dos giborins... Agora, se o que vocês fizeram lá foi certo ou errado, só o tempo dirá... só o tempo...

— Então o giborim sobreviveu? Pensei que estivesse morto...

— Sobreviveu graças a você... Embora eu o aconselhe a não esperar muitos agradecimentos...

— Mas o que ele fez de errado? Por que será julgado?

— Ele está sendo acusado de romper um antigo tratado de paz e colocar todo este mundo na ameaça de uma guerra com o império dos shedins... E, de fato, ele fez isso...

Ben percebeu que falar aquilo parecia extremamente doloroso para o ancião.

— E o que vai acontecer com ele? Que tipo de punição ele pode receber?

— Na melhor das hipóteses será condenado à morte — o velho respondeu com seu estilo lacônico.

— Na melhor das hipóteses? O que pode ser pior do que a morte?

O velho olhou para Ben com um olhar condescendente.

— Há muitas coisas que podem ser piores do que a morte... Muitas coisas...

— Ben, você está aí? — a voz conhecida de Leannah vinha do lado de fora do quarto e, por um momento, o fez esquecer a conversa sombria com Thamam.

Leannah estava usando uma tiara de flores na cabeça que destacava ao mesmo tempo em que mantinha seus cabelos acobreados e rebeldes sob controle. Livre de toda fuligem do deserto, estava radiante. O sorriso amplo de sempre parecia ainda mais iluminado. Como nunca percebera o quanto ela era bela?

— Por onde vocês andaram? — perguntou esforçando-se por retribuir o sorriso. Sentiu-se culpado ao ver toda a alegria dela ao reencontrá-lo. Ele mal havia se lembrado dela.

— Conhecendo este lugar — Adin respondeu com os olhos arregalados. — É incrível! Nunca imaginei que fosse tão grande!

— É muito bonito mesmo — confirmou Leannah —, e complexo. Mas estávamos preocupados com você. Viemos hoje cedo até aqui, e você tinha desaparecido. Não sabíamos que você já podia sair.

— Eu também não sabia, mas dei uma volta por aí...

— Você já descobriu alguma coisa sobre o que aconteceu com Enosh? — perguntou Leannah com alguma ansiedade. — E sobre o outro homem? Sabe se ele mora aqui?

Naquele momento, Ben se voltou para o ancião.

— Estamos procurando um homem chamado Thamam. Este é o seu nome, certo?

— Que indelicadeza a minha não ter me apresentado antes — disse com um meio sorriso. — Sou Thamam, chamado pelos tolos de O Sábio, e pelos sábios de O Tolo...

Ben achou esquisito o modo como ele se apresentou.

— Nós partimos de Havilá...

— Por causa do homem chamado Enosh — Thamam completou antes que Ben terminasse.

O olhar de Ben era uma interrogação. *Como ele sabia?* Leannah e Adin também se aproximaram curiosos. Então, Ben se lembrou que Leannah havia acabado de mencionar Enosh. Talvez, Thamam apenas tivesse juntado os fatos.

— Seu mestre enviou-me uma mensagem antes de desaparecer — Thamam continuou. — No momento em que foi atacado, ele colocou as mãos sobre uma pedra shoham e disse algo como "Thamam saberá disso". Vocês devem saber que, ao fazer isso, ele estabeleceu uma conexão e enviou essa mensagem para mim. Acredito que tenha tentado me avisar do que estava acontecendo. Felizmente eu consegui receber a mensagem, mas infelizmente não o que realmente ele queria dizer. Mas eu tenho a certeza de que a chegada de vocês nos ajudará a desvendar todo esse enigma.

Ben estava atônito. Leannah pareceu compreender a implicação do que o velho estava dizendo.

— A mensagem não era só para você! — ela disse admirada.

Agora era Thamam quem estava curioso.

— Do que vocês estão falando?

— Essa mensagem — explicou Leannah. — Enosh tinha uma pequena pedra sentinela que capturou a cena e assim pudemos ver o que aconteceu com ele. Ben acreditou que a mensagem tivesse sido para ele.

— Uma pedra sentinela... — Thamam observou intrigado.

— Ele foi atacado por um homem encapuzado. Então, se aproximou de Ieled, a grande pedra shoham, e fez um contato com o senhor — deduziu Leannah. — Depois, deixou um recado para Ben, pois sabia que a pedra sentinela estava observando. O local foi todo incendiado, não sobrou nada. Ele queria que vocês dois se encontrassem. Isso está claro!

Ben gostaria que Leannah fosse mais cautelosa, porém a garota falou tudo de uma vez só.

Thamam absorveu aquela informação e parecia estar tentando encaixar algo mentalmente.

— E qual foi exatamente o recado que ele deixou para você? — perguntou para Ben.

Ben titubeou. Não sabia se deveria contar. Algo lhe dizia que não seria prudente confiar em ninguém.

— O senhor conhecia Enosh? — perguntou relutante.

— Não. Pelo menos não que eu me lembre. Ele sem dúvida sabia quem eu era, pois enviou a mensagem para mim... O que despertou ainda mais minha curiosidade foi que ele mandou uma mensagem codificada. No entanto, o código não é nenhum dos que atualmente é utilizado em Olamir. Eu precisei consultar antigos pergaminhos para poder decifrá-la. Mas havia só esta frase: "Thamam saberá disso. Ele saberá que vocês pretendem utilizar as pedras na guerra!". Infelizmente, não sei exatamente o que ele queria me dizer. Não é nenhuma novidade que nossos inimigos desejam usar as pedras. E, infelizmente, a iminência da guerra também não é mais nenhuma novidade...

Ben ainda não tinha certeza se devia contar o que Enosh dissera. Por outro lado, sua busca na biblioteca havia sido infrutífera e, talvez, Thamam pudesse ajudar. Afinal *aquele* era o Thamam que Enosh indicara.

— Enosh disse para eu seguir o caminho da iluminação — confidenciou.

— O caminho da iluminação? — repetiu Thamam parecendo ainda mais intrigado. — Ele possuía o livro, Derek-Or?

— Possuía, mas foi destruído com a biblioteca... no incêndio...

A informação claramente causou apreensão em Thamam.

— Derek-Or foi destruído — repetiu Thamam. Parecia haver nele um misto de decepção e alívio.

— Sim, foi destruído — confirmou Ben.

— O que mais vocês sabem a respeito de Derek-Or, o caminho da luz, ou o caminho da iluminação? — Thamam os espreitava com o olhar.

Ben se sentiu acuado. Não queria falar sobre Halom.

— Nada — gaguejou. — Enosh mandou procurar o senhor. O senhor sabe o que pode ter acontecido com ele? Sabe por qual razão ele me mandou procurá-lo?

Thamam não respondeu de imediato. Parecia avaliá-los.

— Quanto à primeira pergunta, não conseguimos encontrar quaisquer sinais dele ou da pedra que ele utilizava. Isso é ainda mais perturbador, pois quando as pedras se comunicam, deixam rastros que podem ser, de algum modo, identificados. Eu percebi que algo grave estava acontecendo, por isso enviei Kenan para Havilá, já que essa era a única certeza que eu tinha, a de que a mensagem vinha dessa cidade. Kenan descobriu que ele havia morrido no incêndio, e isso explicou seu desaparecimento...

— Ele não morreu! Foi raptado! — revelou Ben. — A pedra sentinela mostrou isso!

O semblante de Thamam voltou a exibir aquela mescla estranha de decepção e alívio.

— Você tem certeza disso?

— Tenho. Além disso, o corpo não estava lá...

— Eu me alegro com isso, porém, também é preocupante... Nossos inimigos querem um lapidador.

— Como vocês nos encontraram em Schachat? — perguntou Leannah.

— Eu ouvi o pedido de socorro de Ben por meio da pedra. Então, enviei Kenan para Midebar Hakadar, na verdade, ele estava bem próximo, percorrendo a Rota das Pedras. Eu mesmo parti imediatamente. Evrá, a águia de Kenan, com uma pedra sentinela, guiou-me até onde vocês estavam. Graças a isso chegamos a tempo de salvá-los.

— As pedras sentinelas não têm imagens do local para onde Enosh possa ter sido levado? — perguntou Ben, entendendo agora como a comitiva de Olamir os havia encontrado em Schachat. Pelo menos seu pedido de socorro através da antiga mesa de lapidação havia funcionado.

— Nada de imagens... Mas sabemos que os reinos vassalos teriam interesse em um lapidador... Nós já deveríamos ter localizado a pedra dele... Ela deve ter sido destruída, pois não há sinal algum...

— Ieled não pode ser identificada — revelou Ben.

Thamam olhou para ele com uma expressão ainda mais estranha.

— O que você quer dizer com isso? Todas as pedras podem ser identificadas quando se conectam em redes.

— Ieled tem um mecanismo de proteção — continuou explicando, mesmo consciente daquele olhar perscrutador. — Enosh a lapidou com uma técnica que impede o reconhecimento...

O olhar de Thamam se tornou ainda mais gélido.

— Nem o melhor dos nossos mestres lapidadores sabe lapidar uma pedra que se oculta... Diga-me rapaz: o seu mestre trabalhava sozinho? Alguns acreditam que exista uma ordem secreta de latash... Um conselho cinzento...

— Durante os últimos anos eu o ajudei a transferir o conhecimento dos livros para a pedra e posso lhe assegurar de que ele trabalhava absolutamente sozinho.

Ben disse isso mesmo sabendo que estava se incriminando. Porém, não podia deixar o velho ser acusado de algo que não era verdadeiro, ou pelo menos que não era inteiramente verdadeiro.

— Ele lhe ensinou a técnica que usava? — Thamam perguntou sem parecer surpreso com o que Ben dissera. — Você já fez o juramento de um latash?

— Não! — defendeu-se Ben. — Eu apenas o auxiliava enquanto ele fazia as marcas de lapidação para possibilitar o armazenamento. Ele me ensinou a fazer algumas pequenas incisões nas pedras, mas algo muito iniciante.

— O que foi que Enosh viu de tão ruim? — perguntou Leannah, ao perceber que os dois haviam se calado.

— Estamos na iminência de sermos atacados. Talvez tenha sido isso. Ou talvez ele tenha visto o que Kenan fez. O antigo tratado de paz foi violado. O Olho parece estar se enfraquecendo, provavelmente pela aproximação do eclipse lunar. Em pouco tempo é provável que os exércitos dos shedins estejam diante de nossas muralhas exigindo reparação. Se o Olho não funcionar... Enfim, nas atuais circunstâncias há muita coisa ruim que ele pode ter visto...

— Eu não entendo — disse Ben. — O que nós temos a ver com essa guerra?

Thamam não respondeu de imediato. Pensou longamente antes de falar. Quando falou, não era o que eles imaginavam.

— Quem pode saber o que *El* planeja com tudo isso? De algum modo, ele os colocou no meio de toda essa história, mas qual será o final dela é algo que neste momento não temos como visualizar. De qualquer modo, o Grande Conselho vai querer ouvi-los esta noite, durante o julgamento de Kenan, e como terminará essa parte da história também é algo totalmente imprevisível.

— O senhor faz parte do Grande Conselho? — perguntou Adin.

— Faço. Quanto à sua segunda pergunta — voltou-se para Ben que nem se lembrava mais o que havia perguntado — sobre o motivo de Enosh ter lhe mandado me procurar, eu creio que sei a resposta. Mas, por ora, preciso pensar mais a respeito. Nós teremos que voltar a conversar mais tarde, ainda nesta noite. Eu os encontrarei.

Tendo dito isso, o velho sorriu e se afastou seguindo o mesmo caminho que seu antecessor fizera. Não tinha o mesmo andar altivo, antes parecia carregar um pesado fardo.

— Pensei que você estivesse morto — disse Leannah com a voz trêmula quando ficaram apenas os três. — Pensei que nós três fôssemos morrer naquele deserto.

— Como você fez aquilo? — Adin ainda parecia não conseguir acreditar que Ben havia matado a gigantesca saraph.

— Na verdade eu não sei. Não consigo me lembrar...

— Nós vimos tudo. Quando a serpente deu o bote, você a acertou com a espada e quebrou um dente dela. Quando ela atacou outra vez, você abriu todo o ventre da saraph — Adin repetiu com um gesto, como se estivesse segurando uma espada. — Foi incrível! Eu não sabia que você lutava tão bem.

— Acho que foi pura sorte... — disse Ben ainda sem conseguir se lembrar dos detalhes.

— E afinal, acabamos parando em Olamir para onde sempre quisemos vir. E sãos e salvos — reconheceu Adin. — E ainda encontramos o Thamam... Deu tudo certo!

— Não sei se devemos acreditar nisso — ressalvou Leannah. — Vamos ser ouvidos pelo Grande Conselho esta noite... Isso não é algo corriqueiro. Estou preocupada.

— Não fizemos nada de errado... — disse Adin defensivamente.

— Vocês não, mas eu sim — corrigiu Ben. — Eu sou um lapidador clandestino e eles sabem disso.

— Mas você é um herói aqui! — exclamou Adin tentando lhe dar apoio. — As pessoas nas ruas falam do que você fez. Além disso, você pode contar comigo e com Leannah. Sempre.

Ben sorriu para seus dois amigos. Ele ainda não sabia o quanto podia e devia confiar neles. No final de tudo, eles sempre seriam seu único porto seguro.

Os três amigos não queriam pensar nas implicações, nem nas muitas dúvidas que cresciam no íntimo de cada um, pelo menos não ainda. Compartilhavam de um sentimento excitante, afinal, estavam na cidade mais importante de Olam e tinham experimentado e visto coisas que ninguém jamais havia visto em Havilá. Um dia teriam muitas histórias para contar.

— Em Havilá, todos vão dizer que nós somos heróis — concluiu Adin. — Vão fazer estátuas nossas para colocar no centro da cidade.

Ben e Leannah riram, pois era impossível não se contagiar com a animação do garoto.

— Vocês três devem se recolher agora — uma voz gentil atrás os chamou, interrompendo a conversa animada deles.

Três mulheres idosas seguravam roupas limpas e dobradas à entrada do quarto.

— Mas é cedo! — respondeu Leannah, não querendo ir embora — O entardecer ainda vai demorar...

— São ordens de Thamam — uma delas respondeu com uma voz mais autoritária. — Vocês dois devem voltar para seus quartos e repousar até a noite. O jovem Ben também precisa repousar, pois não está totalmente recuperado. E todos vocês precisam estar bem descansados para falar diante do Conselho, pois o julgamento poderá durar a noite inteira.

Leannah lançou um olhar de resignação para Ben. Não parecia mesmo haver opção. Estavam começando a aprender que as regras em Olamir eram mais rígidas do que em Havilá.

Duas mulheres acompanharam Leannah e Adin para seus quartos e uma permaneceu para atender o guardião de livros. Estavam sendo tratados de maneira atenciosa, mas também firme. Ben quase se sentiu um prisioneiro.

Antes que a camareira saísse, ele perguntou:

— Você viu Tzizah? Ela não virá aqui hoje?

A mulher lhe lançou um olhar esquisito. Ben se sentiu como quem não tivesse direito de querer saber aquilo. Lembrou-se de ter ouvido que o sangue das pessoas mais humildes de Olamir era mais nobre que o dos reis de outras terras. Aquela camareira, pela postura, realmente parecia uma rainha.

— Tzizah está onde precisa estar — a mulher respondeu secamente. Depois atenuou a voz. — O julgamento desta noite vai ser muito difícil para ela e para o pai dela. Eu espero que vocês não tornem as coisas ainda mais difíceis.

Ben se assustou com o comentário, entretanto não se sentiu encorajado a fazer mais perguntas.

— Deixarei este chá para você — a camareira disse antes de sair. — Se tiver dificuldades para pegar no sono por ser ainda dia, ele o ajudará. A noite será longa. Escute o meu conselho, descanse, se puder.

Só naquele momento Ben percebeu que havia um recipiente com algumas folhas recebendo efusão.

Quando se viu sozinho mais uma vez, até pensou em dormir, mas o sono lhe fugia. Seus pensamentos inquietos voavam por aquele mundo, quase como se estivessem outra vez conectados a uma pedra conduzida por uma águia. Ele tentava entender tudo o que estava acontecendo, mas poucas coisas faziam sentido. Pensava também em Enosh. O velho latash se tornava um enigma cada vez maior para ele. Vivera toda a vida perto de alguém que mal conhecia.

Por outro lado, havia encontrado Tzizah. O beijo. O coração de Ben batia descompassado só de lembrar. Talvez, o final daquela história fosse feliz.

A tarde já estava chegando ao fim quando Ben finalmente decidiu tomar o chá. O gosto era estranho. Não conseguiu identificar a planta, era algo parecido com cinamomo, nada saboroso, porém produzia uma sensação agradável e relaxante.

Quando adormeceu, Shamesh já se encaminhava mais uma vez para o ocaso. Ben não ficou acordado para vê-lo pintar uma imensa faixa avermelhada sobre o oeste e o norte e depois lançar cores douradas iluminadas e contrastantes por todo o azul límpido do céu de Olam. Quando o dourado tocou as cúpulas brancas de Olamir, a cidade parecia revestida de ouro. Também não viu quando a escuridão se estendeu em seguida do sul e do leste, apagando todas aquelas cores vibrantes e cobrindo a cidade branca com seu breu.

Em seus sonhos flores vermelhas cresciam do solo com o toque das mãos de Tzizah. Mas quando ele tocava nelas, morriam.

7 A noite do julgamento

28 do mês de Ethanim, do ano 2042 do estabelecimento do Olho de Olam.

O conselho vermelho havia sido convocado às pressas. O rústico salão em que se reuniam não se esforçava para ser aconchegante. O único conforto, desprezado pelos presentes, era uma lareira que crepitava no canto, lançando um pouco de fuligem escura no ar.

A ampla mesa oval reunia quatorze lapidadores. Como mandava a tradição, todos os mestres tinham os capuzes vermelhos da cor das pedras, ornamentados com fios de ouro, cobrindo a cabeça. Barbas grisalhas curtas podiam ser vistas. As mãos sobre a mesa se moviam nervosas, atestando o momento de intranquilidade que viviam em Olamir.

Har Baesh viu com satisfação que vários dos assentos principais em volta da grande mesa estavam vazios. Nem todos os mestres-lapidadores puderam comparecer, pois alguns estavam realizando procedimentos que, se fossem interrompidos, trabalhos de anos se perderiam.

Os aprendizes, vestindo capuzes vermelhos sem ornamentação, não se assentavam à mesa, mas nas laterais em cadeiras simples. Havia oito deles. Podiam ouvir, mas não podiam votar. Entre eles estava Anamim, o pupilo de Thamam.

Provavelmente as decisões tomadas por aquele conselho seriam questionadas depois, mas ele não podia recuar. Har Baesh precisava tomar providências antes que o grande conselho de sacerdotes se reunisse para o julgamento do giborim, e isso aconteceria em poucos minutos. Por sorte, o julgamento não começaria sem a presença dele. Essa era a parte boa de acumular dois cargos.

— O que você está propondo é absolutamente inaceitável — pronunciou-se um dos mestres-lapidadores mais antigos — Se diminuirmos o fornecimento de pedras para as outras cidades de Olam, vamos estabelecer o caos e a revolta das grandes cidades. Isso não faz o menor sentido, especialmente se estivermos de fato diante de uma guerra.

Har Baesh olhou para o homem e seu rosto não se abalou. Já esperava a reação dele. Não fazia parte do seu círculo mais íntimo de influência. Além disso, precisava reconhecer que a objeção tinha lógica. A lógica dos fracos...

— O inverno está chegando — disse sem abandonar a expressão serena enquanto tamborilava suavemente os dedos sobre a mesa. — A demanda de pedras cresceu demais nos últimos meses. Faz tempo que só trabalhamos, basicamente, para abastecer as cidades do vale do Perath e seu pródigo modo de vida. Se não diminuirmos drasticamente o envio, Olamir ficará sem pedras durante o longo inverno, e, principalmente, se a guerra começar... Além disso, um dia a farra das pedras precisaria acabar...

— Mas temos estoques suficientes para suportar o crescimento da demanda — rebateu o lapidador. — Se diminuirmos o envio, o preço vai subir exorbitantemente. O caos vai se instalar — repetiu o homem.

Har Baesh pôde ver que a afirmação recebeu força pelos olhares de diversos conselheiros que pensavam semelhante. Eles tinham interesses em continuar lapidando as pedras para o consumo desenfreado das cidades. O conselho vermelho estabelecia o preço que queria para as pedras e os mestres-lapidadores recebiam por pedra lapidada. No entanto, se os preços subissem muito, o Grande Conselho de sacerdotes podia intervir.

Har Baesh sabia que eles não concordariam com a decisão de reduzir se não tivessem uma justificativa forte. Mas ele tinha algo para lhes oferecer.

— As últimas remessas que vieram pela rota das pedras foram de baixa qualidade, praticamente inúteis. Não servem nem para as funções mais básicas. O melhor carregamento dos últimos meses foi saqueado pelos guerrilheiros durante a descida pelo Yarden. Quatrocentas pedras de alto nível caíram nas mãos dos vassalos dos shedins. Nossos estoques nunca estiveram tão baixos... E há indícios alarmantes de que pedras shoham estão sendo contrabandeadas de Ir-Shamesh para algum lugar desconhecido. Ousaria dizer que são destinadas a um grupo de latashim que estão lapidando pedras para armas... Infelizmente preciso propor a esse conselho que interrompa totalmente o envio de pedras para Ir-Shamesh até que uma comitiva de Olamir possa avaliar o que está acontecendo lá, e que corte pela metade o envio de pedras para Bethok Hamaim, Nehará e Maor.

— O senhor está querendo começar uma guerra? — perguntou outro dos mestres-lapidadores mais antigos. Um dos poucos que estavam no conselho vermelho antes dele.

— Eu estou querendo *evitar* uma guerra — disse Har Baesh sem se abalar. — Mas se ela tiver que acontecer, a minha função é garantir que Olamir estará preparada. Além disso, essas decisões podem parecer abusivas, mas é apenas o que diz a nossa Lei: as cidades que utilizarem mal as pedras devem ter a provisão suspensa integralmente. E quando o estoque de Olamir estiver baixo, o fornecimento das demais cidades deve ser reduzido. Não preciso lembrá-los dos artigos 42 e 51 do código dos lapidadores de Olamir... Este é o momento de Olamir estabelecer um controle mais ostensivo sobre as pedras shoham. Diante dos últimos acontecimentos, isso se faz necessário. Daqui a pouco o Conselho de Sacerdotes vai se reunir para julgar o líder supremo dos giborins de Olam. Essa maldita classe de guerreiros que jamais deveria ter sido ressuscitada acaba de nos colocar na iminência de uma guerra total com os shedins. Podem ter certeza de uma coisa: precisaremos de todas as pedras aqui em Olamir, ou tudo o que lutamos a fim de construir essa civilização terá sido em vão. Situações extremas exigem medidas similares.

Ninguém mais se pronunciou após essas palavras. Har Baesh sabia que muitos não estavam convencidos. Porém, mesmo assim colocou a proposta em votação. Ele sabia que tinha votos suficientes para aprovar a decisão. Estava trabalhando naquilo há um bom tempo. Não havia chegado naquela posição dando passos falsos.

* * * * *

O salão do Grande Conselho dos Sacerdotes de Olamir era oval. Ficava dentro do grande templo de *El*, um dos quatro edifícios principais da cidade.

Os quatro palácios estavam posicionados uns de frente para os outros e rodeavam como baluartes a torre do Olho. Como a disposição dos palácios, o formato oval do salão representava o conceito de poder em Olamir. Nem redondo, nem quadrado, o poder não estava apenas em uma pessoa, mas também não estava igualmente em todas. Havia um equilíbrio de poderes, porém, por vezes, um frágil equilíbrio.

O local era amplo e mobiliado de maneira austera. Sua atmosfera intimidativa fazia a pessoa se sentir transportada para um lugar antigo. Havia um ar de solenidade que tomava conta de todos os que o adentravam. A luminosidade de Olamir mantida do lado de fora contribuía para isso.

Ben contemplou os poderosos sacerdotes de Olamir assentados no auditório oval que circundava todo o salão. A estola sobre os ombros e no peito, e o turbante alto na cabeça, eram as vestes tradicionais dos sacerdotes. Mas naquela noite, eram os longos mantos brancos que se destacavam. Eles lhes conferiam a dignidade de juízes.

Tirando o olhar dos membros do Grande Conselho, Ben observou o ambiente mais atentamente. As cadeiras escuras eram de madeira de sândalo, a mesma dos balaústres que circundavam o salão, fazendo as divisões nas quais estavam colocadas as cadeiras. Estranhou a presença de uma harpa e alguns alaúdes que estavam ao fundo, mas logo sua atenção se voltou para uma cadeira maior que as outras, localizada na extremidade oposta à porta de entrada, na curva oval. Sabia que aquela cadeira singela era o trono de Olam, a cadeira do Melek. Não havia ninguém sentado nela. Thamam não dissera se o Melek participaria do julgamento.

Na outra extremidade da estrutura oval, Har Baesh, o sumo sacerdote e mestre dos lapidadores de Olamir estava em pé. Ao olhar para ele, Ben sentiu um arrepio de repulsa. Ele seria o acusador no tribunal. O homem moreno usava a estola dourada de sumo sacerdote sobre os ombros e a mitra com pedras vermelhas de mestre-lapidador na cabeça. Andava de um lado para o outro, recitando orações em voz baixa. Seus cabelos e barbas negros reluziam devido a algum óleo especial que garantia a uniformidade dos cachos pequenos. Na altura do peito, duas grandes pedras shoham encaixadas na estola sacerdotal, conferiam-lhe a capacidade de dirigir a sessão de julgamento prestes a começar.

A mente de Ben se prendia a cada um dos detalhes. Via ganhar vida tudo aquilo que já havia estudado nos livros em Havilá. Segundo as leis de Olamir, Har Baesh, como sumo sacerdote, desempenharia o papel de satan no julgamento. O título significava "opositor". Ele dirigiria a maior parte da sessão, embora não tivesse o poder de condenar ou absolver. Quem decidia isso eram os sacerdotes que, como juízes, ao final do julgamento davam individualmente seu voto. Com as novas leis, que eram aprovadas a cada ano, o poder do sumo sacerdote crescia vertiginosamente em Olamir. E o cargo de satan no tribunal aumentava consideravelmente esses poderes.

Assentado diante do acusador numa das laterais, o guerreiro que os salvara dos refains se esforçava para manter a própria dignidade. Kenan vestia o uniforme tradicional dos giborins de Olam. Uma armadura leve e prateada muito resistente lhe protegia o peito e os ombros. Usava também calças escuras reforçadas e, por cima de tudo, a magnífica Aderet, a envolvente capa vermelha que descia até os tornozelos. Três cordões se estendiam paralelos na altura do peito, interligando a Aderet. Um cordão representava a honra de fazer parte dos giborins de Olam; um segundo representava uma condecoração pelos inúmeros serviços prestados a Olamir no combate aos guerrilheiros; e o terceiro o distinguia como líder supremo da temível ordem de guerreiros.

Kenan havia raspado a longa barba encaracolada em sinal de humilhação, mas os cabelos também compridos e levemente grisalhos não estavam presos. Só nesse momento Ben percebeu que ele tinha as mãos presas por correntes. Dois soldados se posicionavam, um à sua direita e o outro à sua esquerda.

Ben ainda não havia entendido exatamente a razão de ele estar sendo julgado, exceto por algo que Thamam dissera sobre a violação de um antigo acordo com os shedins. Não sabia se isso havia acontecido durante o resgate deles em Midebar Hakadar ou se em outro momento.

O giborim não parecia estar plenamente recuperado dos ferimentos. O braço direito era o mais prejudicado. Mesmo assim, ao longo de todo o julgamento, ele precisaria ficar com as mãos amarradas sobre a pedra shoham na mesa à sua frente. Era a garantia de que diria apenas a verdade. Havia recusado o direito de ter um defensor, por isso, a cadeira ao lado de Har Baesh estava vazia.

Ben, Leannah e Adin estavam assentados em três cadeiras no mesmo nível do acusado, porém na outra lateral. Também havia pedras shoham diante deles. Ben sabia a função delas e isso o fazia ter calafrios.

O arauto anunciou a entrada do Melek de Olam e o começo do julgamento. Todos os sacerdotes se levantaram para saudá-lo com um leve curvar de cabeça. Ben também se colocou em pé ansioso por finalmente conhecer o descendente dos antigos fundadores de Olamir, o homem mais poderoso da terra.

Ao ver o ancião adentrando o salão, Ben arregalou os olhos. Por um momento pensou que fosse alguma brincadeira ou um mal entendido. O homem vestido com roupas reais e uma fina coroa dourada era Thamam!

Os três jovens de Havilá se olharam, e o assombro era o sentimento comum. Aquele homem simples que estivera conversando com eles como se de igual para igual não podia ser o Melek de Olam. Ben sentiu suas faces queimarem ao lembrar que o havia confundido com o dono da hospedaria. Tinha a consciência de agora estar tão vermelho quanto as pedras shoham.

Thamam passou pela porta, atravessou o salão e foi sentar-se na cadeira maior. Não parecia se sentir confortável diante de todos os olhares fixos nele.

Após o rei de Olamir se assentar, os demais juízes fizeram o mesmo movimento, e o silêncio se estabeleceu.

Então, alguns homens se dirigiram aos instrumentos musicais localizados atrás das cadeiras dos sacerdotes. Em instantes, uma música suave inundou o salão. Todos os sacerdotes fecharam os olhos e permaneceram impassíveis durante todo o tempo em que a música foi tocada. A harpa que era suavemente dedilhada tinha pequenas pedras shoham vermelhas incrustadas nos discos e junto aos tirantes. Aos poucos aquele som entrou em sua mente. Ben sentiu a música mexendo algo dentro de sua cabeça, quase como se dedos gentis estivessem massageando partes de seu cérebro.

Ele ainda estava alarmado pela descoberta de que Thamam era o Melek, porém instantaneamente se sentiu calmo. Sentimentos que inspiravam justiça, verdade e sinceridade surgiram e aumentaram de intensidade com o volume da música. A combinação da melodia bem tocada com o efeito das pedras shoham causava uma sensação plena de paz e bem estar.

Quando a música silenciou, Ben sentiu como se pesasse muitos quilos a menos.

— Comece o julgamento — Thamam fez o pronunciamento inicial ao ver que a música havia cumprido a função de preparar as mentes para o julgamento.

O Melek praticamente não tomava parte no processo, porém em caso de empate, cabia ao rei o voto que decidia a questão. Ele também votava como juiz, e, portanto, em algumas situações, poderia votar duas vezes. Isso estava muito longe do poder dos antigos reis de Olamir, mas ainda garantia a primazia do monarca. Porém, na história recente de Olamir, isso não havia acontecido.

O satan Har Baesh iniciou os trabalhos falando com solenidade.

— Ouçam o relato das acusações que pesam contra Kenan, o Guerreiro, líder supremo dos giborins de Olam, discípulo de Thamam, o Sábio, e pelas quais ele está sendo julgado hoje, em nome de *El*, pelos representantes do povo de Olamir.

Quando ele terminou de falar, estabeleceu-se outra vez silêncio absoluto. Ben percebeu o sofrimento no rosto de Thamam quando Kenan foi apresentado como seu discípulo, e também a tensão que crescia vertiginosamente, como se descargas elétricas subitamente tivessem enchido o lugar. Iniciava-se o mais longo e difícil julgamento da história de Olamir.

— O acusado cometeu três terríveis transgressões do antigo acordo de paz entre Olamir e Irofel — o satan começou o relato. — Retirou Herevel, a espada sagrada, de seu descanso desde que Melek Tutham, o Nobre, depositou-a no Grande Templo de *El*. Abriu uma passagem na cortina de trevas para a terra de Hoshek, mesmo sabendo da proibição do uso da magia para abrir a passagem. E libertou uma das criaturas, um dos híbridos, fazendo-a retornar para o Abadom. Pelas leis de Olam, ele precisa ser julgado.

O homem continuou falando sobre as normas e pré-orientações necessárias. Citou vários artigos do código de Tutham, um antigo Melek de Olam, e também do atual código de Olamir. Relembrou decisões anteriores que serviam como precedentes. Ele andava ao redor do réu como um leão espreitando a presa, gesticulava e olhava diretamente para os juízes assentados no plenário. Parecia ter muita experiência nesse tipo de argumentação e demonstrava um minucioso conhecimento das leis de Olamir.

Nesse momento Ben avistou Tzizah. Ela estava em pé ao lado da porta de entrada, na extremidade oposta de onde ficava a cadeira-trono do Melek. Seus cabelos estavam presos por uma tiara. Aparentemente, não tinha acesso direto ao tribunal, mas ninguém parecia incomodado com sua presença ali.

Ben sentiu seu coração descompassar ao ver aqueles olhos cinzentos tão belos e tão tristes. Pensou em acenar para ela, mas em momento algum a camareira olhou em sua direção. Percebeu que ela só olhava para o homem que estava sendo julgado. Então, ele se lembrou das palavras da mulher sobre a noite difícil que Tzizah e o pai dela teriam. E também entendeu a razão de Tzizah lhe ter dito que era grata pelo que ele havia feito. Era óbvio. Ele salvara a vida de Kenan, o pai dela.

— Pelas leis de Olamir — continuou Har Baesh, após uma breve pausa — este é o momento de o acusado fazer seu primeiro pronunciamento. Deverá dizer se considera a si mesmo culpado ou inocente dessas acusações. Como se declara perante o tribunal?

Ben sentiu compaixão do giborim. Havia dignidade nele, um ar de nobreza. Lembrou-se de como ele lutara contra os refains do deserto, de como derrotara os sa'irins, e também como enfrentara a gigantesca ave de rapina. Era um exímio guerreiro. O melhor de todos, apesar de sua idade um pouco avançada.

Houve um silêncio prolongado enquanto Kenan olhava para o chão. Parecia relutante em falar. Suas mãos permaneciam sobre a pedra.

— Segundo o artigo nono do código deste tribunal, se optar pelo silêncio, será considerado culpado — o satan fez questão de explicar. — Tem o direito de se defender. Porém, se abrir mão dele...

— Não sou culpado nem inocente — interrompeu Kenan levantando os olhos para o homem que o acusava. Depois olhou ao redor para o tribunal. — Fiz isso por Olam.

Um burburinho repercutiu pela assembleia. Claramente os juízes estranharam aquela resposta, mas Ben não saberia dizer se pela primeira ou segunda parte.

— O que você quer dizer com isso? — questionou Har Baesh com uma expressão de repúdio. — O que você fez por Olam?

— Mais cedo ou mais tarde o acordo seria rompido. De um jeito ou de outro, eles viriam como nuvens tempestuosas sobre nós. O poder do Olho está se enfraquecendo. Vocês todos sabem disso. Eu rompi o acordo? Há muito tempo os shedins fizeram isso. Eles não atacam Olam diretamente, mas incentivam os salteadores dos reinos vassalos a nos atacarem. Até quando vamos fechar os olhos para essa realidade? Eu tomei essa atitude enquanto somos fortes, enquanto o Olho ainda tem poder. Ainda somos capazes de resistir a eles e de vencer essa guerra.

O reconhecimento do giborim pareceu pegar a todos de surpresa.

— Então você reconhece que agiu com a intenção de começar uma guerra?

A pergunta de Har Baesh tornou as palavras de Kenan numa confissão.

Kenan se calou.

— Eu insisto — continuou o satan —, lembre-se do terceiro artigo do Código de Olamir. Você tem a obrigação de responder com a verdade, a qual será confirmada pelas pedras. Responda: você fez o que fez com a intenção de começar uma guerra?

— Eu fiz o que fiz porque não havia outra opção...

— Silêncio!

O homem não permitiu que Kenan completasse a frase. Sua voz alta e estridente repercutiu pelo salão, assustando Adin e Leannah. Era muito diferente do modo como ele vinha falando até aquele momento. O acusador ergueu a mão direita diante do Melek e exigiu silêncio por parte do acusado.

— Invoco o dispositivo de resposta simples — declarou dirigindo-se ao Melek. — Fiz uma pergunta simples. Ele fez seu pronunciamento. E soou como uma confissão. Agora eu tenho direito de que ele responda minha pergunta com um sim ou um não, e as pedras decidirão se ele diz a verdade. Não pedi informações sobre o motivo pelo qual ele fez ou deixou de fazer algo. Mais tarde poderá dar suas explicações, conforme nossas leis amplamente asseguram. Agora, exijo que o acusado apenas responda à minha pergunta.

Thamam parecia ter envelhecido anos em poucos minutos. Ele assentiu com a cabeça à exigência de Har Baesh.

— Vou repetir a pergunta: você fez o que fez com a intenção de começar uma guerra? Você confessa isso?

Após mais um silêncio, Kenan respondeu sem levantar a cabeça e sem retirar a mão da pedra shoham.

— Sim.

A pedra do lado direito da estola do sumo sacerdote brilhou confirmando a veracidade da resposta. O satan avançou.

— Sabendo de todas as proibições, conhecendo toda a história de Olamir, e das antigas guerras, você decidiu começar uma guerra com Hoshek?

— Sim.

Até mesmo o acusador parecia surpreso com a confissão.

— Portanto, caros conselheiros — Har Baesh retomou a palavra — temos a confissão deste homem. Ele agiu consciente do que estava fazendo. E o quadro de agravantes também está estabelecido. Ele intencionalmente quebrou o tratado de paz, sabendo de todas as implicações. Segundo o quarto e o quinto artigos de nosso novo código, isso implica uma pena significativa. Ainda precisamos saber exatamente o que ele fez. Exijo que Kenan, o Guerreiro, fale agora o que exatamente foi fazer na terra de Hoshek. Precisamos saber os detalhes. Este também é o momento para apresentar suas justificativas, se é que as tem.

Após outro longo silêncio, Kenan pareceu ter encontrado forças em algum lugar. Ele olhou altivamente para o tribunal e falou com convicção pela primeira vez.

— Eu fui até Salmavet, a primeira das grandes cidades que se ocultam atrás da cortina das trevas, e mandei para o Abadom uma das criaturas acorrentadas nas profundezas do Abismo da cidade. Um dos híbridos originários das experiências antigas dos shedins que hoje servem como ligação entre o Abadom e a terra de Hoshek.

O burburinho foi mais uma vez geral. A maioria não conseguia acreditar que ele havia feito aquilo e conseguido sair vivo de lá.

— Mas quem você mandou para o Abadom? — o acusador perguntou quase gritando para Kenan.

— Um dos filhos de Naphal — respondeu Kenan.

Ao ouvir a resposta, o Conselho inteiro entrou em desespero.

— Um filho de Naphal? — o satan repetiu incrédulo. — Um dos antigos híbridos filho do príncipe de Irofel, um nephilim?

Pela reação do público, Ben percebeu a gravidade da situação. Ele já havia ouvido aqueles nomes. Se não estivesse enganado, Naphal era um dos príncipes. Talvez o único líder remanescente dos shedins que lutaram as primeiras batalhas com os homens, muito antes de o Olho ser estabelecido em Olamir. Tinha alguma noção do que poderiam ser os híbridos, também chamados de nephilins. Eram resultados de um antigo projeto de experiências dos shedins, uma tentativa de gerar filhos demoníacos com corpos, até certo grau, naturalmente humanos, não restritos à terra de Hoshek. A experiência havia fracassado; porém, mesmo assim, os shedins haviam conseguido utilizá-los de alguma outra maneira, obtendo através deles poder do Abadom. Mas tudo aquilo era ensinado pelos sacerdotes na escola de Havilá como sendo apenas lenda.

— Eu mostrei que é possível — continuou Kenan se colocando em pé pela primeira vez. — A espada ainda tem poder. Mostrei a possibilidade de enfrentar um nephilim e vencê-lo. De certo modo, até esse jovem que nunca antes manejou uma espada fez isso, pois matou uma saraph... — Ben se encolheu quando viu os olhares de todos em sua direção. — É a espada. Herevel deseja ser usada. Chegou a hora de destruirmos os inimigos de uma vez! Temos a espada, ainda temos o Olho. Isso nos dá muitas chances! Chega de nos escondermos atrás de muralhas que não podem de fato deter os inimigos.

Ben conseguia ouvir os estalos do soalho de madeira, tal era o silêncio dentro do Conselho após aquelas palavras. As lágrimas corriam sem parar pelas faces de Tzizah, e isso mostrava a Ben que algo estava muito errado.

Har Baesh tremia e tentava manter-se sob controle. Ele se segurou numa das colunas como se estivesse zonzo com aquelas revelações. Thamam não tinha mais qualquer cor na face.

— Para mim está evidente — disse Har Baesh entre os dentes. — Você é um maldito desequilibrado que arquitetou toda essa loucura por vingança. Até hoje todos nós fomos solidários com sua dor, mas sua função era impedir os ataques dos salteadores, não começar uma guerra contra os shedins. Você não trará de volta aqueles que foram assassinados, produzindo outras mortes.

Kenan nada respondeu. Olhava para o sumo sacerdote com uma expressão dura como pedra. Estava claro que Kenan não reconhecia a autoridade do homem. Ben percebia uma tensão entre os dois. E pelo olhar de Kenan, o sumo sacerdote havia tocado em algo muito delicado para o giborim. E para o rei de Olam também, pois, pela primeira vez, o Melek se levantou e interrompeu Har Baesh, falando com austeridade.

— Não estamos tratando aqui da terrível tragédia da qual, de certo modo, todos nós fomos vítimas. Não convém ficar lembrando eventos de um passado que não pode ser mudado. Estamos falando de uma atitude específica do líder dos giborins. A acusação deve se ater apenas a isso.

O sumo sacerdote se submeteu às palavras de Thamam.

— Peço desculpas por mencionar um assunto fora da discussão neste conselho — disse com uma voz trêmula. Era impossível discernir o que ele estava pensando. — Há provas tanto da culpa quanto da intencionalidade do réu. Ele agiu por vingança. Era apenas isso o que eu queria dizer... Peço aos juízes, e também ao acusado, que desconsiderem todo o resto que eu falei.

O clima não se tranquilizou com o pedido de desculpas do acusador. Ben não sabia a respeito de quais mortes Har Baesh se referia.

— Agora chegou a hora de ouvirmos as testemunhas — retomou o satan.

— Antes disso — interrompeu Thamam mais uma vez — segundo nosso código, o acusado tem o direito de apresentar suas alegações ou justificativas diante do tribunal.

— Pensei que ele já havia feito isso — disse o sumo sacerdote, fazendo uma reverência em assentimento. Depois, sem dizer nada, foi se assentar em sua cadeira.

Todos os olhos se voltaram mais uma vez para Kenan.

O guerreiro estava em pé, mas também se assentou transmitindo a sensação de carregar um grande peso nas costas. Parecia desanimado. Talvez naquele momento percebesse que as lutas políticas eram mais difíceis do que as batalhas com monstros.

Ben se lembrou das palavras de Thamam ditas a Har Baesh em seu quarto naquela tarde. O julgamento de Kenan seria o mesmo que jogá-lo numa arena com leões famintos. Havia muitos olhares desse tipo ao seu redor.

— Vesti a Aderet há mais de quarenta anos — começou Kenan, sem se levantar, e olhando para as próprias mãos acorrentadas sobre a pedra shoham. — Durante todos esses anos tenho inutilmente tentado evitar que os guerrilheiros saqueiem e roubem grandes quantidades de pedras. Hoje, eles devem ter pedras shoham suficientes para equipar vários exércitos...

As frases do guerreiro eram desconexas. Ele parecia não saber o que dizer.

— Ao que tudo indica — continuou —, finalmente conseguiram alguém para lapidar suas pedras. Não tardarão a avançar sobre nós com armas realmente capazes de nos causar danos. Não se deixem enganar pela solidez de nossas muralhas... O Olho está se apagando... Todos nós temos observado isso há alguns anos. É loucura querer negar, e também é tolice. A cortina de trevas está, pelo menos, 100 milhas mais próxima de Olam do que estava há quarenta anos... Precisam de mais provas?

Aos poucos, ele foi aumentando a tonalidade do discurso. Parecia ter encontrado uma linha de raciocínio.

— O Olho está se enfraquecendo... De algum modo, os shedins sabem disso. Apenas aguardam o momento em que o Olho estiver fraco o suficiente para lançar todos os seus exércitos contra Olamir. Eles estão reunindo forças. As pedras sentinelas têm revelado isso... Proliferaram híbridos por toda a terra das sombras para garantir mais poder... Algum dia eles conseguirão um modo de fazer os nephilins andarem sobre a face da terra... Eles não desistiram disso... Enquanto esse dia não chega, trouxeram espíritos sa'irins e criaram corpos monstruosos para eles... Eu ficaria a noite toda aqui se quisesse relatar todos os tipos de criaturas que há no exército deles, resultantes de suas macabras experiências. Cavaleiros-cadáveres, refains, oboths, terafins, tannînins... Não se enganem, eles estão trabalhando muito, e há muito tempo.

O giborim olhou para os juízes tentando captar a reação deles àquelas palavras. Todos pareciam impassíveis.

— Recentemente, uma águia condutora flagrou uma comitiva de Irofel se dirigindo para as Harim Neguev — revelou o giborim —, estavam indo convocar os anaquins...

— Os gigantes têm uma aliança com Olamir! — interrompeu Har Baesh. — Atenha-se à sua defesa. Isso aqui não é um conselho de guerra!

— Nossos aliados das cidades do vale parecem pouco ansiosos em nos ajudar... — Kenan o ignorou. — Alianças, tratados, nada disso contém a sede de destruição dos malignos. Eu reconheço que agi de modo intempestivo e sem o consentimento de ninguém. Violei todos os acordos. Eu sabia de todos os riscos. Condenem-me se não têm outra opção! Mas não se enganem pensando que Naphal se satisfará. Ele só queria um motivo e agora ele o tem. Eu ofereci o que ele precisava. Nada vai impedi-lo de marchar contra Olamir. Eles até mesmo sabiam que eu invadiria Salmavet. Alguém contou isso para eles. Um cashaph, talvez. Mesmo assim eu fiz o que precisava ser feito. Agora façam o trabalho de vocês. Condenem-me, mas preparem-se para a guerra. É hora de varrer os shedins deste mundo antes que seja tarde demais. Se isso for feito agora, talvez ainda haja esperança para Olam, e aceitarei meu sacrifício pelo bem desta terra.

Um grande silêncio mais uma vez caiu sobre o júri após esse discurso. Era evidente que Kenan estava se condenando com aquelas palavras. Ele havia admitido a total intencionalidade de seus atos. Os sacerdotes começaram a sussurrar entre si. Thamam balançava a cabeça negativamente.

— Um discurso corajoso — o satan se levantou mais uma vez, parecendo recuperado do abalo causado pelas revelações anteriores. — Tão corajoso quanto insano. Um cashaph? Você acha que não descobriríamos se existisse? Reconheço que os guerrilheiros já causaram muitos prejuízos, principalmente às cidades mais afastadas de Olamir. Sua função sempre foi proteger Olam deles. Mas o que poderiam fazer diante de nossas muralhas? Diante do Olho de Olam? São moscas. Os shedins, entretanto, são nosso verdadeiro problema. Estes que você agora despertou poderiam nos ameaçar, se o Olho não nos defendesse. Isso só torna sua atitude ainda mais condenável.

O acusador também fez uma pausa para ver a reação dos sacerdotes. Continuavam impassíveis.

— Quero, entretanto, lembrar ao tribunal de que não há qualquer prova de um enfraquecimento definitivo do Olho. Essa ideia é absurda e deve ser veementemente repudiada. Os mestres-lapidadores têm monitorado o Olho constantemente. Os registros mostram variações em seu brilho durante os últimos séculos, porém isso pode ser explicado por fenômenos atmosféricos. Shamesh sempre teve variações, e todos sabemos que o Olho deriva seu poder diretamente de Shamesh e, por espelho, de Yareah... A diminuição recente do brilho foi de fato maior, mas a conclusão do conselho vermelho, após um exaustivo trabalho de pesquisa e análise, é que o brilho do Olho diminuiu devido ao eclipse lunar que se aproxima. Será o mais longo eclipse lunar de todos os tempos. É provável que no dia 15 de Bul, durante o eclipse, o Olho chegue ao seu momento de menor luminosidade em sua história. Mesmo assim, não há razão para temor. Continuará havendo poder suficiente para nos defender. E assim que o eclipse terminar, o brilho retornará ao normal.

— Faltam quinze dias para o eclipse! — retrucou Kenan. — Esse é o tempo que Olamir tem. O Olho de Olam vai se apagar no eclipse. Se não for usado antes para destruir os shedins, nunca mais será usado. Não acreditem nas teorias do sumo sacerdote. São teorias sem fundamento!

— Você não precisa concordar com os estudos técnicos dos mais respeitados lapidadores de Olamir — disse o satan calmamente — mas chamar de sem fundamento uma posição que tem provas documentais é uma prova de falta de bom senso. A não ser que você tenha evidências mais conclusivas. Se as tem, apresente-as agora perante este tribunal e as pedras julgarão se você fala a verdade. Você tem provas de que o Olho de Olam se apagará no eclipse?

Kenan olhou longamente para Thamam. Por um momento Ben pensou que ele fosse dizer algo, mas, por fim, apenas abaixou a cabeça.

— Eu vi com meus próprios olhos — disse sem levantar os olhos do chão. — A cortina avançou... O Olho está se enfraquecendo. Estão formando um exército poderoso. Precisamos lutar enquanto ainda há chance...

— Há dois mil anos não precisamos lutar — rechaçou Har Baesh, esforçando-se por manter seu modo calmo de se pronunciar. — Desfrutamos o valor inestimável da paz e do progresso desde que Tutham, o Nobre, recebeu o Olho dos kedoshins e, com Herevel em punho, conquistou a vitória definitiva sobre os shedins. Quando o tratado foi estabelecido, as guerras cessaram e, com elas, a violência, os assassinatos, os estupros, os roubos... Você sabe há quanto tempo ninguém é assassinado em Olamir ou nas principais cidades de Olam? Você entende o valor disso?

— Cinco giborins foram mortos há menos de três meses em Midebar Hakadar — disse Kenan entre os dentes.

— Dentro do território deles! — retrucou o sumo sacerdote. — Os giborins não deviam ter invadido o deserto cinzento! Você não entende... — Har Baesh recuperou a calma outra vez. — Depois que Tutham foi arrebatado para junto dos kedoshins, este mundo viveu em paz. Dois mil anos graças ao tratado... Agora você deseja trazer o caos outra vez... Haverá assassinatos, estupros, violações e todas as tragédias que brotam da raça humana quando a Lei e a Ordem não as subjugam...

O modo reticente como Har Baesh disse as últimas palavras lembrou muito o estilo de Thamam. Aparentemente o acusador tinha o intento de mostrar que o próprio Melek não podia concordar com os atos de seu discípulo.

O conselho parecia dividido. Muitos concordavam com as palavras de Har Baesh, balançando afirmativamente a cabeça. A maioria ainda não sabia que lado tomar.

— Acho que o réu não tem mais nada a dizer — continuou o acusador. — Ele admitiu o delito e não tem uma justificativa válida. Agora chegou a hora de ouvirmos seus cúmplices.

O tribunal inteiro se voltou para Ben, Leannah e Adin. Ben quase caiu da cadeira quando foram chamados de cúmplices.

O satan caminhou calmamente até eles.

— Vocês viram este homem antes? — perguntou-lhes, lembrando-lhes mais uma vez o artigo terceiro do código do tribunal sobre o uso das pedras para garantir a verdade. Ben precisou colocar sua mão sobre a pedra antes de responder.

— Não somos cúmplices dele — respondeu trêmulo, ainda sem entender o motivo de serem chamados de cúmplices.

— Eu perguntei se vocês já o conheciam antes — repetiu o satan.

— Não.

— E como vocês foram parar em Schachat, onde ele os libertou?

Ben olhava para Thamam e para os demais conselheiros, como se estivesse pedindo socorro. Mas só via olhares frios lançados em sua direção.

— Estávamos seguindo para Olamir na rota das pedras, mas nos perdemos no caminho após uma tempestade de areia...

— Então, não tinham a intenção de ir para lá?

— Não!

Suas respostas eram todas confirmadas pela pedra direita da estola sacerdotal. Isso fez sua coragem voltar; afinal, as pedras revelariam que não tinham relação alguma com aquela assombrosa história. Por outro lado, Ben tentou se conter. Não queria dizer nada que pudesse piorar a situação do pai de Tzizah. Percebia o quanto ela estava aflita junto à porta.

O acusador momentaneamente não fez mais perguntas. Apenas observava Ben friamente com seus olhos escuros. Os dedos batiam suavemente na madeira que fazia divisão entre o nível dos réus e o dos sacerdotes. Parecia uma serpente aguardando o momento de dar o bote.

— E o que pretendiam fazer em Olamir? — continuou o sumo sacerdote.

— O homem que me criou disse para vir para cá.

— E como é o nome dele?

— Ele se chama Enosh, o Velho.

— Informo ao Conselho que não há qualquer registro desse homem em Olamir ou em qualquer lugar de Olam... Mas digam ao Conselho o que esse homem fazia em... como é mesmo o nome da cidade... sim, Havilá?

Ben permaneceu em silêncio. Havia chegado a hora que tanto havia temido. Não podia mentir diante das pedras.

— Lembro mais uma vez o artigo nono: não existe a opção de silêncio neste tribunal.

— Era um latash — revelou Ben.

Um burburinho percorreu mais uma vez o tribunal.

— Um lapidador autônomo, certo? Um clandestino.

— Sim.

— E o que ele estava lapidando antes de desaparecer?

— Uma pedra shoham.

— Com qual função?

— De armazenar as informações dos livros.

— Diga-me uma coisa: essa pedra podia se conectar secretamente com qualquer pedra e acessar todas as informações sem ser detectada?

Ben respirou longamente. Não podia mentir.

— Sim.

Estava condenando Enosh duplamente ao dar aquela informação.

— Então esse latash dominava uma técnica de lapidação que nem mesmo o maior perito dos mestres lapidadores de Olamir domina? Uma técnica proibida?

— Eu não sei — Ben dissimulou no limite do que era possível. — Não entendo muita coisa sobre isso... sobre as leis.

— E não foi você quem lapidou esta pedra? — o satan mostrou na palma de sua mão a pedra que Ben havia lapidado e dado de presente para Leannah. Ela e Adin a haviam usado para comprar o direito de seguir com os barcos de transportes pelo Yarden. — Você reconhece esta pedra? Foi você quem a lapidou? Você é o guardião de livros?

Todos os sacerdotes, inclusive Thamam, olhavam atentamente para Ben. Ele se sentiu encurralado.

— Sim — respondeu, complicando-se cada vez mais, e não entendendo como o homem havia conseguido aquela pedra e aquelas informações.

Leannah, ao seu lado, também estava atônita.

— Você é um latash? — investiu o acusador.

— Não! — respondeu Ben trêmulo e aliviado por não ter feito ainda o juramento. A pedra shoham confirmou sua resposta e ele viu decepção no rosto do acusador.

— Então, deixe-me esclarecer para o tribunal toda a situação — recuperou-se depressa Har Baesh. — Kenan, estes três jovens e mais esse latash chamado Enosh, que, se ainda estiver vivo deve ser localizado a qualquer custo, tinham um plano terrível de começar uma guerra. São todos cúmplices nessa trama sórdida. Por alguma razão secreta, eles estão trabalhando para o inimigo e desejam o fim de Olamir!

— Isso não é verdade! — retrucou Ben. — Meu mestre não tinha qualquer ligação com Kenan ou com os shedins. Ele deve ter previsto a guerra e tentou impedi-la. Sua pedra tinha a capacidade de prever coisas do futuro. Naquela noite ele tentou se comunicar com Olamir. Então, alguém foi até a casa dele e o agrediu. Depois colocou fogo em tudo... E estes dois não têm relação alguma com isso — enfatizou Ben olhando para Leannah e Adin. — São filhos do sumo sacerdote de Havilá. Não participaram de coisa alguma. Nem deviam ter vindo comigo.

Har Baesh sorriu e Ben percebeu que havia caído na armadilha dele.

— Concordo — disse o acusador. — Estes dois jovens foram apenas usados nessa trama sórdida. Percebo agora que esta pobre garota foi manipulada. Deve, com seu irmão, ser enviada de volta para seu preocupado pai em Havilá. Os nobres conselheiros ouviram? Uma pedra capaz de prever o futuro!

O homem se voltou para o Melek.

— O trabalho da acusação está encerrado — relatou. — Nossa conclusão é terrível, porém cristalina. Está provado o que Kenan, o Guerreiro, fez. Há alguma relação dele com este garoto. No mínimo está provado que o garoto é aprendiz de um latash. Juntos desenvolveram técnicas proibidas. Eu peço o banimento para Kenan, o Guerreiro, e para Ben, o Guardião de Livros. Nenhuma pena menor do que a máxima é justa para o caso desses violadores do tratado.

— O banimento não! — todos ouviram a voz de Tzizah ao lado da porta de entrada.

— Essa punição nunca foi aplicada por esse Conselho em dois mil anos — Thamam se levantou e falou pela terceira vez na noite. O julgamento estava sendo muito difícil para ele. Aparentemente, havia tomado um rumo não imaginado.

— Atitudes extremas exigem reações similares — disse tranquilamente o acusador.

Ben estava atônito. Estavam propondo para ele a mesma pena de Kenan?

— O que Kenan fez, infelizmente, segundo nossa lei não tem justificativa — continuou o Melek —, embora ele o justifique em seu coração... Em vista das provas, todos concordamos que ele deve ser punido. O banimento, entretanto, é extremo e desproporcional... E o envolvimento deste jovem ainda precisa ser mais bem explicado. As pedras não indicaram qualquer mentira em suas palavras como testemunha — Thamam pôs ênfase na palavra "testemunha" —, isso mostra que ele próprio não entende tudo o que está acontecendo... O caso dele precisa de mais evidências. Além disso, ele não está sendo julgado agora. Foi chamado aqui para testemunhar. Nossas leis são claras: ele precisa ser julgado separadamente.

— E qual é a pena que Thamam, o Sábio, soberano de Olamir, acha apropriada para o líder dos giborins, réu confesso de um crime tão terrível? — o satan perguntou, fazendo uma leve curvatura diante dele. — Sem esquecer o artigo décimo...

Thamam respirou longa e pesadamente. Permaneceu em silêncio alguns instantes. Os minutos se arrastaram até que ele, com a voz cheia de dor, lamentou:

— Olamir deve muito do que é hoje a esse homem... Ninguém aqui lutou mais e enfrentou todo tipo de criaturas pelo bem de nossa civilização do que Kenan. Reconheço que nossa lei exige o banimento para esse tipo de transgressão, mas a lei precisa ser interpretada, não pode ser aplicada sem misericórdia ou sem consideração das verdadeiras intenções... As pedras são usadas aqui para isso, para que a verdade apareça.

— Qual é a pena sugerida por nosso digníssimo Melek? — insistiu o acusador.

Thamam pensou longamente mais uma vez antes de responder. Minutos de uma silenciosa luta íntima passaram até que se pronunciou.

— A pena mínima exigida em nossas leis para esse tipo de transgressão é a morte. Uma morte simples.

Tzizah caiu em prantos.

Ben não conseguia entender como a morte podia ser melhor que o banimento.

O Conselho inteiro começou a cochichar. Os juízes falavam entre si e ninguém conseguia se entender.

— Eu agradeço pelo trabalho de satan exercido por Har Baesh, sumo sacerdote de Olamir e mestre dos lapidadores — retomou Thamam, resignado com seu dever. — O Conselho deverá discutir e votar agora. Pelas imposições de nosso código, teremos que votar a sentença apenas para Kenan. O guardião de livros deverá ter um novo julgamento quando for possível.

— É o que diz o artigo décimo primeiro — concordou Har Baesh. — Entretanto, a pena de Kenan, seja qual for, será aplicada ainda esta noite. No caso do guardião de livros, como pairam dúvidas sobre sua real participação, um novo interrogatório será feito com o uso estrito das pedras. Sua confissão, porém, precisa ser lembrada: ele é um aprendiz de latash. Isso deve ser registrado e constar como sua acusação inicial.

Thamam se assentou sobre sua cadeira real mais uma vez. O burburinho aumentou vertiginosamente com os sacerdotes falando entre si. Às vezes, Ben ouvia a palavra "banimento". Outras vezes, em menor número, a palavra "morte" era ouvida. O lugar estava uma grande confusão.

Ben olhava para todos sem acreditar no que estava acontecendo. Então, àquela altura, o mínimo que poderia lhe acontecer era ser condenado à morte? E pensar que ele temia o pequeno Conselho de Havilá.

Depois disso, vários conselheiros tomaram a palavra. Posicionavam-se a favor do banimento ou da morte de Kenan, argumentando longamente a respeito da legitimidade de cada pena proposta. A maioria permanecia silenciosa, apenas ouvindo e tentando chegar a um veredicto. Ninguém se pronunciou em defesa dele, alegando sua inocência, afinal ele havia confessado a culpa, e as pedras confirmaram isso. Com o uso das pedras shoham, não havia possibilidade de cometer erros nos julgamentos. A única injustiça poderia ser a aplicação da pena.

Havia cinco penalidades intermediárias entre a morte e o banimento. Eram espécies de torturas ou retribuições causadas pelo uso das pedras shoham que criavam situações ilusórias na mente dos condenados. O objetivo era que sentissem o mesmo mal cometido aos outros, como perder um filho ou um braço. Somente depois da retribuição eram executados.

A noite estava adiantada quando Thamam se levantou e fez seu último pronunciamento. Pelo visto, falara muito mais do que costumava nos julgamentos do Conselho.

— Peço ao Conselho sabedoria e misericórdia agora. A última vez que um homem foi banido em Olam foi há pelo menos dois mil anos. Votem pela punição adequada. Este Conselho sempre teve como marca ser justo e equilibrado.

Ben ouviu o discurso ainda sem entender por que banimento era pior do que morte.

— Respeito a posição de nosso nobre Melek — Har Baesh fez uso de sua palavra também pela última vez. — Mas há dois mil anos ninguém cometia um crime tão grave em Olam. Desde que aquele amaldiçoado grupo de homens nos traiu seguindo os shedins e receberam a justa punição por seu erro... O banimento é apropriado, por mais terrível que seja. É terrível, mas é justo, e servirá de alerta em Olam. Em tempos conturbados a lei e a justiça precisam aparecer para restringir o erro. E, talvez, isso também acalme nossos inimigos, poupando-nos de uma guerra inútil.

Os sacerdotes falavam entre si e pareciam apavorados em tomar uma decisão de tal magnitude. Ben percebeu a óbvia dificuldade deles: nunca haviam lidado com um caso tão grave, nem, provavelmente, julgado alguém tão importante.

— O Conselho está pronto para se pronunciar sobre a pena do líder supremo dos giborins de Olam? — perguntou Thamam com a mão direita erguida.

O burburinho continuou. A maioria dos juízes tinha os olhos esbugalhados, olhando para o Melek e para o sumo sacerdote, aparentemente sem se decidir entre um e outro. Todos sabiam da nobreza e do trabalho prestado pelos giborins. E Kenan era simplesmente o líder supremo da ordem. Agora precisavam decidir se seria morto ou banido. Se houvesse realmente uma guerra, ele faria muita falta.

— Que o Conselho se pronuncie sobre o destino de Kenan — decretou o Melek baixando a mão.

Então, um por um, os sacerdotes começaram a se levantar e a caminhar até diante da cadeira real.

O primeiro foi Har Baesh. Ele se colocou em pé diante do Melek e falou solenemente com a mão esquerda erguida, aquilo que todos já esperavam.

— Condeno Kenan, o Guerreiro, ao banimento.

O segundo conciliar, um homem de cabelos e barbas pretos que parecia uma cópia de Har Baesh, posicionou-se diante da cadeira de Thamam e emitiu seu veredicto com a mão esquerda levantada.

— Condeno Kenan, o Guerreiro, ao banimento.

O próximo conciliar se aproximou e repetiu o gesto e as palavras do antecessor.

A sucessão de juízes e seus pronunciamentos pareciam vertiginosos para Ben. Era como uma avalanche de más notícias.

O quarto e o quinto mantiveram o veredicto de banimento com a mão esquerda levantada.

O sexto juiz se posicionou diante do Melek. Com a voz trêmula pronunciou-se com a mão direita erguida.

— Condeno Kenan, o Guerreiro, à morte simples.

Era o primeiro a dar posição diferente. Depois dele, mais dois sacerdotes se encorajaram e também levantaram a mão direita. Então, por alguns instantes, nenhum juiz se levantou. A pressão dentro do salão do Conselho era enorme. Mais alguns minutos passaram, e outros juízes voltaram a se pronunciar.

A votação seguiu acirrada, mas em momento algum o veredicto de morte ultrapassou o veredicto de banimento. Ben contou o número de votos quando faltava apenas um homem para votar. Dezenove pediam banimento e dezessete pediam pena de morte.

Ben ouviu um juiz falar para o vizinho que se o último conciliar votasse pena de morte, caberia a Thamam decidir a votação. Ele poderia votar uma vez como juiz empatando a disputa, e depois como Melek decidiria a questão.

O último juiz se adiantou e se posicionou diante da cadeira de Thamam. Todos tinham os olhos fixos nele. Era um homem magro e não muito alto. Tinha um olhar bondoso e parecia cheio de sabedoria. Algo nele fez Ben pensar que ele não escolheria banimento. Assim Thamam poderia decidir a votação favoravelmente a Kenan, embora Ben continuasse sem saber como a pena de morte poderia ser favorável.

O último juiz titubeou antes de responder. Parecia ter consciência de que, na verdade, cabia a ele definir a situação.

— Eu condeno Kenan, o Guerreiro... — o homem não conseguiu completar a frase. Ele tremia inteiro sob o peso de ter que tomar aquela decisão. Alguém se aproximou rapidamente e lhe entregou um cálice com água. O homem bebeu a água e enxugou o suor da testa com um lenço. Então, olhou mais uma vez para Kenan, para Thamam e para Har Baesh.

— Eu o condeno... — ele repetiu com a voz trêmula — à morte...

Sua última palavra foi baixa, e apesar de todos estarem inclinados para escutá-lo, quase ninguém a ouviu, mas sua mão direita erguida testemunhava sua posição. Quando entenderam a decisão, os conselheiros explodiram em conversas paralelas, muitos aplaudindo a decisão e outros repudiando veementemente.

Thamam caiu mais uma vez sobre seu trono singelo. Poderia evitar que Kenan fosse banido. Entretanto não havia alívio em seu rosto. Har Baesh, por sua vez, era pura desolação.

Tzizah deixou o salão chorando copiosamente. Não havia mesmo razão para alívio. Ben a viu correndo em direção à escuridão da noite, mas naquele momento tinha outra preocupação, pois seria o próximo a ser julgado e a receber a sentença de condenação. Com o uso das pedras, toda a verdade sobre o que fazia em Havilá apareceria inevitavelmente. E ele já era um réu confesso.

O Melek finalmente se levantou para se pronunciar. Mesmo sabendo o que ele diria, todos se voltaram para ele com atenção. Então, uma trombeta soou assustadoramente colocando todo o Conselho em estado de alerta. Ben quase agradeceu pelo silêncio que se fez após o soar da trombeta, mas não sabia o que estava acontecendo, nem se aquilo fazia parte do ritual de julgamento, ou se era outra coisa.

Um homem vestindo uma armadura avermelhada como cobre entrou no salão do Conselho. Diante de olhares atônitos se ajoelhou rapidamente perante o Melek. Era um homem alto e bastante forte. Um guerreiro. Tinha cabelos longos e ruivos e uma barba rente. Seu olhar inspirava respeito e disciplina. Segurava nas mãos uma pedra shoham.

— Peço perdão por interromper esta sessão — disse sem se levantar.

— O que você tem a dizer, capitão do exército? — perguntou Thamam fazendo um gesto para que se levantasse e se aproximasse.

— Eles estão chegando...

— Eles quem? — Thamam perguntou ao homem. O medo começou a se tornar quase palpável dentro do salão.

— Um exército. As águias sentinelas o flagraram.

O rosto de Thamam ficou lívido.

— Que exército? De onde?

— De Midebar Hakadar.

O medo e a tensão chegaram ao nível máximo. Os homens falavam ao mesmo tempo, discutindo a gravidade daquela situação. A frase mais ouvida era "o Olho enfraqueceu".

Thamam fez um gesto para que o capitão lhe entregasse a pedra shoham com as imagens captadas pelas águias. Antes de perscrutar a pedra, ele lançou um olhar estranho para Kenan. Segundos de um silêncio fantasmagórico se passaram enquanto o Melek avaliava as imagens. Ben teve a impressão de que o rosto dele ficou ainda mais branco. Desfazendo a conexão, Thamam olhou outra vez para Kenan. Havia grande contrariedade nos olhos dele e ansiedade nos olhos do giborim.

— Batedores chegaram primeiro — continuou o capitão. — Eles mandaram mensageiros shedins de Irofel para este Conselho. Exigem autorização para os mensageiros entrarem.

Thamam assentado parecia sem forças para dizer alguma coisa. Kenan olhava para o Melek e sua expressão aparentava ainda mais ansiedade. Tzizah, que retornara, não chorava mais. Seus olhos estavam tensos.

— Nosso código prescreve que uma reunião do Conselho nunca pode ser interrompida — pronunciou-se Thamam. — Precisamos terminar o julgamento antes...

— Concordo — disse Har Baesh. — Mas não podemos começar uma guerra justamente agora. Peço ao nobre Melek que deixe para dar o pronunciamento final sobre o julgamento após a entrada dos mensageiros.

Thamam titubeou. Parecia a coisa certa a ser feita. No entanto, Ben percebeu que o Melek lutou com um dilema.

— Não há razão para adiar o veredicto — disse Thamam finalmente. — Meu pronunciamento já está definido: condeno Kenan à morte. — A mão direita do Melek subiu duas vezes. O julgamento está encerrado.

Thamam proferiu aquelas palavras em tom de decisão. Ninguém ousou questioná-lo.

— Agora deixemos os mensageiros de Irofel entrarem.

O capitão assentiu e saiu rapidamente do recinto. Os demais jurados cochichavam. Todos pareciam apavorados.

— Pela primeira vez teremos um shedim dentro desta cidade — indignou-se Har Baesh olhando para Kenan com desprezo. — Espero que você esteja satisfeito.

Kenan levantou o olhar mais uma vez. Todos puderam ver um brilho estranho, quase fanático. Ele não parecia surpreso. Pelas leis de Olamir, um condenado não tinha mais direito a voz, porém naquela noite os acontecimentos estavam se desenrolando de modo tão pouco convencional que, quando ele se levantou e falou, ninguém se lembrou das leis.

— Se um shedim vai pisar nesta cidade, depois de dois mil anos, não é somente porque eu rompi o tratado, mas porque o Olho está enfraquecendo drasticamente. Isso é prova suficiente de que digo a verdade. Ouçam! Antes disso eles nunca se atreveriam sequer a pisar o chão diante de nossa muralha. Porém, cometeram um erro. Deram-nos a chance de fazer algo definitivo. Toquem a trombeta de prata! Ativem o poder do Olho! Ativem as pedras repercussoras sobre as torres de guarda! Ainda há poder suficiente no Olho de Olam para destruir esse exército. Assim garantiremos a paz por pelo menos mais dois milênios. Eles nos deram a oportunidade de decidirmos essa batalha hoje mesmo. Vocês não percebem? É nossa chance de mandá-los para o Abadom! *El* nos concedeu isso!

Kenan estava quase gritando.

— Cale-se! — Har Baesh o interrompeu também em alta voz. — Você está louco! Quer que os ataquemos agora e nos lancemos numa guerra total contra Hoshek? Uma guerra nunca compensa! Nós todos sabemos disso! Destruiríamos tudo o que há de bom neste mundo? A presença deles aqui apenas confirma o que eu já disse. Tomaram uma atitude desesperada e vingativa por sua causa. Vingança só gera mais violência. Precisamos interromper esse ciclo, ou ele jamais acabará...

— Eles estão nos ameaçando! Temos o direito de nos defender! — insistiu Kenan tentando convencer os sacerdotes, ignorando a ordem de Har Baesh para que se calasse. Acima de tudo parecia estar tentando convencer Thamam. — *El* nos deu a oportunidade de mudarmos a história deste mundo nesta noite. Estão se aproximando das muralhas, logo estarão ao alcance das pedras repercussoras. Só podem estar aqui com formas humanas. Nós sabemos quão humanos eles se tornam nesses momentos. Precisamos destruí-los! O Olho não está com seu poder pleno, porém as possibilidades de os derrotarmos ainda são imensas. Temos Herevel e os giborins para lutar por nós. Toquem a trombeta! Não percam a única oportunidade que *El* nos concedeu. Não haverá outra.

O medo era visível nos olhos de todos. Entendiam plenamente as implicações. As palavras do giborim faziam sentido. As de Har Baesh também; afinal, uma guerra nunca era algo bom. Contudo nesse caso, parecia não haver opção. Mas se já havia sido difícil tomar a decisão a respeito da sentença do condenado, como poderiam se decidir a respeito de uma guerra?

Olhando para o líder supremo dos giborins, Ben percebia algo diferente nele. O homem humilhado de antes havia desaparecido. Mesmo acorrentado, agora ele estava em pé, no meio do salão, desafiando o Conselho a agir, tentando a todo custo aproveitar a oportunidade que havia surgido. Por um momento Ben pensou que Kenan estivera esperando por ela o tempo todo.

Os olhos de todos se voltaram para Thamam, aguardando algum pronunciamento. Ele era o Melek, o único descendente direto dos antigos reis que haviam fundado a cidade. Em tempos passados, o poder do Melek era absoluto. Todos começavam a desejar que as coisas voltassem a ser do mesmo modo.

"Que Thamam nos lidere mais uma vez", alguns diziam.

"Que diga o que devemos fazer, afinal, ele é o único descendente de Tutham", outros concordavam.

Naquele momento, se Thamam desse a ordem para ativar o Olho, o Conselho o apoiaria, a despeito das palavras de Har Baesh, e se lançaria numa guerra total contra os shedins. Isso estava claro para Ben. Mas o Melek permaneceu calado. Não olhou diretamente para Kenan nem por um momento, apesar de os olhos insistentes do giborim buscarem os de seu mestre.

Os minutos se arrastaram depois disso. A espera pela chegada dos mensageiros revestiu-se de uma tensão crescente. A temperatura era elevada, embora o frio da noite fora daquele local fosse intenso.

Thamam ordenou que dez giborins de Olam se posicionassem dentro do salão. Era uma medida cautelar. Não sabiam o que adentraria aquele lugar.

Quando finalmente o arauto anunciou a chegada dos mensageiros de Irofel, os três amigos se encolheram esperando ver algo macabro e monstruoso aparecer, mas viram algo que os surpreendeu ainda mais.

Eram três homens.

De longe, pelo menos, tinham alguns traços humanos. Eram guerreiros, sem dúvida. Um deles, o primeiro a entrar, certamente era um homem. Ben o reconheceu. Nunca mais se esqueceria daquela cicatriz, nem daqueles olhos sorrateiros. Era o guerrilheiro que saqueara sua embarcação de pedras shoham, o príncipe vassalo. Instintivamente Ben levou a mão para dentro da camisa até encontrar Halom, como se ela o pudesse proteger mais uma vez.

O segundo homem a entrar era muito alto e usava uma capa negra com capuz que o cobria inteiramente. Pouco de seu rosto podia ser discernido, e nada de seu corpo, porque a capa o ocultava. A sensação era que algo demoníaco se escondia debaixo daquelas vestes pretas. No entanto, Ben conseguiu reconhecê-lo. Havia visto aquele homem duas vezes por meio das pedras. Não precisava olhar para seu rosto oculto para se lembrar dos terríveis olhos vermelhos do guerreiro shedim. Parecia haver pequenos chifres em volta de sua cabeça. Ouviu alguém chamá-lo de tartan.

O terceiro homem era diferente dos outros em tudo. Ben nunca o havia visto. Era majestoso. Incrivelmente alto e belo. Mais alto até do que o antecessor. Ele vestia uma túnica branca com adereços dourados. O branco da túnica era quase resplandecente. Olhar para ele era como olhar para o sol. O capuz não cobria sua cabeça. Seu rosto tinha feições nobres, seus cabelos eram longos, lisos e totalmente brancos. Entrou calmamente na sala do Conselho, andando como um rei, ou mesmo mais do que isso, como um deus. Transpirava dignidade, resplandecia como ouro. Seus olhos, entretanto, desmentiam a nobreza do rosto. Eram perversos.

Ben ficou assustado quando os burburinhos apavorados revelaram quem ele era: Naphal, o príncipe dos shedins.

Quando Kenan viu os mensageiros, colocou-se em pé num salto. Ben viu o ódio fuzilando em seu olhar. O rosto de Thamam empalideceu ainda mais, como se isso fosse possível.

— Como ousa? — gritou Kenan, tentando soltar as mãos. — Como ousa entrar aqui?

Kenan estava se dirigindo a um dos homens. Era para a figura encapuzada. O tartan.

O giborim estava enlouquecido, mas Ben não conseguia entender o motivo. Mesmo sem conseguir soltar as mãos, Kenan correu na direção do intruso. Só a muito custo os soldados conseguiram segurá-lo.

— Acalme-se Kenan! — bradou Thamam do alto do trono. — Este não é o momento! Este não é o momento!

Thamam também estava abalado, mas fazia um grande esforço para se controlar. A presença daqueles três era uma grande afronta. Isso estava claro.

Naphal atravessou o salão e parou diante da cadeira do rei de Olamir. Os outros dois permaneceram logo atrás. Ben nunca havia visto tanto ódio. O giborim e o tartan se encaravam, mas o herdeiro do trono do ferro, por sua vez, também olhava para Kenan com ódio inflamado. Todos eles pareciam ter questões não resolvidas.

— Eu trago um ultimato para o Melek e para esse Conselho — declarou o príncipe dos shedins. Suas palavras deixaram os homens ali presentes perturbados.

Ben se sentia desnorteado. Aquele homem não podia ser mau. Ele não conseguia entender como uma voz podia ser bela e maligna ao mesmo tempo, nem como um rosto podia ser divino e demoníaco. Algo dentro dele se agitava enquanto o shedim falava.

— Acho que vocês já estão informados dos últimos acontecimentos — continuou o shedim, lançando um olhar frio para Kenan. — Decidiram começar uma guerra. Para o próprio bem de vocês, espero que estejam preparados. Asseguro-lhes, nós estamos. A missão que me traz aqui é tratar dos termos dessa guerra.

— Não queremos começar uma guerra — Thamam se antecipou. Sua voz estava firme, embora dizer aquelas palavras tivesse sido difícil para ele. Estava tentando manter a dignidade da cidade e não a sua própria.

Ben podia ver que a arrogância dos shedins escondia algum desconforto. Mesmo utilizando corpos até certo ponto humanos, eles não passavam ilesos aos efeitos da proximidade do Olho de Olam. Parecia que algo neles estava se distorcendo lentamente. Por outro lado isso também apontava para o enfraquecimento do Olho, pois em outra situação eles nem poderiam estar ali.

— A quebra do tratado foi uma transgressão — Thamam continuou. — Não foi uma decisão deste Conselho. Estamos julgando o homem responsável. Ele acabou de ser condenado à morte. Reparação foi feita.

— Acham que tudo se resolve assim tão fácil? — o shedim falou com ironia. — A morte não é uma reparação suficiente para mim. Vocês romperam o acordo. Começaram uma guerra, agora terão que aguentar as consequências.

A maioria dos sacerdotes se encolheu nos bancos ao ouvir aquelas palavras ameaçadoras. Foram incapazes de esboçar qualquer reação. Sentiam-se como se tivessem acabado de sair de uma terrível tempestade para, então, precisar enfrentar um furacão.

Por um momento, o olhar do príncipe dos shedins se fixou nos três jovens de Havilá, especialmente em Leannah. Ben não entendeu por que ele olhava para ela. Não conseguia explicar o pressentimento estranho que teve, era como se existisse um buraco em seu estômago.

— Reconhecemos que você sofreu uma injúria e que o tratado foi rompido — defendeu-se o Melek. — Mas a questão já está resolvida. O líder supremo dos giborins de Olam será morto — disse Thamam com todo o pesar. — Ele foi o único responsável por tudo isso. Sua execução acontecerá antes do amanhecer. Essa é a reparação que julgamos suficiente.

— Não para mim! — retrucou Naphal.

— Nem para mim! — intrometeu-se o príncipe do ferro, olhando para Kenan com ódio. — Esse maldito precisa pagar pelo que fez com o rei do ferro. Morrer é muito pouco!

Kenan olhou indignado para o príncipe vassalo. Até aquele momento, nem parecia ter percebido a presença dele. O giborim só tinha olhos para o tartan.

— Eu não tenho que pagar nada! — retrucou Kenan com desprezo. — Seu pai era um covarde traiçoeiro. Recebeu apenas o que mereceu pela audácia de tentar invadir Olamir. E se você não tivesse fugido, teria recebido mais do que essa cicatriz.

Aquelas palavras encheram o guerrilheiro de ira. Sua face se transfigurou. Ben o viu puxar a espada curva que já conhecia e avançar contra Kenan.

Subitamente o local virou uma grande confusão. Num instante, Kenan também tinha uma espada nas mãos que um dos giborins jogou para ele. As correntes limitavam seus movimentos, e o braço direito estava ferido, mas quando o príncipe vassalo afoitamente o atacou, Kenan se desviou com facilidade. Um único contragolpe foi suficiente para desarmá-lo. Com um pontapé o giborim fez o príncipe vassalo voar e se chocar com as cadeiras.

Kenan não deu mais atenção ao guerrilheiro. Seu olhar e toda a sua fúria desde o início se dirigiam apenas para o tartan shedim. Com a espada na mão, o giborim parecia descontrolado. A oportunidade que tanto esperava subitamente surgira. Para desespero de todos, ele saltou a mesa e avançou na direção do shedim. Quando os dois guerreiros ficaram frente a frente, o ambiente virou um pandemônio.

Kenan investiu contra o tartan. O shedim estava desarmado e desviou-se do golpe. Ignorando as ordens de Thamam para que parasse, Kenan investiu outra vez contra o tartan. Novamente o shedim se desviou da espada que passou perigosamente perto de sua cabeça. Nesse momento, o tartan apropriou-se da espada caída do príncipe vassalo. Então, o contra-ataque veio imediatamente. Vários golpes caíram com violência sobre o giborim. Ninguém conseguia acreditar que aquilo estivesse acontecendo dentro da sala do Conselho de Olamir.

Kenan precisava usar as duas mãos para manejar a espada, pois a corrente prendia seus pulsos. Isso e o ferimento no braço direito lhe oferecia grandes dificuldades. Ele recuou suportando os golpes do tartan. Não tinha liberdade suficiente para movimentar a espada, e a força do shedim, mesmo dentro de Olamir e com o Olho brilhando, era imensa. Com mais um golpe poderoso, foi a vez da espada de Kenan escapulir.

O tartan não se deu por satisfeito. Avançou furioso contra o guerreiro desarmado. Os giborins saltaram na sua frente e tentaram interceptar os golpes antes que acertassem Kenan, mas nenhum conseguiu detê-lo por muito tempo. Parecia que uma força oculta estava em ação, fazendo os giborins saírem do caminho do shedim.

Naphal ordenou para que Mashchit parasse, porém ele não deu ouvidos e continuou avançando contra Kenan. Num piscar de olhos, para surpresa de todos, Thamam estava no meio do salão. Ninguém conseguiu entender como ele havia chegado ali tão rápido. Ele se colocou entre Kenan e o shedim. Uma pedra shoham faiscava em seu peito. O brilho podia ser visto mesmo por baixo do manto real. A espada do tartan desceu com violência, e todos gritaram ao perceber que o Melek ia ser atingido.

A voz de Thamam ouviu-se enquanto a espada descia.

— *Al-taerekh heraghi vadomi*[5].

---

5 Para a tua bainha! Descansa! Aquieta-te.

O golpe certeiro encontrou as mãos de Thamam. Ninguém conseguiu acreditar quando a espada parou entre as palmas do Melek. Ele as fechou em volta da espada, como se estivesse domesticando a lâmina, acalmando-a. Em seguida, com uma força incompreensível, num gesto com as mãos fechadas sobre a espada, Thamam empurrou a espada e o tartan para trás. Todos puderam ver que não havia ferimentos em suas mãos.

Confuso, o tartan fez menção de atacar outra vez.

O Melek não se moveu. Sua atitude era de calma total. Porém, seu rosto era um convite para que o tartan o atacasse mais uma vez.

Naphal segurou o tartan.

— Já chega! — esbravejou para os dois companheiros. — Isso ainda não é uma guerra!

O príncipe shedim parecia contrariado com o rumo que aquela reunião tomara.

Então se voltou para Thamam e tentou falar mais calmamente, retomando a linha de raciocínio que usava antes do incidente.

— Ainda há um modo de evitarmos essa guerra que parece inevitável. Eu tenho três exigências que devem ser atendidas integralmente. A espada dos kedoshins deverá ser quebrada, o homem que invadiu Salmavet deverá ser banido, e os três jovens de Havilá, que ousaram se dirigir a Schachat, deverão ser entregues para mim. No dia 15 de Bul, quando Yareah estiver cheia e se eclipsar, o maior exército que vocês já viram baterá em suas muralhas. Até lá, vocês terão tempo para atender minhas exigências, ou este mundo nunca mais será o mesmo.

Em seguida, abruptamente puxou os outros dois para fora do salão do Conselho de Olamir. Para trás ficou apenas pura confusão. Ninguém parecia acreditar nas cenas que havia presenciado.

8 A madrugada dos segredos

Quando os mensageiros de Irofel deixaram o salão, o Conselho se dissolveu. Os sacerdotes, totalmente esquecidos de que precisavam iniciar uma nova sessão de julgamento, saíram e dirigiram-se ao portal dos kedoshins para ver o exército inimigo aos pés do precipício.

Aproveitando a confusão, Ben também saiu. Precisava encontrar Tzizah. Procurava não pensar nas ameaças que ouvira do príncipe shedim. Cada vez entendia menos o que realmente estava acontecendo. Tudo parecia um grande jogo, mas até aquele momento ele não sabia quem eram os jogadores e quem eram as peças.

A imagem do exército inimigo era de causar calafrios. Ben se espremeu entre as pessoas que ocupavam a passarela no alto da muralha de onde era possível enxergar o deserto aos pés de Olamir. A massa de guerreiros cobria a planície desértica na base do precipício e rodeava parte da cidade, formando um bloco mais escuro do que a noite. Os soldados inimigos eram indistintos na distância e na escuridão a centenas de metros abaixo, mas isso não os tornava menos assustadores.

Dentro da cidade as trombetas soavam enlouquecidas chamando os soldados de Olamir a se posicionar. A cidade prosseguia se preparando, porém os arautos tentavam acalmar a multidão dizendo que provavelmente não aconteceria um ataque, e que sem a ativação da plataforma elevatória, era impossível ao inimigo conseguir chegar aos portões da cidade. Os arautos também garantiam que o Olho seria posto em ação ao menor sinal de ataque dos inimigos. Apesar disso, era impossível controlar a multidão. Aquela era a primeira vez em dois milênios que a cidade sofria um cerco.

Ben achou a cena impressionante, mas percebeu que Olamir não parecia realmente ameaçada. Apesar do tamanho do exército que a cercava, parecia totalmente impossível que o inimigo conseguisse chegar até o alto das muralhas. E o brilho branco do Olho de Olam sobre a cidade permanecia como um alerta a deter a petulância do inimigo.

Ben olhou para o Olho de Olam que persistia brilhando sobre a mais alta torre de Olamir e tentou imaginar o que aconteceria se ele fosse ativado naquele momento, como Kenan havia proposto. Será que Olamir estava perdendo a grande chance de decidir a guerra?

Perto dali, ele enxergou Tzizah.

— Eu sinto muito por seu pai — disse quando finalmente conseguiu se aproximar, desviando-se das pessoas que ocupavam a passarela sobre a muralha. Sentia um desejo de consolá-la, de estar perto dela. Quase pegou as mãos dela, mas a timidez o fez manter uma distância respeitosa.

Percebia que Tzizah havia ficado constrangida após o passeio, e ele não queria forçar a situação, afinal ela estava sofrendo pela condenação de Kenan. Entretanto, seu coração batia descompassado ao ficar frente a frente com a jovem e contemplar seus olhos tristes e belos.

Tzizah voltou a se fixar no exército inimigo. O vento agitava seus longos cabelos.

— Meu pai ficará bem — ela disse, sem se virar.

— Ele não merece ser condenado... — complementou Ben, tentando ser solidário, ao mesmo tempo preocupado que ela estivesse pensando que o depoimento dele pudesse ter prejudicado Kenan.

— Isso não vai acontecer! — ela pareceu ficar chocada e irritada com aquelas palavras. — Ele não fez nada de errado. O Conselho jamais teria coragem de acusá-lo de alguma coisa.

Por um momento Ben não entendeu o que ela estava dizendo. Talvez, Tzizah estivesse em estado de choque pelo resultado do julgamento e isso a impedisse de ver as coisas como elas realmente eram. E o exército abaixo só reforçava isso.

— Então você acha que Kenan não será executado? — perguntou confuso. — Acha que seu pai conseguirá escapar desta?

Então, a confusão passou para os olhos dela.

— Kenan não é meu pai. É meu noivo!

— Noivo?

A confusão retornou para os olhos do guardião de livros.

— Íamos nos casar no mês que vem... Meu pai queria muito isso. Mas agora...

— Seu pai... Quem é seu pai?

Ben não sabia se queria saber a resposta. Quando ela disse o nome, ele sentiu que era impossível ser mais tolo.

— Thamam é meu pai.

— Thamam — repetiu sentindo o chão da muralha sumir debaixo de seus pés.

— Kenan cumpriu o Nedér por mim — ela disse entre lágrimas.

Ben arregalou os olhos. Pensou em dizer alguma coisa, mas não havia palavras. Sentia-se como se tivesse levado um golpe de espada no peito, porém dessa vez Halom não podia defendê-lo.

O Nedér era um compromisso de casamento inquebrantável. Se Ben não se segurasse, teria caído do alto da muralha.

Tzizah não parecia a garota alegre com quem ele passara aquela manhã agradável debaixo das bétulas. Tinha se tornado subitamente uma estranha; ou talvez sempre tivesse sido. Ela não era uma camareira, era uma princesa. Podia ver até um pouco de arrogância nela... Por certo, havia brincado com ele, divertido-se com sua tolice. Como ele não percebera?

— Nós íamos nos casar e um dia ele seria o Melek — continuou Tzizah. — Meu pai o treinou para isso... Agora está tudo acabado...

— Por que banimento é pior do que a morte? — Ben perguntou a primeira coisa que lhe veio à mente. Não sabia se queria ouvir a resposta, só não queria parecer mais tolo do que havia sido.

Tzizah parecia cansada de dar respostas. Principalmente para aquele tipo de pergunta. Mesmo assim falou.

— É complexo. A morte é apenas o retorno de nossa alma para *El*. É o fim desta vida, mas isso não significa necessariamente algo ruim. O banimento é ser enviado em corpo e alma para o Abadom, onde os piores demônios habitam. Lá não é possível morrer... De lá não há como sair...

A mente de Ben recusava aceitar aquela explicação. Algo lhe dizia que isso era apenas mais uma ficção dos religiosos. No fundo, só havia a morte. Ela era a única condenação. Mas, às vezes, também poderia ser um alívio.

Depois de ter dito aquilo, Tzizah se afastou. Provavelmente quisesse ficar sozinha com sua dor, ou talvez fosse procurar Kenan. Ele a viu indo embora como quando o deixou sozinho debaixo das bétulas. Mas os sentimentos agora eram muito diferentes.

Nada mais precisava acontecer para tornar a noite uma tragédia. De manhã estivera no paraíso; à noite, experimentara o inferno. Ou, talvez, ainda o experimentaria, se ele existisse mesmo.

* * * *
* * * * *

A noite já havia feito a transição para a madrugada quando Thamam, o décimo sexto Melek de Olam deixou o salão do conselho. Pela milésima vez se perguntou se aquele era de fato o melhor modo de governar Olam. Acreditava cada vez menos no sistema conciliar, contudo não achava o momento adequado, mesmo se fosse possível, para retomar a mão de ferro com que os reis de Olamir governaram no passado.

As duas classes influentes de Olamir sempre deram muito trabalho. Os sacerdotes eram, na maioria, fanáticos que acreditavam ser os portadores dos oráculos de *El*. Os mestres-lapidadores do conselho vermelho acreditavam apenas nas pedras e na técnica responsável pela revelação de suas qualidades, mas não se assentavam no Grande Conselho. Eram opostos por definição. Porém tinham algo em comum: a sede de poder e influência. O crédito pela estabilidade ainda desfrutada por Olamir, por mais incrível que parecesse, era de Har Baesh. Foi o esforço pessoal de Thamam que o colocou como sumo sacerdote, embora ele, sendo um lapidador, não tivesse esse direito. Esse foi o único modo de estabelecer o equilíbrio entre as duas classes. Um frágil equilíbrio. Har Baesh tinha um temperamento difícil e tendia para o fanatismo em relação à Lei, mas era sincero e confiável. E difícil de manipular.

O Melek se aproximou da porta do salão e viu os irmãos de Havilá conversando. Por um momento, ficou apenas ouvindo o que estavam dizendo. Todos os acontecimentos da noite o forçavam a tomar uma atitude drástica. Ele precisava lutar contra si, pois sua natureza o restringia a agir somente depois de pensar muito. A última vez que tomara uma atitude impensada, a vida de sua filha se esvaiu em suas mãos.

— Onde você esteve? — Thamam ouviu Leannah perguntar com certa impaciência para Ben. O garoto se aproximou com uma aparência soturna.

— Fui ver o exército do lado de fora das muralhas — explicou Ben.

Havia algo diferente na voz do guardião de livros. Thamam percebeu que não parecia ser apenas medo. Havia também decepção. Leannah pareceu ter notado isso, pois suspendeu a atitude de cobrança.

— Vamos morrer aqui — Adin choramingou.

— Disseram que o cerco não vai durar — explicou Ben. — Mas no dia 15 de Bul, segundo as palavras de Naphal, um exército muito maior estará aqui se as exigências não forem cumpridas...

Os amigos se calaram. Thamam os observou. Não passavam de adolescentes. Eram insignificantes diante da grandeza e da complexidade da situação que enfrentavam. Estariam preparados para o caminho que o destino lhes preparara? Thamam tinha certeza que não.

O Melek aguardava o momento de entrar na conversa deles. Tinha consciência da fragilidade da situação. Qualquer ação desproporcional colocaria tudo a perder. Por isso, precisava agir e, ao mesmo tempo, dar a impressão de que eles é que estavam agindo.

Thamam lamentou deixar as coisas chegarem ao ponto de não haver mais retorno. Porém, não podia titubear. Coisas muito mais importantes estavam em jogo, e aqueles três, mesmo sem saberem, estavam bem no meio de tudo.

A noite estava estrelada, e o frio reclamava roupas mais grossas. Leannah esfregou os braços descobertos.

— Vocês ouviram a exigência daquele homem?

— A parte que fala da cidade ou a parte que fala de nós? — perguntou Adin.

— Precisamos encontrar uma maneira de sair desta cidade e encontrar Enosh — disse Ben. — Esse é o único modo de provar minha inocência.

— A inocência talvez não, mas isso poderia nos fazer entender outras coisas... — Thamam se pronunciou.

Eles ouviram a voz do Melek bem atrás deles. Os três se voltaram assustados. Obviamente, ficaram constrangidos com sua presença. Nenhum deles havia percebido de início que ele era o rei de Olamir. Thamam gostara disso. Havia lhe dado a oportunidade de obter informações que eles não falariam na presença do Melek. Porém, Thamam não sabia se podia confiar inteiramente neles; afinal, vieram de Schachat. E só podia haver um motivo para isso... E ainda assim, só eles poderiam fazer o que precisava ser feito.

Nesse momento, Thamam sabia que não exibia a postura de um rei. Mas alguma vez exibia isso? Seu rosto não desmentia seu estado de espírito: estava arrasado. Pela primeira vez não demonstrava a estabilidade costumeira. Não conseguia disfarçar a inquietação que sentia e isso passava através de seus olhos. Se alguém o observasse atentamente, poderia até mesmo ver que suas mãos tremiam levemente.

— Ele é a peça-chave para entendermos tudo o que está acontecendo — Thamam continuou, tentando transmitir serenidade. — Seu mestre quis nos mandar uma mensagem antes de ser raptado... Talvez, não apenas tenha previsto a iminência de uma guerra, como sabia a forma de evitá-la... Ou então, não haveria motivo para se sacrificar a fim de nos informar de algo que nós logo descobriríamos.

— Enosh não disse que o senhor era o Melek... — disse Ben, constrangido.

— Eu sou o mesmo homem que vocês conheceram. É a percepção de vocês sobre quem eu sou que está mudando. Tentem não permitir que isso aconteça e tudo será como antes.

Pelo olhar dos três, Thamam sabia que era impossível.

— Não se preocupem — continuou. — Não estamos em condições de nos ater às formalidades. Eu sou o Melek, mas estamos todos na mesma situação. Se Olamir não estiver preparada para a guerra, todos nós morreremos... Você disse que seu mestre falou a respeito do caminho da iluminação e do livro Derek-Or. Foi só isso? Há algo mais que eu preciso saber? Existe alguma possibilidade de o livro ter sido preservado? Acho que você já percebeu que estamos vivendo uma crise sem precedentes e não há mais razões para segredos... Eu preciso saber qual era o conhecimento que seu mestre tinha a respeito desses assuntos.

Ben olhou assustado para o rei de Olamir.

Thamam adivinhou a pergunta que passou na mente do discípulo de Enosh: *Será que posso confiar no rei de Olam?* A dúvida era recíproca.

— Não consigo encontrar uma razão para isso — disse Ben claramente tentando ganhar tempo. — Enosh nunca me revelou muitos segredos, nem parecia confiar em mim; na verdade, não confiavam em ninguém. E acho que tinha motivos...

— Muitas vezes não percebemos os verdadeiros sentimentos que os outros têm por nós — disse Thamam pacientemente. — Porque vemos nossas próprias percepções espelhadas nos outros. Enosh confiava em você. Muito mais do que você imagina... Ou então, você não estaria aqui.

Ben baixou a cabeça. Thamam notou que ele estava enfrentando uma luta interior. O rei de Olamir esperou até o rapaz encontrar coragem para dizer o que ele precisava saber. E isso, por sorte, demorou menos do que imaginava.

— Acho que há relação com esta pedra.

Ben retirou da corrente a pequena pedra shoham redonda, da espessura de uma moeda bem grossa, vermelha e brilhante.

Thamam sentiu seu espírito se alvoroçar, mas conseguiu se controlar. É claro que já havia visto a pedra antes, quando trouxeram o jovem desacordado para Olamir.

— Essa é a pedra sentinela que captou as imagens daquela noite? — perguntou Thamam, mesmo sabendo que não era.

— Não. É minha pedra pessoal. Foi um presente de Enosh. Eu a chamo de Halom. Era para nos comunicarmos. Ele inseriu o livro nela... Derek-Or. Trata-se de um mapa, mas não há indicação da rota a ser seguida. Parece um mapa simples, sem pontos de localização. Só há um poema...

Thamam olhou atentamente para a pedra na mão de Ben. O jovem não tinha ideia do tesouro que carregava ou estava dissimulando? Agora Thamam percebia que fora acertada sua decisão de trazê-los para Olamir. Entendera isso logo depois de enviar Kenan para Havilá. Por isso se lançara, ignorando todos os riscos, para o meio de Midebar Hakadar a fim de resgatá-los. Por sorte, conseguira chegar antes que o jovem morresse. E assim, a pedra chegara até a segurança das muralhas de Olamir.

— Você se importaria se eu a olhasse mais de perto?

Ele fez menção de pegar a pedra e Ben a entregou.

O Melek fez um esforço para evitar que suas mãos tremessem mais. Admirou a pedra por um momento. Suas emoções estavam à flor da pele, mas precisava se controlar. Durante os dias da convalescência do guardião de livros, por várias vezes Thamam pensara em pegar aquela pedra e vasculhá-la. Mas sabia que se fizesse isso poderia colocar tudo a perder. Uma pedra pessoal só podia ser usada por outro se o dono voluntariamente a entregasse.

— Apesar de pequena, esta pedra foi lapidada com uma perfeição impressionante — reconheceu Thamam esforçando-se por manter um tom casual. — Mas isso não surpreende, considerando o que esse latash é capaz de fazer...

Thamam acessou o conteúdo da pedra e identificou que o livro estava mesmo dentro. Mas, como já esperava, o conteúdo estava bloqueado.

— Com ela eu consegui acessar o conteúdo restrito da biblioteca — disse Ben com uma expressão de reconhecimento de culpa. — Vi a aproximação dos exércitos... Os que estavam há pouco diante das muralhas.

— Verdade? — o homem olhou para a pedra com a sobrancelha branca e espessa levantada, como se não soubesse de nada. — Então ela tem o mesmo código da biblioteca? Mas como ele conhecia isso?

— De fato tudo é muito estranho — confirmou Ben — pois se, como ouvimos falar, há um controle tão grande, por parte do Conselho, dos mestres-lapidadores...

— Vamos até a minha casa — interrompeu Thamam. — Precisamos dar uma olhada mais cuidadosa na pedra. Eu tenho alguns minutos antes que a reunião do Conselho recomece.

— Ainda serei julgado esta noite?

— Acredito que não —, o rei tentou tranquilizá-lo. — Agora o mais urgente é discutir o ultimato de Naphal. Você não poderá sair da cidade, e seu caso voltará a ser tratado depois... Talvez esta pedra o ajude a escapar das implicações...

"E eu das minhas", pensou Thamam enquanto os levava para um dos quatro edifícios que cercavam a torre branca.

Ao passarem perto da torre do Olho, Halom subitamente se iluminou e o próprio Olho no alto também pareceu brilhar mais forte. Ben olhou assustado para ela e para o Melek.

— Algum tipo de reação — deduziu Thamam, disfarçando o sentimento de apreensão que tomou conta do seu coração.

O palácio real era o mais ocidentalmente localizado dos quatro edifícios principais de Olamir. Nele os antepassados do Melek moraram e ditaram os rumos de Olam, desde que Olamir havia sido construída sobre a montanha. Para Thamam, era o local mais solitário de Olamir.

O Melek viu a admiração nos olhos dos três visitantes ao se depararem com o palácio grande e imponente. Todos os três pavimentos tinham jardins. No alto, uma cúpula que terminava pontiaguda fazia companhia para a torre do Olho, embora fosse bem mais baixa. Uma ampla varanda no térreo em forma de arcos o contornava.

No momento em que o guardião de livros entrou no palácio, Thamam percebeu no olhar dele certo constrangimento. Isso, por um instante, deixou-o intrigado. Porém, ao observá-lo atentamente, ele descobriu a razão. Relacionava-se com Tzizah. Os dois haviam passeado por Olamir naquela manhã. Mas o que seria? Logo entendeu: ele não sabia que ela era a filha do Melek. Teria se apaixonado por ela? Thamam sentiu pena. Não conseguiu reprimir o pensamento sobre a ironia de o destino de uma civilização depender de alguém tão ingênuo e despreparado.

No entanto, o décimo sexto Melek de Olam tinha ciência de que a ingenuidade nem sempre é um grande problema. Mas, havia um problema real com o guardião de livros. Thamam descobrira isso quando o trouxera ainda inconsciente para Olamir. Enquanto Anamim utilizava a pedra curadora para retirar o veneno da saraph, Thamam tivera que adentrar a mente dele, pois era necessário reconstruir o que o veneno havia destruído. Foi então que percebeu. Naquele momento, o rei de Olamir enfrentou o segundo maior dilema de sua longa existência. Deixá-lo morrer, ou salvá-lo. Um único motivo o levou a optar pela segunda alternativa: Herevel. O modo como aquele jovem manejara a espada sagrada e abatera a saraph não fazia nenhum sentido. Segundo toda a lógica do mundo, ele não poderia sequer tocar na espada. No entanto, ele não só havia tocado, como a espada praticamente lutara sozinha para destruir a saraph. Em sua mão, Herevel poderia ser mais poderosa do que na mão do próprio Kenan. Isso era algo simplesmente incompreensível. E, por isso, mesmo contra a vontade, e sabendo que estava fazendo algo errado, trouxera o guardião de livros de volta à vida, guiando seu espírito da escuridão para a luz.

Thamam os conduziu até seu grande e confortável gabinete particular. Na lateral, uma ampla janela presenteava os visitantes com uma visão de quase toda a cidade com o aglomerado de torres e domos brancos. Também era possível enxergar a muralha. Mesmo à noite, a cidade continuava iluminada.

Os jovens — e principalmente Ben — aos poucos foram ficando cada vez mais admirados e excitados pelo fato de se encontrarem no palácio do Melek. Porém, eles não tinham condições de avaliar o verdadeiro valor de tudo o que havia ali, por falta de conhecimento ou experiência. O vaso de alabastro, que era feito de um material inexistente em Olam, fora trazido há mais de trezentos anos por mensageiros de um distante reino do Ocidente. Os tapetes, confeccionados com fios de ouro, foram presenteados por um rico comerciante de Maor, cujo filho fora salvo pelas pedras curadoras. O valor deles era tal que, se fossem vendidos, o dinheiro apurado daria para comprar uma vila. O óleo sagrado era composto pelas mais excelentes especiarias: mirra fluida, cinamomo odoroso, cálamo aromático, cássia e azeite de oliveira. Esse óleo, um presente do antigo Rei de Sinim, como um voto de amizade duradoura depois do estabelecimento da aliança, exalava o mais aromático perfume já conhecido em Olam. Isso havia acontecido há dois mil anos, mas o perfume continuava tão forte e puro como quando ali chegara, embora a aliança entre os dois reinos não estivesse mais tão consistente. Mas todas aquelas coisas valiam nada em comparação com a pedra que o garoto trouxera de Havilá.

O olhar dos visitantes se voltou para algo cujo valor eles tinham condições de admirar: uma pedra shoham. Era a pedra matriz de conhecimento, a principal pedra armazenadora de Olam. Quase todas as informações importantes, a serem transmitidas para as outras pedras, dependiam da autorização do mestre dos lapidadores ou do Melek. Com essa pedra, Thamam podia controlar as informações, bem como ficar sabendo de tudo o que se passava em seu reino.

A shoham estava sobre uma mesa pequena e baixa. Não havia cadeiras.

— Por meio desta pedra — apontou Thamam —, eu recebi a mensagem de Enosh no dia em que ele foi atacado.

Ben tirou o olhar da pedra matriz e fixou-o em Thamam, como se quisesse saber o motivo de eles estarem ali.

— Coloque sua pedra ao lado dela — ordenou o rei de Olamir.

Ben obedeceu. Halom era bem menor, mas brilhava tanto quanto a pedra do Melek. Thamam se ajoelhou, colocou a mão sobre Halom e fechou os olhos. Ficou assim por apenas um segundo.

— O conteúdo do livro está realmente dentro da pedra, mas está bloqueado — disse ao abrir os olhos. — Como você disse, há um poema e um mapa sem indicações. Porém, parece haver algo mais. Informações ocultas. Você sabe qual é o código da lapidação, sabe como desbloquear?

— Enosh colocou nela o código secreto da biblioteca... — lembrou Ben. — Para que eu pudesse acessar o conteúdo restrito. Foi assim que eu acessei as informações lá na biblioteca.

— Sim, mas eu não preciso desbloquear nada em minha própria pedra...

Thamam não completou a frase. O Melek olhou fixamente para Ben e ficou pensativo. Seus olhos azuis ficaram esmaecidos e pareceram se desligar do mundo, mas subitamente se reascenderam.

— É claro! Parece óbvio!

Thamam se virou outra vez para a pedra enquanto Ben, Leannah e Adin tentavam adivinhar o que era assim tão claro e óbvio.

Ele posicionou outra vez Halom, ao lado da pedra maior. Colocou uma mão sobre cada pedra. A direita sobre a grande e a esquerda sobre a pequena. Ben percebeu que ele havia invertido a posição das mãos. Então, teve um vislumbre do que o Melek estava fazendo. A inversão das mãos alternava o fluxo de informações, invertendo o status de matriz das pedras. Isso parecia errado. Halom nunca havia sido uma pedra matriz. E a pedra de Thamam era a matriz de todas as outras.

O rei não fechou os olhos. Subitamente, eles o viram olhar assustado para a parede em frente, como se houvesse algo ou alguém lá. Eles também olharam, mas só viam a parede vazia.

— Impressionante! — Thamam deixou escapar a exclamação quando retirou as mãos das pedras.

— O que o senhor descobriu?

Thamam ainda olhava para a parede, com a sensação de ter visto um fantasma. E havia visto mesmo um. Um antigo e conhecido fantasma.

— Você disse que seu mestre usou o mesmo código da biblioteca para que você pudesse acessar as informações bloqueadas, certo?

Ben assentiu com a cabeça.

— Ao contrário — completou Thamam —, foi para que você pudesse acessar as informações bloqueadas de sua pedra. O código da biblioteca, que é o mesmo de minha pedra, é o que destrava as informações da sua. Esse era o segredo. Na biblioteca, se você tivesse tentado, se tivesse invertido as mãos, teria desbloqueado. Acredito que seu mestre queria que você fizesse isso lá, então, nem precisaria de mim para receber a mensagem dele.

— Mensagem?

— Venham cá — convidou o Melek. — Vamos fazer uma coisa. Mas preste muita atenção, meu caro guardião de livros. Você só poderá ver isso uma vez. Prepare-se. Pode ser doloroso.

Thamam colocou sua mão direita sobre a pedra shoham matriz e orientou para que eles se colocassem de modo a formar um círculo em volta da mesa. Todos se ajoelharam de mãos dadas para que o fluxo de informações percorresse o sentido correto.

Então, Enosh, o Velho, apareceu subitamente dentro do escritório com um sorriso de satisfação.

"Eu sabia que você ia descobrir a maneira de acessar isso", Enosh disse com um sorriso malicioso. "Era óbvio que a primeira coisa que faria em Olamir era procurar a biblioteca..."

Thamam sentiu que Ben quase soltou sua mão para correr em direção ao velho. Se fizesse isso, Enosh desapareceria, pois o que estava ali era apenas uma imagem. Por sorte, Ben se controlou ao perceber o que estava acontecendo e se concentrou em ouvir o restante, pois esse tipo de mensagem se apagava após ser recebida.

"Provavelmente, quando você acessar essas informações, algo ruim terá acontecido comigo... Não quero aqui fazer drama. Isso nunca foi do meu estilo. A verdade é que eu tive uma vida longa, muito longa, e a oportunidade de fazer muitas coisas. Também cometi erros, mais do que gosto de admitir. Agora acho que poderei reparar pelo menos um deles, o maior com certeza..."

Enosh fez uma pausa, voltando a falar em seguida.

"Eu já lhe falei a respeito da pedra branca sobre a torre em Olamir, não é? O Olho de Olam. Ele está se apagando... No próximo eclipse, quando as trevas forem absolutas, o Olho se apagará definitivamente. Quando isso acontecer, o tempo dos homens em Olam cessará. Nada mais deterá o avanço da cortina de trevas, nem impedirá que os shedins se movimentem à vontade neste mundo. Por mais terrível que seja, há muitos em Olam que desejam isso... Porém, há um modo de evitar, há uma forma de recuperar o poder do Olho. Essa pedra que eu lhe dei, e que você chama de Halom, é a chave. Ela armazena Derek-Or, o mapa do caminho da iluminação. Eu a recebi de um grande homem do passado. Agora eu a passo definitivamente para você. Se essa pedra for conduzida a todos os pontos do caminho da iluminação, ela se tornará o instrumento capaz de reativar o Olho de Olam. Mas isso precisa ser feito antes do eclipse, ou então, será tarde demais."

Enosh disse aquilo tudo praticamente de um fôlego só. Então, precisou parar a fim de respirar. Logo voltou a falar.

"Quatro presentes dos kedoshins para o mundo dos homens são os pontos do caminho da iluminação. Embora eu até faça ideia do que possam ser esses presentes, nunca descobri como iniciar o caminho. Portanto, não adiantaria especular. O que eu sei é que a própria pedra revelará os pontos, se for corretamente desbloqueada. Durante os últimos anos pesquisei em todos os lugares possíveis tentando encontrar alguma referência sobre isso, mas nada me ofereceu um referencial seguro. Por isso, você deve procurar Thamam, o Melek de Olam. Se conseguir que ele o ouça, talvez ele o ajude a descobrir qual é o primeiro ponto do caminho da iluminação. A pedra precisa ser levada até esse local. Acho que você poderá confiar nele... Se Thamam não o puder ajudar, então você terá que descobrir por si mesmo. Mas atenção! Não é apenas a pedra que experimentará transformações, você também. O peregrino do caminho precisará passar nos testes e aprender a sabedoria para ter direito a ativar o Olho. Por isso se chama o caminho da iluminação..."

O velho fez nova pausa. Agora havia uma expressão estranha em seu olhar. Parecia tristeza, ou talvez fosse dúvida. Ele olhava para as próprias mãos.

"Perdoe-me por nunca ter tido coragem de lhe dizer isso pessoalmente. Enquanto pude, tentei descobrir e fazer todas as coisas por mim mesmo, pois não queria envolver ninguém em algo que sempre soube que poderia atrair problemas e riscos incalculáveis. Mas se você está acessando essa mensagem, é porque falhei e não tenho outra opção... O guardião de livros. É assim que seus amigos o chamam, não é? Espero que os livros tenham lhe dado sabedoria suficiente para cumprir essa missão."

Então, voltou a encarar a pedra como se estivesse olhando diretamente para Ben. Novamente seus olhos denunciavam urgência.

"Você não poderá confiar em ninguém. Infelizmente, desconfio que haja um traidor, alguém que deseja a destruição de Olamir por algum motivo que não consegui descobrir. Não estou me referindo apenas aos shedins. Pode realmente haver um cashaph nessa história, embora os sacerdotes de Olamir discordem terminantemente dessa ideia. Lembre-se, entretanto, de algo que subestimei, para que você não cometa os mesmos erros que eu cometi: ninguém é imune ao mal. E principalmente, não subestime o mal que há dentro de você...".

A aparição se desfez, e os três jovens pareciam perplexos; não, porém, Thamam. Ele apenas assentia silenciosamente. Agora sabia que o guardião de livros não estava dissimulando. Ele realmente não fazia ideia do tesouro que carregava. Por outro lado, sua pior intuição se concretizara: o Olho se apagaria no eclipse. Tinham somente quinze dias para salvar Olamir. Era muito pouco.

Enquanto esperava a zonzeira desaparecer da mente, por causa do procedimento, Ben olhava quase hipnotizado pela pequena pedra em sua mão. Halom, de fato, era muito mais importante do que ele imaginara.

— O que é um cashaph? — perguntou. Ele quase não conseguiu dizer a palavra. Saiu algo parecido com "cajarph".

Thamam não respondeu de imediato à pergunta de Ben. Parecia relutante em falar sobre aquilo, mas o olhar insistente do guardião de livros fez com que o Melek cedesse.

— Um lapidador das trevas, um feiticeiro manipulador de magia antiga, alguém que se disfarça de luz, enquanto na verdade está trabalhando para a escuridão.

— O senhor acredita na existência dele? — perguntou percebendo que sua língua já estava solta.

— Nós saberíamos... Causaria um desequilíbrio impossível de não ser notado. As próprias pedras o denunciariam. Atualmente nenhum cashaph poderia manipular uma pedra em Olam sem que, de algum modo, se denunciasse. Nós temos mecanismos para vigiar isso.

— Enosh acreditava que o senhor poderia ajudar. O senhor sabe onde fica o primeiro ponto do caminho?

Thamam olhou demoradamente para Ben.

— Sim, eu sei — disse por fim.

— E onde fica? — perguntou sem conter a excitação. — Enosh disse que precisamos levar a pedra até esse lugar.

— Vocês já fizeram isso.

— Como assim?

— Tem certeza de que não sabe?

Ben se assustou com a pergunta e, principalmente, com a suspeita no rosto de Thamam.

— Se eu soubesse não estaria aqui! — protestou sem parecer entender a dúvida do Melek.

— Às vezes parece que *El* brinca conosco... — sorriu Thamam. — Quando você esteve em Schachat, a cidade-torre, aconteceu algo estranho em relação a esta pedra? Você fez algo diferente com ela lá?

— De certo modo, sim — lembrou Ben. — Ela brilhou de um modo esquisito quando eu e Adin estávamos aprisionados dentro do tubo no topo da cidade.

— O que você viu?

— Primeiramente eu vi o tartan. O mesmo homem sombrio que estava acompanhando Naphal esta noite. Eu já o vi duas vezes através das pedras...

Thamam assentiu.

— Mashchit é o nome dele. E isso significa que há pedras lapidadas em Irofel, ao contrário do que insistem nossos mestres-lapidadores... O que mais você viu?

— Havia um encaixe de lapidação sobre uma mesa. Encaixei Halom acreditando que isso facilitaria a comunicação, pois Enosh me contou uma vez sobre as mesas de lapidação... Então, uma luz resplandecente encheu o tubo.

— Mas e a pedra? O que aconteceu com ela?

— Quando a luz evanesceu, eu retirei Halom e fiquei com a impressão de que ela estava um pouco mais clara — disse Ben olhando para Halom. — Era mais escura antes... Ficou mais brilhante depois disso...

O rosto de Thamam se iluminou.

— *El* seja louvado! — bendisse o Melek. — Nesse momento, você iniciou Derek-Or, o caminho da iluminação.

Ben arregalou os olhos. Leannah e Adin olharam um para o outro admirados. Nenhum deles conseguia entender como aquilo era possível.

— O caminho da iluminação começa em Schachat — explicou Thamam.

— Como pode ter certeza? — perguntou Leannah. — Como o senhor sabe disso?

— Eu não sabia. Não até este momento. Acabei de descobrir olhando para dentro de sua pedra. Seu relato confirma isso. E a mesa de lapidação de lá também. Não há tempo para lhes contar tudo o que Schachat representa para essa história, mas agora percebo que tudo começa lá. Faz sentido. Vocês já devem ter entendido que Schachat foi uma cidade muito diferente no passado. Foi o primeiro lugar onde os homens lapidaram pedras shoham.

— Então já estávamos seguindo o caminho da iluminação e nem sabíamos disso! — admirou-se Adin com sua costumeira simplicidade. — Pensávamos que estávamos nos dando mal e no fim estávamos nos dando bem.

Thamam olhou para o garoto com uma expressão de assombro.

— Eu não poderia descrever melhor o que de fato aconteceu. Desde que vocês deixaram Havilá, de certo modo, já estavam seguindo o caminho da iluminação... Isso só prova que *El* tem métodos misteriosos...

— Então Schachat era o primeiro ponto do caminho da iluminação? — perguntou Leannah.

— Schachat é onde o caminho começa. Lá o caminho foi desbloqueado. O primeiro ponto fica em outro lugar. Entretanto, se vocês não fossem para Schachat, o caminho não se iniciaria. Isso era o que seu mestre estava querendo descobrir: como iniciar o caminho, o ponto de partida... Ele realmente não poderia adivinhar. Ninguém poderia imaginar que uma mesa de lapidação abandonada em Schachat fosse o ponto de partida.

— E como saberemos onde fica o primeiro ponto? — questionou Ben, desistindo de tentar entender toda aquela situação. Já não sabia se o que o havia atraído para Schachat era algo maligno ou benigno. Ou será que tudo não passava de uma grande coincidência?

— Aproximem-se — pediu Thamam. — Olhem outra vez para dentro da pedra agora que todo o conteúdo foi desbloqueado.

Quando fizeram aquilo, enxergaram o mapa. Então, perceberam que as surpresas estavam só começando. Havia um ponto brilhante sobre Olamir.

— Olamir!? — Ben exclamou quando desfizeram a conexão. — Mas como?

— Schachat era o começo — explicou Thamam. — A pedra devia ir para lá a fim de que o caminho fosse iniciado. Lá, a antiga oficina de lapidação indicou o primeiro ponto. E é aqui! Exatamente aqui...

O Melek olhou para a cidade lá fora, como quem buscava respostas. Não tinha tempo para dar explicações aos jovens. E eles nem entenderiam. Sua mente buscava informações do passado para tentar encaixar no quebra-cabeça. Fazia sentido que o primeiro ponto fosse Olamir. Há dois mil anos a maioria das cidades de Olam nem existia. O olhar de Thamam buscou as construções mais antigas da cidade. Onde?

Ben também seguiu o olhar do velho rei em direção aos edifícios.

— Acho que eu sei onde é — deduziu Ben.

A voz e a mão do guardião de livros tremiam enquanto apontava para fora.

— A torre do Olho? — questionou Thamam. — Por quê? Como você sabe?

— Halom brilhou quando passamos perto da torre. O mesmo brilho que eu vi dentro de Schachat. Acho que ela brilha quando está perto do próximo ponto.

— Será possível? — o rei de Olamir deixou escapar a pergunta como um sussurro. Estava fazendo-a muito mais para si do que para os jovens. — "Será possível que tudo esteja assim tão perto?" — ele pensou. — "Debaixo das minhas barbas?"

— Se os pontos do caminho são quatro presentes dos kedoshins — deduziu Ben —, aquele é o maior presente de todos.

Thamam assentiu. Parecia fazer sentido. Por outro lado, também parecia óbvio demais.

Do escritório de Thamam até a torre foram só alguns minutos. Diante da torre, os três jovens de Havilá pararam e olharam para cima.

A estrutura da base era larga e arredondada e ia se afunilando para o alto. Havia uma porta de ferro que dava acesso ao interior.

Thamam imaginou o que os sacerdotes diriam se o vissem ali com aqueles três jovens de Havilá. Tinha consciência de estar cometendo várias violações, e a certeza de que ainda iria fazer outras maiores durante a noite.

Uma pedra retangular se encaixou num compartimento ao lado da porta. Ela ficou lá dentro só um segundo, então a chave foi cuspida para fora assim que destravou a porta e retornou para as mãos de Thamam.

Depois da porta, eles enxergaram uma longa escadaria que contornava as paredes e conduzia ao alto. O chão era de pedras irregulares.

Os quatro adentraram a torre e fecharam a porta. Então se puseram a subir os degraus em caracol em direção ao topo. Não podiam subir muito depressa devido às dificuldades de Thamam. Ben já começava a imaginar que teriam de estabelecer uma conexão entre Halom e o Olho de Olam para destravar o próximo ponto do caminho. Seu coração batia excitado pensando em ver o Olho de perto. Mas logo percebeu que aquele não era o caminho.

— Não é para cima — Ben parou de subir os degraus. — O brilho da pedra está diminuindo!

Todos pararam confusos. De fato podiam ver que Halom estava se apagando. E haviam subido no máximo cerca de trinta metros.

— Então não é o Olho — concluiu Thamam. — Mas o que pode ser?

O térreo era o lugar onde a pedra mais brilhava. Ao chegar lá, os quatro permaneceram desorientados, pois não havia nada na base da torre.

— Não podia mesmo ser o Olho — refletiu Thamam. — O caminho da iluminação foi idealizado antes da lapidação dele ser concluída. Os quatro presentes precisam ser mais antigos do que o Olho.

— Não há nada aqui — constatou Ben. — Só esta torre.

— E esta torre é mais recente que o próprio Olho — completou Thamam. — Não faz nenhum sentido.

Ben olhou para o chão.

— Estas pedras parecem bem velhas.

O guardião de livros começou a bater o pé sobre o chão de pedra. Um barulho oco voltou como resposta.

— Não é para cima! — deduziu Ben.

— Mas como? — Thamam parecia não entender. — Só se houver uma passagem secreta...!?

Em resposta, Ben se pôs a tatear o chão e as paredes de pedra.

Leannah e Adin o olhavam sem entender o que estava fazendo. Sem dar explicações, Ben continuou. Suas mãos tatearam pedra por pedra, tijolo por tijolo. Thamam percebia que ele estava fazendo um trabalho demorado e minucioso. Ele se abaixava e se levantava, acompanhando a parede, sem deixar de fora nenhum tijolo. Tentava mover um por um, mas todos estavam bem firmes.

A certa altura, ele parou. Havia encontrado alguma coisa. Thamam sentiu seu coração acelerar.

Com as duas mãos, Ben tentou fazer dois tijolos da parede se moverem e se aproximarem um do outro. Os tijolos se aproximaram alguns milímetros. O barulho de uma parede se abrindo no chão deu a Thamam a certeza de que nada naquela história era de fato coincidência.

— Já tenho alguma experiência com passagens secretas — disse Ben com um sorriso de satisfação. — Enosh tinha uma parecida em Havilá.

Uma passagem se abriu, exatamente onde começava a escada que subia. A luz da lanterna revelou que os degraus feitos de pedra, bem mais antigos, continuavam para baixo, para além da passagem aberta, descendo em caracol para o mistério.

Os quatro se entreolharam admirados. Em seguida, começaram a descer.

Ben foi o primeiro. Segurando a lanterna para iluminar o caminho, ele procurava os degraus que claramente não eram pisados há muito tempo. Em seguida, iam Leannah e Adin. Thamam era o último.

Os degraus pareciam intermináveis. Enquanto desciam, percebiam que a torre talvez fosse para dentro da terra tanto quanto para o céu. Quanto mais para baixo, mais Halom brilhava e mais a ansiedade do grupo aumentava.

Após minutos que pareceram intermináveis, a escada que acompanhava as paredes da torre subterrânea deixou-os dentro de um salão. Era um amplo salão de pedras. As paredes estavam tomadas de livros.

— Uma biblioteca — disse Adin admirado.

Nas laterais, havia pedras shoham apagadas colocadas sobre suportes. Ben se aproximou com sua lanterna e foi tocando nelas. Uma a uma foram ganhando luz ao absorverem o brilho da pedra da lanterna de Ben. Em instantes, a biblioteca estava inteiramente iluminada. Puderam ver que era enorme.

Thamam agora parecia o mais admirado dos quatro. Ben olhou para o rei de Olamir e não pôde evitar um risinho.

— É como descobrir um cômodo secreto em sua casa, não é?

Thamam não respondeu. Estava olhando os livros e rolos dispostos ao longo das estantes circulares.

— Estes livros nunca foram transmitidos para as pedras de Olamir — disse após verificar alguns títulos. — Isto aqui deve ser tão antigo quanto os kedoshins.

— Vejam! — Adin apontou para o centro da biblioteca. Havia um sustentáculo, uma espécie de escultura que parecia brotar do chão. Media pouco mais de um metro de altura. Sobre ela havia uma grande pedra shoham que não parecia inteira. Quando se aproximaram, tudo fez sentido.

A pedra havia sido lapidada de modo a deixar uma abertura na parte de cima. Um compartimento redondo idêntico a forma e ao tamanho da pedra de Ben.

— Encaixe-a! — ordenou Thamam, não se contendo mais.

Tudo lhe era conhecido e misterioso ao mesmo tempo. Era como se lembrar de uma história antiga contada muitas vezes. Então, a história ganhava vida, mas com aspectos diferentes da versão original. Esses aspectos eram imprevisíveis.

Por um momento, Thamam viu Ben titubear. Quase se adiantou para mover a mão do jovem, mas se deteve. Ele precisava fazer aquilo sozinho.

Thamam pressentiu a demora do guardião de livros como um prenúncio, como se, lá no fundo, o jovem soubesse que colocar a pedra naquele lugar daria início a algo que jamais poderia ser inteiramente controlado. A partir dali, o caminho ganharia vida, conduzindo os peregrinos.

O rei de Olamir viu o aprendiz de Enosh se deixar vencer pelas forças do destino e também da curiosidade e deslizar Halom para dentro do compartimento da outra pedra. Assim as duas se encaixaram perfeitamente.

Então viram as pedras se iluminarem. O que parecia ser uma névoa fria, luminosa e colorida se formou e subiu dançando e se espalhando pela biblioteca secreta.

Estranhos aromas foram emitidos. Isso era muito intrigante. Podiam senti-los. Alguns eram adocicados, outros, cítricos. Também havia aromas fortes como de madeira e alguns bem diferentes, lembrando o cheiro do mar.

Eles acompanharam admirados enquanto a névoa gelada passeava pelos cômodos daquele mundo secreto. Aos poucos, a névoa luminosa e aromática encheu todo o lugar. Eles não conseguiam mais enxergar os livros, tampouco as paredes. Era como se estivessem entre as nuvens, e nuvens coloridas.

— Estamos no céu! — admirou-se Adin.

Os visitantes não sabiam que mágica era aquela, mas a sensação era de estar dentro de todos aqueles livros que circundavam a biblioteca. O conhecimento dos livros, suas histórias, suas filosofias, seus enigmas, tudo estava flutuando no ar, fluindo com a névoa. Como se a névoa estivesse extraindo as informações dos rolos, pergaminhos e papiros e colocando-as à disposição deles.

Thamam percebia a admiração de Ben e dos dois irmãos de Havilá. As inscrições antigas diziam que os kedoshins dominavam uma técnica de lapidação capaz não de apenas armazenar informações, mas de compartilhá-las todas simultaneamente. Agora podia ver que eles haviam conseguido fazer com que uma pedra lapidada se comunicasse com a mente humana, liberando um mundo de conhecimentos que poderiam ser recebidos simultaneamente. Era como ler dez mil livros de uma só vez. Em alguns minutos, todas aquelas informações, que levaria uma vida para serem adquiridas pelos métodos convencionais de estudo e leitura, passavam para a mente humana.

Thamam entendia a função dos aromas também. Relacionava-se com a memória olfativa. Cheiros se associavam com acontecimentos na memória tornando a lembrança de alguma coisa muito mais intuitiva. Os aromas podiam ser a porta de entrada do conhecimento para a mente. Era um reforço, um modo de ajudar todo aquele volume de conhecimento a se fixar na memória e ser despertado depois.

O rei de Olamir fechou os olhos e inspirou profundamente. Muitas coisas soavam repetidas para ele, como sentir um aroma que subitamente trazia sensações de um passado longínquo para o presente. Num segundo, ele ficou sabendo sobre acontecimentos secretos do passado de Olam, os métodos dos kedoshins, suas regras de conduta, seus sonhos e aspirações. Para a mente privilegiada do experiente Melek, essas informações eram espetaculares. E mesmo para os ingênuos jovens de Havilá, a experiência estava sendo extraordinária. Thamam lamentou não poder seguir o restante do caminho. Quantas surpresas mais os kedoshins haviam preparado para os peregrinos do caminho da iluminação? Certamente seriam todas fantásticas. Mas lhe era proibido segui-lo por causa dos acontecimentos do passado. Aqueles três jovens, entretanto, poderiam fazer isso por ele.

Aos poucos a névoa foi se dissipando, e tudo voltou a ser como antes.

Thamam olhou para os três e percebeu que algo havia mudado neles. Tinham os olhos menos afoitos.

Demoraria algum tempo até que todas as informações se encaixassem na memória deles. Muitas delas só viriam a ser usadas no futuro, talvez anos depois, quando os aromas e as experiências os despertassem. Porém, eles agora eram pessoas muito diferentes do que quando haviam chegado a Olamir.

A mente humana normal seria incapaz de reter tudo o que a deles havia absorvido, mas se um percentual razoável permanecesse, isso já os colocaria entre as pessoas mais cultas de Olam. Estavam preparados para iniciar a busca.

Ao mesmo tempo, Thamam ainda não podia dizer se isso seria bom ou ruim. Nem todas as pessoas estavam preparadas para lidar com o conhecimento, principalmente quando era um volume tão grande, e adquirido de modo tão rápido.

A pedra shoham de Ben estava desencaixada. O jovem se aproximou e a retirou. Parecia desbotada. Não exibia mais aquele vermelho vivo.

Ben se voltou para Thamam com um olhar de interrogação.

— Vasculhe-a — orientou Thamam.

O aprendiz de Enosh procurou mentalmente pelo caminho da iluminação. Instantaneamente, Ben se viu dentro de uma imagem. Era o mapa de Olam e havia um ponto brilhante sobre Olamir. A pequena pedra começou a brilhar e dentro dela, ou talvez dentro de sua cabeça, Ben enxergou um novo ponto brilhante sendo ativado em algum lugar ao leste do mapa. Ele andou dentro da biblioteca, como se estivesse andando sobre o mapa, e se aproximou do lugar onde a marca havia surgido. Identificou uma das cidades de Olam. No meio da cidade, um edifício se destacava.

— Funcionou — explicou ao retirar a mão da pedra. — O próximo ponto fica na cidade de Bethok Hamaim.

Ben nunca havia visitado Bethok Hamaim, mas agora era como se a conhecesse. Isso devido a capacidade de conhecimento que acabara de receber.

— Bethok Hamaim? — perguntou Thamam sem conseguir disfarçar uma expressão de desaprovação. — Você tem certeza?

— Absoluta. Eu vi algo lá, algo grande, bem no centro da cidade. Um templo.

— O templo das águas — confirmou Thamam. — Também conhecido como Morada das Estrelas. É o único dos templos dos kedoshins restantes neste mundo. Faz sentido. É um dos presentes dos kedoshins... Tem mais de dois mil anos.

— Precisamos ir para lá! — disse Adin excitado com as revelações.

Ben olhou pensativo para Thamam. O Melek aguardou a pergunta que sabia que ele faria.

— O senhor acha que nós devemos seguir esse caminho?

O velho Melek pensou longamente antes de responder o que já sabia há muito tempo. Havia ido longe demais para que pudesse recuar agora. Mesmo assim, quis pensar mais uma vez sobre a resposta.

— Não há ação sem reação — viu-se repetindo sua conhecida frase, e ela parecia mais verdadeira do que nunca. — As consequências de iniciar essa busca poderão ser nefastas... Mas tudo mudou tão drasticamente... Com o Olho fulgurando lá no alto, os shedins jamais poderiam nos intimidar, e Derek-Or não deveria ser seguido, mas isso mudou. Agora que um shedim entrou em Olamir e está fazendo exigências impossíveis... Não há mais razão para não tentar fazer algo que ofereça alguma esperança. Com muita negociação, talvez fosse possível convencer o Conselho a iniciar a busca, enviar nossos melhores homens, mas não temos esse tempo e talvez tenhamos mais chance se fizermos isso secretamente. Principalmente se realmente houver um cashaph como seu mestre supôs... Se ele acreditava que você tem condições de realizar essa tarefa...

— Nós vamos com você — Leannah e Adin se ofereceram mais uma vez, e Ben olhou para eles com gratidão.

Thamam contemplou mais uma vez os três. Eram amigos leais, porém ingênuos. O conhecimento recém-adquirido não era suficiente para suplantar a ingenuidade. Isso, só a experiência fazia. Mas lealdade era um dom. Nem experiência nem conhecimento a produziam.

— É muito difícil e arriscado — alertou Thamam sem querer pressioná-lo além do necessário. A decisão precisava ser dele. — A decisão é sua, pois a pedra lhe pertence.

— Se há uma chance de fazer o que Enosh desejava, precisamos tentar — disse Ben. — Afinal foi por isso que saímos de Havilá.

— Vão para seus quartos e aguardem — disse Thamam parecendo satisfeito. — Eu vou fazer os preparativos para a viagem até Bethok Hamaim. Antes do amanhecer alguém vai chamá-los. Estejam prontos...

Enquanto subiam as escadarias, o Melek precisou se pronunciar mais uma vez. Entendia que eles estavam ansiosos por deixar Olamir, ele também estava ansioso por isso, mas não podia enganá-los, não além do que era preciso.

— Quero adverti-los de que, ao se tornarem peregrinos do caminho da iluminação, enfrentarão os maiores perigos deste mundo. Passarão pelas mais difíceis provas de uma existência... Além disso, ao começarem a jornada, vocês se tornarão inimigos dos dois lados... Serão inimigos de Hoshek e inimigos de Olamir... E serão só vocês quatro...

Fora da torre, Thamam se despediu e os observou por um tempo enquanto retornavam para o alojamento. Ele respirou o ar fresco, tentando encontrar forças. A noite mais decisiva da história de Olam ainda estava longe de terminar, embora a madrugada já estivesse avançada.

Ele nunca quisera manipular o destino dos outros, mas agora não havia mais retorno. A roda começara a girar. Era o preço de uma sucessão incrível de erros. O último deles cometido naquela noite. Ele retornou para o salão do Conselho e, mesmo de longe, ouviu as vozes alarmadas.

* * * *
* * * * *

Anamim posicionou a pedra shoham vermelha no centro do seu quarto e colocou as duas mãos sobre ela. Recitou as frases apropriadas e se afastou. Em instantes, a imagem de um homem muito parecido com ele, porém mais velho, surgiu em pé no meio da sala.

O homem era alto e magro. Tinha cabelos loiros, precocemente brancos, curtos ao estilo militar e um olhar nervoso. Atrás dele, a pedra shoham lhe mostrava um pouco da cidade do sol que, mesmo à noite, brilhava pelas janelas como milhares de estrelas vermelhas por causa da iluminação noturna. Mesmo sem poder ver tudo, Anamim sabia que lá embaixo, o Perath ainda não represado, desenhava a cidade de Ir-Shamesh em ambas as margens. Sentiu um pouco de saudades de sua casa.

O sentimento desapareceu assim que Anamim olhou mais firmemente para seu pai e experimentou outra vez a velha sensação de medo e submissão. Sentimentos que lhe acompanhavam desde que era muito pequeno, sempre que precisava enfrentar a ira do velho príncipe que jamais chegara a ser rei.

— Não é justo que eles nos tratem assim — disse Sidom com o costumeiro mau humor. — Ir-Shamesh já foi desprezada por muito tempo. Já fomos a maior cidade de Olam, e agora nem sequer nos chamam para tomar as principais decisões.

O rapaz olhou para seu pai com olhos inexpressivos. Ir-Shamesh nunca tinha sido a maior cidade de Olam, embora sempre estivesse entre as maiores.

Sidom estava falando sobre a última decisão do conselho vermelho sobre cancelar o envio das pedras. Anamim estivera presente à reunião em que a decisão havia sido tomada, e, logo em seguida, o informara, só para deixá-lo ainda mais furioso.

Mas Anamim sabia que a mágoa do príncipe de Ir-Shamesh era muito maior e ia além daquela última decisão. Tinha a ver com a não aceitação de uma proposta de casamento. Sidom desejava que ele se casasse com a única filha do rei de Olamir, e por muito tempo sonhou com aquela realização. Afinal, não existiam muitos príncipes em Olamir, e nenhum da estirpe de seu filho. Mas, o pedido formal havia sido negado, sem qualquer explicação.

Lembrava-se dos sonhos de seu pai enquanto caminhavam pelas ruas de Ir-Shamesh aguardando a resposta do Melek. "Você vai ser o futuro rei de Olam", lhe dizia. "Nós vamos ampliar o uso das pedras e nossa dinastia vai voltar a ditar os rumos deste mundo".

Naquele tempo, Anamim quase conseguia se alegrar vendo a alegria do pai. Mas, posteriormente, quando a resposta negativa chegou de Olamir, o pai descarregou toda a sua fúria sobre ele. Considerou-o culpado pela recusa.

— Ir-Shamesh precisa reivindicar seus direitos e sua posição — disse o descendente dos antigos reis do sol, fazendo Anamim retornar daquelas lembranças.

— Esse bando de velhos caducos são totalmente submissos ao Conselho de Olamir. Isso é absolutamente inaceitável!

Anamim sabia que seu pai estava se referindo ao Conselho de Sacerdotes de Ir-Shamesh, que dificilmente questionava as decisões do Grande Conselho de Olamir. Entretanto, interromper as remessas de pedras era decretar o caos na cidade do sol. Parecia que Har Baesh desejava exatamente isso.

Anamim viu seu pai se virar e se fixar no antigo templo de Shamesh, que agora era ocupado pelos sacerdotes de *El*. Sidom nunca havia se conformado com aquilo também. Ele era para ser o rei de Ir-Shamesh e o grão sacerdote de Shamesh, mas agora, sem autoridade alguma, o máximo que podia fazer era se disfarçar como sacerdote de *El* para ter assento no Conselho de Ir-Shamesh.

O jovem já estava acostumado com aquelas explosões do velho príncipe. Já não o faziam tremer como outrora. Elas nem duravam muito, principalmente se soubesse que havia alguém por perto.

— Você vai ter que arrumar mais pedras para nós. — Sidom disse as palavras que Anamim temia e, ao mesmo tempo, sabia que iria ouvir.

Seu pai estava desviando e contrabandeando pedras shoham. Mas ele não dizia para onde e nem com que propósito. No entanto sabia que seu pai não respeitaria limites para alcançar as ambições que considerava justas.

Sidom, na verdade, nunca desistira de reivindicar o trono de Ir-Shamesh, que seus antepassados haviam perdido desde que Olamir estendera seu domínio sobre todo o território de Olam e instituíra os Conselhos de Sacerdotes para dirigirem as cidades. Ele sempre lhe contava sobre o que havia acontecido com Ludim, o último rei de Ir-Shamesh, que lutara para manter a coroa, mas havia sido covardemente derrotado e morto.

"Lembre-se disso", sempre lhe dizia, "para nunca se enganar com aquelas pessoas. São assassinos. São regicidas".

Na verdade, Ananim sabia que a história tinha sido um pouco diferente da que seu pai contava, mas jamais deu demonstração de conhecer a verdade. Não mudaria nada. Confrontar o pai só faria com que ele desconfiasse que não era mais tão submisso.

Sidom estava sempre tentando encontrar aliados e uma forma de recuperar o trono. Mas com o Olho de Olam refulgindo sobre a torre em Olamir, e com o segredo da lapidação guardado a sete chaves pelos mestres-lapidadores, não era fácil encontrar quem estivesse disposto a se arriscar numa empreitada que parecia absolutamente sem futuro, exceto talvez, um banimento. E essa era a razão pela qual o pai aceitara seu plano de enviá-lo para Olamir, a fim de estudar com os mestres-lapidadores e descobrir seus segredos. Anamim havia conseguido conquistar a confiança de Har Baesh e do Melek. Eles jamais desconfiavam que ele ajudasse seu pai. Nem sabiam de quem era filho, pois viera com a indicação do Conselho de Sacerdotes de Ir-Shamesh. Era só mais um aprendiz de lapidador.

A parte mais difícil em Olamir era encarar Tzizah. No passado, quando a proposta de casamento foi oficialmente feita, ele havia pensado muito nela, acreditando que viria a ser seu esposo. Havia observado-a muitas vezes através das pedras shoham e, obviamente, ficara impressionado com a beleza da jovem. Mas, depois de tudo, não havia a mínima possibilidade de ter qualquer relacionamento com a filha do Melek. O único consolo era saber que a princesa ignorava quem ele era.

No entanto, Anamim tinha ambições diferentes das do pai em Olamir. Sempre fora considerado um jovem tímido que, provavelmente, por nunca ter provado o gosto de ser um rei, ou um príncipe de verdade, aparentava não sentir falta. Era um moço formoso, mas havia algo de frágil em seu olhar. Não era covardia. Tudo o que ele desejava, naquele momento, era continuar descobrindo cada vez mais os segredos da lapidação das pedras.

Ele sabia que se encontrava entre três poderes que lutavam por supremacia em Olam. Até aquele momento, havia conseguido transitar bem entre os três. E para continuar fazendo isso, precisaria atender mais esse pedido do seu pai.

— Vou fazer o possível — disse antes de desconectar.

Depois ficou olhando silenciosamente durante um longo tempo para a cidade de Olamir encoberta pelas sombras. Sabia ser a menor das peças naquele grande jogo. Mas, às vezes, as peças pequenas surpreendiam.

* * * * *
* * * * *

As palavras de Thamam, apesar de terem sido uma advertência quanto aos riscos daquela missão, só fizeram aumentar a excitação e a curiosidade dos três jovens de Havilá.

Ainda não imaginavam como fariam para sair da cidade em meio àquela confusão, mas o Melek devia saber o que estava fazendo.

Eles ficaram no quarto de Ben pelo resto da noite. Estavam assustados com tudo o que estava acontecendo, mas ao mesmo tempo eufóricos por estarem participando de algo realmente grandioso.

A experiência com os livros na biblioteca secreta havia sido extraordinária. Nenhum dos três, em toda a sua vida, tivera uma sensação tão prazerosa. Sempre que terminava de ler um livro da biblioteca de Enosh, Ben se sentia realizado. Era algo como subir um degrau na escada do conhecimento. Com as pedras shoham, era possível ler um livro de forma bastante rápida, o triplo da velocidade comum, mas não milhares ao mesmo tempo. Agora, a sensação de ter lido todos aqueles livros em alguns segundos, permitia-lhe chegar ao topo da escada num único salto. Ao mesmo tempo, percebia ser incapaz de reter todo aquele conhecimento de uma só vez. Isso lhe causava ansiedade, e um desejo de não perder as informações recebidas, mesmo sabendo que isso seria inevitável.

Secretamente, começava a imaginar que talvez a quarta pessoa a seguir Derek-Or fosse Tzizah. Ele ouviu atentamente quando Thamam falou em quatro integrantes... Havia feito papel de tolo com a filha de Thamam, porém, agora, como o principal responsável pela reativação do Olho, talvez pudesse reverter a situação.

Por outro lado percebia que Leannah estava magoada por também desconfiar que o quarto integrante seria Tzizah. Ben sentia um misto de culpa e raiva por isso, mais do que gostaria de admitir. Não queria magoar a cantora de Havilá. Entretanto, Leannah representava seu mundo conhecido, as limitações e a falta de expectativa de sua vida em Havilá. Tzizah representava um mundo novo, cheio de mistérios e de possibilidades empolgantes. De certo modo, era injusto compará-las, e isso só fazia aumentar seu sentimento de culpa. E tudo era ainda mais injusto quando ele pensava no juramento necessário para se tornar um latash, o qual, Enosh esperava que ele fizesse.

As vigílias da noite passaram rapidamente ao fragor do Kadim, o forte vento oriental que soprou durante a noite inteira.

O amanhecer não estava distante, e os três estavam quase vencidos pelo sono quando ouviram uma batida leve na porta. Num movimento rápido, Ben a abriu. A hora de deixar Olamir havia chegado.

O vento adentrou o quarto e gelou os vigilantes da madrugada. Mas o que realmente gelou o sangue de Ben foi a figura sinistra diante da porta.

— A hospedagem de Thamam sempre foi muito ruim — ironizou Har Baesh. — Ninguém dorme nessa hospedaria...

Ben recuou lembrando-se do olhar de desaprovação quando não se prostrara diante dele no segundo oásis. Era o mesmo olhar que ele estava vendo naquele momento. Será que o homem também se lembrava?

Har Baesh sorriu e transformou a tensão em apreensão.

— Você não está pensando em sair de Olamir a esta hora, está, guardião de livros? — perguntou com sua voz pomposa.

Ben não teve coragem de responder. Estava claro que o homem sabia o que pretendiam fazer. Imaginou que seria preso.

O sumo sacerdote ficou satisfeito com o temor que transpareceu no rosto do guardião de livros.

— Você deve saber que uma pessoa que está sendo julgada pelo Conselho não pode se ausentar da cidade. Isso anteciparia o veredicto. Seria reconhecer a própria culpa...

A maneira como o homem disse aquilo não foi ameaçadora. Pelo menos, o tom da voz, não. Ele parecia estar falando como quem compartilha um segredo, como um amigo que dá um aviso. Mas as palavras eram claramente ameaçadoras.

Ben não conseguia entender o que ele fazia ali. Aparentemente estava sozinho; não viu guardas, a menos que estivessem ocultos do lado de fora.

— Sim estou sozinho — disse o mestre dos lapidadores ao ver Ben olhar de maneira preocupada para o lado de fora. — Estou aqui para conversar sobre o Olho de Olam. Como vocês sabem, alguns acreditam que ele esteja se apagando definitivamente. Eu pessoalmente não acredito nisso, pois sou, de certo modo, o guardião do Olho há muito tempo, e o analiso diariamente. Há, sem dúvida, um enfraquecimento, como eu disse ao Conselho, mas nossas pesquisas não apontam para algo dramático. É claro que, com a ameaça sempre presente dos shedins, Olamir não pode se dar ao luxo de não estar preparada para um confronto. Por isso, como vocês devem imaginar, estou aqui.

Ben não conseguia entender a razão de toda aquela conversa, muito menos imaginar a razão de o sumo sacerdote estar ali.

— Sei que vocês vão partir numa busca... — fez um gesto tentando tranquilizá-los. — O caminho da iluminação. Derek-Or. Não se preocupem. Sei de tudo o que acontece dentro desta cidade. Afinal, esta é minha função. Eu poderia impedi-los agora mesmo. Poderia mandar os guardas prenderem vocês. Poderia acusar o próprio Melek de traição... Mas não vou fazer nada disso. E não é porque concordo com o que Thamam pretende fazer. É simplesmente porque o respeito. Eu o conheço há mais tempo do que me lembro... Sei que as intenções dele são boas, apesar de erradas... Mas nem todos os erros podem ser evitados. E, algumas vezes, eles são até mesmo necessários... Eu só não posso concordar que ele envie Kenan com vocês.

Não, isso não. O giborim não. Não é justo, mas acima de tudo, não é produtivo. Foi Kenan quem começou toda essa confusão. Vocês precisam saber que há muito tempo ele sofreu um golpe. Foi algo de que jamais se recuperou. A noiva dele foi morta. Desde então, ele perdeu a capacidade de julgar e de ver as coisas claramente. Tudo o que ele faz é, de certo modo, mediado por aquele acontecimento trágico. Thamam não consegue ver isso. Sente pena dele, talvez também uma parcela de culpa. E sentir pena de uma pessoa, ou culpa, é a pior atitude que podemos fazer por ela, pois vamos sempre querer compensar as coisas, geralmente da forma errada. Para resumir: Kenan está nessa história apenas por vingança. Não vacilará em sacrificar Olamir se com isso conseguir cumprir o juramento de vingança que fez com seu próprio sangue. Para ele, nada mais importa neste mundo...

O sumo sacerdote parou para ver o efeito de suas palavras. Os três jovens estavam acuados. Ele pareceu satisfeito e continuou.

— Eu sei que vocês estão aqui desde o início para seguir o caminho da iluminação. E sei que Thamam deseja ver isso acontecer. A pedra escondida dentro de sua camisa é o instrumento necessário para percorrer o caminho. Você a chama de Halom. De fato, ela representa um grande sonho para você, mas pode se tornar um pesadelo. Vocês já cumpriram o primeiro ponto, não é? Em Schachat.

Ben se assustou com todas aquelas revelações. Levou instintivamente a mão até Halom, como para protegê-la.

Har Baesh sorriu mais uma vez.

— Não posso detê-los, ou melhor, não devo detê-los. Tudo o que eu fiz nesta noite foi para tentar impedir que uma guerra começasse. Agora parece tarde demais. Kenan colocará tudo a perder. No entanto, não devo desafiar o próprio Melek. Fiz o que estava ao meu alcance. Garanti que o giborim fosse condenado e isso foi menos do que ele merecia. Realmente não posso evitar que Kenan saia esta noite da cidade sem iniciar precocemente uma guerra dentro destes muros. Prestem atenção ao que eu vou lhes dizer. Disso depende o futuro de Olam. Se Kenan os acompanhar, aconteça o que acontecer, se conseguirem completar o caminho, não deixem que ele se apodere da sua pedra. As consequências serão nefastas. Vim aqui para dizer isso. O giborim não deve pegar Halom.

Depois dessas palavras, o sumo sacerdote fez um sinal para que eles deixassem o quarto.

— É para lá — fez um gesto com a mão apontando para a escuridão. — Vocês devem subir pelo caminho da montanha em sentido contrário à muralha.

Thamam e Kenan estarão lá esperando vocês. O Melek havia mandado um recado pelas camareiras, mas eu as dispensei. Já está muito tarde para elas trabalharem. Alguém precisa dormir nesta cidade. Podem ir agora. E não digam nada para eles.

Em seguida, o sumo sacerdote retornou pela ruela que, devido a escuridão, em contraste com as construções brancas, parecia acinzentada. Caminhava com muita pressa.

Ben nunca se sentira tão confuso em toda a sua vida.

* * * *
* * * * *

A madrugada ainda resistia quando Thamam deixara a sala do Conselho pela segunda vez. Como já era esperado, não haviam conseguido chegar a qualquer solução, exceto a de adiar o julgamento do guardião de livros para a noite seguinte.

A maioria dos sacerdotes concordava com a opinião de Har Baesh sobre continuar confiando no Olho. Se os shedins atacassem, o Olho os defenderia. Essa era a única verdade que o Conselho reconhecia. Thamam gostaria muito de poder acreditar nisso, mas não tinha o direito de ser tolo.

O progresso nas negociações havia sido a expedição de uma convocação para as demais cidades de Olam. Bethok Hamaim, Ir-Shamesh, Maor, Nehará e até mesmo a distante Nod deviam reunir seus exércitos e marchar para Olamir o mais rápido possível. Era uma medida que poderia criar inquietações, mas Thamam tinha ciência de que ela significava a diferença entre a sobrevivência e a queda de Olamir. Sem o poder pleno do Olho de Olam, precisariam de toda a ajuda possível.

A expedição da convocatória só foi aprovada com o uso duplo do voto de Thamam. Nunca havia usado aquele dispositivo antes, e tivera que fazer duas vezes na mesma noite. O desgaste nas relações do Conselho havia atingido o ponto máximo. Isso traria consequências, mas não era o momento de pensar nelas.

Muitos do Conselho, incluindo Har Baesh, entendiam que as exigências de Naphal não eram tão elevadas. A espada já estava sem uso há dois mil anos. Kenan só não fora condenado ao banimento por causa do voto do Melek. E os três jovens nem eram de Olamir. Sem dúvida eram sacrifícios. No entanto, pareciam sacrifícios pequenos diante de uma guerra que poderia destruir toda a civilização.

Cada vez mais ficava claro para Thamam o propósito de Naphal de atacar Olamir no eclipse. Atender às exigências dele não adiantaria nada, pois se ele sabia do enfraquecimento do Olho, nada o impediria de agir. E o fato de ter estabelecido o ultimato para a data do eclipse apontava para isso. Hoshek atacaria Olamir no dia 15 de Bul. Isso era fato. Sua vinda até Olamir era apenas para confundi-los e, ao mesmo tempo, deixá-los sem ação. Só havia uma salvação para Olamir: O Olho de Olam.

A cidade estava deserta nesta hora sombria. Todos haviam se recolhido, mas Thamam duvidava que alguém conseguisse dormir. Os soldados vigiavam sobre os muros na outra extremidade, mas naquele momento não deveria haver mais sinal do exército que ameaçara a cidade.

Por entre os jardins da região norte de Olamir, Thamam andava por uma estradinha pavimentada com pedras coloridas. Seus cabelos brancos refletiam a luz fraca de Yareah minguante e pareciam uma coroa natural em volta do alto calvo da cabeça, descendo como uma grinalda luminosa sobre os ombros.

Durante o dia as pedras no chão brilhavam ao sol, mas neste momento exibiam um tom cinza sombrio, pois Yareah não tinha forças para fazê-las brilhar. Thamam muitas vezes se perguntava se as pessoas de Olamir conseguiam perceber todos os impressionantes detalhes da cidade. Tudo havia sido planejado para refletir a beleza e o equilíbrio. Nada era por acaso. Desde aquelas pequenas pedras até a grande muralha, tudo era obra de arte, planejada com o objetivo de apontar para a harmonia que a existência humana podia alcançar quando fazia bom uso dos recursos disponíveis. Mas provavelmente, para muitas pessoas, aquelas pedras eram apenas úteis para caminhar, não viam seus desenhos ou o equilíbrio das cores com a paisagem e as flores; assim como a muralha era só um instrumento de proteção, não percebiam a robustez de sua construção que desafiava as leis do tempo.

Frequentemente Thamam se perguntava qual era a verdadeira função de um rei: oferecer o que o povo queria ou ajudá-lo a ser o que deveria ser? Tudo o que o povo desejava era mais pedras shoham para lhes dar calor no inverno, sono tranquilo, curar suas doenças, e manter as crianças ocupadas com divertimentos. A maior parte dos mestres-lapidadores estava satisfeita em lapidar as pedras que as pessoas queriam. Às vezes Thamam pensava que a situação era irônica: nunca haviam alcançado tal nível de progresso e conhecimento, mas esse mesmo progresso e conhecimento tornava as pessoas cada vez mais ignorantes a respeito da vida.

Há vários anos não percorria o caminho rodeado de flores. O perfume de henas, lírios, colocíntidas e mandrágoras permeava o ar. Sua filha gostava de cuidar delas. Desde pequenina, ela as chamava de filhas. Sempre que a jovem princesa desaparecia do palácio, Thamam sabia que poderia encontrá-la ali. Tzizah também gostava de flores, e herdara da irmã aquela relação com as plantas. Ela ainda vinha frequentemente aos jardins, mas há muito tempo ele deixara de procurá-la. Sentia-se culpado por isso. Aquele lugar ressuscitava lembranças dolorosas e culpas ainda maiores.

O piado triste de uma coruja branca que se escondia nos ciprestes mais altos foi um lamento à lua que já estava praticamente nova. O velho rei de Olamir sentia-se andando sobre um precipício. Qualquer escorregão para a direita ou para a esquerda, e colocaria tudo a perder. Sua mente concentrava-se na complexidade dos eventos e na somatória de todas as possibilidades. Tentava encontrar a melhor linha de ação, o melhor caminho de salvar Olamir e, ao mesmo tempo, fazer o que precisava ser feito. Desde o início daquela noite, ele vinha fazendo isso, seguindo as várias possibilidades e, em todas elas, Olamir sempre acabava destruída. O único caminho da salvação era o do sacrifício. De certo modo, ele já o havia tomado.

O Melek aproximou-se de um bosque de árvores baixas que ficava na extremidade norte da cidade. Tinha a certeza de que encontraria Kenan ali.

O guerreiro de Olam não estava aprisionado, porque não havia o risco de ele fugir. As pedras guardavam todas as imagens de Olamir, e o Conselho já autorizara o monitoramento dele. Assim, se ele tentasse sair da cidade sem autorização, um alarme dispararia, e os soldados imediatamente o prenderiam. Mas Thamam conhecia Kenan. Ele era um homem amargurado, mas não um covarde. O próprio Thamam autorizara sua libertação para que desfrutasse dos últimos momentos antes de ser executado ou entregue a Naphal. Supunha, no entanto que, em vez de procurar Tzizah, ele estaria naquele lugar.

Thamam adentrou o cercado baixo formado pelos arbustos perfeitamente podados que constituíam um muro natural. Acessou os caminhos iluminados fracamente pela luz do Olho que ainda chegava até esse ponto. Com uma sensação estranha, foi passando pelos túmulos recobertos de relva e folhas secas. Os reis e rainhas de Olamir descansavam no bosque sem poder contemplar a glória evanescente da cidade. O lugar também seria seu último lar. Parecia que tudo ali o chamava. Havia mais coisas suas no bosque do que no restante de Olamir.

Sobre cada uma das sepulturas havia uma escultura ereta com os pés mergulhados na relva. Elas eram do tamanho e tinham as formas exatas das pessoas que dormiam o sono do qual não mais acordariam. As estátuas identificavam as sepulturas. Nunca conseguiria se acostumar com aquilo. O trabalho de escultura com materiais macios e modeláveis, a pintura e o acabamento dado, tornava-as réplicas idênticas das pessoas sepultadas. Quem não soubesse que se tratava de túmulos, poderia pensar que era um bosque cheio de pessoas vivas.

A disposição das esculturas formava um caminho. De um lado, os reis; do outro, as rainhas. Todos parcialmente virados para o mesmo lado, de costas para Olamir, como se estivessem contemplando o além, para onde o caminho conduzia. Durante o dia, o vento revolvia as folhas movimentando-as ao redor das estátuas, acentuando ainda mais a impressão de que se tratava de pessoas vivas. Não poucas pessoas que passavam por ali, de quando em quando, juravam ter visto as estátuas andando sobre a relva.

Eram cerca de trinta túmulos, colocados a intervalos de cinco metros. A maioria das esculturas era de velhos, pois os reis e rainhas de Olamir viviam muitos anos, como ele próprio, que já havia vivido muito mais do que a maioria das pessoas podia imaginar.

Em posição de destaque estava a estátua de Tutham, o rei mais poderoso da história de Olamir. O antigo Melek fora o único homem que tivera o privilégio de manipular o Olho e Herevel ao mesmo tempo.

Quem o imaginasse como um alto e imponente guerreiro, surpreendia-se ao ver a imagem de um velho parecido com o próprio Thamam. Eram quase idênticos. A estátua era uma homenagem, pois o corpo não estava ali. Todos acreditavam que ele tivesse sido arrebatado para junto dos kedoshins, para um estado de eterna bem-aventurança. Thamam sabia que a história não era inteiramente verdadeira. Por isso, as lendas duravam mais do que a verdade, e às vezes eram menos cruéis.

Perto dali, Thamam viu a escultura de uma mulher que aparentava meia-idade. À frente dela havia um espaço vazio. Era o espaço que o aguardava. A postura altiva da escultura demonstrava a dignidade que a pessoa, cujo cadáver estava enterrado ali, tivera em vida. Ele se aproximou e a contemplou com o carinho e a saudade de sempre. Mais uma vez admirou a semelhança da estátua com sua última esposa. Olhou para aqueles olhos bondosos. Havia sido esculpida por alguém que a conhecera muito bem. Quase podia acreditar que fosse real. Sua vontade era visitar esse lugar todos os dias, mas ainda não conseguia se perdoar.

No final do caminho dos reis e rainhas, Thamam viu Kenan parado como se fosse outra estátua. A única diferença era a Aderet vermelha que ondulava levemente com a brisa da noite. Ele estava diante da imagem de uma jovem. Parecia perdido em devaneios.

A escultura à sua frente era imponente. Esculpida com impressionante perícia, retratava uma jovem alta e esguia, com longos cabelos negros e pele clara. Os olhos cinzentos contemplavam o vazio e lembravam o modo desapegado como ela parecia contemplar o mundo. Dizia muito a respeito das aspirações e da nobreza que demonstrara em sua breve vida. Não poucas vezes Thamam a encontrara no palácio, olhando para Olamir, com aquele mesmo olhar sereno, sonhador, como quem via o invisível. Porém, apesar da perfeição, a escultura não conseguia reproduzir a beleza e a vivacidade de Tzillá, a irmã mais velha de Tzizah. Mesmo tendo morrido antes de se tornar rainha, foi-lhe concedido um túmulo naquele jardim. De fato ela merecia.

— Algum dia nós ainda teremos que nos livrar dessa culpa — disse Thamam ao se aproximar de Kenan. — Elas não gostariam que a carregássemos por tanto tempo.

— Eu jurei destruir o monstro que fez isso com ela, porém, esta noite, mais uma vez deixei de cumprir isso — disse Kenan sem se virar. Havia ódio em suas palavras e também impotência. — Serei executado como um perjuro... Por que você não deixou? — ele se virou naquele momento. — Se Mashchit tivesse me matado, pelo menos eu teria cumprido meu juramento, já que não consegui destruí-lo...

— Ela nunca exigiu, nem exigiria isso de você.

— Você não entende... — Kenan se virou outra vez.

— É claro que entendo — ponderou Thamam olhando para a outra estátua. Kenan pareceu se lembrar do que havia acontecido.

— Eu sei que a mãe dela morreu tentando defendê-la — desculpou-se. — Sei que sua perda foi muito grande...

— Uma esposa e uma filha. — A voz de Thamam tentava manter equilíbrio. — Não há dor maior... Por isso, tenho a obrigação de fazer com que o sacrifício delas tenha valido a pena...

— Eu perdi tudo... a mulher que sempre amei... Que amei mais do que tudo... Nada sobrou... Nem sonhos, nem honra, nem futuro...

— Temos de nos perdoar, Kenan. Temos de nos perdoar... Elas já nos perdoaram.

— Não se pode perdoar o imperdoável... O vento que passou não pode retornar... A geada que derreteu não recongela, a avalanche não volta a subir a montanha... Só posso viver e cumprir minha promessa. Destruí-lo, ou ser destruído por ele... Eu só vivo por isso desde aquele dia...

— Você não teve culpa Kenan... — disse Thamam pela milésima vez, mesmo sabendo que não era inteiramente verdade.

— Nunca vou descansar enquanto aquele monstro andar por aí... Diga-me Thamam: ele a violou? Você a viu...

Thamam ouviu novamente a velha pergunta. O Melek baixou os olhos tentando apagar da memória o estado em que havia encontrado sua filha. Sonhava com aquilo quase todas as noites. Ela estava viva quando ele finalmente conseguira alcançá-la naquela noite terrível. Ainda ouvia sua voz fraca durante seus pesadelos. — *Não foi em vão papai, não foi em vão... Promete que vai cuidar dele?* — Nada lhe era mais doloroso do que ouvir aquela voz todas as noites, fazendo-o lembrar da nobreza de sua filha tão jovem, e também de sua própria impotência, embora fosse o rei e tivesse todo o poder das pedras à sua disposição.

É claro que lhe prometera, como prometeria o que quer que ela pedisse, mesmo que não pudesse cumprir, pois se sentia culpado.

Quando a vida de sua filha se esvaiu em suas mãos, Thamam gritou de desespero, e pela primeira e única vez, amaldiçoou *El*.

— Não —, respondeu tentando ser forte. — Ele não a violou...

Thamam sentiu as lágrimas antigas que há muito não desciam por sua face. Mesmo agora não podia dizer a Kenan tudo o que havia acontecido naquela noite de horror. Ele não suportaria.

— A morte delas não foi em vão, elas salvaram Olamir. — Thamam repetiu a única frase que o consolava.

— Eu devia salvar Olamir! — disse Kenan com raiva incontida. — Não ela...

— E quanto a Tzizah? — disse Thamam baixinho. — Você sabe que ela o ama...

Kenan aspirou longamente o ar gélido da madrugada, mas não respondeu.

— Eu não tenho filhos, Kenan. *El* negou-me isso. Eu escolhi você para ser o Melek...

— Mas será que *El* também me escolheu?

* * * *
* * * * *

Ben, seguido por Leannah e Adin, andava sorrateiramente por entre os edifícios imersos na escuridão. Os três carregavam as mesmas mochilas que haviam trazido de Havilá, mas certamente não eram os mesmos três jovens que deixaram a pequena cidade. Andavam cautelosamente, pois temiam estarem caindo em alguma armadilha.

A certa altura, eles passaram próximos ao bosque de bétulas. Ben olhou para o ambiente, agora mergulhado na escuridão, com um sentimento estranho. As árvores balançavam sem luminosidade ao vento da madrugada. Algumas horas antes ele estivera sentado debaixo daquelas folhas verdes e caules brancos com uma luminosidade de fazer os olhos doerem, sentindo uma alegria simples e completa. Naquele momento, a beleza de Tzizah ao seu lado, a excitação de estar em Olamir, o renome que começava a adquirir por ter destruído acidentalmente a saraph, tudo parecia conspirar para que, finalmente, seus sonhos se concretizassem. E o beijo que ela lhe deu parecia comprovar tudo isso... Agora, porém, sob a escuridão, as bétulas haviam perdido todo o esplendor e pareciam solitárias e tristes. Tudo havia mudado do dia para a noite. Do renome que ganhava em Olamir para a acusação de traidor perante o Conselho. Da expectativa pelo encontro com Tzizah para a descoberta de que era filha do Melek e noiva de Kenan.

Ainda de longe e apesar da escuridão, eles avistaram Thamam e outro homem. Mesmo que Har Baesh não os advertisse, reconheceriam pela capa o vulto empedernido e inconfundível do líder supremo dos giborins de Olam. Kenan vestia a armadura prateada com escamas metálicas usada quando o viram pela primeira vez em Schachat. E a longa capa vermelha tremulava com o vento da madrugada.

Os dois estavam dentro de um bosque de árvores baixas e bem podadas. Havia muitas estátuas ao redor deles. Os dois pareciam estar discutindo. Kenan gesticulava vigorosamente.

Ao enxergar o giborim, o que restava do ânimo de Ben desapareceu.

— Eu sei que jamais conseguirei justificar isso — Thamam foi logo explicando ao vê-los se aproximarem. Ele segurava uma bolsa comprida pendurada no ombro. — Essa é nossa única esperança de impedir a guerra, portanto, faremos o que precisa ser feito...

Ben contemplou as diversas esculturas de pessoas que jamais conhecera e devolveu o olhar sério delas. Pareciam pessoas vivas. Compreendeu que era um cemitério.

— Em vez de tentar impedir algo que é inevitável, devíamos nos preparar para a guerra de maneira concreta e racional — retrucou Kenan, com uma expressão de quem estava dizendo uma frase repetida.

— Olamir vai se preparar para a guerra... Mas esse é o único modo de você consertar seus erros — disse Thamam com gravidade, como para pôr um fim àquela discussão, mas também parecia haver tristeza em sua voz. — Se ficar aqui será morto ou algo pior.

— Eu aceitaria meu sacrifício se isso nos desse a vitória contra os shedins.

— Mas não vai dar. Sem o Olho, não há chances de vencê-los. Você sabe disso...

— Há um poder fora de Olam capaz de fazer frente ao poder das trevas... — disse Kenan cautelosamente. — O dragão-rei...

Thamam olhou exasperado para Kenan.

— O dragão-rei é a criatura mais imprevisível deste mundo!

— Porém, em certas circunstâncias, as criaturas imprevisíveis podem ser induzidas a tomar o lado certo.

— Você está dizendo que poderíamos convencer Leviathan a lutar contra os exércitos de Naphal?

— Convencer não, eu falei em induzir...

— Pensei que você havia dito que deveríamos nos preparar com atitudes concretas. Vocês devem partir agora... — ordenou Thamam já cansado. — Eu assumirei perante o Conselho toda a responsabilidade pelo desaparecimento de vocês... Vão! Não há tempo a perder.

— É tudo uma perda de tempo — Kenan não estava convencido. — Um esforço inútil. Somos vulneráveis diante dos perigos que estarão à nossa frente. Você sabe muito bem o que nos espera. Naphal não conhece mais limites. Ele está se preparando há muito tempo para essa guerra. Ele saberá que estamos tentando fazer isso e nos encontrará de um jeito ou de outro.

Ben observava os dois discutindo, mas não se animava em prestar atenção. Sua vontade agora era voltar para Olamir, e até mesmo para Havilá. A excitação pela viagem havia desaparecido.

— Ainda assim vocês devem fazer isso — reafirmou Thamam. — É o desígnio de *El*.

— Três jovens inexperientes para encontrar o mais espiritual dos conhecimentos? — Kenan falou com ironia. — *El* só pode ter perdido o juízo.

— Não questione a sabedoria de *El*. Seus caminhos são estranhos, muitas vezes, mas sempre conduzem ao melhor final. Ele é o único capaz de fazer com que tudo se mantenha em equilíbrio, e cada ação receba de volta a devida reação.

— Os caminhos de *El* não são apenas estranhos, são cruéis...

— Não podemos culpar *El* por nossos próprios erros — rebateu Thamam. A tristeza havia retornado à sua voz. — E, talvez, esse seja o único modo de compensar o sacrifício de tantas pessoas. Lembre-se disso. Não pode ter sido em vão tudo o que lutamos nem tudo o que perdemos para construir esta cidade e esta terra...

Kenan se calou depois daquelas palavras. Ben percebeu que o líder supremo dos giborins engoliu em seco. Por um momento só o zunido do Kadim que gelava os ossos se fez ouvir. Mas durou pouco.

— Dê-me um grupo de guerreiros — implorou Kenan. — Deixe-me escolher os melhores giborins, e eu cumprirei a tarefa, se realmente houver uma tarefa a ser cumprida!

Àquela altura, Ben já imaginava ser aquela a melhor solução.

Foi a vez de Thamam balançar negativamente a cabeça.

— Se como você mesmo diz, Naphal saberá de um jeito ou de outro, então nem os melhores giborins de Olam teriam mais chance.

Ben olhou mais uma vez para as estátuas que testemunhavam aquela conversa. Notou que algumas eram mulheres. Não pareciam interessadas no que os vivos falavam.

Adin e Leannah permaneceram em silêncio aguardando o desfecho da conversa. Leannah parecia subitamente reanimada ao ver Kenan.

Thamam abriu a bolsa e começou a retirar objetos. O primeiro foi uma espada. Os olhos de Kenan brilharam ao ver Herevel, e os de Ben também. Thamam a entregou para Kenan com uma recomendação.

— Lembre-se: esta espada só pode ser usada por alguém que seja digno dela. Faça por merecer. Abaixo do Olho de Olam é a arma mais poderosa deste mundo, mas suas potencialidades retornarão aos poucos.

Ele tirou outra peça de dentro da mala. Era uma funda. Um instrumento para arremessar pedras. Ele o entregou para Adin.

O garoto pegou a funda desajeitadamente. Nunca havia manuseado algo parecido. Percebeu pequenas pedras vermelhas costuradas na baladeira de couro onde os projéteis eram colocados para o arremesso.

— Não se preocupe — o velho o tranquilizou. — A funda lhe ensinará como deve ser usada.

A próxima peça que ele retirou de dentro da bolsa foi um arco dourado. Entregou-o para Ben com um feixe de flechas douradas.

— Este arco foi usado pelo irmão de Tutham, o Nobre, na última batalha contra os shedins. E antes dele, o irmão de Omer, o Sábio, também o utilizou durante a lendária guerra dos quatrocentos anos. As flechas disparadas por ele se tornam muito poderosas.

Ben pegou o arco, admirando sua beleza e perfeição. A linha era brilhante como diamante. As pontas do arco eram curvas. Também havia pedras vermelhas pequenas distribuídas ao longo da estrutura.

— Estas armas são lendárias — concluiu Thamam. — O poder delas aumenta de acordo com a dignidade de quem as maneja. Sejam dignos delas.

— E quanto a mim? — questionou Leannah. — Não terei nenhuma arma?

Thamam retirou da bolsa um objeto e o entregou para Leannah.

— Um espelho? — Ela pegou o objeto arredondado que tinha uma haste para ser segurado. Era um pequeno espelho todo cravejado de pedras ao redor. Começavam muito vermelhas no lado esquerdo, depois iam ficando alaranjadas à medida que faziam a curvatura. As últimas pedras na parte direita inferior eram amarelas.

Leannah estranhou o objeto. Ben sabia a razão: ela nunca havia sido muito vaidosa.

— Sim é um espelho — confirmou Thamam vendo a confusão da jovem. — É um artefato muito antigo que, de certo modo, nunca foi plenamente testado. Essa combinação de pedras foi considerada potencialmente perigosa por muitos mestres lapidadores. Tive uma intuição de que deveria entregá-lo a você. Talvez ele lhe seja útil, mas lembre-se de utilizá-lo com cautela. Acima de tudo, minha intuição me diz que para conseguirem chegar ao final dessa missão, é de você que tudo dependerá. Você é a única aqui que confia realmente em *El*.

— O quê? — Kenan não estava acreditando. — Ela é só uma menina!

— O que tiver que ser será — decretou Thamam. — Agora vão — ele fez um gesto apontando em direção ao penhasco, como se houvesse um caminho.

Ben olhou na direção, mas não enxergou caminho algum.

— Ao menos você deveria vir conosco — Kenan fez uma última tentativa antes que Thamam retornasse pela estradinha que conduzia à cidade. — Teríamos mais chances com você...

— Ou menos talvez... Quem saberia dizer? Estou muito velho para isso. Talvez nem alcançasse o alto do penhasco... E alguém precisa assumir, diante do Conselho, a responsabilidade por todas essas atitudes insanas... A fuga de um condenado e de três prisioneiros com Herevel e armas especiais... Espero que eles entendam...

— Você é o Melek! — desabafou Kenan. — Tudo podia ser diferente...

— Mas eu não sou *El* — Thamam disse, falando com firmeza. — Só *El* tem sabedoria suficiente para conduzir este mundo.

Tendo dito isso, o velho rei se virou para retornar à cidade. Não se despediu.

Ben olhou uma última vez para Thamam enquanto ele se retirava. O jardim estava escuro sob Yareah minguante já sem forças que surgira atrasada no céu.

O rei de Olamir caminhou lentamente de volta ao palácio por entre as esculturas que pareciam vigiá-lo, levando consigo toda a sua sabedoria e seus muitos mistérios. Parecia outra estátua flutuando sobre a relva.

Por um momento, Ben pensou em quantas coisas poderia aprender com aquele homem se tivesse mais tempo de conviver com ele. Mas isso não seria mais possível, e talvez nunca mais o visse.

O guardião de livros se voltou para o outro lado e viu Kenan andando apressado na direção oposta. Assim, mestre e discípulo se separavam definitivamente.

Leannah e Adin esperavam por Ben. Os dois pareciam animados como naquele primeiro dia, quando partiram de Havilá. Ben passou à frente deles e seguiu o giborim em direção ao penhasco.

Quando Ben, o guardião de livros, colocou o pé no primeiro degrau para subir o íngreme caminho da montanha, soube que não havia mais a opção de voltar atrás. Era como se o destino o estivesse puxando com cordas grossas, como as antigas que havia naquele caminho para o alto, para lugares que ele nem mesmo conseguia imaginar.

De fato era o destino dele. Mas seria um exagero atribuir tudo a um plano impessoal absolutamente fechado, principalmente porque mais pessoas estavam interessadas em que ele se tornasse um peregrino de Derek-Or, o caminho da iluminação; algumas para o bem, outras para o mal. Se tudo era um jogo, cada vez mais jogadores começavam a entrar. Sem falar que ele precisaria construir seu caminho por si mesmo. E até aquele momento, o guardião de livros mal sabia o que realmente se passava em seu próprio coração. Seria doloroso quando descobrisse. Mas também seria libertador.

9 A jornada pelo Perath

Shamesh despontou no horizonte, ofuscando Yareah minguante quase nova, que ainda pairava inerte na outra extremidade do céu. Sua luz amarelada banhou gentilmente os quatro fugitivos que deixavam Olamir.

Eles ainda estavam subindo a montanha a muitos pés acima da grande cidade branca, rumo à Fortaleza dos Vinte Valentes Mortos. Seguiam um caminho há muito tempo usado apenas pelos giborins, o qual levava até o posto avançado de vigilância na antiga fortaleza. Era uma trilha estreita e íngreme, o único modo de sair da cidade sem utilizar o portal dos kedoshins ou a porta lateral através da ponte. Thamam havia garantido que a saída não estivesse sendo vigiada quando da partida deles, mas isso não facilitaria a subida.

Enquanto escalavam, Ben se lembrou de já ter lido sobre aquele caminho nos livros de Enosh. Houve um tempo em que esse lugar funcionara como uma rota de fuga em caso de ataque, pois possuía um mecanismo capaz de retirar os líderes da cidade às pressas. Do antigo mecanismo só restavam os degraus posicionados a cada quatro ou cinco metros e que ainda possibilitavam a subida em diagonal. Entretanto, para avançar de um degrau ao outro, através dos trechos muito íngremes, era necessário bastante esforço.

Adin e Leannah apresentavam mais dificuldades. Suas mãos doíam quando se agarravam às pedras pontiagudas, e suas pernas não tinham mais forças para impulsionar o corpo para cima. A jornada mal havia se iniciado, e eles já estavam completamente exaustos.

A trilha cortava a montanha em diagonal, subindo inicialmente até o ponto mais ocidental da cidade, e depois se voltava para o norte e se tornava bastante íngreme até o alto da montanha. Lá em cima, no único ponto acessível entre os penhascos, ficava a fortaleza.

Quando alcançaram o topo, o limite da resistência física havia sido atingido pelos três jovens de Havilá.

O que primeiro chamou a atenção de Ben foram as pedras sentinelas colocadas no posto de observação.

— Não se preocupe — disse Kenan. — Hoje elas não mostrarão imagem alguma.

Dois giborins usando uniformes semelhantes ao de Kenan guardavam a fortaleza. As cotas de malha metálica reluziam debaixo da capa vermelha que os envolvia. Dois cordões uniam a capa na altura do peito. Curvaram respeitosamente a cabeça ao ver o líder.

A fortaleza, embora praticamente desativada, ainda servia tanto de baluarte para improváveis invasões do lado contrário, quanto de observatório do vasto deserto de Midebar Hakadar. A antiga muralha que a rodeava era agora só um monumento não muito bem conservado.

Dois quartos singelos estavam em pé e abrigavam os giborins durante os períodos em que se revezavam. O local, pela altitude, era muito utilizado para treinar as águias que conduziam as pedras.

Para a função de vigia bastavam dois giborins, pois com o Olho brilhando em Olamir uma invasão era impensável. E, de qualquer modo, um exército jamais conseguiria descer aquela trilha estreita e íngreme a tempo de surpreender.

Enquanto Kenan conversava com os giborins, os três amigos se sentaram exaustos sobre a rocha em forma de parapeito que guardava a cidade. Contemplaram a mais poderosa cidade de Olam abaixo, se desnudando sob o sol. Nesse momento ainda era possível ver, em posições opostas no céu, o sol e a lua se encontrando na tenra manhã. Marcando o último dia do mês de Ethanim, Yareah era só um fiozinho pálido e esbranquiçado no oeste, enquanto Shamesh surgia desproporcionalmente glorioso no leste.

— Por que se chama "fortaleza dos vinte valentes mortos"? — perguntou Adin enquanto recuperavam o fôlego.

— Num tempo remoto — explicou Ben, tentando se lembrar dos detalhes daquela história —, quando havia um caminho bem mais largo através desta montanha, um pequeno grupo de vinte dos mais notáveis soldados de Olam conseguiu deter uma invasão dos exércitos de uma poderosa cidade ao norte. Esta havia se aliado aos shedins, enquanto as muralhas do lado de Midebar Hakadar também eram atacadas sistematicamente. Se eles não tivessem conseguido guardar a fortaleza, Olamir teria caído. As lendas dizem que, quando finalmente os shedins foram expulsos de diante das muralhas, os homens de Olamir encontraram na fortaleza os vinte soldados mortos. As armas potencializadas pelas pedras ainda estavam em posição. Mesmo depois de mortos, continuaram a agir para rechaçar os invasores.

— Isso é verdade mesmo?

— É possível — disse Ben. — Há tantos mistérios neste mundo.

— É só mais uma bobagem inventada para incentivar os anseios tolos de guerras e batalhas dos homens — interveio Leannah com ironia.

Do alto, a cidade era ainda mais esplendorosa. A beleza do dia parecia desmentir toda a angústia da noite anterior. Assentada sobre o degrau natural do precipício, rodeada de montanhas intransponíveis e protegida por suas altas muralhas brancas, a cidade-fortaleza acordava para um novo dia. O verde vibrante das árvores altas, sobre as quais revoadas de pássaros se movimentavam aleatoriamente, trazia uma sensação de paz e bem-estar. A torre do Olho refulgia apesar de agora saberem que sua luz enfraquecia cada vez mais. Porém, a calma aparente desmentia a possível confusão lá embaixo, motivada pelo desaparecimento dos quatro, e especialmente dos dois réus.

Era possível ver a cidade inteira com suas torres brancas e até mesmo a estrada íngreme da entrada lateral. Esta subia sobre a montanha vizinha e, através da ponte estreita, servia como acesso secundário. Mas, sem dúvida, a parte mais impressionante era a muralha, com suas dezenas de torres de guarda sobre o abismo que caía até o deserto, e seu imenso portal entre as estátuas dos kedoshins. As cabeças gigantes das estátuas se sobressaíam. De onde eles estavam as enxergavam de costas, como se vigiassem o deserto.

Kenan se aproximou puxando dois cavalos com algumas provisões.

— Como eles vieram parar aqui? — perguntou Ben ao ver os dois cavalos negros usados para a fuga de Schachat. Ele reconheceu Erev, o macho que tinha crina e rabo avermelhados, e Layelá, a fêmea com crina e rabo prateados como uma noite enluarada.

— Só temos quinze dias — Kenan lembrou rispidamente. — Thamam os providenciou para nós.

Aqueles animais eram mais velozes e mais altos do que todos os cavalos já vistos por Ben. Eram até mesmo maiores do que os cavalos do oeste, criados pelos povos negros. Ben não sabia dizer se em Olamir era permitido fazer modificações nas características dos animais, mas estava claro que aqueles eram excepcionais.

Kenan preparou-os, repartindo algumas provisões nas bolsas dependuradas nos animais. Agia quase como se os outros três nem estivessem ali. Claramente estava desanimado em iniciar a busca.

"Devíamos ter vencido essa guerra enquanto ainda havia poder no Olho, em vez de seguir ideias senis", foi uma frase bastante repetida durante o percurso inicial.

Montaram os cavalos silenciosamente enquanto Ben dava uma última olhada na silhueta de Olamir. Por toda a sua vida desejara conhecer aquela cidade e, agora, após ficar tão pouco tempo, despedia-se com a certeza de que nunca mais a veria. Isso lhe causava tristeza e um sentimento estranho de falta, mesmo sabendo que era de algo que nunca tivera e nem poderia ter... Se Tzizah não fosse a filha do Melek.... Se ela fosse, como ele imaginava, só uma camareira... Mas o mais provável é que jamais a encontraria, afinal ele não podia retornar para a cidade branca.

Olamir sempre fora para Ben algo como o limite, o ponto máximo a ser alcançado. Ele ainda não podia perceber que seria só o começo.

Iniciaram a jornada que também seria bastante silenciosa enquanto suas sombras ainda eram longas pela posição do sol. O piado de uma águia chamou a atenção deles. Olharam para o alto e viram quando ela decolou do penhasco e os acompanhou. Sua penugem quase dourada refletiu a luz do sol. A partir daí, Evrá sempre estaria por perto.

Da fortaleza desativada, seguiram na direção norte, cavalgando na velocidade média de Layelá e Erev, o que significava a velocidade máxima de um cavalo comum. Em pouco tempo não havia mais qualquer sinal da fortaleza. Adin seguia à garupa de Kenan, enquanto Ben e Leannah montavam Erev. Os dois cavalos galopavam muito próximos.

Naquela manhã inteira eles se deslocaram sobre um chapadão inclinado, sempre descendo. A certa altura o clima desértico começou a ceder, e uma vegetação baixa apareceu, tornando a paisagem muito mais bonita. A imensidão do horizonte fazia o coração se encolher. O céu estava azul; o sol, forte; e o vento trazia aromas silvestres.

Evrá os acompanhou o tempo todo. Em alguns momentos eles a perdiam de vista, pois ela se elevava sobre as correntes e parecia se afastar. Logo ouviam o piado característico e percebiam que a águia estava por perto. De vez em quando, Kenan assobiava e Evrá respondia das alturas.

O terreno ficou irregular sob as patas dos cavalos, e alguma vegetação mais alta foi aparecendo. No início eram apenas pequenos arbustos cheios de espinhos e árvores secas. Ben até mesmo tomou um susto quando viu alguns galhos secos de árvores se movimentando ao lado da estrada como se tivessem vida. Então distinguiu os chifres de um tipo de cervo. Os animais se afastavam do caminho quando os estranhos se aproximavam e sumiam nos bosques de árvores baixas, causando a impressão de que o matagal inteiro se movia.

O sol esquentou ainda mais. Um vento morno começou a soprar do sul movimentando o verde restante do outono que se espalhava pelos campos.

A resistência dos cavalos era impressionante. Eles mantinham o mesmo ritmo do início da jornada.

Quando as patas dos cavalos levantavam poeira no caminho, pequenos animais semelhantes a esquilos, à procura de alimento ao lado da estrada, apareciam e desapareciam no campo. Tudo estava viçoso e agradável.

Na metade da manhã eles avistaram algumas árvores maiores espalhadas na superfície mais baixa do planalto, oferecendo um pouco de sombra para a estrada deserta. Enquanto os cavalos galopavam, outra vez, a paisagem mudou, as árvores rarearam e a vegetação baixa reapareceu. Estavam subindo mais uma vez.

Ao meio-dia, os cavalos seguiam num galope contínuo; isso, somado à monotonia da paisagem, deixava os três jovens sonolentos.

A certa altura eles começaram a ouvir um barulho semelhante a tambores. Isso fez os três amigos se lembrarem com um arrepio de Schachat, a cidade-torre em Midebar Hakadar. Logo perceberam não se tratar realmente de tambores.

Kenan parou o cavalo, desceu e se abaixou. O guerreiro colou o ouvido na terra a fim de ouvir melhor. Então, fez sinal para que todos descessem e ficassem imóveis ao lado da estrada poeirenta.

Ben podia jurar que uma manada de touros selvagens vinha na direção deles, porém o que viram em seguida não os deixou menos atônitos.

— Susish! — Kenan disse, apontando para a nuvem de poeira levantada pelos animais.

Eram cavalos, entretanto mais altos e com uma cabeça muito estranha, parecida com a de um homem. As crinas se assemelhavam a longas cabeleiras ruivas de mulheres.

A tropa passou ao lado deles, sem parar. Talvez fossem duzentos ou trezentos. Os animais, sem se importar com os intrusos, seguiram seu caminho socando o chão com suas imensas patas, num galope veloz pelo planalto.

Os três amigos se entreolhavam sem acreditar no que haviam visto.

— Metade homens e metade cavalo! — Leannah se admirou. — Então eles existem!

— Não são metade homem e metade cavalo — corrigiu Kenan. — São totalmente cavalo. Não falam, não pensam, são apenas animais selvagens. *El* resolveu fazê-los com alguma semelhança conosco para nos envergonhar.

— Mas nos olharam como se soubessem quem somos... — reparou Ben.

— Não seja tolo.

Sem mais explicações, Kenan voltou a montar o cavalo, puxando Adin para cima, e partiu sem se preocupar se estava sendo seguido.

Ben ainda acompanhou com o olhar a tropa de susish se afastando em alta velocidade.

— Parecem seus cabelos — brincou com Leannah, mas logo se arrependeu da brincadeira.

— E tão gentis quanto você — ela devolveu, e ele achou que havia merecido.

No início da tarde alcançaram o final do planalto. Ele terminava numa cadeia baixa de montanhas que desciam até se encontrar com um imenso vale. Lá de cima eles enxergaram o leito calmo de um rio. Este se espraiava em alguns lugares e se contorcia em outros qual uma serpente gigantesca.

— O Perath! — disse Kenan ao contemplá-lo.

A vista era arrebatadora. Na margem direita, o rio quase formava um cânion, pois alguns penhascos recobertos de grama se aproximavam, mas depois fazia uma curvatura e despistava os penhascos, seguindo seu caminho sem solavancos pela planície. Uma orla de árvores lhe servia de companhia e sua água refletia o sol como espelho brilhante.

Evrá passou sobre eles naquele exato instante como um reflexo dourado e mergulhou na imensidão em direção às águas do Perath. Ben a acompanhou com os olhos, pensando no quanto seria bom ter asas.

Do alto eles perceberam que o Perath parecia bastante movimentado; vários barcos estavam subindo e descendo.

Os três amigos olharam extasiados para o maior rio de Olam. Seu irmão gêmeo, o Hiddekel, corria paralelo, às vezes se aproximando às vezes se distanciando, como naquele ponto. Ambos eram responsáveis pela maior concentração e distribuição de mercadorias de Olam, pois interligavam todas as grandes cidades.

A descida até o Perath não foi difícil, apesar de lenta. Ben ficou agradecido por não precisar desmontar do cavalo. Os animais tinham experiência em trilhas como essa e os levaram sem grandes percalços até o leito das águas. Enquanto desciam a águia pousou sobre o penhasco.

Quando alcançaram as margens a tarde já estava se despedindo. Eles se aproximaram de um local onde havia um tipo de trapiche; na verdade, uma plataforma de madeira, aparentemente pouco utilizada. Sobre a plataforma havia um poste e, dependurado nele, uma espécie de gongo.

— O que faremos agora? — perguntou Ben diante da imensidão das águas que já começavam a ganhar a cor prateada do entardecer. Nunca havia visto um rio tão largo, parecia um mar. Ben ficou pensando em como fariam para atravessá-lo, ou se precisariam pousar ali na margem.

Sem responder, Kenan começou a bater o gongo. Um *bleng-bleng* melancólico repercutiu sobre as almas calmas. Depois de um longo tempo de espera, um barco passou próximo o suficiente da margem para atender ao chamado de Kenan. Era uma hora imprópria, pois as embarcações estavam fazendo a viagem de retorno para Bethok Hamaim, e esse percurso levaria a noite toda. Por isso, as batidas de Kenan no gongo ribombaram sobre as águas inúmeras vezes, sem encontrar resposta, até que, finalmente, um resolveu atender.

O barco que se aproximou era bem simples e parecia bastante antigo, mas estava bem cuidado. Na proa e na polpa havia elevações finalizadas em formato curvo de um animal que Ben achou parecido com o cavalo-marinho. Tinha um grande catavento bem no centro. As hastes giravam lentamente.

O barco se achegou o máximo que pôde da margem. Antes de permitir a embarcação dos estranhos, o barqueiro quis saber qual era o destino deles.

— Bethok Hamaim — disse Kenan. — Precisamos chegar lá com urgência.

O homem olhou atentamente para os quatro e, com certeza, o uniforme do giborim o convenceu a dar carona. Atracou na margem lamacenta e fez sinal para que se aproximassem. Os quatro viajantes e os dois cavalos conseguiram embarcar por uma plataforma que o condutor desdobrou girando um mecanismo.

Os viajantes perceberam que eram os únicos passageiros.

Enquanto Kenan pagava o preço do transporte, eles se assentaram em bancos de madeira que atravessavam o convés. Logo a embarcação estava no meio do Perath, ganhando velocidade através de sua proa curva e pontiaguda, a qual cortava as águas tranquilas. Por algum tempo o barco ainda navegou acompanhado pelo penhasco do lado direito, mas logo se livrou daquela muralha e o mundo se revelou plano e infinito nas duas direções.

— Esse catavento faz o barco navegar? — perguntou Adin para o condutor, olhando intrigado para o instrumento giratório.

O condutor olhou para o catavento e depois para Adin com uma expressão curiosa.

— É sim. Nunca viu um antes?

— Como funciona? — perguntou Adin com um gesto negativo.

— Ele capta a energia do vento — disse orgulhoso. — Lá embaixo as pedras shoham se encarregam de ampliar e transferir a energia para a navegação.

Enquanto o barco deslizava rápida e eficientemente sobre as águas calmas, o único barulho era de peixes saltando sobre o rio e mergulhando para as profundezas em busca do jantar.

Cruzaram com muitas embarcações através do Perath. Algumas conduziam passageiros, outras transportavam mantimentos. Umas eram pequenas; outras, muito grandes. Todas pareciam utilizar aquele mesmo sistema de cataventos, mas as grandes tinham vários deles.

— O que você está transportando? — perguntou Ben observando o homem manejar os instrumentos.

— Mercadorias — respondeu. — De todos os tipos. Linho finíssimo, seda e escarlata. Madeira odorífera, objetos de marfim, instrumentos de bronze. Especiarias, canela de cheiro, incenso, unguento, bálsamo, azeite, flor de farinha, trigo, e até cavalos... — disse olhando para Erev e Layelá. — Mas normalmente pedras.

— Pedras? Pedras shoham? — Adin admirou-se. — Tem pedras shoham lá embaixo?

— As pedras shoham lapidadas são a base de todo o comércio atual das grandes cidades. Não sobreviveríamos sem elas... Mas não há pedras lá embaixo. O envio para Ir-Shamesh está interrompido por ordem do Conselho de Olamir.

— Qualquer pessoa pode comprar uma pedra shoham nas cidades do vale? — perguntou Adin incrédulo.

— As comuns sim, mas as grandes pedras não podem ser compradas — respondeu, estranhando aquele desconhecimento.

— Há regras — explicou Ben para Adin. — Para cada serviço há restrições. Uma pedra de comunicação só pode ser utilizada por pessoas que têm cargos oficiais. As pedras armazenadoras de grande capacidade podem ser usadas apenas em ambientes públicos, como as bibliotecas. Já as pedras curadoras só podem ser utilizadas pelos sacerdotes treinados para isso. E cada casa recebe no máximo três pedras para iluminação e aquecimento. As demais pedras podem ser adquiridas livremente, pois são de qualidade inferior e lapidadas para desempenhar funções menos importantes.

— Como o quê?

— Ajudar a melhorar o sono, facilitar a concentração e o aprendizado das crianças, e até para brincadeiras e jogos por meio de ambientes criados dentro da mente.

Adin arregalou os olhos.

— Deve ser legal ter uma dessas!

— Em Bethok Hamaim você pode comprar uma se quiser — disse o barqueiro. — Desde que tenha um siclo de prata.

— De prata? Tudo isso? — admirou-se Ben, lembrando-se que aquelas pedras eram refugo. Nas Harim Adomim valiam menos que meio siclo de cobre.

— É a demanda — explicou o barqueiro. — Quando todo mundo quer uma coisa, o preço sobe.

Enquanto conversavam, eles aprenderam que além das pedras, outros produtos eram negociados naquela rota. As cidades de cima, lideradas por Ir-Shamesh, controlavam a produção de ouro e de pedras preciosas como jaspe, safira, sardônio, topázio e ametista. As cidades de baixo, Nehará, Maor, e principalmente Bethok Hamaim, eram responsáveis por produtos sofisticados como especiarias, joias e roupas finas, pois controlavam o comércio com as cidades do Oriente. Assim, o fluxo de embarcações naqueles rios era intenso.

Ben se lembrou do comércio na rota das pedras e agora podia ver que tudo lá era primitivo e desorganizado em comparação com o comércio na rota fluvial do Perath.

— E como funciona a segurança contra os saques dos guerrilheiros? — perguntou Ben, lembrando-se do ataque ao barco descendo o Yarden.

— Eles nunca conseguiram chegar até aqui. Teriam que passar por milhares de pedras sentinelas posicionadas em lugares estratégicos. Sem falar nas móveis... — ele apontou para o alto, na direção de uma águia preta e branca que sobrevoava o Perath naquele momento.

Ben lembrou-se das palavras de Har Baesh. Uma guerra nunca compensava, pois poria fim a toda segurança e progresso que as cidades de Olam desfrutavam. Thamam e Har Baesh estavam certos em fazer todo o possível para evitá-la.

No horizonte baixo, as cores douradas do entardecer iam tornando as águas do rio cada vez mais avermelhadas, anunciando a chegada da noite.

Ben visualizou uma das grandes cidades à margem esquerda. Eles passaram por ela e viram sua silhueta repleta de edifícios baixos. A cidade se chamava Nehará, era a menor e a mais recente das cinco grandes do vale. Mesmo assim, o brilho das pedras shoham que a iluminavam se espalhava por uma área considerável. Ben, Leannah e Adin correram para o lado esquerdo do barco a fim de observar melhor a cidade. Ao poucos, as luzes avermelhadas foram ficando para trás e se confundiram com as últimas cores agonizantes de Shamesh no horizonte.

Leannah e Adin voltaram a se assentar no centro do barco. Olhando para eles, Ben quase não podia acreditar que estivessem mesmo ali. Até outro dia estavam em Havilá, fazendo de conta que um dia conheceriam lugares fantásticos, agora já estavam a meio mundo da pequena cidade. O que estaria pensando o pai deles?

Kenan estava assentado solitário e silencioso num dos lados e tinha a face lúgubre de sempre. O guerreiro olhava para a proa cortando as águas e parecia cansado.

— Fale mais sobre o Olho — disse Ben assentando-se ao lado dele.

O olhar que o giborim lhe lançou não demonstrava boa vontade.

— Não há muito o que falar que você já não saiba — respondeu laconicamente.

— Por que ele está se apagando? — insistiu Ben, ignorando a indisposição.

Kenan olhou para o barqueiro. Ele estava próximo, porém não parecia prestar atenção às conversas. Meio a contragosto, respondeu.

— Antes de se retirarem deste mundo, os kedoshins decidiram colocar todo o seu conhecimento em uma pedra branca que eles encontraram e lapidaram. Olam estava em guerra com os shedins naquele tempo, como sempre estivera há milênios. Então, com o objetivo de findar a guerra, eles a entregaram para Tutham, um antigo Melek. Tutham precisou jurar que construiria uma torre em Olamir e colocaria o Olho sobre ela. A ideia era que o Olho ficasse lá no alto, repartindo o poder e o conhecimento com todos os habitantes do mundo e, ao mesmo tempo, restringindo o poder das trevas. Enquanto o Olho de Olam refulgisse sobre Olamir, exército algum poderia invadi-la, pois o poder do Olho o fulminaria por meio de uma sofisticada rede de pedras retransmissoras.

— Então ele é uma espécie de arma?

Kenan fez uma expressão de enfado.

— É muito mais do que isso. O interesse principal dos kedoshins nunca foi armas, mas conhecimento. Como você sabe muito bem, a função básica de todas as pedras lapidadas é servir para armazenamento e compartilhamento de informações. No caso do Olho, além de armazenar o conhecimento dos kedoshins, também absorve a energia da natureza, especialmente de Shamesh e Yareah. É uma pedra branca. As pedras shoham brancas são raríssimas. Dizem que o Olho é a única. Quando seu poder é liberado gradativamente, como faz sobre a torre, possibilita o progresso, o desenvolvimento e a longevidade de tudo à sua volta. Mas se for liberado de uma só vez, é uma força inigualável, um poder capaz de destruir o mais poderoso dos exércitos.

— E os shedins nunca tentaram roubá-lo?

— Os shedins são criaturas das trevas. Se tocarem nele, serão mandados para o Abadom. Não podem sequer se aproximar. É justamente porque o Olho brilha em Olam que eles não deixam a terra de Hoshek com suas verdadeiras formas... O poder do Olho os restringe. Mas outros povos já tentaram isso... Principalmente os vassalos de Bartzel.

— Eu não entendo — disse Ben. — Se o Olho é tão poderoso e se ele pode destruir os shedins e seus aliados, por que os homens não o usaram para atacá-los?

— Dentro da terra de Hoshek o poder do Olho diminuiria drasticamente. Lá não há luz, nem qualquer energia boa a ser absorvida... E se o Olho absorvesse a energia maligna, ninguém sabe o que poderia acontecer — Kenan assumiu uma expressão estranha quando disse aquilo.

— Então o Olho funciona apenas como defesa — entendeu Ben. — É um modo de evitar a guerra e não de começá-la... Por isso você os atraiu à frente das muralhas de Olamir! Mas eles não morderam a isca. Naphal não trouxe todos os exércitos... Por isso Thamam não ordenou o ataque naquela noite.

Ben percebeu o olhar de espanto do giborim quando ele disse aquelas palavras. Imaginou que, provavelmente, tivesse crescido um pouco no conceito do guerreiro; afinal, havia deduzido o plano dele e de Thamam. Um plano fracassado, que na verdade lhe parecia falho desde o começo, a menos que não estivesse entendendo tudo.

— Mas o que exatamente são esses shedins? — Ben ainda não estava satisfeito. — De onde vieram?

— Ninguém sabe dizer com certeza. Como eu disse, são criaturas das trevas. Antes que o Olho fosse colocado sobre a torre, eles podiam se mover livremente neste mundo. Por isso, em oito milênios, talvez não tenha havido um século de paz. Os sacerdotes dizem que eles foram amaldiçoados por *El*. Por isso precisam de corpos para poder sair de lá, corpos formados por eles próprios. Na verdade o Olho impede isso... O poder do Olho se espalha por toda a terra de Olam e não os deixa sair de lá com suas formas malignas. Mesmo utilizando corpos, eles são afetados. Só podem sair à noite e por pouco tempo.

— Por isso o eclipse lunar é o melhor momento para atacarem — deduziu Ben.

— Já houve outros eclipses lunares, mas o Olho continuou brilhando. Agora, porém, ao que tudo indica, por alguma razão desconhecida, ele não retornará. Há tempos temos percebido o enfraquecimento do Olho. Ao contrário do que disse Har Baesh, não parece ser algo temporário, há razões para crer que seja definitivo. Thamam tem informações sobre isso que, infelizmente, não pode compartilhar com o Conselho. Mas o avanço da cortina de trevas é uma prova suficiente.

— E se ele se apagar completamente...

— Nós veremos algumas criaturas terríveis por aí...

— Como enfrentá-los? Podem ser destruídos como os sa'irins?

— Se as formas humanas forem abatidas fora da terra de Hoshek, os espíritos vão para o Abadom. Desde que o Olho esteja brilhando.

Ben assimilou aquela informação. Entretanto, suas dúvidas não estavam resolvidas.

— Se eles sabem do enfraquecimento do Olho, por que simplesmente não esperam que isso aconteça? Pois então nada mais os poderá deter!

Kenan olhou outra vez com aquela expressão estranha para Ben. Então, o guardião de livros entendeu.

— Foi por isso que você os atacou! Tentou forçá-los a agir antes da hora. Antes que o Olho se apague totalmente.

— Naphal deseja ansiosamente atacar Olamir, mesmo assim esperaria pacientemente o Olho se apagar se tivesse certeza de que isso aconteceria. Provavelmente ele não tenha essa certeza, por isso, meu plano tinha tudo para dar certo. Quanto antes ele atacasse a cidade, mais chances nós teríamos de derrotá-lo.

Ben entendeu a lógica do giborim. Mesmo assim, havia uma lacuna.

— Naphal não trouxe todo o seu exército para frente das muralhas... — lembrou Ben. — Não funcionou...

— A traição sempre foi nossa maior inimiga... — desabafou o giborim. — Possivelmente Naphal tenha sido avisado de que, no eclipse, o Olho estará fraco. A data que ele estabeleceu como limite para atender às suas exigências coincide com o eclipse. Mesmo assim, poderíamos ter destruído uma parte do exército...

— O cashaph! — lembrou Ben do que Enosh dissera.

O giborim olhou espantado para Ben.

— Como você sabe isso?

— Talvez o traidor tenha informado a Naphal de que o Olho estará totalmente apagado! — disse Ben assustado com a ideia.

— Somente eu e Thamam sabemos dessa possibilidade... Acredito que Naphal ainda não saiba.

— De qualquer modo, quem o avisou só pode ser alguém que entenda profundamente desses assuntos — deduziu Ben. — Um mestre-lapidador provavelmente... Ou um sacerdote.

— Ou talvez ambos...

Ben arregalou os olhos.

— Har Baesh?

Kenan nada respondeu. Limitou-se a olhar para as águas calmas do Perath.

— Se foi Har Baesh — continuou Ben —, então os shedins realmente não sabem que o Olho se enfraquecerá definitivamente no eclipse, pois ele não acredita nisso.

— Ou talvez faça de conta que não acredita... Isso agora não faz diferença. Eles nos atacarão com todas as suas forças justamente nesse dia. E o Olho estará apagado. Perdemos a oportunidade de enfraquecê-los. Por isso, agora Olamir deveria estar se preparando para uma guerra total contra os shedins, sem contar com o Olho...

Ben estava espantado. Se o próprio sumo sacerdote de Olamir fosse o cashaph, então parecia haver pouca chance de vitória.

Precisava admitir que o mestre dos lapidadores era um homem estranho. Por outro lado, ele sabia que partiriam em busca do caminho da iluminação e nada fez para evitar. De certo modo, até os incentivou. Não fazia sentido. A menos que ele tivesse algum interesse naquela busca, ou talvez desejasse que se afastassem de Olamir. O sumo sacerdote apenas advertiu quanto à participação de Kenan. A desconfiança mútua dos dois era proporcional.

— Como os shedins produzem corpos para andar fora da terra de Hoshek já que não puderam utilizar os corpos usados pelos sa'irins? — perguntou Ben, imaginando que logo Kenan se cansaria de dar respostas.

— Você sabe como eles fazem isso — disse de modo pouco cortês. — Você viu em Schachat.

— As mulheres grávidas! — lembrou-se Ben. — Foi por isso que você não as quis salvar?

— Não havia mais nada que se pudesse fazer por elas... — disse rispidamente. — Foram raptadas pelos guerrilheiros e levadas para Schachat. Elas já estavam mortas... Eu deveria ter destruído todas elas; assim, menos shedins teriam corpos para sair da terra de Hoshek...

— Leannah... — lembrou Ben, só naquele momento entendendo as implicações.

— Acho que não deu tempo — aliviou o giborim. — Não vi nenhum shedim em Schachat naquele dia. E de qualquer modo, se algo tivesse lhe acontecido, a essa altura já seria perceptível. Ela não estaria bem. Os sinais já seriam vistos...

Ben olhou para Leannah do outro lado do barco e se sentiu um pouco mais aliviado, porém não menos culpado.

— Há quanto tempo você e Thamam se conhecem? — Ben fez a pergunta com cuidado, não só porque arrancar respostas do giborim era mais difícil do que arrancar pedras shoham das Harim Adomim, mas porque não queria deixar transparecer o verdadeiro assunto que lhe interessava: Tzizah.

— Há mais do que me lembro... — respondeu o giborim laconicamente.

— Ele parece ser um homem muito sábio...

— Thamam é como este rio. Já percorreu longas distâncias e experimentou diversas intempéries. Quando o mar está próximo e ele já acumulou tudo o que podia, pode descer tranquilamente. Quando está muito longe do mar, o rio corcoveia e teme ser absorvido pela terra. Mas quando chega ao mar, percebe que a melhor coisa é fazer parte daquela imensidão...

Ben até estranhou aquele rompante de sabedoria. Kenan não parecia ser muito dado a filosofar. De qualquer maneira, as palavras não fizeram muito sentido para Ben, ou talvez ele não estivesse muito interessado em pensar nas coisas que o giborim dizia.

— Como ele fez aquilo com o tartan? Como deteve a espada com as mãos?

— Com a combinação da sabedoria dele, o conhecimento de antigos mistérios e o uso das pedras shoham, ele poderia fazer coisas que você jamais acreditaria...

— Então por que o poder do Melek se tornou tão limitado em Olamir?

Kenan suspirou.

— Às vezes eu não entendo por que Thamam permite que Har Baesh tenha tanto poder. Todo ano novas leis são aprovadas. Leis que restringem o poder do Melek e aumentam o poder do Conselho...

— Se você fosse o Melek as coisas seriam diferentes, não é? Quando se casar com Tzizah...

Kenan se levantou bruscamente.

— Chega de perguntas.

* * * *
* * * * *

Assentada no meio do barco, Leannah viu quando Ben e Kenan começaram a conversar. Claramente o homem estava insatisfeito com a presença deles na missão, ou talvez estivesse mais insatisfeito com a própria missão. Ele deveria ser um pouco mais agradecido, pois, afinal, Ben havia salvado a vida dele. Por outro lado, o guerreiro também havia feito o mesmo por eles.

Algo estava inquietando Leannah. Ela não queria demonstrar, mas estava com ciúme. Desde Olamir, Ben só tinha olhos para Tzizah. A filha do rei de Olamir possuía uma beleza radiante, e logo no início, Leannah, como uma boa observadora, havia descoberto que a princesa era a prometida de Kenan. De fato parecia amá-lo. Ela acreditou que Ben se daria conta da tolice de ficar fascinado por alguém comprometida e tão além de suas pretensões, mas ele parecia cego.

Soubera até mesmo do Nedér cumprido por Kenan para merecer a mão de Tzizah. Ficara admirada com aquilo, pois poucos ainda utilizavam esse cerimonial, que no passado era reservado para o casamento das princesas. O pretendente precisava passar anos cumprindo tarefas que testavam sua força e caráter para merecer a mão da princesa. Geralmente, isso acontecia quando o pretendente não possuía nobreza de nascimento. Ao mesmo tempo, não via Kenan dando muita atenção para Tzizah. E isso também a deixava intrigada.

Leannah não quis dizer a Ben que sabia de tudo, pois não desejava demonstrar interesse por essa questão. Ele parecia encantado e mais sorridente do que em qualquer outro momento, e isso a fez ficar com um sentimento misto de raiva e tristeza. Quando o semblante dele mudou radicalmente após descobrir tudo, ela pensou que sentiria satisfação, mas ainda estava procurando por esse sentimento.

Depois que Kenan se retirou para os fundos do barco, claramente não querendo mais conversar, Leannah continuou olhando para Ben e se perguntando quando ele finalmente a notaria. Lembrou-se daquele momento no oásis, quando ele tocou carinhosamente seus cabelos e sua face enquanto assistiam aos mercadores dançando a estranha música do deserto. Havia sido o momento mais feliz de sua vida. Parecia que a distância de Havilá os estava aproximando. Ele até mesmo dissera que ela era bonita. Se não fossem os macaquinhos, talvez ele a tivesse beijado.

Desde a primeira vez que o encontrara no templo, carregando desajeitadamente os pergaminhos de Enosh, Leannah soube que o amaria por toda a vida. Sem ele, o céu azul não tinha graça, o cântico dos passarinhos era monótono, as noites estreladas eram vazias. Ao seu lado, até os dias nebulosos de Havilá eram radiantes. Ele também parecia ter algum sentimento por ela, pois gostava de sua presença, e inclusive havia lhe dado uma pedra shoham lapidada. Isso significava que confiava nela. Leannah sabia que se ele se tornasse um latash, se fizesse o juramento e realizasse a primeira incisão secreta, jamais poderia se casar. Por isso esperava pacientemente que ele tomasse sua decisão. Em algum momento, talvez ele descobrisse que também a amava. Mas quando Ben despertou em Olamir, após o longo tratamento do veneno da saraph, estava muito diferente. E então surgiu Tzizah. Não era justo.

— Você gosta dele, não é? — Adin ao seu lado não pôde deixar de ver o modo como a irmã olhava para Ben.

— Cada segundo — ela respondeu com um suspiro, e logo se arrependeu de ter dito aquilo.

Quando Ben terminou a conversa com Kenan e veio se sentar ao lado deles, Leannah só precisou de um olhar para transmitir uma mensagem clara para seu irmão: *nenhuma palavra!*

— Conseguiu descobrir alguma coisa? — perguntou Leannah com um sorriso pouco convincente.

— Uma porção de informações interessantes que lá, em nossa distante Havilá, nunca ficaríamos sabendo.

Pela primeira vez Leannah ouviu Ben chamar Havilá de *nossa*. Aparentemente, ele se deu conta do que havia dito e desviou os olhos para a imensidão calma do Perath e suas férteis margens, já quase invisíveis.

O céu estava melancolicamente púrpura, praticamente negro. O silêncio do rio e a pouca movimentação criava uma sensação deprimente. Colocadas sobre postes, luzes rosadas e avermelhadas dos vilarejos emitidas por pedras shoham eram vistas ao longo das margens.

— E o espelho? Já sabe para que serve? — perguntou Ben.

— Ainda não. Mas acho que no momento certo vou descobrir.

Ben assentiu.

— E você está bem? Não está sentindo nada estranho?

Leannah estranhou o súbito interesse.

— Estou muito bem — respondeu rispidamente, sem conseguir se controlar, mesmo sabendo que ele nunca entenderia a razão de sua rispidez. — Por quê?

— Por nada... — se desculpou Ben, um pouco desconsertado. — Só fiquei preocupado... Por causa de tudo o que já passamos...

Ele voltou a olhar para o calmo rio, e ela sentiu vontade de lhe dizer tudo... Que o amava, que sempre o amou, que o amaria até o último dia de sua vida, mas as palavras não vieram.

— O que nos espera? Será que nossa viagem vai ser monótona como esse percurso? — perguntou Ben, sem perceber o que estava claramente nos olhos de Leannah.

Leannah não respondeu, mas tinha a sensação de que monótona era a única coisa que aquela viagem não seria.

Quando Ben se afastou, também solitário, e foi se assentar num dos bancos do barco, Leannah sussurrou uma canção.

Como é que se pode amar tanto alguém?
E conseguir enxergar somente a beleza
E conseguir apenas acreditar na justeza,
E mais do que tudo só querer o bem.

Como se pode ansiar tanto a presença?
Mais que o ar do peito que foi embora
Mais que os guardas esperam a aurora
Ou o condenado ao aguardar a sentença.

Como é que se pode desejar tão perto?
Mais do que os braços podem apertar
Mais do que a mente consegue imaginar
Até mesmo mais do que pode ser certo.

Os versos continuaram e diziam muita coisa a respeito de seus sentimentos íntimos e também de decisões que ela ainda deveria tomar naquela longa jornada.

Naquele momento, Leannah decidiu começar a escrever uma canção, um épico que descrevesse as aventuras deles que estavam só começando.

10 Bethok Hamaim

Ben acordou com a sensação de que o mundo havia se acelerado. Ele se levantou e percebeu que a velocidade do barco estava aumentando rapidamente. Logo entendeu o motivo. Estavam no ponto em que o Hiddekel, com suas águas muito mais ligeiras, se unia ao Perath e dava fôlego ao velho rio. Por isso subitamente a calmaria havia desaparecido, e a sensação foi de estar em meio a um mar tempestuoso. Porém, várias milhas à frente, a experiência do Perath dominou a juventude do Hiddekel, e tudo voltou ao normal.

Quando Shamesh despontou no horizonte, a embarcação estava chegando a Bethok Hamaim. A bruma da manhã ocultou a cidade por um bom tempo, mas quando a luz nascente espalhou cores na imensidão do rio, eles puderam contemplar a silhueta dos prédios altos se destacando no horizonte baixo, em uma tonalidade quase dourada.

A cidade era construída como ilha dentro do leito do rio e, portanto, fazia jus ao nome. Mas, eles jamais poderiam imaginar que fosse tão grande. Durante a viagem o barqueiro várias vezes fizera referência a Bethok Hamaim como a mais próspera de Olam. Agora, podiam perceber que o homem não havia exagerado.

Os três haviam acordado sentindo-se mais animados. Estavam descansados apesar das acomodações precárias. Ben notou que Kenan permaneceu acordado a maior parte da noite. O giborim ficou trabalhando em um equipamento, uma pequena caixa retangular que guardava uma pedra vermelha fina e comprida e mais alguns instrumentos. Ben até chegou a acordar algumas vezes com o barulho e estranhou aquela movimentação. Entretanto, o sono impediu que visse o que exatamente o giborim fazia.

Havia canais quase circulares que cortavam a ilha de Bethok Hamaim, alternando faixas de água e de terra. Três grandes faixas, cada uma com centenas de metros de largura, cravejadas de edifícios irregulares de sete ou oito pavimentos com pés direitos altos, compunham a grande cidade. E três canais de água também imensos, além dos dois braços bipartidos do Perath e do Hiddekel unidos, circundavam a cidade e a desenhavam harmonicamente. A planta da ilha com seus canais circulares estava na mente de Ben desde a biblioteca secreta de Olamir. Mas as construções da cidade não, pois haviam sido acrescentadas depois da partida dos kedoshins.

Nas faixas de terra, as construções muito próximas umas das outras se distribuíam circularmente, acompanhando os canais de água. De longe, um edifício arredondado se destacava. Era o mais alto e tinha um domo transparente, além de um pináculo. Era a sede do Conselho de Bethok Hamaim.

A cidade possuía quatro entradas. Duas por água que se abriam no sentido leste e oeste, por meio de comportas e duas por terra que, através de extensas pontes, elevavam-se no sentido norte e sul. Estas se ligavam às margens e também religavam as faixas de terra até o centro.

A embarcação atravessou o portal de entrada composto por dois imensos botos esculpidos magnificamente em cristal. Entre as esculturas, uma comporta abria e fechava a entrada da cidade e regulava a quantidade de água nos canais concêntricos. A cidade não possuía muralha, o Perath era sua muralha.

Variadas embarcações navegavam de um lado para o outro, congestionando as passagens dentro da grande cidade. Também havia canais menores que se ramificavam pelo interior e permitiam o tráfego de pequenos barcos aos lugares menos centrais. A entrada de muitos prédios ficava praticamente dentro da água em forma de pequenos cais.

Ben, Adin e Leannah contemplavam deslumbrados a cidade enquanto desciam o rio. A cor dourada dos edifícios dava a impressão de que eram revestidos de ouro, e o reflexo dos prédios nas águas reforçava essa impressão.

Apesar de grandioso, puderam ver que o sistema de água era relativamente simples. As águas que adentravam a cidade eram distribuídas por comportas.

Assim criavam os braços de terra alternados com braços de água. O canal central atravessava a cidade de ponta a ponta. Bem no meio da cidade, ele se espraiava formando um círculo. No meio desse círculo central não havia terra, mas havia algo lá: o motivo da construção de todos aqueles canais de água, e também o motivo de eles estarem em Bethok Hamaim: a mais impressionante construção de toda a terra de Olam: O templo.

De longe, pareceu-lhes uma ilusão de ótica. Puderam ver que o templo assemelhava-se a uma grande pedra shoham branca flutuando no meio das águas do círculo central. O topo era largo e arredondado, a base era fina e pontiaguda. Refletia o sol fraco do amanhecer e lançava uma luz dourada sobre os edifícios. Face a ele, a cidade imensa empalidecia.

— Morada das Estrelas! — anunciou Kenan, quando finalmente o barco alcançou o centro. A voz do guerreiro, quase sempre fria e distante, naquele momento parecia revestida de certa reverência.

Os três amigos olharam assombrados para a estrutura. Thamam dissera que encontrariam uma construção da época dos kedoshins; os livros da biblioteca subterrânea já haviam revelado isso para eles, mas nunca poderiam imaginar que seus olhos veriam algo semelhante. Aquela construção desafiava as leis da física.

— Este é o único templo remanescente daquela era — continuou Kenan. — Quando foi completado, as canções diziam que, por milênios, nenhuma construção superou ou superaria a engenhosidade dela.

Leannah se lembrou da estrofe de uma das antigas canções aprendida no templo de Havilá. Eram músicas a respeito de realizações impressionantes do passado. Agora contemplava uma delas.

> Girando, no meio das águas, eterno
> O brilho de milhares de diamantes
> Espalha o conhecimento paterno
> E conduz os homens infantes.
>
> O sol da justiça se revela fraterno
> Quando as luzes descem dançantes
> A sabedoria que sai do seu hiberno
> Reconduz ao destino os errantes.

Como era possível que uma estrutura daquele tamanho se mantivesse equilibrada, flutuando e girando lentamente? Assemelhava-se a um pião com sua ponta fina afundada nas águas do rio. O restante estava inteiramente fora, brilhando ao sol e, aparentemente, sem qualquer ponto de contato com o mundo exterior, ou algo que lhe oferecesse sustentação.

— Como o templo flutua sobre as águas? — Leannah formulou a pergunta que Ben e Adin também estavam querendo fazer.

— Ninguém sabe dizer ao certo — respondeu Kenan. — Deve ser a combinação entre o tamanho, a simetria de suas formas, a profundidade do rio, a quantidade de água que gira no último círculo de água proveniente dos canais... É como se ele fosse uma grande pedra shoham canalizando energia...

Uma passarela curva se elevava do último círculo de terra e terminava a alguns centímetros do templo, sem se interligar com ele. A passarela não fazia sentido porque o templo não tinha portas e girava sem parar. Mesmo assim, a entrada da passarela estava sendo vigiada por soldados.

O rosto de Kenan mostrou descontentamento ao vê-los.

— Por que o chamam "Morada das Estrelas"? — perguntou Leannah, que estava cada vez mais admirada enquanto o barco passava lentamente ao lado da construção.

— Alguns acham que era um observatório das estrelas...

— Ainda funciona?

— É apenas um monumento — respondeu Kenan, mais interessado em avaliar o grupo de soldados que guardava a passarela do que em responder às perguntas de Leannah.

— Que tipo de magia é capaz de manter uma estrutura desse tamanho equilibrada sobre as águas? — Leannah não conseguia conter a admiração.

O barco navegou o mais próximo possível do templo. A brisa suave se desviava ao passar por ele e emitia um som grave, como o passar dos dedos sobre um cálice de cristal. Parecia uma estranha melodia. Notas graves e harmoniosas podiam ser discernidas. Ben viu Leannah fechar os olhos tentando captar a melodia.

— É apenas o barulho do vento — disse Ben. — Não é música de verdade.

Leannah olhou para ele e sorriu.

— Isso aqui não faz parte do nosso mundo — ela disse com os olhos brilhantes de admiração. — Há mistérios aqui...

Após ultrapassarem o ponto central da cidade, eles atracaram e desembarcaram num cais no primeiro círculo de terra. O porto pequeno, destinado apenas à circulação de pessoas, estava lotado.

Precisaram providenciar um lugar para deixar os cavalos e isso não foi difícil. Com dinheiro na mão, em Bethok Hamaim, era possível conseguir qualquer coisa. Pelo menos os cidadãos gostavam de dizer isso.

Abandonando o cais, os quatro marcharam para a região dos palácios. Leannah era a mais relutante, ficava o tempo todo olhando para trás, para o templo.

As pessoas bem vestidas que andavam de um lado para o outro, entrando e saindo dos edifícios, evidenciavam um comércio próspero. Quase todas vestiam roupas leves, pois o clima ainda agradável permitia isso. As roupas, entretanto, eram longas. As mulheres usavam vestidos, e os homens sadin, um tipo de camisa de altíssima qualidade com mangas esvoaçantes. Esse foi o primeiro lugar em que Ben viu homens usando miknash, calças de linho. Homens e mulheres exibiam colares de pedras e pulseiras de ouro. Sem dúvida nenhuma, o dourado era a cor preferida na cidade.

O volume de mercadorias negociadas em Bethok Hamaim era o maior de toda a terra de Olam, mas o modo de negociar era muito diferente da confusão e dos gritos dos comerciantes do porto ocidental no Yam Hamelah. Os negociantes avaliavam as mercadorias expostas atrás de vitrines de vidro às margens do Perath. Havia todo tipo de mercadorias sofisticadas: incensários de ouro de Ir-Shamesh, pratarias de Nod, colares de diamantes de Nehará, finos mantos tingidos de Maor, roupas de seda de Sinim, perfumes maravilhosos importados de Urim, vinho aromático produzido nas vinhas do planalto dos peregrinos, aos pés das Harim Keseph, e outros produtos luxuosos e caríssimos de diversas cidades e terras. Tudo exposto ordenadamente nas vitrines requintadas.

Havia também um sem-fim de adereços e enfeites para mulheres por trás dos vidros de Bethok Hamaim. Leannah vira alguns parecidos no oásis, mas ali, os pendentes e braceletes eram muito mais caros. Também havia toucas cheias de pequenas pedras brilhantes, ornamentos em forma de meia-lua, e fascinantes véus com finas linhas de ouro e de prata, além de anéis, pendentes de nariz, colares e amuletos para pendurar entre os seios. E vestidos de festa, mantos, xales e bolsas. Tudo deveria custar mais do que o salário de um ano das pessoas comuns de Havilá.

Nas ruas pelas quais andaram, ninguém tentou vender nada para eles.

O produto mais abundante que podia ser encontrado em praticamente todas as vitrines era pedras shoham. De variados tamanhos, tonalidades de vermelho e formatos de lapidação, eram compradas e vendidas livremente. Placas ao lado indicavam o que elas podiam fazer. "Uma boa noite de sono sem pesadelos", dizia uma. "Regule o funcionamento do seu intestino", prometia outra. Outras funções garantidas eram: "Nunca mais tenha dor de cabeça. Armazene até mil livros de uma só vez. Descubra o verdadeiro poder da música. Assista ao que seus filhos estão fazendo quando você não está em casa...".

Kenan olhava com desprezo para todo aquele comércio.

— Muito esforço e tempo gastos com coisas inúteis — avaliou sem piedade o giborim.

Eles pisaram calçadas ornamentadas com desenhos formados pelo contraste entre pedras escuras e brancas. Andavam entre edifícios imponentes com cúpulas pontiagudas.

— Se Olamir for atacada, Bethok Hamaim a ajudará? — perguntou Ben, imaginando haver um grande exército ali.

— Todas as cidades devem obediência ao Melek... — respondeu Kenan laconicamente.

— Você não parece ter muita convicção a respeito de Bethok Hamaim... — observou Ben.

— Há política demais envolvida nisso tudo... — encurtou o giborim. — E interesses também... Comércio, ouro, pedras shoham, sede de poder...

— Eles já devem ter recebido a convocação de Olamir. Será que enviarão seus exércitos? É a cidade mais próxima e, portanto, indispensável, não é?

— Se não fizerem isso estarão condenando Olam e a si mesmos.

— E as demais cidades? — foi a vez de Adin perguntar. — Atenderão?

Kenan estava cansado de dar respostas. O modo como respondeu demonstrou isso.

— Todas têm a obrigação de fazer isso, sob pena de serem invadidas e seus Conselhos desfeitos. Sei muito pouco a respeito do que pensam os líderes de Nehará e Maor. Ir-Shamesh tem um passado obscuro, nunca foi confiável. E Nod é a mais atrasada das cidades, praticamente isolada das demais, embora tenha uma muralha quase tão inexpugnável quanto Olamir. De uma coisa eu tenho certeza: pelo bem de Olam, o melhor seria Olamir não depender de ajuda externa.

Os quatro caminhavam pelas ruas úmidas enquanto uma névoa ainda subia do Perath e tomava os edifícios costeiros.

— Para onde vamos? — perguntou Adin esforçando-se para acompanhar o ritmo de Kenan.

O levantar de ombros de Ben foi uma confissão de ignorância. Logo, entretanto, depararam-se com o acesso para o edifício mais alto da cidade: a sede do Conselho de Bethok Hamaim.

Precisaram esperar o sumo sacerdote por um longo tempo após o giborim solicitar uma audiência com o líder da cidade. O aguardaram na sala do Conselho. O mais difícil foi aguentar a impaciência de Kenan, que andava de um lado para o outro como um leão enjaulado.

A área de trânsito no interior do palácio tinha uma cobertura sustentada por colunas interligadas por meio de arcos. As colunas eram de mármore assentadas em bases de ouro. Adin se aproximou de uma delas e a tocou. Então sorriu para Leannah.

— É ouro!

Eles esperaram na parte mais alta do palácio, sob um imenso domo transparente que deixava entrar a luz do dia. A estrutura circular com cadeiras sobrepostas assemelhava-se à do salão do Conselho de Olamir. Mas diante deste, o salão de Olamir parecia rústico e primitivo.

Quando os recebeu, o homem os tratou sem nenhuma cordialidade.

— Eu espero que o líder supremo dos giborins de Olam tenha uma explicação para o que está acontecendo aqui em Bethok Hamaim — foi logo dizendo.

Os visitantes se surpreenderam com a rispidez na voz do sumo sacerdote, embora o tom de voz fosse polido.

— Explicação? — Kenan devolveu a rispidez sem nenhum polimento. — A respeito do quê?

— Cortar pela metade o fornecimento de pedras shoham sem oferecer qualquer explicação é uma atitude absolutamente inaceitável. O Conselho Vermelho foi longe demais.

A expressão de Kenan demonstrava seu completo desconhecimento daquela decisão.

— Não estamos aqui para tratar desse assunto — explicou Kenan. — Nada sei a respeito das decisões dos lapidadores...

— Então o que desejam? — o homem agora parecia com pressa de se livrar deles. — Estamos muito ocupados tentando colocar ordem no caos. Os banqueiros estão descontentes, os transportadores praticamente em motim, e a população já está começando a fazer estoques de pedras. Daqui a pouco Bethok Hamaim vai entrar em ebulição.

— É isso o que você considera caos? Desordens comerciais? — Kenan não escondeu o desprezo.

O sumo sacerdote deu a impressão de que ia continuar contando as dificuldades que estavam enfrentando, mas subitamente se calou e avaliou Kenan demoradamente. Também havia desprezo no olhar dele.

O sumo sacerdote de Bethok Hamaim era bem diferente de Thamam ou de Har Baesh. Alto e corpulento, tinha uma voz feminina, e falava de modo artificialmente polido. Seu olhar apresentava um brilho cobiçoso. Usava roupas leves que o encobriam inteiramente como um vestido e, sobre elas, a estola sacerdotal. Também segurava um cajado dourado na mão.

— Uma guerra está prestes a começar — Kenan foi direto ao ponto. — Há evidências de que o Olho esteja se enfraquecendo. Como você já deve saber, Olamir recebeu um ultimato. Se não destruir Herevel até a próxima lua cheia, eles virão com todos os seus exércitos.

Ben percebeu que Kenan omitira as outras duas exigências e ficou agradecido por isso.

— Recebemos a convocação — confirmou o sumo sacerdote com um pouco menos de rispidez. — Mas por que estão rompendo o acordo? E há certeza de que o Olho está se apagando?

Estava evidente que Kenan gostaria de evitar responder àquele tipo de perguntas, mas não podia fugir totalmente.

— Eles romperiam mais cedo ou mais tarde — disse, sem mais explicações. — Os mestres lapidadores acreditam que no dia do ataque o Olho estará em seu nível mais fraco.

Mais uma vez Kenan selecionou as informações.

— Vocês trouxeram a convocação oficial? Recebemos apenas um comunicado através das pedras... Não podemos fazer nada enquanto uma convocação com o timbre real ou do Grande Conselho não chegar aqui.

— Essa também não é a razão de estarmos aqui — esclareceu Kenan. — Todas as cidades devem se preparar para o pior, porém estamos aqui por outro motivo.

— Qual motivo? — o sumo sacerdote olhava cada vez mais desconfiado e impaciente para os quatro.

— Thamam acredita que ainda seja possível impedir a guerra.

— Impedir? — o sumo sacerdote perguntou com desconfiança. — Estão pensando em atender à exigência deles...

— Seria tolice — descarregou Kenan. — Isso não evitaria a guerra. E nos deixaria sem qualquer chance de vencê-la. — Kenan fez uma pausa e depois falou. — O Olho...

— O Olho de Olam — o homem repetiu, terminando a frase em lugar de Kenan.

— Pode haver uma maneira de impedir o enfraquecimento — explicou o giborim.

O sumo sacerdote se movimentou desconfortavelmente na cadeira.

— Uma maneira de impedir o enfraquecimento do Olho? O que vocês querem dizer com isso? O que Bethok Hamaim tem a ver com isso? Eu não tenho o dia inteiro. Poderia dizer o que pretendem?

— O templo — o giborim apontou para fora. — Pode haver algo nele que nos ajude a fazer o que deve ser feito.

— Que loucura é essa agora? — perguntou recuperando a rispidez o sumo sacerdote.

— Thamam crê que o templo dos kedoshins tenha as informações necessárias... Precisamos de sua ajuda.

— É um templo vazio! Não há nada nele... É puramente decorativo.

— O acordo foi rompido — explicou Kenan. — A guerra vai começar. Só nos resta tentar recuperar o poder do Olho, mesmo que isso seja uma vaga possibilidade.

Ben percebia que o próprio Kenan ainda precisava se convencer daquilo.

O sacerdote olhou com uma expressão estranha para os três jovens. O semblante rechonchudo estava carregado e duro como uma rocha.

— Afinal, quem são esses três? — finalmente perguntou o sumo sacerdote, observando as roupas simples de Ben, Leannah e Adin. — Não parecem ser representantes de Olamir, muito menos giborins.

— Vieram de uma cidade ao oeste chamada Havilá — explicou Kenan. — São jovens... Estão ligados à missão desde o início... Thamam disse que é o propósito de *El*.

O rosto do homem assumiu uma expressão de desprezo e logo se tornou defensivo outra vez.

— O templo está trancado. Nem sequer tem uma abertura. É apenas um monumento... Talvez, no passado, funcionasse como uma espécie de engenho de energia solar. Acredite, não há nada lá. Nós já tentamos encontrar uma abertura muitas vezes.

O sumo sacerdote se levantou da cadeira e caminhou até a extremidade do salão. A curva do domo transparente possibilitava uma vista esplendorosa de Bethok Hamaim, e, principalmente, do templo chamado de Morada das Estrelas, no ponto central da cidade.

Kenan caminhou até o homem. O templo parecia tão perto deles, mesmo estando a uma boa distância. O sol do meio-dia se refletia nele espalhando cores em todas as direções. Dava a impressão de ter luz própria.

— Mesmo assim devemos ir até lá — disse Kenan resolutamente. — Thamam acredita existir algo que ajude a reativar o Olho. O Melek tem direito de exigir que nos deixem ir até lá.

— Os comerciantes da cidade ficaram muito descontentes — relatou o homem. — Com metade do fornecimento, o preço das pedras vai duplicar. Vamos enfrentar um colapso...

— Precisamos ir até lá — ignorou Kenan.

Olhando-os por trás, Ben podia ver o quanto eram diferentes. Kenan, alto e empertigado, seus ossos apareciam sob a pele; o sumo sacerdote gordo e opulento. Kenan falava de modo brusco e intempestivo, o sacerdote delicado e cuidadoso. Eram antíteses em todos os sentidos.

— Os antigos já tentaram de tudo, mas jamais encontraram coisa alguma nele. É só um monumento vazio... — repetiu pela terceira vez o sumo sacerdote.

Kenan olhou para os três jovens com uma expressão de enfado.

— Enquanto estiveram neste mundo — recomeçou o sumo sacerdote —, os kedoshins nunca permitiram que os homens vivessem perto dele. Por milênios ele esteve aí, no meio desses círculos de terra e água, sem que ninguém entendesse realmente sua função, e nem como podia flutuar desse modo. Só depois da partida deles, as pessoas começaram a construir a cidade sobre os círculos de terra... Construímos uma bela cidade — disse o homem admirado. — Olamir não pode cortar pela metade o fornecimento das pedras! Bethok Hamaim merece tratamento especial. O Conselho Vermelho deve estar querendo começar uma guerra!

— Você me ouviu? — Kenan interrompeu. — Nós realmente precisamos ir até lá!

— Não posso autorizá-los a fazer isso! — respondeu o homem, parecendo ter voltado à realidade. — Não mexer nesse templo é nossa parte do antigo tratado.

— Não estamos pensando em entrar no templo — atenuou Kenan. — Só precisamos chegar perto dele, através da passarela...

O homem pareceu ficar um pouco mais aliviado com aquela informação, mesmo assim não parecia disposto a ajudá-los.

— Se Olamir cair — reforçou Kenan — nenhum tratado terá qualquer valor neste mundo. Nem qualquer tipo de produto, raro ou abundante. Por todos esses séculos, Olamir esteve lá sobre o precipício detendo o avanço da escuridão. Mas se ela cair, nada mais deterá. Nada mais.

Kenan pronunciou as palavras com firmeza, porém, respeitosamente. O sumo sacerdote, entretanto, continuava olhando com incredulidade para ele. Era impossível discernir o que ele estava pensando, mas não parecia ser boa coisa.

— O Conselho de Bethok Hamaim se reunirá amanhã para tomar uma decisão a respeito da convocação de Olamir e da decisão de reduzir o fornecimento de pedras — ele disse, depois de um longo período de silêncio. — Prometo apresentar mais esse pedido. É tudo o que posso fazer. Ainda assim precisarei de uma solicitação formal. Se estão aqui enviados pelo Melek, certamente ele lhes deu isso.

— Temos muita pressa... — implorou Kenan. — No dia quinze desse mês, Naphal atacará Olamir...

— Entregue-me um pedido formal do Melek ou do Conselho de Olamir e verei o que posso fazer.

Foi a vez de Kenan ficar silencioso olhando para as águas do Perath. Não havia mais nada a dizer.

— Eu agradeço por nos ter recebido — disse Kenan em tom de despedida. — Espero que seu Conselho entenda nossa situação. Não é só Olamir que depende disso, mas toda Olam.

— Farei o possível... — finalizou o homem, enquanto os acompanhava até a porta de saída.

De volta às ruas costeiras de Bethok Hamaim, o sol do meio-dia os recepcionou com bem menos frieza do que o sumo sacerdote. O brilho forte ardia sobre as pedras polidas e o reflexo machucava os olhos. Os muitos cristais e pedras das fachadas de diversos edifícios também brilhavam.

— Para onde ele vai? — perguntou Adin novamente, arfando o peito pelo esforço de caminhar rápido e tentar acompanhar Kenan.

— Não sei — respondeu Ben —, mas talvez seja melhor nem querer imaginar... É estranho. Tudo o que já li a respeito dos giborins de Olam não parece se encaixar com ele... Dizem que são sóbrios, polidos...

— É verdade que só há cinquenta? — questionou Adin.

— Sim, e um guerreiro precisa se preparar por anos até se tornar um giborim. Precisa aprender a viver nos desertos, na mais completa solidão; também deve saber ler em várias línguas antigas, além de estudar a sabedoria e as técnicas militares de diversas civilizações. O último teste é jejuar durante vinte e nove dias. De acordo com a filosofia dos giborins, tudo isso é necessário para alcançar o equilíbrio mental e espiritual.

— Será que ele passou nesses testes? — perguntou Leannah ironicamente.

— Ele os estabeleceu. Porém, se ele mesmo se submeteu aos testes, isso é outra questão — Ben respondeu também com sarcasmo.

Ben apressou o passo e se aproximou de Kenan.

— Como vamos conseguir o pedido formal para o Conselho de Bethok Hamaim?

— Nunca esteve em meus planos deixar esse bando de sanguessugas decidirem o destino de Olam.

— Então por que fomos conversar com ele?

— Para que pense que estamos dispostos a esperar.

— O que pretende fazer?

— Só aqueles poucos soldados vigiando o templo não oferecem grandes dificuldades.

— Você vai invadir o templo? — Ben perguntou incrédulo.

— *Nós* vamos invadi-lo — corrigiu o giborim.

A essa altura, os quatro estavam próximos do templo. Então perceberam que não seria nada fácil. Outro grupo de soldados se aproximou ruidosamente do círculo central. Todos usavam escudos e espadas e vestiam uma couraça acinzentada. Os capacetes que protegiam a cabeça eram finos e lembravam a silhueta de um cavalo marinho. Eles correram, chamando a atenção das pessoas. Em instantes se posicionaram junto aos demais soldados bloqueando o acesso à passarela.

— Acho que ele não acreditou que estamos dispostos a esperar pela decisão do Conselho — deduziu Ben.

Kenan avaliou cuidadosamente a situação. A expressão de contrariedade se acentuou em seu rosto.

— Acreditou sim. São pouco mais que trinta soldados. Há chances de o plano funcionar.

O giborim tomou a direção contrária do templo, e os três correram atrás dele, sem compreender qual era o "plano". Logo perceberam que estavam se dirigindo, outra vez, para o cais onde haviam desembarcado pela manhã.

Instantes depois seguiam com os dois cavalos num pequeno barco alugado, para alívio dos soldados quando viram os forasteiros se retirando da cidade.

Pacientemente, Kenan desviou dos barcos mais lentos. Quando atravessaram a última comporta, já fora da cidade, deu a impressão de que realmente iriam na direção de Maor, mas Kenan fez o barco subir o rio pelo lado externo, à esquerda de quem descia o rio, como se estivesse retornando ao portal dos botos. O retorno foi mais lento devido à força contrária do rio. Entretanto, com o impulso do catavento, não demorou muito até perceberem que estavam se aproximando do porto principal da cidade.

Foi necessário esperar a vez de atracar, pois havia uma fila de barcos aguardando. Finalmente Kenan conseguiu encostar e fez sinal para que os três saltassem. Eles desembarcaram, ainda sem entender qual seria o tal plano, mas agora imaginavam haver relação com as duas sacolas do giborim. As que ele mexera durante a viagem pelo Perath na noite anterior.

Kenan não desembarcou. Em instantes, seguiu sozinho para algum lugar desconhecido.

Os três jovens perambularam por cerca de uma hora pelos arredores do porto. De certo modo, não sabiam o que era pior: acompanhar o guerreiro com seu modo impetuoso e pouco discreto de agir, ou ficar ali sozinhos sem saber o que as pessoas imaginavam ao vê-los com túnicas tão simples.

Quando Kenan retornou, estava sem uma das sacolas. Os cavalos também haviam desaparecido. Com um aceno, ele os chamou mais uma vez para o barco.

Dentro da embarcação, o giborim distribuiu coletes feitos de um material áspero. Insistiu que os vestissem por cima da roupa. Sem saber exatamente qual a finalidade daquela ação, eles mais uma vez obedeceram, imaginando ser algum tipo de proteção contra possíveis ataques.

O barco continuou fazendo o caminho contrário do rio e alcançou o portal dos botos que marcava a entrada da cidade. Haviam completado meia volta na cidade e, com isso, gastado metade da tarde também.

O giborim passou bem perto da base do portal e, sob os olhares espantados dos três jovens, lançou a segunda mochila para fora. Ela ficou alojada entre as pedras ao lado da grande comporta que desviava as águas para as laterais. Nenhuma explicação foi dada. Imaginaram que ele pretendia se livrar de alguma coisa.

Depois, seguiram em linha reta em direção ao impressionante templo de vidro.

Após alguns minutos, Kenan passou por baixo da passarela. Os cerca de trinta soldados continuavam lá. O barco atracou no mesmo cais anterior.

— Só temos mais uma hora — ele disse enigmaticamente dirigindo-se a pé para a passarela.

Os três ficaram pensando em como fariam para sair da cidade sem os cavalos.

— O que ele vai fazer? — perguntou Leannah. — Será que conhece uma maneira secreta de entrar no templo?

— Talvez ele conheça — Ben resolveu dar um voto de confiança, do qual logo se arrependeria.

Kenan andou decididamente na direção do templo e dos soldados que se apinhavam diante da passarela. Os soldados imediatamente os avistaram e fecharam a entrada, armados com escudos, espadas e lanças.

— É a hora de ver se essas armas de Thamam cumprem o que prometem — disse o giborim com um meio sorriso. — Se é que vocês têm coragem de usá-las.

Mais barulho de sandálias batendo nas pedras chamou a atenção. Outro destacamento se aproximava. Agora o número de vigilantes subia para cinquenta.

Mesmo assim, Kenan não se abalou.

Os soldados os olhavam assustados. Certamente reconheciam o uniforme do giborim de Olam.

O guerreiro de Olamir parou bem próximo da escolta armada. Ben podia sentir a tensão crescendo entre os soldados. Aparentemente, não haviam recebido ordem alguma, exceto a de vigiar o templo.

Kenan retirou Herevel da bainha e isso agitou ainda mais os soldados.

— Abram passagem! — ele ordenou. — Sou o líder supremo dos giborins de Olam. Venho em nome do Melek. Precisamos acessar esta passarela agora.

Os soldados olharam entre assustados e incrédulos para aquele homem, sem entender, ou talvez, sem acreditar no que ele estava dizendo.

— Se você fosse um giborim, não agiria assim, saberia que há leis e normas nesta cidade — o combatente que parecia ser o capitão tratou de responder, como que para impor sua autoridade ali. Ele usava um elmo prateado e brilhante na cabeça. Carregava uma lança, um escudo e trazia uma espada na bainha.

— Saiam da frente! — ameaçou Kenan. — Para o próprio bem de vocês.

— Ninguém se aproxima do templo sem ordens do Conselho de Bethok Hamaim — o capitão fez menção de caminhar até Kenan, mas algo no olhar do guerreiro o fez parar.

— Eu não tenho tempo para discutir com você — respondeu Kenan. — Não tenho a intenção de lhes fazer mal, mas se não saírem da frente, não terei alternativa.

— Acreditam que podem profanar o templo e sair impunes? — vociferou o homem, percebendo que a situação estava ficando fora do controle.

— Já ouviram falar desta espada? — Kenan ergueu Herevel bem alto para que todos a pudessem ver. — Já ouviram falar de Herevel?

Claramente Kenan estava tentando amedrontar os soldados. Talvez pensasse que assim eles facilitariam sua entrada.

Olharam ainda mais assustados para a espada. Com certeza já haviam ouvido falar sobre ela, mas não pareciam propensos a acreditar que a arma erguida fosse a verdadeira. Do mesmo modo, provavelmente achassem melhor não acreditar que estavam diante de um giborim com os três cordões atravessados no peito.

— Ninguém se aproxima do templo — repetiu o capitão. — Recebemos ordens expressas. São ordens do Conselho, dadas por seu sumo sacerdote.

— Não é meu sumo sacerdote.

— Entregue a espada! — o líder dos soldados deu o ultimato, esforçando-se por parecer firme.

— Você não me deixa escolha. E meu tempo acabou.

— Prendam-no! — o líder deu a ordem para os soldados.

Desajeitadamente, quatro deles foram ao encontro de Kenan. Obviamente estavam com medo. Se aquela espada realmente fosse Herevel, e se o homem fosse o líder supremo dos giborins de Olam, não seria uma boa ideia atacá-lo.

— É por isso que diplomacia sempre dá em nada — justificou-se o giborim, olhando para os três jovens.

Os soldados, definitivamente, não estavam preparados para enfrentar o que viria em seguida. Kenan, aproveitando o chão escorregadio, ziguezagueou entre eles, enquanto um barulho de metal batendo contra metal era ouvido. As espadas e os escudos dos soldados caíram despedaçados no chão diante dos olhares atônitos dos demais. Mesmo assim, nenhum deles ficou ferido.

— É Herevel! — um dos soldados reconheceu, e Ben achou que aquilo facilitaria as coisas. — Chamem reforços! — outro gritou, e o guardião de livros percebeu que estava enganado.

Uma trombeta soou, chamando reforço.

Kenan estava claramente em desvantagem. A tropa se organizou, um grupo protegendo a entrada da passarela e outro avançou contra o giborim. Assim que os soldados se aproximaram, apontaram suas lanças para o único e temido alvo. Cautelosamente o cercaram, mantendo-se em uma atitude defensiva.

De longe Ben viu soldados vindos de todas as direções. Então foi surpreendido pela atitude de Adin. Ele colocou uma pedra na baladeira da funda e correu em direção ao local onde Kenan tentava transpor. Adin segurou a funda pela pulseira e a girou desajeitadamente em volta da cabeça enquanto mirava um grupo de soldados. Mesmo sem demonstrar habilidade no manejo daquele instrumento, arremessou a pequena pedra. Ela viajou em direção aos homens. Eles olhavam o garoto com certa curiosidade. Um deles levantou o escudo para deter a pedra arremessada. Fez um movimento displicente, pois o pequeno objeto não parecia oferecer perigo para qualquer pessoa. Porém, antes de atingir o escudo, a pedra se incendiou e quando atingiu o objeto, ninguém acreditou no que aconteceu. O homem foi arremessado para trás, atingido por um golpe poderoso. O soldado atingido, ao cair, arrastou mais três companheiros de luta para dentro do rio. Isso assustou o restante do batalhão, e eles recuaram.

Nem mesmo Adin acreditou no poder de impacto daquela arma. Ele sorriu perplexo para Ben e Leannah, enquanto apanhava outra pedra.

Mais um pelotão chegou imediatamente ao local. Mesmo com o sucesso dos ataques de Kenan e Adin, Ben percebeu que logo seria impossível chegar ao templo. Pressionado, retirou o arco de dentro da roupa e o abriu. Estava ciente de que tudo aquilo era uma grande loucura. Entretanto se não fizesse algo, logo acabariam presos, e isso só agravaria a situação.

Ben armou o arco e mirou um dos adversários. Ainda não havia manejado aquele instrumento. Não tinha certeza se conseguiria efetuar algum disparo, mas precisava tentar. Esticou a linha segurando a flecha. O cordão se revestiu de um brilho esquisito. O disparo zuniu perto de seu ouvido. A flecha voou revestida de uma estranha energia. Acertou o escudo de um dos soldados e explodiu como uma bola de fogo. Vários homens tiveram que saltar para dentro do rio.

Ben colocou nova flecha no arco e mirou noutro grupo de defensores da cidade, os quais, ao perceber que seus escudos eram inúteis diante daquelas armas, fugiram.

O recuo assustado da maioria deles possibilitou a Kenan romper a barreira que bloqueava a passarela. Ele fez sinal para que os três o seguissem.

Kenan, Ben e Leannah correram em direção ao templo. Adin permaneceu com sua funda ameaçando os poucos soldados que insistiam em ficar e criar resistência para a passagem dos quatro intrusos.

A passarela estreita se elevava sobre as águas e finalizava um palmo antes da parede do templo. Seu comprimento era de cerca de 100 metros, mas o desafio de se equilibrar sobre o piso liso e coberto de musgo custou mais tempo do que parecia necessário para chegarem lá. Finalmente conseguiram se aproximar da estrutura imponente que continuava girando tranquilamente com a base-pico mergulhada na água. De perto, puderam constatar com mais nitidez o tamanho daquele monumento.

Kenan se aproximou e tateou a parede do templo. Procurava por uma porta, mas suas mãos sentiram apenas o vidro liso e sem marcas da estrutura girando. Ele constatou o que todos já sabiam. Não havia porta. O templo era como um bloco maciço de algum tipo de cristal.

Enquanto o giborim tentava desvendar o segredo, na entrada da passarela, o pelotão se reagrupava e aumentava; mais homens chegavam de todos os lados.

— Faça o que Thamam orientou! — ordenou Kenan para Ben.

Sem perder tempo, o guerreiro retornou para ajudar Adin a deter os soldados.

Ben se voltou para o templo. Desde que contemplara a silhueta fantástica naquela manhã, percebeu que as orientações dadas por Thamam, antes de deixarem Olamir, faziam sentido. O templo assemelhava-se a uma grande pedra lapidada. Em Olamir bastou colocar uma mão sobre uma das pedras e a outra sobre Halom para liberar informações. Foi o modo como Thamam destravara a pedra. O mesmo procedimento precisava ser obedecido ali. Se o templo tivesse algum código, ele poderia ser transferido para Halom. Assim o próximo ponto do caminho seria ativado. Ben só não sabia como sairiam da cidade cercados por todos aqueles soldados.

O guardião de livros se aproximou e tocou o vidro, percebendo-o liso sob seus dedos. O passo seguinte foi pegar sua pedra. O brilho de Halom confirmou que, de fato, era o lugar certo para completar o próximo ponto do caminho. Com a mão direita sentiu o templo girar, e com a esquerda sobre Halom notou uma conexão. Era diferente das conexões comuns feitas com pedras shoham, mas ainda assim era uma conexão. O templo realmente funcionava como uma pedra shoham. Ele visualizou o mapa do caminho da iluminação, como fizera na casa de Thamam em Olamir. A imagem do mapa da terra de Olam surgiu diante de seus olhos com os dois pontos brilhantes já ativados. Durante alguns minutos Ben esperou o surgimento do terceiro. Nada aconteceu.

Frustrado, ele desfez a conexão. Estava desorientado. Leannah, ao seu lado, podia ver o conflito em seu olhar. O guardião de livros não sabia mais o que fazer.

Todas as suas esperanças haviam se baseado na possibilidade indicada por Thamam. Não havia outro plano. A atenção de Ben se voltou para a passarela onde Kenan e Adin lutavam para barrar o caminho dos soldados. Vários barcos se aproximavam trazendo mais homens. Adin conseguiu afundar um deles com uma pedra incendiada arremessada pela funda, mas outros continuavam partindo das margens. Precisava ajudá-los, ou logo seriam detidos pelas forças da cidade.

— Espero que Thamam tenha dito a verdade a seu respeito! — Ben entregou Halom para Leannah.

A cantora de Havilá olhou desesperada para Ben e para a pedra vermelha que ele depositara em suas mãos. Porém ele já havia colocado uma flecha no arco e voltado correndo em direção ao começo da passarela.

Leannah reparou que, em suas mãos, Halom brilhava fortemente.

11 Morada das estrelas

Leannah olhava para Halom e se sentia apavorada. "Espero que Thamam tenha dito a verdade a seu respeito" dissera Ben. Como se fosse obrigação dela saber o que fazer!

Do lado de fora só era possível ver a perfeição da estrutura da parede lateral do templo, sem encaixes, sem detalhes. Era uma gigantesca e compacta peça de cristal. Larga e redonda no alto, fina e pontiaguda embaixo.

Leannah repetiu o procedimento feito por Ben, colocando a mão esquerda sobre a estrutura do templo e a direita sobre a pedra. O mapa surgiu diante de seus olhos, embora ela estivesse de olhos fechados. Enxergou também os dois pontos brilhantes sobre Olamir e Bethok Hamaim. O próximo ponto ainda não havia sido revelado.

Ela constatou o mesmo que Ben: o templo não ativava nada na pedra. Pelo menos não da maneira esperada.

A estrutura transparente possibilitava ver o interior, mas Leannah agora tinha a certeza de que era uma ilusão de ótica. As camadas sobrepostas dentro do templo imitavam as camadas lapidadas de uma pedra. Elas causavam desorientação e faziam a visão refratar.

A cantora de Havilá se aproximou o máximo que pôde da parede e a olhou bem de perto, tentando enxergar algo não visto até aquele momento. Seu desejo era encontrar algum mecanismo que abrisse uma passagem para o interior. Mas a estrutura era inteiramente lisa e homogênea. Aquele templo, definitivamente, não possuía uma porta.

— Mas então por que uma passarela chega até aqui? — ela se questionou.

Por um momento, pensou que a única atitude a ser tomada era forçar uma entrada. Talvez Adin pudesse fazer isso com a funda. Até pensou em chamar o irmão, mas se deteve imaginando ser arriscado demais. Um impacto poderia abalar a estrutura inteira, que parecia frágil e flutuava misteriosamente sobre as águas.

Deslizou suas mãos sobre a superfície lisa sentindo o desespero aumentar tanto quanto o número de soldados na entrada da passarela. Dispunha de pouco tempo para descobrir um segredo que, se existisse, estava ali intacto há milhares de anos. Os maiores sábios de Olamir e Bethok Hamaim já haviam tentado e fracassado. Não parecia justo e, muito menos, possível que ela fizesse isso em tão pouco tempo.

Leannah enxergou ao longe uma multidão se aproximando do local. Não eram soldados. A população da cidade dirigia-se para a área central. A presença dos quatro sobre a passarela deixara de ser segredo. Os cidadãos de Bethok Hamaim queriam ver quem eram aqueles estranhos que estavam profanando o antigo templo sagrado. Ela sentiu um pouco de remorso por estar fazendo aquilo. Sabia o quanto os templos eram importantes para os sentimentos das pessoas. Havia aprendido desde muito pequena a reverenciar esses lugares, por isso tornara-se uma cantora do templo de Havilá.

"Você é a única que confia em *El*" — dissera Thamam.

O olhar do velho rei fora tão significativo quando lhe dissera aquilo. O Deus que não curara sua mãe... Era como se Thamam soubesse de suas lutas íntimas. Não era uma crédula tola. Na verdade, duvidava de *El* quase todos os dias, e mesmo assim, voltava a crer nele.

Era uma necessidade. Precisava existir algo maior na vida, além da triste rotina humana de nascer, viver e morrer.

Leannah contemplou por um instante sua face refletida no vidro. A sensação era de que sua imagem também ia girar com o templo. Ela quase não se reconheceu com aquele estranho e rústico colete que vestia. Seus longos cabelos cor de cobre estavam desalinhados. Sua pele alva exibia marcas avermelhadas desde a jornada no deserto. Ela viu seu olhar obstinado e isso também a assustou. Mudara tanto em tão pouco tempo. Uma certeza ela possuía: não era mais a ingênua cantora de Havilá. Contudo, ainda não sabia no que havia se tornado.

Era a hora de tentar usar o espelho. Embora não soubesse como fazer isso, mesmo assim retirou-o da pequena bolsa que carregava presa no cinto que prendia a túnica. As pedras cravejadas ao redor dele flamejavam, como se estivessem carregadas de poder. Devia ser a proximidade com o templo. Sem dúvida havia algo de especial naquela construção, além da incrível arquitetura.

Leannah olhou para o espelho e, a princípio, enxergou apenas sua imagem, como já havia visto refletida no vidro do templo. Então percebeu algo mais. Algo estranho aconteceu. Era até mesmo difícil entender a diferença. A imagem não era exatamente dela. Havia algo diferente em seu olhar. Uma mistura de temores e ciúmes, anseios não realizados, inveja e teimosia, arrogância e capricho. Era tudo tão claro, tão nítido. Como se tudo aquilo fosse parte de sua fisionomia e estivesse acumulado sobre suas feições, semelhante a maquiagem mal removida. Havia algo mais. Tristeza. Uma tristeza profunda que ela disfarçava com seu jeito espirituoso de ser. Mas estava lá. E o principal motivo era sua mãe. A longa enfermidade, a frieza do pai após a morte dela, a responsabilidade de cuidar de Adin e de ser uma espécie de mãe para ele, mesmo sendo só um pouco mais velha; tudo isso era um fardo muito pesado.

Leannah não conseguiu mais olhar para si mesma. Não entendia o que havia acontecido. Entretanto, só podia ser o templo. Perto dele, o espelho ficava estranhamente ativo.

Será que todos aqueles sentimentos se escondiam sob sua pele alva? Ela sempre se lembraria do dia em que viu sua verdadeira imagem no espelho. Não desejava vê-la nunca mais.

Num ímpeto, mesmo ainda assombrada com a imagem refletida, entendeu a utilidade do espelho. Ele poderia lhe revelar a realidade oculta. Ela se virou de costas e olhou para a imagem do templo refletida na superfície de vidro. Então a alegria tomou conta de seu coração. O espelho mostrava uma abertura, uma estreita abertura invisível aos olhos humanos.

* * * *
* * * * *

Os três invasores do templo estavam em absurda desvantagem. Mesmo assim aguentavam firmes, porque os soldados não conseguiam passar por eles. A passarela estreita fora totalmente bloqueada por Kenan e Herevel. Logo atrás dele, Adin e Ben haviam afundado três barcos. No último, Ben usara uma flecha luminosa que incendiou o casco, obrigando os soldados a saltarem.

Adin possuía apenas mais três ou quatro pedras guardadas. Uma pedra pequena ganhava um poder de impacto incrível quando era arremessada pela funda. Porém, Adin ainda estava longe de descobrir o verdadeiro potencial da arma.

O poder do arco de Ben também era espantoso. As flechas disparadas estavam ficando mais brilhantes, circundadas de uma refulgente energia dourada. Depois de três ou quatro disparos, os soldados recuaram mais uma vez diante do poder de fogo daquelas armas potencializadas pelas pedras shoham.

— Nosso tempo está acabando! — gritou Kenan.

Ben e Adin viram mais soldados chegando e imaginaram que o giborim estivesse se referindo a eles. Viram também pessoas se aglomerando e olhando assustadas para aqueles homens sobre a passarela. O olhar da multidão, porém, não estava nos homens, mas na jovem diante do templo proibido.

Ben olhou para trás e enxergou o Morada das Estrelas iluminado pelo sol do entardecer. Parecia tomado pelo fogo. Leannah ainda estava diante dele segurando o espelho. O instrumento também brilhava. O guardião de livros torceu para que ela descobrisse logo como ativar o próximo ponto. Tinha a impressão de que a situação ficaria insustentável ali fora.

* * * *
* * * * *

Leannah olhava para o templo em total confusão. Havia uma abertura, o espelho dizia isso, mas onde estava? Só a enxergava através do reflexo. Mesmo quando tateou a parede visualizando a imagem pelo espelho, não conseguiu encontrar a abertura.

A jovem guardou o instrumento e se concentrou em Halom. De algum modo, ela era o segredo. O espelho já havia cumprido sua função, revelara que havia uma porta. Agora precisava descobrir como abri-la. A mão livre deslizou lentamente sobre a superfície, sentindo sua textura lisa, perfeita e sem detalhes. Desejou que o templo falasse com ela e contasse seu segredo. Suplicou que lhe dissesse como entrar. Havia uma porta, só precisava encontrá-la.

Subitamente ela se lembrou das atitudes de Thamam dentro do gabinete real. Da primeira vez, ele utilizara as mãos invertidas e nada havia acontecido. Tanto ela quanto Ben haviam imitado o que Thamam fizera da segunda vez, a esquerda segurando Halom e a direita no templo. Ela trocou as mãos. A direita sustentou a pedra shoham e a esquerda foi para o templo, invertendo o status de matriz como parecia ser mais lógico, embora eles não tivessem se lembrado de fazer assim.

Talvez não fosse o templo que ativasse a pedra, mas a pedra que ativasse algo no templo. A conexão se estabeleceu. Ela ouviu algo parecido com uma música. Eram aquelas mesmas notas graves que ouvira durante a manhã enquanto se aproximavam da estrutura. Elas haviam reverberado o dia inteiro em sua mente. Ao contrário do que dissera Ben, era mesmo uma melodia. Isso lhe deu a convicção de que conseguira se comunicar com o lugar sagrado. Porém, não era suficiente. Precisava entrar. Faltava alguma coisa para conseguir isso.

Talvez a porta nem estivesse num local específico. Poderia ser qualquer lugar, desde que a conexão entre a pedra e o templo fosse bem-sucedida. Fez um esforço para controlar sua respiração. O coração batia freneticamente. Foram longos momentos, tentando não pensar em nada. Apenas respirou suavemente, até sentir as batidas do coração se normalizarem. Tudo à sua volta se apagou. De algum modo, tinha consciência de tudo, mas nada mais importava. Mesmo de olhos fechados, podia enxergar o sol dourado se aproximando do horizonte e iluminando a cidade. Podia ver as pessoas à volta do último círculo de águas, mas elas pareciam muito pequenas agora.

Uma canção veio aos seus lábios. Nunca aprendera tal canção, estava aprendendo naquele momento. Era a melodia do templo.

> Uma sabedoria perdida reconheceu
> Como uma luz antiga a tudo fez surgir
> Um lindo universo do nada nasceu
> No supremo propósito de tudo existir.
>
> Quando o templo girar outra vez,
> O mundo chegará ao seu entardecer
> Palavras de ira perderão a altivez
> Uma nova era assistirá ao amanhecer.

Uma mão pressionava levemente a estrutura; a outra, a pedra; e sua mente tentava se comunicar com ambas. Era como se essa música organizasse seus pensamentos colocando o conhecimento na ordem apropriada. Então, ela soube. O segredo para abrir o templo já estava dentro de sua mente, nos livros recebidos em Olamir.

A maior parte daquele conhecimento ainda estava em sua memória como uma grande biblioteca desorganizada, mas naquele exato momento, tudo estava se organizando através da melodia.

O tempo parecia passar mais devagar, o sol diminuiu o ritmo de sua jornada em direção ao horizonte. Seus pensamentos se ordenaram, o conhecimento ficou acessível. Ela encontrou. Estava mesmo lá. Num dos incontáveis livros recebidos, as palavras secretas surgiram nítidas.

— *Hinasu pitehey olam*[6]

Era uma ordem para que a porta se abrisse. Eram palavras carregadas de uma antiga magia. Então, ouviu um clique. Retirou as mãos rapidamente e abriu os olhos. O templo continuava girando, porém agora a abertura estava visível sem a necessidade do espelho.

— Graças a *El* — disse Leannah.

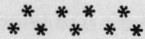

* * * *
* * * *

Ben viu Leannah entrar no templo. Ele sentiu orgulho dela e também alívio. Não havia entendido por que entregara Halom para ela naquele momento, mas poderia jurar que a própria pedra o havia guiado a fazer isso. Talvez tivesse sido algo em relação à música do templo. Havia mesmo uma música. E Leannah entendia de música.

Do lado de fora, a situação estava se tornando insustentável. Havia uma multidão de soldados diante da passarela. E eles não paravam de chegar.

Em certo momento, o próprio sumo sacerdote de Bethok Hamaim se aproximou. O homem corpulento caminhou até a base arrastando seus trajes sacerdotais. Parecia disposto a negociar.

— Exijo que vocês se entreguem — disse solenemente, com uma das mãos levantada.

Tinha uma expressão implacável no olhar. Claramente estava furioso por ter sido enganado e mais ainda pelo templo ter sido violado. A essa altura, Leannah já havia entrado. Isso causara uma grande comoção nas pessoas.

— Eu lhe disse que não tínhamos tempo — Kenan se limitou a segurar Herevel em punho. Não recuou nem fez menção de que se entregaria. Ben e Adin também continuaram segurando as armas em posição.

---

6 Levantem-se portais eternos.

— Se abandonarem agora esta loucura, eu lhes prometo que poderão ir embora e esqueceremos tudo isso. Já temos problemas suficientes para os conselhos. Nossos exércitos devem lutar juntos quando a hora das trevas chegar. Essa atitude de vocês poderá criar ainda mais resistência em nossa cidade. Poderá colocar tudo a perder.

Kenan ficou surpreso com a proposta inesperada. Ben até pensou que ele fosse aceitar, pois ficou muito pensativo. Provavelmente estivesse avaliando a necessidade que Olamir tinha dos soldados de Bethok Hamaim. Porém, após constatar que Leannah havia adentrado o templo, ele meneou a cabeça.

— Isso não tem nada a ver com o Grande Conselho de Olamir. Estamos aqui por nossa própria conta. Não temos mandato ou pedido oficial.

— Então morrerão — o homem falou como se anunciasse uma sentença. Deu meia-volta e fez sinal aos arqueiros para que atirassem.

Só então Ben percebeu que havia soldados posicionados com arcos e flechas perto da passarela. Os três estavam totalmente vulneráveis. Um ataque com flechas seria fatal.

Ben olhou desesperado para Kenan e procurou inutilmente algum lugar onde pudessem se esconder, mas não havia como fugir. Logo as flechas cairiam sobre eles. O guardião de livros se desesperou.

* * * *
* * * * *

Leannah esperou o momento em que a abertura passou em frente à passarela e saltou para dentro. Aquela não era a reverência que um lugar santo merecia, mas as circunstâncias exigiam.

O chão era uma plataforma de vidro que se ligava de uma à outra extremidade. Ficava sobre o "v" multidimensional formado pela ponta do templo mergulhada dentro da água. O chão não girava.

A cantora de Havilá olhou admirada para aquele lugar impressionante, consciente de ser a primeira pessoa a pisar aquele lugar em milênios.

Do lado de fora, a ilusão de ótica causada pelas camadas sobrepostas de vidro remetia a visão de umas para as outras num círculo vicioso de imagens vazias. Por isso, o interior parecia vazio. Havia uma mesa de vidro transparente semelhante a um altar. Ficava bem no centro do amplo salão. Era quadrada, sem marcas ou divisões, uma peça maciça com o próprio templo. Sobre a mesa ou altar havia uma pequena abertura circular que afundava alguns centímetros. O tamanho do compartimento subitamente se tornou importante para Leannah. Ela se lembrou da descrição feita por Ben sobre a mesa de lapidação em Schachat. Halom caberia dentro.

Por um momento Leannah titubeou, pois se colocasse Halom dentro do encaixe da mesa, talvez não conseguisse mais retirá-la. Ela olhou para fora e viu soldados apontando arcos. Isso a assustou e a convenceu a tomar a atitude mesmo que fosse arriscada. Leannah encaixou a base da pedra na abertura e a deixou deslizar. A pedra se assentou perfeitamente como se tivesse sido feita sob medida. Até mesmo as faces lapidadas encontravam encaixe exato dentro do compartimento.

Uma fina película de cristal fechou o compartimento. Leannah se afastou. Algo estava acontecendo. Ela ouviu um ruído, como se uma porta estivesse sendo aberta. Vinha de baixo. Olhou para a ponta mergulhada dentro das águas do rio onde duas comportas se moveram. A ponta se abriu como uma boca e a água do rio começou a entrar.

O barulho da água esguichando com a pressão do rio causou a sensação de que a água invadiria todo o templo. Rapidamente uma boa quantidade se acumulou no fosso abaixo da plataforma onde ficava o altar. A água foi enchendo o fosso até alcançar a altura da plataforma e se aproximou perigosamente de onde Leannah estava. Então, a estrutura inteira pareceu se mover e afundar um pouco dentro do rio. Apavorada, Leannah pensou que tudo ia submergir e se destruir.

O chão sob seus pés estava se movendo e a parte de cima do altar onde estava a pedra começou a se elevar. Subiu tão rapidamente que ela nem teve tempo de fazer nada. Ao ver a água crescendo também pelas paredes laterais, ela se esqueceu da pedra e temeu pela própria vida. Pensou em sair, mas não havia mais abertura.

Os espaços entre as camadas sobrepostas, que preenchiam as laterais como camadas de uma pedra cuidadosamente esculpidas, foram inundados pela água que subiu e se distribuiu, até alcançar o teto.

Quando a água também completou o espaço requebrado que existia entre as placas transparentes do teto, tudo subitamente ficou dourado. Leannah olhou para o horizonte através da parede de água e entendeu o motivo. Podia ver a imagem distorcida do sol se pondo sobre o vale do rio e deslizando pelas laterais cheias de água do Morada das Estrelas.

Leannah se preparou. Algo ia acontecer.

* * * * *
* * * * *

Os soldados apontaram as flechas e dispararam. Ben pressentiu que seriam atingidos. Não havia como escapar, nem como se defender.

— Protejam-se! — gritou mesmo sem ter onde se esconder.

Apesar de estar a vários metros acima do rio, acreditou que a única chance talvez fosse se lançar para baixo.

Adin tentou correr, mas escorregou, e por pouco não despencou para dentro da água. Não havia tempo de chegar até o templo. De qualquer modo, não havia mais uma abertura. Ben se consolou pensando que, pelo menos, Leannah sobreviveria.

O desespero de Ben e Adin contrastava com a serenidade de Kenan. Ele parecia não entender a situação. Olhava para as flechas como se elas não o pudessem atingir. Talvez estivesse confiando nos coletes, mas eles protegiam apenas uma parte do corpo.

Ben não entendeu quando viu Kenan fazer um gesto estranho com a espada. Ele levantou Herevel acima de sua cabeça enquanto as flechas começavam a fazer a curva para cair sobre eles como agulhas atraídas por um imã.

— Fiquem atrás de mim! — bradou Kenan.

Os dois jovens se agacharam atrás do guerreiro sem compreender como aquilo ajudaria.

— *Neteh leha al-iemineha!*[7] — eles o ouviram clamar.

Então, a mente de Ben e a de Adin se recusaram a aceitar o que seus olhos viram. As flechas se desviaram ao passar por Herevel e pipocaram ao redor deles.

Ao ver que não haviam atingido os intrusos, os soldados se prepararam para outra saraivada. Em instantes, outra nuvem de dardos se moveu em direção aos invasores do templo. Nenhuma seta acertou os três sobre a passarela.

— Bruxaria! Bruxaria! — os soldados começaram a gritar.

* * * *
* * * * *

O altar com a pedra havia se elevado até cerca de um metro da altura do teto. Não era possível ver o que estava acontecendo lá em cima.

O sol beliscou o horizonte, ocultando um pouco de seu corpo luminoso sobre a planície. O templo ainda estava completamente iluminado pela luz agonizante de Shamesh. Os raios dourados atingiram as camadas de cristais e se refletiram através da água. Um deles mudou a trajetória como se fosse desviado e aumentado

---

7 Para a direita ou para a esquerda!

por uma lupa. O raio de luz repercutiu nas várias camadas e finalmente caiu sobre a mesa lá no alto onde estava Halom.

Porém, Leannah mais uma vez se esqueceu da pedra. Após o dourado do sol se refletir em toda aquela estrutura de cristal e água, ela viu surgir algo ainda mais espantoso. Sem dúvida devia ser mais algum tipo de ilusão de ótica que se formava devido ao cristal, à água e aos raios dourados de Shamesh.

Primeiramente o que ela enxergou foram cores se formando a partir das camadas sobrepostas cheias de água. Como um prisma invertido, o dourado do sol que abocanhava o templo giratório se difundiu de todas as direções para o interior, se dividindo em diversas cores. Dessa vez não havia aromas como em Olamir, mas Leannah viu as cores dançantes se entrecruzarem e se misturarem. Então, imagens começaram a surgir. Eram desenhos brilhantes que se moviam entre os paredões de água, atravessando o salão e desaparecendo outra vez como brumas coloridas ou como se fossem espíritos abençoados. Misturavam-se e formavam imagens mais complexas.

As brumas coloridas passavam por ela, atravessavam seu corpo e continuavam sua marcha rumo ao infinito. Então, subitamente, o interior do templo ficou totalmente escuro. Foi só um instante de trevas, mas elas foram absolutas. Uma luz brilhou bem no centro do salão. Espalhou feixes coloridos de energia para todas as direções. Um deles passou bem diante de Leannah e se alastrou pela escuridão. À medida que se espalhava, ela percebeu que o feixe de energia estava criando imagens e distribuindo pontos brilhantes. Pareciam estrelas das mais variadas cores e tamanhos. Concentravam em si mesmas um pouco daquela luz.

Os feixes de energia viajavam pela imensidão vazia criando miniaturas de mundos, estrelas e corpos celestes infindáveis. Alguns eram estáticos, outros móveis. Aqui e ali, sistemas complexos e luminosos começaram a aparecer sobre o vazio. Eram manipulados quais pincéis, como se um artista fizesse aparecer do nada formas e desenhos sobre a tela.

Leannah se lembrou de Kenan ter dito que o templo poderia ser um observatório das estrelas. Era muito mais do que isso. As estrelas ficavam ali dentro. Morada das Estrelas era um universo em miniatura. Ela ficou assombrada com aquela magia. O universo se movia dentro do templo, seguindo algum caminho misterioso entre os paredões infinitos.

Duas palavras surgiram na mente da cantora de Havilá. Harmonia e propósito. Como uma música bem tocada, o universo também tinha harmonia e propósito.

Leannah se viu diante de uma pequena bola azulada flutuando sobre o nada.

"Toque-a" — ouviu uma voz dentro de si mesma.

Esticou a mão e a tocou levemente. Subitamente a imagem do universo desapareceu e ela estava dentro daquele mundo. Foi como viajar com a luz criadora. Ela percebeu que dentro do mundo tudo estava sendo formado também. O mesmo pincel luminoso estava trazendo à existência montanhas e mares, rios e florestas, e também criaturas incontáveis. Tudo acontecia rapidamente, mas não era possível ter noção do modo como o tempo funcionava no observatório.

Ela arregalou os olhos ao ver as criaturas surgindo. Belíssimas criaturas de luz. O pincel ou feixe as criava e parecia demorar mais para fazer cada uma delas do que para criar os mundos. Eram muito variadas. Umas brilhavam mais, outras menos. De repente, as criaturas estavam seguindo o feixe de luz e aplaudiam toda vez que ele criava coisas novas. Aplaudiram quando formou animais grandes e pequenos, e também cantaram uma música maravilhosa que Leannah não podia entender, mas lhe arrebatava o espírito.

O feixe fez uma pausa e todas as criaturas se aproximaram. Algo importante ia acontecer. Leannah percebeu isso, pois se fez silêncio. O pincel luminoso passou sobre o pó da terra e dele levantou uma forma estranha. Todas as criaturas se aproximaram e a contemplaram. Então, uma forma que Leannah percebeu ser de um humano se levantou dali. O feixe de luz passou sobre ele despertando-o com inteligência e sentimentos iguais aos das criaturas de luz.

Naquele momento, várias criaturas aplaudiram entusiasticamente e louvaram o Criador. Algumas, entretanto, se calaram e se afastaram.

Na sequência, houve uma dissensão. O grupo descontente se separou. Leannah percebia que isso traria graves consequências para o mundo. De algum modo, ela se sentia vivenciando tudo aquilo. Ela queria dizer para que não se afastassem, e se reconciliassem; afinal, tudo se perderia com aquela divisão. Ela correu atrás, suplicou, chorou, mas nada aconteceu.

— Por quê? — ela gritou para as estrelas. — Por que *El* permite isso?

Então, um dos seres resplandecentes se aproximou e a levantou da terra. Uma voz interior, não pronunciada, lhe disse: "O Criador sabe o que faz".

Com os olhos ainda cheios de lágrimas ela viu que a luminosidade dos que se afastaram começou a diminuir.

Em seguida, o ser soprou para dentro da boca de Leannah e ela se viu tomada por uma sensação indescritível. Lembrou-se da impressão de adquirir conhecimento instantâneo que tivera em Olamir. Era parecido, mas não estava recebendo conhecimento, eram experiências; como se tivesse vivido longos anos e enfrentado diferentes situações, caído e se levantado várias vezes, ela se sentiu amadurecendo. De certo modo, essas experiências complementavam o conhecimento recebido em Olamir. Era o segundo presente do caminho da iluminação, e sobre muitos aspectos, o maior deles.

Subitamente todas aquelas imagens desapareceram. O interior do templo ficou vazio mais uma vez. Apenas Leannah estava ali, em êxtase. O sol se escondera no horizonte, a cor dourada havia sido substituída pelo vermelho opaco do crepúsculo. A água em volta do templo também assumira essa tonalidade sombria. Sem a luz do sol poente, o observatório não funcionava.

O altar elevado foi baixando quando a água do interior do templo começou a escoar. O processo estava se revertendo, e o templo subindo outra vez.

Quando o altar chegou até a altura original, o tubo se destravou e se abriu. Halom se soltou. Leannah estendeu a mão e a pegou. A pedra parecia ter uma cor vermelho-dourada, como as cores do pôr do sol.

A cantora de Havilá segurou a pedra entre as mãos e olhou para dentro dela. Um terceiro ponto brilhante surgiu ao norte sobre o mapa, numa região montanhosa.

"O criador sabe o que faz", lembrou-se das palavras que se imprimiram em sua mente.

Leannah abriu os olhos e viu que a porta de saída estava aberta.

"Ah! Ben!", ela disse enquanto saia. "Era você quem devia ter experimentado isso."

* * * *
* * * * *

Do lado de fora, Kenan, Ben e Adin ainda conseguiam, com grande dificuldade, deter a avalanche de soldados. Eles já estavam exaustos. Após perceber a inutilidade de utilizar as flechas, os soldados da cidade voltaram a atacar a passarela.

Ben olhou novamente para o interior do templo ansiando por alguma resposta de Leannah, mas não podia vê-la. O dourado do templo havia desaparecido completamente e agora havia só uma cor quase púrpura.

Então, uma trombeta assustadora soou nas margens do rio. Mais soldados; era o que eles menos precisavam. Porém, ao som da trombeta, os homens instantaneamente pararam de atacar e recuaram. Ben viu seu alívio inicial causado pelo recuo dos soldados se transformar em apreensão. Um estranho grupo de cavaleiros se aproximou da passarela e causou alarde na cidade. Eles montavam cavalos negros e usavam longos mantos escuros.

— Cavaleiros-cadáveres! — gritou Kenan e começou a correr na direção contrária.

Ben viu uma sombra de apreensão no rosto do guerreiro.

Enquanto corria em direção ao templo, o giborim avisou:.

— Vai acontecer agora!

Leannah saiu eufórica no exato momento em que Kenan alcançava a porta de acesso. Ela fez sinal de positivo e isso fez com que os três entendessem que havia conseguido; porém, o alívio foi temporário. Não tinham como fugir. Estavam exatamente no centro da cidade, cercados por soldados de todos os lados. E para completar havia aquelas figuras sinistras dos cavaleiros-cadáveres que se moviam causando medo e confusão nos ricos comerciantes de Bethok Hamaim.

De repente, uma forte explosão foi ouvida vinda da extremidade ocidental da cidade. Parecia vir da região do portal dos botos. Foi tão forte que a própria estrutura do templo balançou. Eles ergueram os olhos na direção em que uma fumaça branca se levantava ao crepúsculo. Outra explosão ribombou da extremidade oposta. Aquela era a região da comporta oriental que bloqueava a saída da cidade.

Debaixo de seus pés, a água começou a acelerar. Eles se lembraram das sacolas de Kenan e de seu desaparecimento horas atrás. Então compreenderam a ousadia do plano do giborim. Usando parte do conteúdo da sacola, ele havia programado a explosão das comportas que mantinham a água dentro da cidade.

Em segundos as águas calmas ganharam força, entrando e saindo livremente da cidade das águas. Os coletes também fizeram sentido naquele momento.

— Para o rio! — gritou Kenan.

Os quatro invasores pularam para dentro da água fria. Enquanto eram arrastados, podiam ver o templo girando em alta velocidade.

12 A jornada rumo ao norte

02 do mês Bul, do ano 2042 após o estabelecimento do Olho de Olam.

Subitamente o barulho enlouquecido dentro da cidade caótica ficara para trás, e a avalanche de águas que os empurrara para fora da cidade perdera força. Restavam apenas o silêncio e a solidão fria do rio.

Ben flutuava em algum ponto no meio da imensidão calma das águas. Logo adiante, os rios gêmeos voltariam a se bifurcar e ganhariam muito mais correnteza, parando só novamente próximo a Maor, onde formavam um delta. Entretanto, o senso de localização estava prejudicado, pois a névoa encobria as margens e também os possíveis objetos arrastados juntos. O mundo parecia um lugar abafado e, ao mesmo tempo, gelado.

O colete que lhe salvou a vida ainda o mantinha suspenso sobre as águas. Ben percebeu que, sem ele, dificilmente teria sobrevivido à enxurrada que o arrastara rio abaixo.

Teriam seus companheiros tido a mesma sorte? Perdido no meio das águas, pouco adiantava se dirigir para um lado ou outro, a escuridão barrava tudo. Só lhe restou gritar por eles.

Ben encontrou Adin primeiro. O garoto estava cinquenta ou sessenta metros abaixo, agarrado a um tronco de árvore. Leannah estava ainda mais à frente, e eles ficaram aliviados quando ouviram a voz dela. Kenan estava mais próximo da margem e, ao ouvi-lo, os três nadaram em sua direção.

Mesmo com os coletes, o risco havia sido imenso. Poderiam ter se chocado com troncos e entulhos e se ferido gravemente. Mas estavam vivos e não muito feridos, exceto por alguns arranhões e pelo frio da água que já roubara boa parte do calor de seus corpos.

Com muito esforço eles conseguiram finalmente alcançar a margem. Exaustos e quase congelados, agarraram-se às plantas e raízes para sair da água.

O mês de Bul havia se iniciado com Yareah nova, por isso a escuridão era total. Mesmo assim perceberam que estavam numa região de campina. Eles trataram de se afastar da margem do rio e caminharam sem direção, exaustos e molhados. Ficar perto do rio poderia ser perigoso, pois não sabiam se estavam sendo procurados. Era impossível não pensar no estrago produzido dentro da cidade e nas consequências que por certo aquela atitude traria.

Kenan continuava calado, e eles percebiam que a sombra no rosto dele não era só por causa da luz fraca da pedra shoham. Desde que havia visto os estranhos cavaleiros dentro da cidade, o guerreiro ficara ainda mais sombrio do que de costume.

Apesar das perguntas insistentes de Ben sobre quem eram, ou o que estavam fazendo lá, ele demorou muito tempo para lhes dar uma resposta. Quando Ben até já havia se esquecido das perguntas, Kenan finalmente falou.

— São criaturas malignas. Nem homens, nem espíritos. Foram criados pelos shedins a partir de homens que já morreram. Homens que pecaram.

A descrição deixou os três jovens ainda mais alarmados. O que ele estaria querendo dizer com "criados a partir de homens que já morreram"? Ou "homens que pecaram"?

— Mas se são criaturas dos shedins, o que faziam em Bethok Hamaim?

A pergunta de Ben era bem lógica.

— Isso é o que eu gostaria de saber — Kenan se limitou a dizer e continuou andando pela campina. Ben percebeu que ele não tinha respostas. Porém, mais tarde, ele voltou a falar sobre aquilo: — Se cavaleiros-cadáveres estão andando livremente por nossas cidades, definitivamente tudo está fora de controle. A guerra é inevitável.

— Foi uma noite de glória! — disse Adin empolgado e contrastando com a sobriedade de Kenan. — Os menestréis cantarão por séculos sobre como fugimos da cidade após desvendarmos os segredos do templo dos kedoshins. Nós vamos ser famosos.

— Já estamos bem famosos — disse Leannah enregelada e bem menos empolgada. — Conseguimos passar pelas duas maiores cidades de Olam e agora somos procurados pelas duas. Praticamente destruímos Bethok Hamaim com as explosões.

— A cidade inteira não — contrariou Kenan — só uma parte... Foi necessário.

— Mas se Olamir for atacada, eles não vão ajudar... Pioramos as coisas no que diz respeito à guerra.

Era perceptível que Kenan também estava preocupado com aquilo, porém suas palavras tentaram minimizar a situação.

— Infelizmente não tínhamos tempo para diplomacia... Além disso, ao que parece, Olamir já conseguiu se indispor com Bethok Hamaim antes, ao reduzir a remessa de pedras... E, no final, você acabou conseguindo entrar no templo e ativar o próximo ponto... Vocês sabem que não sou entusiasta desta missão, mas se é o que precisamos fazer, então faremos, quer pelos meios apropriados quer pelos inusitados.

Eles ouviram o piado de Evrá, e Kenan parou. A águia os havia localizado. Ouvir o piado trouxe a Ben uma sensação de segurança. Agora não estavam mais perdidos.

A cada pequena distância percorrida, Kenan procurava escutar a águia para saber a direção certa a seguir. Ben torceu para que Kenan ou Evrá conhecessem algum lugar próximo onde pudessem se abrigar e se esquentar um pouco. Quem sabe até conseguir algo para se alimentarem ao lado de uma lareira. Nessa altura, nada seria mais desejável.

Kenan, ou melhor, Evrá, realmente conhecia um lugar, mas não ficava perto dali, nem tinha todo o conforto pelo qual Ben ansiava. E demoraria muito até chegarem lá, pois antes precisavam encontrar os cavalos. Kenan os havia deixado em algum ponto da margem do rio. A águia os levaria até eles.

— Onde fica o próximo ponto? — perguntou Ben, enquanto tentavam se livrar das plantas que grudavam em suas roupas molhadas.

— Nas Harim Keseph, as montanhas de prata — respondeu Leannah com uma voz cansada. Ela batia o queixo de frio e os cabelos vermelhos estavam forçosamente alisados por causa da água.

— Pelo menos saímos no lado certo do rio — disse Kenan.

— É muito longe daqui? — questionou Ben.

— Em algum lugar entre o norte e o leste, numa distância maior do que até a pequena Havilá de vocês.

Aquela informação não os deixou muito animados.

Ben nem lembrava mais da existência dos cavalos até que os encontraram. Porém, antes disso, andaram durante grande parte da noite. Só a movimentação rápida impediu que congelassem após o banho forçado no rio. Por sorte, a noite não estava tão fria e não havia sinal de chuva. A vegetação da campina logo se tornou baixa e fez a caminhada ficar um pouco mais fácil, embora em alguns trechos as plantas ainda parecessem querer se agarrar às pernas dos viajantes noturnos.

Layelá e Erev estavam amarrados a uma árvore num descampado não muito distante da margem, mas bastante longe de onde eles chegaram com a enxurrada. Sem a águia teria sido impossível encontrá-los. Os animais relincharam satisfeitos quando os viram. A alegria foi recíproca.

Com os cavalos a jornada se tornou bem mais rápida. Apesar disso, quase uma hora depois, Ben não se empolgou ao ver uma cabana abandonada. Era utilizada como ponto para observar as estrelas. O telhado de vidro oferecia uma ampla visão do céu estrelado. Havia instrumentos velhos, provavelmente utilizados para avaliar o céu, mas era impossível saber como funcionavam, se é que ainda funcionavam. Nos tempos antigos os homens da região se fascinavam pelas estrelas e pelos mundos que se escondiam no céu. Mas, a julgar pelo estado da cabana, o fascínio havia diminuído em tempos recentes.

Mesmo exausta, Leannah contemplou as estrelas por um momento. Algo havia mudado nela desde Bethok Hamaim. Ben percebia isso. Havia mistérios em seus olhos tanto quanto estrelas no céu. E ela estava silenciosa. Ben precisaria se acostumar, pois ela continuaria assim por muito tempo.

Todos os três estavam impressionados com a cantora de Havilá, pois havia conseguido realizar uma tarefa que parecia impossível, mas nenhum deles tinha coragem de perguntar o que ela havia visto dentro do templo. Ben tentava adivinhar qual teria sido o segundo presente dos kedoshins.

Precisaram passar as poucas horas até o amanhecer praticamente amontoados no chão duro da cabana, sonhando com condições melhores. Da expectativa e excitação dos primeiros dias daquela peregrinação, agora só havia dedos e pés congelados, juntas doloridas e uma sensação de nunca mais se sentir seco.

Apesar de tudo, haviam progredido. O segundo ponto de Halom fora ativado, e o terceiro revelado. Ben começou a pensar em deixar a pedra com Leannah a partir de então, mas por enquanto ainda a carregava. Ela a devolvera assim que deixaram o rio. Naquele momento, Ben sentira vontade de dizer algo elogioso à jovem, mas por alguma razão, não encontrara as palavras adequadas. O mais estranho é que, em outras circunstâncias, sabia que Leannah ficaria aborrecida por isso, mas naquele momento ela simplesmente sorriu e lhe entregou Halom. Então Ben percebeu o quanto ela estava mesmo diferente.

Mas tudo isso foi antes de adormecerem. Depois, a exaustão os levou a um sono que apagou todos os sentimentos, fossem de expectativa ou de desânimo.

No meio da noite Ben acordou assustado duas ou três vezes, pois parecia que alguém estava chamando seu nome. Da última vez, mesmo acordado, a voz ainda permanecia em sua cabeça, como se Leannah tentasse se comunicar com ele por meio da pedra shoham. Mas ela dormia tranquilamente ao seu lado e nem possuía mais a pedra que havia feito para ela.

Sua mão buscou Halom, mas não teve forças para ativá-la. Haviam chamado tanto seu nome durante o dia que talvez fosse normal continuar ouvindo as vozes durante a noite. As pálpebras pesadas não aguentaram e, segurando Halom, ele voltou a dormir. Então vieram os pesadelos. Foram terríveis. Confusos. Imagens variadas que se repetiam e se mesclavam. Cavaleiros-cadáveres barravam o caminho. Os piados desesperados de Evrá soavam assustadores nas alturas. O grupo caía numa armadilha. O maligno tartan e muitos sa'irins estavam lá com suas enormes lanças. Leannah era raptada. Adin caía mortalmente ferido. Depois as imagens se misturavam, ficavam indiscerníveis. O frio das montanhas congelava, uma floresta era uma prisão, a espada se perdia no mar. Thamam e Har Baesh estavam mortos, Enosh totalmente enlouquecido, lobos demoníacos os atacavam. E tudo recomeçava. O tartan os perseguia voando com um cavalo alado, eles conseguiam escapar, mas afinal, o tartan sempre os encontrava e os atingia com sua alabarda.

Ben acordou num sobressalto. Levou as mãos às costas, quase como se pudesse sentir a dor e os ferimentos causados pela alabarda do tartan. Era difícil aceitar que fosse apenas um pesadelo.

Percebeu que já estava amanhecendo. Pelo menos não estava mais molhado. O vidro do teto estava embaçado e suas roupas haviam secado com o próprio calor do corpo, como se a cabana de observação tivesse se transformado numa estufa.

De algum modo, acontecera de novo. Um sonho de pedra. Halom se conectara com outras pedras, mas a sucessão de imagens no pesadelo foi tão numerosa e indistinta que ele não conseguia se lembrar dos detalhes. Não era como das outras vezes, não havia uma sequência de imagens. Só o final foi muito claro, quando o tartan, montando o cavalo alado, atingiu-os por trás.

A luz do dia trouxe novo ânimo à equipe de peregrinos e também muita fome. Eles não tinham mais provisões, por isso deixaram a cabana antes que Shamesh surgisse no horizonte e tomaram a direção norte. Um descanso completo era um privilégio que não podiam se permitir. Tinham uma longa jornada para percorrer e menos de duas semanas para salvar Olamir. Mesmo assim parecia haver razão para algum otimismo, apesar das dificuldades. Se eram quatro os pontos que precisavam ser completados, eles já haviam feito a metade em apenas dois dias. E sabiam onde ficava o próximo.

Durante o dia a campina era um lugar muito diferente. Mais uma vez Ben se impressionou com a capacidade da luz de mudar completamente uma paisagem. Se de noite lembrava uma desolação, com as plantas se apegando aos pés como criaturas das profundezas, durante o dia as cores eram esplendorosas, como se estivessem no caminho que levava para o paraíso.

O percurso sinuoso do Hiddekel ficou para trás, engolfado pela muralha branca da bruma da manhã que o envolvia.

Quatro cores dominavam a paisagem. O branco da muralha de bruma e acima dele o dourado anunciando a chegada de Shamesh. Além disso, o céu do nascente estava bem azul e contrastava com o verde vivo de um tipo fino e comprido de planta, semelhante à grama, porém bem alta, que se espalhava pela campina em praticamente todas as direções, subindo e descendo em suaves ondulações. Em alguns lugares havia também um tipo rasteiro de pinheiro; contudo, como era cheio de espinhos, precisavam se desviar deles ao andar.

Os dois cavalos atravessavam o campo verde num galope não muito veloz. Em certos trechos o capim era tão alto que abaixando a mão era possível tocar a ponta da vegetação. Mas isso fazia a cavalgada diminuir drasticamente, pois na velocidade, as plantas se tornavam como espadas cortantes. O vento leve agitava o capim de um lado para o outro e formava desenhos engraçados, mesclando os dois tons de verde, o vivo e o opaco, de um e do outro das folhas, como um campo de trigo. No alto, a águia de Kenan os vigiava. A penugem dela ficou ainda mais dourada quando o sol se elevou na retaguarda deles.

Muito ao longe enxergavam as silhuetas de colinas baixas. Bem mais próximos, vários pequenos lagos espelhando o azul do céu precisavam ser contornados. Solitários e frondosos carvalhos antigos, com grossos caules e tortos galhos se postavam como gigantes ao longo do caminho oferecendo sombras pontuais.

Antes que o culto a *El* fosse unificado em toda a terra de Olam, essas árvores eram locais de rituais de fertilidade. Dizia-se que, nos solstícios do verão e do inverno, às escondidas das autoridades religiosas, o povo da terra ainda realizava seus rituais secretos sob aqueles silenciosos galhos milenares.

Depois de algum tempo, encontraram uma estradinha; então, finalmente os cavalos puderam se movimentar numa velocidade maior. Era a rota dos camponeses que começava e morria no Hiddekel, no sentido sudeste noroeste. Parecia meio abandonada, mas era melhor do que trotear no terreno acidentado e desconhecido da campina.

Aos poucos, suas sombras no chão foram se achatando enquanto o sol subia, e a temperatura aumentava, aquecendo seus ossos e devolvendo o bem-estar. As últimas imagens do pesadelo desapareceram da mente de Ben.

A estradinha foi progressivamente ganhando consistência e logo já era um caminho bem razoável. O chão de terra batida, bastante pisoteada por animais e rodas de carroça, permitia um galope constante. Ben segurava os arreios feitos de couro para controlar o cavalo, mas pouca coisa era preciso fazer. Erev seguia Layelá fielmente.

Quando se aproximaram das colinas, o vento, proibido de passar por elas, tornou o clima mais abafado. Pequenas fazendas protegidas pelas montanhas começaram a surgir naquela região. Cercas vivas, valas de drenagens e campos recobertos de plantações alegraram a paisagem, causando a sensação de que retornavam para lugares familiares, embora nunca tivessem passado por ali. Provavelmente fosse devido a alguma semelhança com os arredores de Havilá. Mas uma certeza logo tiveram: encontrariam comida. E ela se concretizou. Cenouras, romãs e dois grandes melões redondos amainaram a fome dos viajantes.

Quando avistaram uma faixa negra e azulada no horizonte, o sol estava a pique, e os cavalos cansados. Era possível ver que se tratava de uma floresta. Eles só a alcançariam ao anoitecer, pois ainda estavam muito distantes. Nesse momento, estavam entre duas grandes cidades de Olam: Nod, antigamente chamada de Heretz-Nod Kidemath-Eden, pois ficava ao oriente de Ganeden, por onde passava a rota dos peregrinos; e Nehará ao ocidente, entre o Hiddekel e o Perath. Não podiam passar perto de nenhuma delas.

A estradinha parecia conduzir na direção da floresta, mas na verdade não ia até lá. Em algum ponto ela se desviava para o oeste e interligava várias pequenas vilas de camponeses espremidas entre a floresta e o Hiddekel. Nesse ponto da estrada eles começaram a encontrar pessoas se movimentando pelo caminho. Carregavam produtos agrícolas em carroças puxadas por cavalos pequenos.

Novamente não foi difícil conseguir alguma coisa para comer. Se havia algo de valioso nessa parte de Olam, e isso Ben e seus amigos logo perceberam, era que as pessoas estavam sempre dispostas a repartir as coisas. Tratavam os viajantes com muita cortesia, pois a hospitalidade era algo sagrado. Pelo que Ben podia se lembrar, em Havilá tudo era bem diferente.

Mesmo assim, Kenan estava impaciente porque entendia que eles estavam se movendo muito lentamente, embora Ben e seus amigos achassem o contrário.

— Desse modo, levaremos semanas para chegar às Harim Keseph — disse o giborim. Depois continuou balbuciando coisas que não soavam agradáveis, numa língua incompreensível. Os três já estavam se acostumando com isso e nem prestaram atenção. A exuberância da natureza calma e plana aquietava seus corações. Aquela parte de Olam era deslumbrante. Havia muito verde em Havilá, mas pouco sol. Ali, na planície do Hiddekel havia muito verde e muito sol.

Várias vezes durante o dia, Ben teve a mesma sensação da noite anterior, a de que alguém chamava seu nome. Isso o inquietou mais uma vez, fazendo-o se lembrar do sonho de pedra. Por um momento ele até pensou em tocar Halom, mas temia se denunciar se fizesse isso, pois era possível que os homens de Bethok Hamaim estivessem usando pedras para tentar localizá-los. A lembrança de Leannah sendo raptada pelos shedins que havia num dos fragmentos do sonho fazia o coração de Ben ficar apertado.

Quanto mais cavalgavam, mais a faixa negra da floresta parecia aumentar e mudar de cor. No início era quase preta, depois ficou azulada e naquele momento estava um verde bem escuro. Era conhecida como a Floresta de Ganeden. Ben começou a ficar preocupado, pois quanto mais perto da floresta, mais deserto o lugar estava ficando. As carroças com produtos agrícolas começaram a rarear, e não se viam mais fazendas ao lado da estradinha. Aos poucos, um silêncio perturbador ia se impondo sobre a paisagem.

Durante algum tempo, eles foram acompanhados por vários animaizinhos parecidos com guaxinins. Os bichinhos apareciam curiosos à beira da estrada e logo sumiam nos pequenos arbustos quando os cavalos se aproximavam. Tinham uma pelagem abundante de uma tonalidade clara, mas em volta de seus olhos o pelo era escuro. Eles eram exatamente iguais, como se fossem um só animal que magicamente desaparecia e reaparecia. Depois de os terem acompanhado por uma boa parte do caminho, também se despediram quando estavam se aproximando da floresta. O último ficou olhando para eles de longe como se não entendesse por que eles seguiam aquele caminho.

Entardecia mais uma vez quando chegaram perto de Ganeden. A floresta surgiu imponente após vencerem uma baixada. As árvores se uniam numa protuberância, desafiando o céu que se escurecia. Um mar verde de esmeralda formado por velhos e altíssimos carvalhos a circundava.

Os cavalos haviam cavalgado desde as primeiras horas da manhã, quase ininterruptamente. Por isso os cavaleiros apearam para os animais descansarem um pouco. Nesse momento, o grupo estava quase no ponto em que a estradinha fazia uma curva e se desviava da floresta, seguindo na direção oeste.

Shamesh estava se pondo atrás da floresta. Uma extensa faixa dourada se alongava sobre o negro da mata e dava uma meia-volta no globo terrestre. Rapidamente a faixa dourada ficou avermelhada e assumiu tons sinistros de púrpura. Então a floresta ficou sombria. A escuridão da noite caiu abruptamente sobre eles, e as estrelas foram aparecendo uma a uma no céu numa sucessão rápida e fria, como se o brilho de pedras shoham estivesse sendo compartilhado de pedra em pedra. Os quatro foram envolvidos pela noite como num abraço gelado.

Ben, talvez pelo cansaço, teve uma sensação estranha, como uma repulsa, pois o ar parecia carregado de energia, e não se tratava de uma energia boa. Kenan, aparentemente desnorteado pela escuridão, parou um momento diante da floresta. Ben tentou adivinhar se Kenan estava planejando passar a noite sob as árvores ou se continuariam em direção ao oeste. Não conseguia ler a expressão do giborim. Era indecifrável como sempre.

A visão da mata era paradoxal: assustadora e convidativa, sombria e receptiva. As árvores muito altas não pareciam oferecer dificuldades para a movimentação, mas uma névoa esbranquiçada não permitia ver seu interior e envolvia tudo com um ar de mistério.

Os sons da noite subiram de volume com a escuridão. Os grilos estavam em algazarra, os passarinhos em coro lamentavam o fim do dia, e as corujas antecipavam a noitada com solos tristes.

— Vamos atravessar a floresta? — perguntou Ben pensando que a estradinha a cortava pelo meio, ainda não tinha percebido o desvio.

— Ninguém entra nesta floresta! — advertiu Kenan, e pela primeira vez sua voz não soou tão rude. Ele olhava para as árvores com um olhar distante. Parecia perdido em devaneios. — Quem entra nela não retorna — concluiu.

— Qual é o problema? — insistiu Adin. — É só uma floresta...

— Não é uma simples floresta... — disse como que despertando de um transe hipnótico. Sua voz agora era sombria outra vez. — Trata-se de Ganeden. Dizem que é amaldiçoada... Quem entra não retorna. É suficiente que entendam que não devem entrar nela.

Ben arregalou os olhos. Já havia lido sobre Ganeden. Era de todos os lugares misteriosos do mundo, o maior. Todo o passado de Olam passava de algum modo por Ganeden.

Kenan não fez menção de continuar a cavalgada. Ben estava começando a imaginar que precisariam passar a noite ali mesmo, onde não havia sequer uma velha cabana abandonada. A única vantagem é que não estavam molhados, porém, com o sereno da madrugada, isso também poderia mudar.

Finalmente Kenan tentou movimentar Layelá, mas a égua não queria obedecer. Erev imitou a companheira e também permaneceu teimosamente parado, apesar de Ben puxá-lo. Então perceberam que havia algo estranho.

— O que está acontecendo, garota? — Kenan perguntou, falando com delicadeza; uma forma de falar desconhecida pelos companheiros de viagem — Está com medo da floresta? Vamos nos afastar dela...

Então o piado de Evrá soou terrível das alturas. As imagens do sonho imediatamente voltaram vivas à mente de Ben. Ele olhou para a curva do caminho e enxergou a emboscada. Cavaleiros-cadáveres. Vários deles. Num instante Ben soube tudo o que ia acontecer. Ele olhou desesperado para Leannah e para Adin, mas eles não podiam entender seus sentimentos ou seu pavor. Estavam encurralados. A única chance de escapar era adentrar a floresta. E não podiam fazer isso.

O guardião de livros viu o mundo girar em torno de si. Na sua mente cada uma das possibilidades se mostrava, praticamente todas terminando em morte e desespero. Estava tudo no sonho de pedra. O sonho era real. Halom mostrara o futuro, um terrível futuro. Ele só havia entendido tarde demais...

— Tem alguma coisa lá na frente? — perguntou Kenan como se os animais pudessem responder. — É isso o que vocês estão tentando me dizer?

Outro piado de Evrá se fez ouvir sobre a floresta e foi seguido por um barulho de patas de cavalos se acelerando sobre a estradinha. O grupo de cavaleiros negros avançou vertiginosamente contra eles.

— Cavaleiros-cadáveres! — Adin finalmente os reconheceu.

Ben havia perdido a fala. Como às vezes acontece durante os pesadelos, ele se sentia paralisado. Tentava gritar, tentava avisar, mas a voz não saía da garganta.

Kenan montou Layelá e, com Herevel em punho, se preparou para enfrentá-los. Um barulho agudo como de vento dentro de um tubo os precedia.

O giborim cavalgou destemido contra os cavaleiros-cadáveres. Eram doze contra um, mas isso não o intimidou. Com Herevel, ele acreditava que poderia enfrentá-los.

Ben sabia que aquilo era um erro. Era uma armadilha.

— Vamos ajudá-lo! — gritou Adin segurando a funda e se animando para o combate.

— Não! — gritou Ben, finalmente conseguindo fazer a voz sair pela garganta. — Vamos fugir! Por aqui!

Ben tomou a direção contrária no instante em que Layelá cruzou o grupo de cavaleiros-cadáveres, e Herevel se chocou com várias espadas sucessivamente. Diversas espadas dos cavaleiros se quebraram, mas os guerreiros inimigos eram muitos e contra-atacavam furiosamente o giborim. O barulho metálico de espadas se chocando encheu a noite.

Mesmo sem entender o que estava acontecendo, Adin se deixou puxar para cima de Erev, e o cavalo suportou o peso dos três jovens. Então, em desespero, Ben guiou o animal para fora da estrada na direção da floresta.

— Temos que ajudá-lo! — gritou Adin inconformado. — Não podemos abandoná-lo! São muitos cavaleiros!

Naquele exato instante, a outra comitiva tenebrosa surgiu pelas costas, no sentido contrário da estrada. O tartan estava à frente montando Tehom, o cavalo alado. Vinte sa'irins rugiam e corriam com a ferocidade e a velocidade de leões.

Na mente de Ben ele via as imagens do sonho. Adin sendo ferido mortalmente, Leannah raptada e Halom destruída. A emboscada havia sido planejada perfeitamente. Enquanto os cavaleiros-cadáveres distraíam Kenan, o tartan atacaria os três jovens de Havilá e se apropriaria de Halom. Lágrimas corriam pelo rosto de Ben por ter entendido muito tardiamente o aviso de Halom.

Perto da floresta ele desviou Erev e seguiu galopando ao lado das árvores. Se conseguissem escapar, o mérito mais uma vez seria de Halom, mas isso agora parecia muito difícil.

De longe, o tartan os avistou. Estavam muito afastados para serem alcançados pelos sa'irins, mas as longas asas de Tehom se inflaram e o vulto negro subiu. O tartan das trevas viera longe demais para desistir de seu objetivo. Então Ben se lembrou de como o sonho terminava e percebeu que havia escolhido a opção errada. No sonho, o tartan os acertava com a alabarda, voando com Tehom. Ele olhou mais uma vez para a floresta e pensou em adentrá-la, apesar das severas advertências de Kenan.

Apesar do peso somado dos três e da dificuldade em cavalgar no terreno irregular, valentemente Erev galopava em velocidade máxima. Os solavancos quase os derrubavam do cavalo, mas os três se agarravam com todas as forças.

Os olhos demoníacos logo visualizaram os três jovens cavalgando ao lado da mata. Tehom voou na direção deles com as poderosas asas, ganhando impulso e velocidade e cortando a noite com violência.

No chão, os três não tinham como competir, mas Erev era realmente muito veloz e dificultou ao máximo a aproximação do perseguidor.

Tehom soltou fogo pelas narinas ao resfolegar nas alturas e mergulhou na direção dos fugitivos. Mashchit se preparou para um ataque mortal. Estava furioso e decidido a não dar chances aos fugitivos. Antes pensara em aprisioná-los e levá-los como um troféu para a terra de Hoshek, agora só pensava em eliminá-los.

As asas poderosas cortaram caminho e, num instante, Tehom contornou e se aproximou de Erev pela frente, voando cada vez mais baixo. Então a alabarda afiada veio ao encontro dos fugitivos. Um só golpe seria suficiente para os três, porém, numa fração de segundo, Erev mudou a direção e Mashchit passou direto sem conseguir atingi-los.

Irado, o tartan precisou se elevar, sem perder de vista seu alvo. Na aproximação seguinte, foram as árvores que impediram o golpe certeiro da alabarda. O tartan decepou vários arbustos e precisou se elevar mais uma vez, ou então se chocaria com as rochas do caminho.

O shedim controlou a fúria e aguardou o melhor momento.

Quando Erev adentrou um campo aberto, Tehom mergulhou mais uma vez. Com altíssima velocidade o cavalo alado se posicionou na retaguarda dos fugitivos. Desse modo, conseguiria até mesmo prever alguma mudança de direção de Erev.

Então o tartan investiu. O machado da alabarda cortou como se estivesse colhendo um campo de trigo. Foi um golpe certeiro. A alabarda atingiu as costas de Adin exatamente como no sonho de pedra.

* * * *
* * * * *

— Eu assumo toda a responsabilidade. — Com aquelas palavras, Thamam tentava se justificar diante do Conselho de Olamir. — As circunstâncias me forçaram a tomar uma atitude drástica.

Thamam nunca imaginara que um dia estaria ali, tendo que dar explicações ao seu próprio Conselho.

Sentado em seu singelo trono de sândalo, o qual parecia ter espinhos, o Melek ainda procurava entender tudo o que estava acontecendo. Deixara-se levar pelas circunstâncias? Havia tomado atitudes sem antes meditar profundamente nelas? Agora percebia que não era o único a controlar a situação. Mais alguém estava fazendo isso, talvez, até mesmo, mais do que uma só pessoa. Mas quem? E por quê?

— Você esteve envolvido nisso desde o início? — a pergunta de Har Baesh parecia mais uma afirmação.

— Se você levar em conta que meu discípulo começou tudo isso, de certo modo, eu estive... Mas vocês precisam entender que a situação chegou a um ponto crítico. Vocês ouviram o ultimato de Naphal... O eclipse acontecerá em alguns dias. E o velho latash confiou a pedra a seu discípulo... O acordo está definitivamente rompido. Só a reativação do Olho pode impedir essa guerra.

Até mesmo ele tinha a sensação de que suas frases eram desconexas. Como esperar que o Conselho entendesse?

— Você não acha que acreditar nessas lendas sobre iluminação espiritual, Derek-Or, parece um pouco ingênuo?

— O latash encontrou tanto a pedra quanto o mapa — justificou-se Thamam. — Ele acreditava que poderia reativar o Olho... e quanto a Derek-Or, o primeiro ponto foi completado. Eu vi na pedra.

— Quer dizer que um latash, um criminoso, passou a ter condições de ditar o certo e o errado em Olamir?

Thamam não respondeu.

— E para isso você enviou seu discípulo com Herevel — continuou Har Baesh —, esquecendo-se da condenação dele? E também enviou os três jovens inexperientes? Ainda por cima lhes deu as armas dos kedoshins? Até mesmo o espelho das pedras amarelas?

Ao ouvir as perguntas de Har Baesh, Thamam não podia deixar de pensar que suas atitudes pareciam absurdas. Como explicar a eles os verdadeiros motivos? Impossível.

— Eles estiveram envolvidos nisso tudo desde o início — tentou explicar. — Se alguém deveria partir nesta busca, eram eles... Os shedins vão nos invadir. Não fizeram isso ainda porque estão esperando que o Olho enfraqueça mais. Agora tenho a certeza de que há um cashaph entre nós. Alguém está passando as informações sigilosas para o inimigo. Olamir vai cair!

Aquelas palavras caíram gélidas sobre o Conselho de sacerdotes. A maior parte deles tinha uma expressão de repúdio no rosto.

— E o correto não seria este Conselho decidir o que fazer? — Har Baesh se mantinha controlado. — Não devíamos avaliar cuidadosamente todas as opções, como sempre fizemos?

— Peço desculpas ao Grande Conselho, mas não havia tempo. Se tivesse trazido o assunto, provavelmente ainda estaríamos aqui discutindo. Eles têm menos de treze dias agora para completar o caminho. Espero que já estejam longe. Queira *El*, talvez, que eles estejam perto de descobrir como fazer isso.

— É lamentável que você tenha se deixado convencer por argumentos fraudulentos — rechaçou Har Baesh.

Um prolongado silêncio se estabeleceu após aquelas palavras. Os sacerdotes cochichavam entre si, mas ninguém demonstrava coragem em dizer em voz alta o que estava pensando.

Har Baesh estava em pé diante da cadeira do Melek. Ele tinha o olhar fixo no chão, parecia que seu corpo tremia. Quando começou a falar, isso ficou claro.

— Eu o acuso Thamam, o Nobre, filho de Tutham, filho de Omer, filho de Héber, décimo sexto Melek de Olamir, eu o acuso de violar cinco artigos de nosso código.

As palavras foram ditas sem que Har Baesh levantasse os olhos do chão.

Thamam olhou assustado para o sumo sacerdote e com ele todo o Conselho.

— Mas você não entende? O tratado já estava rompido... Você sempre foi meu amigo...

— Não há nada em nossa lei sobre circunstâncias agravantes ou atenuantes no que diz respeito a libertar um prisioneiro condenado, nem tampouco a roubar as armas sagradas. Infelizmente, mesmo um Melek precisa ser julgado pela quebra de nossas leis, e a amizade não tem nada a ver com isso.

Todo o Conselho ficou em pânico ao ouvir aquilo, principalmente porque sabiam que era a mais pura verdade.

Thamam abaixou a cabeça, pensativo. Isso aconteceria de um modo ou de outro, mas não podia dizer a eles a verdade sobre aquela busca. Pelo jeito, o preço de toda aquela loucura já começaria a ser pago.

****
*****

Escondidos nas moitas, Ben, Adin e Leannah tremiam de tensão pelo risco que haviam corrido. O sonho de pedra os havia salvado.

Quando Ben intuíra que não conseguiriam fugir, tentou algo arriscado. Com uma das pedras shoham que trouxera de Havilá copiou a imagem deles enquanto galopavam. Então, ele a friccionou e a prendeu sobre a sela. Erev galopou para longe com uma ilusão de que os três estavam montados sobre ele. Quando o tartan seguiu como um raio atrás de Erev, o guardião de livros percebeu que havia funcionado. Só esperava que o cavalo conseguisse levá-lo para longe antes que o inimigo descobrisse.

A lembrança da última imagem do sonho terrível lhe dera aquela ideia. Ele havia enxergado o tartan os acertando por trás com o machado da alabarda.

Ben gostaria de ver a frustração do tartan quando os atacasse e a imagem dos três jovens sobre Erev desaparecesse misteriosamente. Mashchit veria Erev galopando sozinho ao lado da floresta.

Demoraram um tempo considerável até retornar para a estrada. Não havia sinal de Kenan, dos cavaleiros-cadáveres ou dos sa'irins. Tudo estava silencioso. Até os sons da noite aquietaram-se. Apenas a respiração ainda acelerada dos três jovens denunciava o que havia acontecido.

— Não devíamos ficar aqui — disse Adin.

— Acredito que eles pensem que não ficaríamos aqui — justificou-se Ben. — Foi por isso que ficamos.

— Como você sabia? — questionou Leannah ainda trêmula. — Você previu tudo?

— Halom — explicou o guardião de livros pegando mais uma vez a pedra. Ela estava mais brilhante, porém a cor avermelhada era menos intensa. — Um sonho da noite passada. De algum modo, ela se conectou com diversas pedras shoham e previu o que aconteceria. Enosh chamava isso de sonho de pedra. Quando Evrá piou nas alturas eu lembrei que no sonho os piados dela anunciavam uma armadilha. Então eu soube tudo o que ia acontecer.

— Halom previu que nós escaparíamos? — insistiu Leannah.

— Previu que todos nós morreríamos.

— A previsão falhou?

— Acho que a previsão do futuro só tem algum valor se ele puder ser mudado, ou então seria apenas tortura antecipada...

— Os sacerdotes dizem que não é possível mudar o futuro — lembrou Leannah.

— Acho que provamos mais uma vez que eles estão errados... Mas, de certo modo, eu não mudei o futuro, pois no final do sonho, o tartan nos acertava com a alabarda. Isso aconteceu, mas nós não estávamos lá, apenas nossas imagens.

Os três resolveram permanecer naquele mesmo lugar, pois se Kenan conseguisse escapar dos inimigos, provavelmente voltaria para ver se os encontrava.

Cerca de uma hora depois, de fato, Kenan os encontrou após despistar os sa'irins e os cavaleiros-cadáveres graças à velocidade de Layelá.

O giborim de Olam se mostrou surpreso por ver que os três jovens de Havilá também haviam conseguido escapar das garras do tartan.

As surpresas da noite, entretanto, ainda não haviam acabado. Uma forte luz branca brilhou por trás deles. Um barulho de patas de cavalo sobre a estradinha se fez ouvir. A sensação imediata foi a de que estavam sendo novamente atacados. Todos se viraram assustados, as armas em prontidão, mas a luz branca os cegou momentaneamente. Quando seus olhos se acostumaram, viram um cavalo branco galopando na direção deles. Mesmo distante, o reflexo de uma crina e um rabo quase dourados se destacou. O porte majestoso do animal causou espanto em todos. Então Tzizah surgiu cavalgando, como uma visão dos céus, com seus esvoaçantes cabelos negros iluminados pela luz branca.

— O que aconteceu? — ela perguntou ao vê-los, diminuindo a velocidade do cavalo. Segurava na mão uma pedra shoham que iluminava a noite.

— Uma emboscada — explicou Ben, sem entender como ela os encontrara.
— Cavaleiros-cadáveres, sa'irins, o próprio tartan.

Mal conseguiam olhar para ela devido à intensidade da luz. Então, Tzizah embrulhou a pedra numa capa. O brilho evanesceu, mas ainda era possível ver a luz através do forte bloqueio. Ben percebeu que era uma pedra amarela.

— O que você está fazendo aqui? — perguntou Kenan com rudeza.

— Você não vai me agradecer por eu ter vindo ajudá-los? — perguntou Tzizah, que parecia esperar uma recepção mais calorosa.

— Você não devia arriscar sua vida — ignorou Kenan. — E agora, como é que você vai voltar?

— Quem disse que pretendo voltar? Vou acompanhá-los na missão.

— Esta missão não é para você. Só aumentaria os riscos da jornada. O lugar de uma princesa é na segurança do palácio real.

— Não sei quanta segurança ainda há lá — rebateu Tzizah. — Se este caminho é o único lugar em que é possível salvar Olamir, então aqui é meu lugar. Não vou ficar assentada no palácio esperando o mundo acabar.

Os cavalos continuavam inquietos junto à floresta enquanto os dois discutiam. Resfolegavam e soltavam relinchos baixos. Ben não sabia se era medo dos perseguidores ou da própria floresta. Por um momento ele teve a impressão de ver olhos de várias tonalidades movendo-se na escuridão da mata. Olhou com mais atenção para as árvores altas e não viu nada, mas teve a sensação de ouvir uma música alegre distante que ia e vinha, embalada pelo vento. Chacoalhou a cabeça para eliminar a sensação estranha e tratou de se concentrar na conversa do grupo, especialmente em Tzizah.

— Como conseguiu nos encontrar? — Kenan ainda não havia abandonado a rudeza na voz.

Eles conversavam na escuridão e praticamente não conseguiam se enxergar. Sem ver as expressões de cada um, precisavam julgar o que ouviam só pelas palavras.

— Thamam me contou que o segundo ponto do caminho era Bethok Hamaim. Ele não conseguiu fazer todos os preparativos para a viagem de vocês, pois teria que enfrentar a reunião do Conselho de Sacerdotes. Havia várias coisas que poderiam ser úteis na jornada. Então, eu decidi trazer os mantimentos até Bethok Hamaim e segui pela rota do vale.

— Mas como nos encontrou aqui, no meio do nada? — perguntou Ben.

— Quando cheguei a Bethok Hamaim encontrei uma grande confusão. Os barcos não navegavam mais porque as comportas haviam sido explodidas... Por pouco o próprio templo não foi destruído. As pessoas lá só falavam de quatro invasores que haviam causado toda aquela destruição após terem entrado no templo. Ainda estavam admiradas pelo modo como haviam escapado do cerco, carregados pela correnteza. Então deixei a cidade e continuei pela rota até Maor, onde é possível atravessar o rio. Lá ninguém sabia nada a respeito de vocês, mas a notícia de que alguém havia causado um atentado em Bethok Hamaim já havia chegado. Eu calculei que vocês deveriam ter saído do rio em algum ponto entre Bethok Hamaim e Maor. Optei por seguir a rota dos camponeses. Tentei várias vezes estabelecer algum contato com a pedra de Ben, mas não tive sucesso. Entretanto, pela vibração da pedra, pude perceber que vocês não estavam longe. Guiei-me por isso.

— Então era você quem estava chamando? — admirou-se Ben.

— Mas talvez tenha sido melhor você não ter respondido. Eles teriam monitorado nossa comunicação e encontrado vocês mais facilmente.

— O que aconteceu com seu pai? — perguntou Kenan ainda sem abandonar a rispidez no modo de falar. — O que o convenceu a deixar você vir?

— O Conselho se reuniu. O Melek foi acusado de traição. Por enquanto a situação está sob controle, pois a maioria dos conselheiros o respeita. Meu pai concordou que eu viesse atrás de vocês, pois provavelmente imaginou que a situação poderá ficar complicada. Um processo contra o Melek, às vésperas de um ataque, certamente só servirá para dificultar ainda mais a preparação da cidade para a guerra.

— Thamam devia ter vindo conosco — disse Kenan inconformado. — Eu não entendo por que ele está se submetendo àquele Conselho de velhos débeis. Se não fosse pelo pacifismo de nosso Conselho, os shedins não teriam a audácia de impor a nós essas exigências.

— Acho que você está se esquecendo de que não foi o Conselho que começou a guerra...

— Se fossem menos débeis, naquela mesma noite, poderíamos ter destruído uma parte do exército dos shedins.

— Meu pai se guia por princípios, prefere sofrer o prejuízo a quebrá-los.

— Em poucos dias Olamir será um montão de ruínas, e os princípios serão cinzas amontoadas sobre os belos e milenares edifícios da cidade branca.

As palavras de Kenan foram carregadas de tanta ira que pareceram quase proféticas. Ben se perguntou se havia mesmo possibilidade daquela majestosa cidade que eles haviam acabado de conhecer ser destruída.

— Como vocês conseguiram entrar no templo? — Tzizah parecia querer encerrar aquele assunto tão abruptamente quanto ele havia começado.

— Leannah conseguiu — explicou Adin orgulhoso de sua irmã. — E também decifrou o próximo ponto da pedra.

— O templo tinha a função de imprimir sobre Halom o novo ponto de localização — complementou Leannah. A cantora de Havilá não parecia feliz com a chegada de Tzizah.

— E onde fica? — perguntou Tzizah claramente admirada pelo feito de Leannah.

— Nas Harim Keseph, as montanhas de prata.

— Como você conseguiu descobrir o segredo do templo? Como conseguiu abri-lo?

— Não sei ao certo... O conhecimento da biblioteca de Olamir foi essencial... Ao mesmo tempo, foi algo intuitivo, a música do templo era o segredo.

— Mesmo antes que o pacto entre os homens e os shedins fosse estabelecido — disse a filha do Melek —, muitos sábios e entendidos deste mundo tentaram desvendar o segredo do Morada das Estrelas. Por muitos anos fizeram isso, mas jamais conseguiram nada. E você conseguiu em apenas algumas horas?

— Apenas alguns minutos — corrigiu Adin. — Enquanto nós segurávamos os soldados diante da passarela.

— É possível que eu tenha tido um pouco de sorte — disse Leannah meio sem jeito.

— Isso não tem nada a ver com sorte — disse Tzizah. — Tem a ver com o destino...

Ben se esforçava para prestar atenção à conversa, mas sua atenção era atraída para a floresta. Em certo momento ele teve a impressão de que ouvira seu nome sendo sussurrado.

"Ben. Bennn. Bennnn".

Foi um sussurro longo e quase imperceptível, como se estivesse passando de árvore em árvore, de galho em galho, um som que subia e descia, alongava-se e encurtava-se. Era um convite. Um convite para que entrasse na floresta e descobrisse seus mistérios. Ben chacoalhou novamente a cabeça para eliminar essas sensações estranhas. Forçou-se a pensar que era só o vento nos galhos das árvores.

— Quanto tempo levará para chegarmos daqui às Harim Keseph? — perguntou Adin.

— É difícil dizer com certeza — respondeu Kenan. — Talvez dois ou três dias de viagem, mesmo com a velocidade dos cavalos.

— O que tem lá? — foi a vez de Ben perguntar, forçando-se a desviar os olhos da mata. — Alguma cidade parecida com Bethok Hamaim ou Olamir?

— Não tem nada lá — respondeu Kenan friamente. — É o lugar mais ermo e gelado de Olam. Ninguém vai lá há muito tempo, desde que caçadores de tesouros desistiram de buscar riquezas sugeridas por lendas criadas para atrair os incautos.

— Acho que esses incautos agora seremos nós — disse Adin, tentando ser engraçado, mas ninguém conseguiu rir.

— Você já decidiu qual caminho seguir? — perguntou Tzizah.

— Vamos pela rota dos camponeses até o Hiddekel — apontou Kenan. — Depois, subiremos de barco em direção ao norte... Lá você poderá pegar um barco e retornar para Olamir.

— Eu não seguiria por esse caminho se fosse você — objetou Tzizah. — Com certeza não passaríamos despercebidos... Fica muito próximo de Bethok Hamaim e Nehará.

— Cinco pessoas para dois cavalos torna qualquer outra rota impossível — disse Kenan para encerrar o assunto.

Naquele momento, como para contrariar as palavras de Kenan, Erev surgiu das sombras. Havia conseguido voltar sozinho após despistar o tartan.

Ben admirou a valentia do animal.

Kenan não estava acostumado a ser contrariado, nem a mudar seus planos, mas ficou satisfeito com o retorno de Erev.

— O caminho pelo lado oriental da floresta é mais demorado e perigoso — ponderou Kenan tentando se reorientar. — A antiga rota dos peregrinos oferece boas condições de cavalgada... É mais longa, mas não perderíamos tanto tempo...

— A esta altura, também não é possível usar a rota dos peregrinos — disse Tzizah. — Com certeza está sendo vigiada. O alerta foi dado em todas as cidades. Nehará, Maor, Nod, Ir-Shamesh. Todas devem estar preparadas para deter os fugitivos de Olamir. Não podemos passar por perto de nenhuma delas. E a rota dos peregrinos passa perto de Nod.

Os três jovens de Havilá apenas ouviam os dois discutindo, sem saber o que dizer. O conhecimento que tinham daquela parte de Olam era apenas teórico e, por isso, não se sentiam em condições de colaborar. Mas podiam ver que Tzizah estava tentando fazer Kenan escolher um caminho, mesmo sem lhe dizer qual caminho era esse.

— Então só nos resta contornar a floresta pelo sentido oriental, e depois seguir para o norte por trilhas menores — disse Kenan, capitulando. — Vamos perder um ou dois dias de viagem...

Tzizah pareceu aliviada com a decisão de Kenan.

— Os cavalos já descansaram um pouco — continuou o guerreiro. — Não é seguro passar a noite aqui. Se tudo der certo, na próxima noite tentaremos encontrar algum local para descansar. Com a pedra do sol, poderemos cavalgar rapidamente, mesmo agora. Mas não se anime, Tzizah. Assim que possível você retornará para Olamir.

Kenan pegou a pedra das mãos de Tzizah, ainda envolta pela capa. O brilho havia diminuído. Ele a descobriu e começou a batê-la levemente. O objeto resplandeceu e iluminou a escuridão com uma luz amarelada que, quanto mais forte, mais branca ficava.

— Uma pedra amarela? — Adin não aguentou a curiosidade.

Os irmãos só conheciam pedras shoham vermelhas que espargiam uma luz rosada, mas aquela pedra espargia luz amarela, quase branca.

— É uma das poucas que existem em Olamir — explicou Tzizah. — As pedras shoham são lapidadas para armazenar a luz do dia, mas esta foi lapidada para armazenar diretamente a luz do sol. Assim ela consegue absorver uma quantidade muito maior de luz. Quando batida, de acordo com a intensidade, libera a luz branca que clareia muito mais do que a luz rosada das pedras shoham vermelhas.

— A luz dura uma noite inteira, como as pedras vermelhas? — perguntou Adin.

— Pode durar várias noites. Durante o dia, se tiver sol, ela recarrega. Agradeçam a Thamam.

Ben sabia que aquela pedra era muito rara e oferecia algum risco também. Se caísse em mãos erradas, poderia se tornar uma poderosa arma de destruição. Por isso, a lapidação delas era proibida. Kenan devia ter utilizado algo parecido em Bethok Hamaim para explodir as comportas.

Antes de partir, reorganizaram as montarias. Ben e Adin compartilharam Erev. Leannah e Tzizah montaram Boker, o cavalo branco recém-chegado. Kenan seguiu sozinho com Layelá.

Como flechas zunindo na escuridão, os três cavalos partiram sob os resquícios praticamente imperceptíveis da aurora, que já pintava com algumas cores púrpuras o leste de Olam. O terreno irregular era compensado pelas ancas poderosas dos animais.

Ben não enxergava quase nada, apenas tentava amortecer os duros solavancos da cavalgada enquanto sentia o vento frio e úmido que cortava a mata e batia em sua face.

Seguiram pela borda de Ganeden sem nunca se aproximar dela menos do que trinta metros. Teriam diante de si uma longa cavalgada rumo ao norte, onde as Harim Keseph se sobressaíam eternas, e onde novos e surpreendentes mistérios os aguardavam.

Muitas coisas causavam estranhas sensações em Ben, enquanto galopava seguindo a luz da pedra amarela. Uma delas era a floresta negra que parecia continuar a chamá-lo. Também sensações conflitantes advinham de contemplar as duas garotas que cavalgavam à sua frente. A luz da pedra do sol iluminava os cabelos pretos de Tzizah e os acobreados de Leannah. E por fim as imagens do sonho de Halom não saíam de sua cabeça. Um sonho que afinal não havia se concretizado, pois ele enganara o destino. Mas será que era possível enganar o destino?

13 A estalagem de Revayá

— Carvalhos e terebintos — Adin identificou. — Os mais grossos são carvalhos e os mais baixos são terebintos.

Foi a primeira frase dos cavaleiros em várias horas de cavalgada.

Ben olhou para as árvores escuras à beira do caminho sem muito interesse. Estavam em algum lugar ao norte de Olam, muito mais longe do que Ben jamais imaginara um dia chegar. Os cavalos troteavam desviando-se das rochas.

Os tons dourados estavam aparecendo robustos ao leste naquele momento, casando-se com os frágeis tons rosados das nuvens do amanhecer e tentando conquistar as trevas que ainda se acumulavam na outra extremidade da terra. Um brilho quase líquido subia e se espalhava pelo céu, tingindo de âmbar a pradaria. Fazia frio.

A floresta de Ganeden havia ficado para trás, à esquerda, embora eles ainda a pudessem ver, como uma lembrança assustadora da noite passada.

Quando as formações rochosas diminuíram no caminho, os cavalos voltaram a acelerar. Todos estavam exaustos, mas ainda não podiam descansar. A velocidade dos cavalos parecia fazer as árvores, que aos poucos viravam arbustos, diminuir ainda mais de tamanho, até serem substituídas por capim alto entre os rochedos. Por fim, os rochedos desapareceram, e o local ficou plano e praticamente sem vegetação, exceto uma relva tosada. Mais adiante a relva sumiu, e eles se viram num trecho seco de pedras soltas. Então, apareceram os espinhos. O vento os agitava e os encrespava, gerando um coro de gemidos que causava gastura nos ouvidos.

Em momento algum os cavalos diminuíram o ritmo. Isso era espantoso para Ben. Cavalos comuns jamais aguentariam tanto tempo de cavalgada.

Uma poeira escura e pesada se levantava do terreno seco e pedregoso que se estendia até os pés das Harim Keseph, já avistadas bem ao longe, com seus picos brancos se destacando no horizonte cinza-escuro. Mas ainda estavam muito distante delas.

Quando o sol ultrapassou os montes, e os primeiros raios tocaram as vestes dos cavaleiros, precisaram andar devagar outra vez, pois as pedras voltaram a dificultar o caminho. Ravinas no chão rochoso escondiam algumas flores escuras, e isso era a única coisa que tornava a paisagem menos desoladora.

Tzizah começou a sussurrar uma canção. Sua voz doce, apesar de baixa, espalhou-se pelos prados desnudos daquele sombrio planalto, o qual era iluminado horizontalmente pela luz alaranjada de Shamesh. Parecia tornar o amanhecer um pouco mais bonito.

> A luz nasceu, a luz nasceu,
> Vida ao mundo outra vez
> Até que os tempos findem
> E os sábios esqueçam
> As pessoas simples saberão
> Que o Criador tudo faz e tudo fez.
>
> A noite passou, a noite passou
> As trevas não duram tanto
> O dia sempre começa afinal
> Porque tudo está escrito.
> As pessoas simples saberão
> Que o Criador tudo faz e tudo fez.
>
> O choro do anoitecer cessou
> Pela manhã sempre vem o riso
> A simplicidade da luz voltou

> Até que o mundo cresça
> As pessoas simples saberão
> Que o Criador tudo faz e tudo fez.

Era uma melodia alegre, tão alegre quanto o nascer de um novo dia deveria ser. Porém, para eles, esse amanhecer era sombrio, pois estavam cansados e preocupados com o ataque da noite anterior. Haviam escapado por um triz. A pergunta óbvia com resposta imprevisível era: quando e em quê circunstâncias teriam de enfrentar o tartan e os soldados das sombras outra vez? O fato de eles os atacarem ousadamente em um lugar tão distante da terra de Hoshek testemunhava o rápido e significativo enfraquecimento do Olho de Olam.

A presença da princesa de Olamir na jornada parecia suscitar sentimentos bastante contraditórios nos integrantes da comitiva. Mesmo sabendo que a garota estava prometida a Kenan, e também compreendendo como era absurda a ideia de alimentar qualquer sentimento por alguém inacessível, Ben se sentia feliz com a presença dela. Provavelmente fosse o único da comitiva a ter esse sentimento. No entanto não estava à vontade para demonstrá-lo na presença de Kenan e de Leannah.

Ele pensou no significado da letra da música que a jovem sussurrava. Será que a luz realmente era mais poderosa do que as trevas? Ou será que o mundo e a vida eram apenas obras do acaso, sem qualquer significado? Sua antiga dúvida ainda não tinha resposta: *El* havia criado o homem para algum propósito ou o homem havia inventado um criador para explicar o inexplicável?

Ben pensou que seria bom se houvessem menos mistérios no mundo e na vida, se as coisas fossem mais claras, mais simples, mas parecia que a existência era algo muito complicado e enigmático, uma mescla de luz e sombras, como o amanhecer naquele planalto onde as duas tonalidades pareciam se fundir.

— O que seu pai quer dizer com não há ação sem reação? — perguntou Ben para Tzizah, emparelhando os cavalos. Ela havia parado de cantar, mas ele não reclamaria se precisasse ouvi-la ao longo de toda a jornada. Lembrou-se mais uma vez da música quase infantil que ela cantara ao despertar a plantinha em Olamir, quando era só uma camareira, pelo menos para ele.

— Tudo o que uma pessoa faz neste mundo retornará de um modo ou de outro — ela respondeu com uma voz fraca, sem olhar diretamente para ele. — Cada pessoa recebe o que merece.

Ben pensou um pouco a respeito. Parecia simples, mas na verdade era muito complicado.

— Na prática isso não acontece...

— Não é fácil de ver, mas acontece. Tudo o que se faz, será feito para aquele que fez. De algum modo, as ações sempre retornam... Há um equilíbrio...

— Isso não é verdade — cortou Ben asperamente, e logo se arrependeu do tom de voz, mas não conseguiu mudá-lo. — Nem tudo volta. Nem tudo retorna. Muitas pessoas ficam no prejuízo. Não fizeram nada, mas receberam uma porção de coisas ruins na vida. Muitas vezes já nasceram condenadas a uma vida miserável.

— Meu pai acha que há um equilíbrio misterioso — continuou Tzizah sem alterar a voz. O esmagar das pedras pelas patas dos cavalos preenchia os espaços entre as palavras. — Ele acredita que, de um modo nem sempre fácil de compreender, cada pessoa colhe exatamente o que planta, mesmo que as leis da vida sejam um pouco diferentes das leis da produção da terra. E é preciso lembrar que mesmo a terra não faz com que todas as sementes germinem no mesmo período de tempo e na mesma proporção. Algumas germinam logo, enquanto para outras é necessário mais tempo. Mas sempre se colhe o que se planta. Essa é a lei da vida.

— Como um recém-nascido pode colher alguma coisa se ele morre na infância, ou se seus pais morrem? Como uma pessoa que sempre fez o bem pode ser beneficiada quando é assassinada? Como um órfão pode ter alguma escolha ou aspiração?

— Eu não sei — respondeu Tzizah um pouco assustada com a veemência de todas aquelas perguntas. — Não tenho todas as respostas. Mas entendo que se não for assim, a vida perde o sentido.

Ben se calou mais uma vez e fez Erev andar mais lentamente, deixando Boker tomar a dianteira. De fato, aquelas não eram respostas satisfatórias. Nenhuma delas. Mas havia outras?

Leannah esboçou dizer alguma coisa, porém subitamente se calou, como se o que pretendesse dizer não fosse importante. O restante daquela parte da viagem foi silenciosa.

Durante todo o dia a paisagem não mudou. Eram sempre as mesmas pedras pontiagudas e baixas no chão escuro e ondulante dificultando a cavalgada. O mesmo céu azul que em certos momentos parecia ficar quase roxo. E a mesma silhueta estática e cinzenta das montanhas geladas ao norte que nunca pareciam estar mais próximas. Tudo parecia testemunhar a lentidão inexorável do tempo e a inutilidade de todos os trabalhos e anseios humanos.

Quando o céu se empalideceu e o dia começava a dar sinais de que se revezaria com a noite, eles se aproximaram outra vez de Ganeden. Então precisaram desviar à direita e, de longe, avistaram a estrada que cortava aquele extenso planalto seco.

— A antiga rota dos peregrinos — Kenan apontou assim que a avistou.

Mesmo naquele momento não seguiriam por ela, apenas a atravessariam, pois naquele trecho a floresta se aproximava da estrada. Eles continuariam na direção nordeste até chegarem às Harim Keseph que formavam um baluarte contra o Yam Kademony, o mar oriental.

— Para onde leva aquela estrada? — perguntou Adin contemplando-a de longe.

— Ela vem desde o antigo e desativado porto dos peregrinos ao leste, passa por Nod e segue para além das Harim Keseph, atravessando desfiladeiros entre o norte e o oeste de Olam — explicou Tzizah. — É a mais longa estrada de Olam. Já foi muito utilizada no passado. As histórias antigas falavam de povos que vinham de além-mar e seguiam por essa rota, contornando as Harim Keseph, para terras distantes onde velhas civilizações teriam construído grandes impérios.

— Eram peregrinos do quê? — questionou Adin.

— Da sabedoria e do progresso espiritual. Houve um tempo neste mundo em que as pessoas procuravam outras coisas além de bens materiais. Infelizmente, nós desaprendemos esses valores.

Kenan franziu o cenho ao olhar melhor para a estrada.

O guardião de livros também olhou com mais atenção e percebeu que o caminho estava bastante movimentado. Na verdade estava congestionado. Um grande número de pessoas disputava o espaço com animais, cargas e carroças.

— O que está acontecendo? — perguntou Tzizah assustada, olhando para Kenan. — Essa rota não deveria estar vazia?

Sem responder, o giborim imprimiu um ritmo mais forte. Erev e Boker o seguiram. Em poucos instantes, eles se aproximaram da multidão que se apinhava ao longo do caminho.

— Nunca vi a antiga rota dos peregrinos tão movimentada — disse Tzizah com uma expressão de confusão. — Para onde toda essa gente está indo?

— Estamos buscando refúgio no norte — um homem respondeu ao ouvir a pergunta de Tzizah. Parecia um camponês, pois vestia roupas simples e estava puxando uma carriola cheia de víveres. — Vamos atravessar a parte baixa das Harim Keseph e seguir para as terras distantes onde há campos verdejantes.

— Mas por que estão fazendo isso?

— A guerra vai começar; então, quanto mais longe da terra de Hoshek melhor. Talvez, depois das Harim Keseph, a guerra não nos alcance.

O homem disse aquilo como se estivesse dizendo apenas o óbvio, algo que todos deviam saber muito bem, inclusive aqueles estranhos.

— Como vocês sabem que a guerra vai começar? — perguntou Kenan.

— Porque o alerta de Olamir foi dado em todas as cidades. As cidades do vale foram convocadas para protegê-la. As demais foram orientadas a se protegerem da melhor maneira, como se isso fosse possível... E quanto a nós, os camponeses, só nos resta fugir para longe.

— Os camponeses são sempre os primeiros a morrer! — outro homem entrou na conversa.

Ao ouvir aquelas palavras, o cenho de Kenan ficou carregado.

— Por que acham que poderão se esconder no norte? Quando a guerra estourar, não haverá lugar seguro neste mundo. Vocês deviam ficar e se preparar para a luta.

— Lutar contra shedins e outros demônios! Você deve estar brincando. Se o Olho de Olam está apagado, o tempo dos homens acabou em Olam. Não há o que fazer.

— Não temos culpa se algum desajuizado resolveu iniciar essa guerra — outro homem respondeu se aproximando. — Se os homens tão sábios de Olamir acreditam que devem começar uma guerra, então eles devem saber como conduzi-la sem precisar de nós.

Kenan ficou furioso com a declaração. Ben tinha a sensação de que ele ia pegar aqueles dois pelo pescoço; mas para sua surpresa, o guerreiro virou as costas com uma expressão de abatimento. Em seguida, fez Layelá atravessar a estrada, desviando-se das pessoas que caminhavam apressadamente em busca de refúgio. Boker e Erev o seguiram.

Provavelmente Kenan tivesse desistido de argumentar com os homens ao perceber que, depois de uma caminhada tão longa, as pessoas não estariam mesmo dispostas a voltar. Ben não podia culpá-los por isso. No fundo, o camponês estava certo: nas guerras os camponeses eram os primeiros a morrer e, também os únicos que não ganhavam nada em caso de vitória. E aqueles dois viviam tão isolados ao ponto de nem reconhecerem o uniforme de um giborim de Olam.

Enquanto atravessavam o caminho, Ben não pôde deixar de observar que a estrada era pavimentada de um modo muito incomum, com grandes blocos de pedras perfeitamente recortados que, apesar de muito antigos, ainda mantinham certa regularidade.

Tzizah percebeu a curiosidade de Ben, pois mesmo após terem deixado a estrada, ele continuava olhando para trás.

— Até hoje não aprendemos a fazer esse tipo de pavimentação — ela explicou. — Essa foi uma das técnicas perdidas com as antigas civilizações. As guerras fazem isso...

Aos poucos a antiga rota dos peregrinos ficou para trás, como uma linha cinzenta serpenteando no planalto. Os cavaleiros seguiram taciturnos por uma trilha cada vez mais erma. A temperatura caía, anunciando que o frio seria uma companhia constante daí para frente.

A informação do alerta de guerra dado por Olamir trouxera abatimento sobre todos. Se Olamir fizera isso, era porque ninguém acreditava que eles teriam sucesso na missão. Nem mesmo Thamam. Parecia realmente não haver tempo suficiente para recuperar o Olho antes que a guerra estourasse.

— Acho que não teremos condições de seguir até as Harim Keseph sem parar — disse Tzizah com cautela, pois percebia que Kenan estava muito contrariado.

A frase dela refletia o desejo dos três jovens. Não aguentavam mais cavalgar; afinal, não haviam parado a noite anterior e continuaram também por todo o dia, alternando momentos de cavalgada com trote lento. Ben estava sentindo pena dos cavalos. Os animais estavam exaustos além de todos os limites do bom-senso. Haviam percorrido num único dia uma distância que os cavalos normalmente precisariam de vários dias para fazer. E não estavam nem na metade do caminho até as montanhas de prata.

O guerreiro respondeu apenas com um subir e baixar de ombros. Ele não precisava dizer nada para que entendessem seu estado de espírito. Não queria estar ali. Seu lugar era Olamir, com os giborins e com o exército, preparando-se para a guerra. Kenan era um guerreiro, e acima de tudo um homem prático. Não era dado a buscas insólitas.

Após um longo silêncio, ele finalmente falou.

— Não podemos seguir direto até as Harim Keseph. Layelá e Erev não têm condições de chegar até lá sem parar uma noite para descansar. E nós também precisamos parar. Além disso, não temos mantimentos suficientes para enfrentar vários dias de neve e frio intenso.

Todos agradeceram por aquele vestígio de bom-senso.

— Mas não podemos parar aqui — atreveu-se Tzizah. — Pode ser perigoso.

— Há um lugar. Uma estalagem. Nos tempos em que a antiga rota dos peregrinos era mais utilizada, chegou a ser bastante frequentada. Costumavam chamá-la de Estalagem de Revayá, porque sempre havia um cálice de vinho transbordante à disposição dos peregrinos cansados. Eu conheci o dono muito tempo atrás. Se ainda for o mesmo, acho que não nos negará pouso por uma noite. Se tivéssemos seguido pelo rio, não passaríamos perto dela, mas como viemos por aqui não perderemos muito tempo se passarmos por lá. Talvez consigamos agasalhos e utensílios para explorar as montanhas também. Havia essas coisas lá antigamente. Acho que merecemos uma noite de descanso.

— Acho que ele é um pouco humano — sussurrou Adin.

Para chegar até a estalagem, eles se afastaram um pouco do caminho para as montanhas e retornaram em direção à rota dos peregrinos. Depois de algum tempo, a floresta de Ganeden saudou-os mais uma vez no horizonte, mas eles não se aproximaram e tomaram o rumo leste, desejando ardentemente encontrar algum refúgio seguro para passar a noite. Para Ben, nem precisava ser muito confortável, bastava não ser duro como o chão e frio como a noite que se aproximava.

Estava praticamente escuro quando finalmente avistaram a Estalagem de Revayá. As últimas cores do crepúsculo eram sombrias porque pesadas nuvens negras cobriam o céu e anunciavam que as águas desceriam do firmamento sobre a terra. Tornava-se urgente encontrar um refúgio.

A estalagem se erguia sobre uma colina. Era um grande casarão de pedra rodeado com várias pequenas casas entrecortadas por choupos, amendoeiras e plátanos. De muito longe era possível ver sua silhueta, que dava a impressão de ser muito maior do que de fato era. Em tempos antigos, a localização alta ajudava os peregrinos e aventureiros a encontrá-la, e também convencia os apressados a fazer uma pausa, prometendo conforto, boa comida e, principalmente, vinho. Essas promessas quase sempre eram cumpridas. Porém, o lugar claramente já tivera dias melhores. Pouco frequentado não era uma boa descrição; abandonado era mais exato. A começar pelo portão que estava caído. O mato havia crescido em ambos os lados da estradinha que conduzia até o pátio diante do velho casarão. A julgar pela aparência, não tinha mais condições de hospedar ninguém.

A noite já havia envolvido inteiramente o planalto com seu abraço gelado quando os viajantes se aproximaram da casa principal. Kenan suspirou ao ver o local. Estava claro que ele o havia conhecido de outra maneira.

Os viajantes se aproximaram da estrutura com a sensação de que não encontrariam ninguém ali. Suas esperanças de uma noite de descanso com um mínimo de conforto diminuíram drasticamente. Ainda não podiam imaginar que o lugar se mostraria importante para eles e para a busca na qual estavam empenhados, mas não seria apenas para o bem.

Kenan subiu as escadarias depredadas do velho casarão até onde estava uma espécie de trombeta feita de chifre de animal. Ele se aproximou do instrumento e colocou a boca sobre a embocadura do esquisito instrumento; um som alto e melancólico ecoou pelas paredes velhas do casarão e das pequenas casas abandonadas que o circundavam, alcançando também os prados distantes da fazenda.

Após um longo tempo sem qualquer resposta, tiveram a certeza de que o local estava completamente abandonado. Estavam dispostos a forçar a porta para encontrar um abrigo, mesmo provisório, para passar a noite, quando a porta de madeira rangeu e se abriu. Um homem velho e magro apareceu, como se fosse um fantasma surgindo de um passado remoto. Carregava uma lanterna a base de óleo. Seus olhos não transmitiam muita sanidade.

Ele tinha um bigode grosso e acinzentado ligado a duas grandes costeletas que se sobressaíam diante das orelhas e se espalhavam por cima delas e também para trás, até se interligarem próximo à nuca. Era calvo no alto da cabeça. Segurava uma espécie de cachimbo na mão e a cada instante dava uma tragada. Vestia um manto longo formado de uma peça única, que parecia ser a roupa de um rei de séculos passados. Parecia ansioso para afastar visitas indesejadas.

— Já é noite. A estalagem não está aberta — falou com rispidez, olhando para os estranhos como se estivesse olhando para salteadores.

— Uma estalagem nunca deveria fechar à noite — disse Kenan em tom de deboche. Pela primeira vez revelou algum senso de humor.

— O dono da estalagem tem direito de dormir — retrucou o estalajadeiro, tentando adivinhar quem estava ali. — Esta estalagem está fechada há muito tempo.

— Então você negaria um quarto para viajantes cansados que não dormem há duas noites?

— Esse lugar não se abriria nem mesmo se o Melek e sua comitiva desejassem passar uma noite aqui.

— Tenho a certeza de que você abriria as portas para o Melek, embora certamente ele pudesse encontrar algum lugar melhor. Quem está aqui é um velho amigo batendo à sua porta.

— Velhos amigos costumam dar notícias. Quem aparece do nada pode ser um inimigo.

Mas então, o homem apertou os olhos e avaliou melhor os estranhos. Fez uma cara de surpresa, e seu olhar pareceu readquirir um pouco de sanidade.

— Mas se não é o discípulo de Thamam! É você mesmo, Kenan? Ouvi dizer que se tornou alguém importante em Olamir. Isso é um grande feito, considerando sua origem.

— Vejo que sua vista continua ruim, Yered. Tanto quanto seus ouvidos.

— E quem são os seus companheiros de viagem?

— Tzizah, a filha de Thamam e três jovens de uma cidade chamada Havilá.

— Esta hospedaria certamente não está a altura de hospedar uma princesa... — disse parecendo um pouco envergonhado.

— Nas nossas atuais condições, esta estalagem é tão apropriada quanto o melhor palácio de Olamir — disse Tzizah.

— Havilá não é onde há ouro, bdélio e pedras shoham? — perguntou o estalajadeiro.

— Bdélio e pedras shoham existem lá — respondeu Ben. — Mas ouro...

Ben percebeu que o velho fixou os olhos nele. Desviou o olhar sentindo-se constrangido. O homem certamente não estava em seu juízo perfeito.

— O que faz tão longe de Olamir? — Yered se forçou a falar novamente com Kenan, embora seu olhar sempre voltasse para Ben. — Não há guerrilheiros por aqui... Nem pedras.

— É uma longa história — Kenan respondeu com um meio sorriso. — Eu poderei contá-la a você se nos der abrigo por esta noite.

— Acho que a história não vale a hospedagem — disse Yered com um sorriso triste. — Mas vou querer ouvi-la assim mesmo, afinal, acho que vocês não irão embora mesmo. Pelo menos não terão direito de reclamar do serviço.

O homem os conduziu pelo interior da estalagem. Eles perceberam que não estava em melhores condições do que o exterior. O que mais havia lá dentro era pó e teia de aranha. Os móveis eram velhos, mas ainda dava para ver que eram de boa qualidade, embora estivessem desgastados. Havia alguns quebrados, a ponto de não poderem mais ser usados, e amontoados num dos cantos da sala principal; ainda outros estavam cobertos por panos que algum dia haviam sido brancos.

Enquanto andava na frente dos hóspedes, Yered desandou a falar sem parar e contar a história do lugar, como só as pessoas que vivem muito tempo solitárias costumam fazer, sem se importar se os visitantes estavam ou não interessados no que ele estava falando, ou mesmo se o estavam entendendo.

— Em tempos passados, se vocês viessem aqui veriam Revayá cheia de peregrinos que cruzavam a longa rota e paravam por uma ou duas noites. Sem falar nos aventureiros que se hospedavam aqui antes de tentar a sorte nas Harim Keseph em busca dos tesouros perdidos. Uns queriam riquezas espirituais, mas a maioria queria mesmo era riquezas materiais. Ah! Sim. Era a sede de riquezas... Uma sede que matava. Mas alguns a matavam aqui mesmo, com bastante vinho, talvez. Sim, muito vinho... Havia música alegre tocando a noite inteira. O vinho doce e fresco das vinhas que eram cultivadas nos lugares altos transbordava dos cálices. Isso foi nos tempos de meu avô. Eu era só uma criança. Mas via muitas coisas... Ah, se via. Nos tempos de meu pai não havia mais peregrinos, sumiram todos de uma vez, apenas os aventureiros das Harim Keseph ainda vinham aqui. Agora não há mais ninguém. Só restou o silêncio do velho casarão, as noites longas e os cálices vazios. Eu e eles. Só nós.

Então, Yered parou no meio do corredor e fez um gesto com a mão, como se pudesse expulsar aquelas lembranças tristes.

— Um dia tudo acaba, não é mesmo? Imagino que em tudo o que acontece na vida seja possível aprender alguma coisa. Qual outro motivo haveria? Quem sabe um dia eu entenderei... Ou então, talvez, não haja nada para entender...

Os visitantes assentiram, mesmo sem entender o que ele estava querendo dizer. Só desejavam hospedagem e um ambiente aquecido. Parecia que os conseguiriam, porém fazia muito frio dentro da estalagem.

— Nem o fogo de um dragão-rei seria capaz de aquecer isto aqui — cochichou Ben.

O homem voltou a andar e os conduziu até outro amplo salão que não parecia em melhores condições.

— Esta noite será diferente — disse Yered, pronunciando as palavras em tom de decisão enquanto mostrava o salão vazio. — Será como antigamente. Subam para seus quartos, tomem um banho e depois voltem para este salão. Eu vou preparar o jantar e haverá alegria novamente na velha Estalagem de Revayá. Talvez a última noite de alegria antes do fim do mundo... Ah! Sim. Ah, não... não quero assustá-los com essa conversa sobre o fim do mundo. Mas de qualquer modo, o que importa? Que o mundo acabe amanhã! Hoje riremos e justificaremos o nome deste lugar mais uma vez! Ah! Sim.

Ben pensou que nem era necessária tanta alegria. O banho e o jantar já eram suficientes. Ele nem sabia de qual dos dois sentia mais saudades.

O banho foi o primeiro que ele reencontrou. Após a longa jornada por aquele terreno seco, a água parecia devolver a vida à pele ressecada. É claro que sua última experiência com água não havia sido nada boa, pois boiar no meio de um imenso rio, sendo arrastado pela correnteza com pedaços de madeira e outros entulhos, não fora agradável. A água morna o fez esquecer tudo. Ele quase adormeceu dentro da velha banheira de tábuas.

Quando Ben saiu do banho havia toalhas limpas. Yered parecia feliz em ter hóspedes novamente e se esforçava por recebê-los da melhor forma, apesar da evidente precariedade do lugar. Do mesmo modo, apesar da aparente falta da sanidade mental do estalajadeiro, os visitantes estavam felizes por estarem ali. Era bem melhor do que ao relento ou cavalgando a noite inteira.

Ben foi o primeiro a descer, perguntando-se se já havia algo para comer.

O lugar estava bem diferente. O homem havia feito uma faxina no velho salão. A lareira já acesa deixara o ambiente razoavelmente aquecido. Tudo estava mais ou menos limpo e arrumado. Sobre a mesa, a comida improvisada estava servida. Se não primava pela qualidade, pelo menos era abundante. Isso realmente o animou. Havia alguns bolos de trigo e de cevada, desses que eram feitos em quantidade e guardados para irem sendo consumidos aos poucos. Vários tipos de grãos torrados, favas e lentilhas se espalhavam pela mesa. Também havia mel, coalhada, queijo e óleo de oliva. Para sobremesa, frutas; as cores dos figos, romãs e melões agradavam a vista. Não havia carne, pois era impossível prepará-la às pressas, mas havia vinho, é claro; muito vinho.

Ben provou relutante o vinho que o velho lhe ofereceu numa taça de metal dourado como ouro. O único vinho que conhecia era o Yayin de Havilá que, apesar de ser famoso em Olam, era forte e amargo, pelo menos para o paladar de Ben. A relutância se desfez imediatamente quando sorveu o primeiro gole; era adocicado e suave como suco de uva. O aroma marcante de um tipo especial de uva e o gosto delicado tomou conta de seu paladar, causando uma sensação de bem-estar.

— Mas não exagere — brincou Yered. — Não poucos cavalheiros já perderam o juízo por terem se entregue a esta bebida, aqui mesmo, neste salão. Ah! Sim.

O velho disse as últimas palavras da frase com um sorriso que parecia esconder uma saudade.

Enquanto bebericava a taça de vinho e esperava o restante da comitiva, Ben se pôs a olhar os quadros do lugar. Havia diversos retratos de homens velhos. Um deles usava as mesmas suíças de Yered. Outro tinha um rosto redondo engraçado. Mas num dos cantos, um dos retratos fez Ben ter uma sensação estranha. Poderia ser um retrato seu. Então, entendeu o modo como o estalajadeiro o olhou lá fora.

— O que aconteceu ao seu filho? — perguntou Ben, deduzindo em parte o que havia acontecido.

— As montanhas — explicou Yered. — Elas o levaram... Os tesouros perdidos. Ele ouviu muitas histórias dos exploradores neste salão... Ah! Sim. Quando a estalagem entrou em declínio, acreditou que encontrar os tesouros era a única maneira de recuperar a dignidade. Partiu uma manhã há muitos anos. Disse que só voltaria quando encontrasse os tesouros dos kedoshins. Nunca mais voltou. Não. Nunca voltou. Ele se chamava Shahar.

— Eu sinto muito — lamentou Ben olhando para o retrato do jovem que se parecia com ele.

— Eu ainda o espero voltar — revelou Yered. — Todos os dias eu fico naquele portão esperando que ele retorne. Ele vai voltar um dia desses... Ah! Sim. E com os tesouros... Ah! Não. Não me importo com os tesouros... Só quero que ele volte...

Ben não disse nada, mas seu olhar compartilhou a dor do homem. Eles tinham algo em comum.

Quando todos já haviam descido, o estalajadeiro os fez sentar em volta da mesa farta. Antes de se servirem, ele pediu que todos ficassem em silêncio e fez uma espécie de oração. Agradeceu a *El* pelo alimento e por aquela nova oportunidade de alegria após tanto tempo de tristeza e solidão. Então, fez um gesto para que todos se servissem.

Só nesse momento Ben percebeu o quanto estava faminto. Era estranho como nos momentos de muita pressão, como os que eles haviam vivido nos últimos dias, a fome desaparecia. Porém, quando tudo se normalizava, ela voltava com toda a intensidade. No caso dele, já fazia tempo que havia voltado, desde o banho revigorante.

O gosto de cada tipo de alimento que provava parecia-lhe delicioso depois do longo jejum. A sopa vermelha de lentilhas, chamada naqueles dias de natzid, precisou ser servida por último, porque ainda não estava pronta, mas também não decepcionou.

A certa altura, o velho fez sinal para que todos continuassem comendo e se retirou por alguns instantes, voltando em seguida com uma flauta transversa. Ele soprou algumas notas e, pela falta de jeito inicial, Ben teve a sensação de que ele não sabia tocar, ou havia desaprendido. Mas então, a flauta desengasgou e uma música encheu o salão. A melodia surgiu fluída enquanto o velho soprava. Seus dedos grossos pareciam incapazes de tapar apenas um dos buracos da flauta, mesmo assim, as notas saíam perfeitas e harmônicas, compondo uma música deliciosa de ouvir. Combinava perfeitamente com um banquete.

O estalajadeiro tocava a flauta e dava o ritmo com um dos pés, batendo cadenciadamente no chão. Então, começou a cantar com sua voz grossa, mas divertida.

> Rebentam-se no vale as fontes
> Recobrem-se de relva os montes
> Pelas mãos de *El* que sustentam
> Todas as criaturas se alimentam.

Na sequência, voltou a tocar a flauta, deixando no ar a fácil melodia que logo se fixou na memória dos visitantes.

> O lar das cegonhas é nos ciprestes
> Às cabras, as montanhas deste
> As aves se abrigam nas ramagens
> No campo os jumentos selvagens

Nos intervalos das estrofes, ele soprava desajeitada e, ao mesmo tempo, harmoniosamente o pequeno instrumento. A música era um apelo para dançar.

As garotas foram as primeiras a atendê-lo. Tzizah deslizou pelo salão. Ela fez um convite para Leannah que, depois de hesitar um pouco, levantou-se e tentou dar alguns passos também. Logo ambas estavam soltas, rodopiando pelo salão, e rindo alto, como se o mundo tivesse ficado para trás.

> As árvores buscam a eternidade
> E testemunham da tua bondade
> Elevam-se gigantes às alturas
> Distantes de todas as agruras.

As duas garotas foram embaladas pela música alegre e logo estavam se divertindo muito.

Ben não imaginava que Leannah soubesse dançar tão bem.

Os dois garotos foram os próximos a se levantar e a obedecer ao chamado da música. Era estranho porque Ben não sabia dançar, mas ali parecia tão fácil. Era como se a música o conduzisse, e só precisasse se soltar. Devia ser o vinho.

Kenan ficou assentado, olhando com uma expressão de cansaço para os jovens dançando. Seu olhar dizia que aquilo era algo para jovens, algo que ele não devia mais praticar, apesar dos convites insistentes de Tzizah.

Mesmo sabendo que Tzizah era comprometida com Kenan, Ben não conseguia tirar os olhos dela. A leveza com que dançava, suas faces rosadas devido ao vinho e o cinza melancólico de seus olhos o fascinavam cada vez mais.

> Da terra o homem tira o pão
> E o vinho que alegra o coração
> O escuro e inebriante mosto
> E o azeite que dá brilho ao rosto.

As estrofes continuavam a desfilar pelo salão enaltecendo as benesses da criação, intervaladas pelos acordes alegres da flauta, os quais pareciam ter o mesmo poder do vinho: o de tirar alegria do nada.

A certa altura fizeram uma dança em que precisavam pegar nas mãos uns dos outros. Eles rodavam no salão e trocavam de par. Quando pegava as mãos suaves de Tzizah, Ben sentia seu coração disparar. Ele se lembrou daquelas mãos enfiadas na terra, fazendo a plantinha nascer. E também dos lábios dela tocando os seus. Aquilo havia acontecido há apenas alguns dias, mas para ele parecia décadas. Aquelas mãos tinham o poder de dar vida ao seu coração, como deram àquela plantinha que nasceu e floresceu exuberantemente.

> Pra que pensar no amanhã?
> Se a vida logo vira anciã
> Nossa história é só um segundo
> Cantemos até o fim do mundo.

Em meio ao barulho da música, Ben teve a impressão de ter ouvido um trovão distante, mas não se importou. Tudo o que desejava era que a noite pudesse durar só um pouco mais. O amanhã não importava.

Leannah parecia feliz mais uma vez. Ela andava calada ultimamente, mas ali no salão, ele ouviu várias vezes seu engraçado riso, e isso também o deixou alegre, ou talvez, a palavra melhor fosse aliviado. Se algo de ruim tivesse acontecido com ela em Schachat, a essa altura, certamente eles já saberiam. Ben concluiu que não havia motivos para preocupação. E a verdade é que ela estava muito bonita também, após um banho revigorador. Havia algo misterioso nela. Era como se não precisasse mais dele, como se tivesse subitamente se tornado consciente de seus atributos. Isso o deixava feliz, mas também um pouco triste.

Quando a música terminou, ninguém mais estava em condição de fazer outra coisa senão ir para a cama. Ben nem soube como conseguiu chegar ao quarto ou se havia realmente chegado até ele. Conseguiria dormir em qualquer lugar.

O resto da noite ele dormiu sem sonhos. Algo lhe dizia que nunca mais teria uma noite como essa. E isso era a mais pura verdade.

Após os dois rapazes e as duas garotas se recolherem, Kenan permaneceu no salão. Ele conversou longamente com o estalajadeiro a respeito dos dias antigos e da guerra iminente. O vinho fez com que o giborim falasse mais do que o costumeiro.

14 As Harim Keseph

Quando amanheceu estava caindo um verdadeiro aguaceiro. A chuva era tão intensa como se um dilúvio houvesse começado. Da janela de seu quarto, no segundo andar da estalagem, Ben contemplava a paisagem molhada da fazenda, com os ciprestes parcialmente cobertos pela cerração e os campos encharcados. Era uma visão triste. Contrastava com a noite alegre que eles haviam passado.

A distância da Estalagem de Revayá até as Harim Keseph era bastante grande, cerca de um dia de viagem para os cavalos. Por isso, logo cedo todos estavam de pé, embora a chuva os convidasse a ficar mais um pouquinho na cama.

O estalajadeiro havia preparado um desjejum com o que havia sobrado do jantar. Mesmo assim ele foi farto. De novidade havia apenas um pão em forma de coração que Yered chamava de levivá. Como ainda estava quentinho, Ben deduziu que o estalajadeiro o havia assado durante a noite. Também arrumou alimento para a jornada. Um tipo de biscoito chamado nikudîm, que eles já haviam provado na noite anterior, pão sem fermento e frutas secas. E uma série de apetrechos importantes para a sobrevivência nas montanhas: capas, botas, cobertores, cordas e guinchos para uma eventual necessidade de escalada. Apesar da insistência de Kenan em pagar por tudo, Yered se recusou a aceitar o pagamento. Uma antiga dívida dele com Thamam foi a explicação.

O velho fez questão de acompanhá-los até o portão caído. Depois de se despedir com um sorriso triste e um aceno de mão, retornou cabisbaixo para a solidão da velha estalagem.

Por um momento Ben desejou que Kenan o convidasse a ir junto para as montanhas, apesar de saber que era impossível. Para o velho estalajadeiro a aventura sempre terminava ali, ao ver os hóspedes partindo para lugares desconhecidos.

Enquanto o anfitrião retornava para seu abrigo, Ben o acompanhou com o olhar, lembrando as histórias contadas na noite anterior. Na estalagem outrora cheia de pessoas que iam e vinham, falando de seus feitos e aventuras, agora havia apenas um silêncio fantasmagórico. Os móveis voltariam a se esconder embaixo dos panos e a penumbra reinaria outra vez.

Voltando-se para o norte, o lugar mais gelado de Olam se apresentou aos peregrinos. A silhueta distante das Harim Keseph estava escondida nas nuvens baixas, marcando o ponto mais distante conhecido ao norte, como uma espécie de final do mundo. O barulho já habitual dos cascos dos cavalos esmagando as pedras do caminho devolveu-lhes a dura rotina dos últimos dias.

Os cinco estavam preparados para o frio, pois usavam simlâ, um tipo especial de roupa providenciado pelo estalajadeiro. Era um grande manto solto, feito de lã de ovelha. Por ser espesso, era adequado até mesmo sob a chuva. Quando não fazia muito frio podia ser levado sobre os ombros. Quando aumentava, era só enrolá-lo no corpo inteiro. À noite, tornava-se um excelente cobertor. Esses mantos especiais eram alugados para os hóspedes que, em tempos passados, faziam incursões pelas Harim Keseph em busca dos tesouros perdidos dos kedoshins. Muitos não os devolviam. Aquelas eram as últimas peças que haviam sobrado.

Não demorou até Ben descobrir que cavalgar debaixo de chuva criava um sentimento de melancolia. As paisagens ermas daquela parte do mundo acentuavam a sensação de vazio e solidão. Ele pensou mais uma vez em Enosh. Será que o velho latash ainda estava vivo? Por um lado sentia-se culpado em estar seguindo aquela missão. Parecia-lhe que o certo era estar procurando por ele. Mas por outro, o velho desejava que fizesse aquilo. Havia deixado a mensagem em Halom, dando as instruções. Thamam dissera que, provavelmente, ele havia sido sequestrado. Onde estaria agora o latash?

As nuvens carregadas se estendiam por todo o planalto e se tornavam mais escuras na direção das montanhas. Porém, ao leste, naquele momento, o brilho de Shamesh vazou por entre as fendas menos consistentes, dando a enganosa impressão de que a chuva daria uma trégua. A luz do sol cortou a chuva em diagonal incendiando as gotículas que brilharam, como se estivessem revestidas de ouro. Imediatamente um arco-íris se encurvou como um grande arco celeste, com suas sete cores perfeitas e esplendorosas. O esplendor durou poucos minutos, logo o céu se fechou totalmente outra vez.

À medida que os cavaleiros rumavam para o norte, a altitude aumentou e o clima esfriou rapidamente. A chuva, antes forte, enfraqueceu e se tornou uma garoa cada vez mais fina e mais fria. Quando a garoa parou, foi a vez da neve começar. Os primeiros flocos flutuaram das alturas, como minúsculas plumas de ganso, e começaram a se depositar tranquilamente sobre o chão. A paisagem parecia em *dégradé*, com o escuro das florestas de pinheiros, o cinza das rochas e o branco da neve misturada com barro. Quando a neve se intensificou, um tapete imaculado se estabeleceu sobre todo o caminho. Então, tornou-se impossível continuar cavalgando. Eles precisaram apear e puxar os cavalos.

— Como eram os kedoshins? — Ben quebrou o incômodo silêncio que só era interrompido pelo som das patas dos cavalos ao bater no terreno pedregoso sob a neve.

Kenan olhou para Ben e, prevendo nova rajada de perguntas, ignorou-o, limitando-se a puxar Layelá pela trilha cada vez mais traiçoeira.

— Ninguém sabe exatamente — Tzizah respondeu vagamente.

— Como assim? Ninguém os viu quando estiveram aqui?

— Ninguém que esteja vivo — explicou ela com um sorrisinho.

— Imaginei que pudesse haver algum desenho ou ilustração deles — insistiu Ben.

— Os kedoshins definitivamente não queriam imagens de si mesmos.

— E o que são aquelas duas estátuas imensas no portal de Olamir? — lembrou o guardião de livros.

— Foi uma homenagem dos construtores da plataforma levadiça. Não foi obra dos kedoshins. Ninguém sabe ao certo se os kedoshins eram daquele modo. As estátuas não são muito diferentes de homens. Os kedoshins raramente apareciam, mesmo quando estavam neste mundo.

— Então, se não podiam ser vistos, como sabem que todos eles se retiraram deste mundo?

Tzizah não soube responder à pergunta, mas ficou pensativa.

Kenan resolveu se pronunciar.

— Ninguém disse que não podiam ser vistos... E sabemos que eles foram embora porque isso foi o que aconteceu.

Ben soltou uma risada sarcástica diante da resposta dogmática, e Kenan olhou para ele com uma cara pouco amistosa.

— Os registros em Olamir apontam para isso — Tzizah se apressou a esclarecer, parecendo ansiosa em evitar mais desgastes no grupo de peregrinos. — Os registros contam que os kedoshins ficaram tão decepcionados com as guerras sem fim deste mundo e, principalmente, com a traição dos homens, que resolveram partir. Mas antes, lapidaram o Olho e o entregaram a Tutham. Ele, por sua vez, o colocou sobre a torre branca em Olamir. Depois disso, os homens fizeram um pacto com os shedins de que não haveria mais guerras. Assim, a espada foi depositada no templo sagrado para descansar eternamente, e os shedins nunca mais atacaram Olam.

Tzizah disse tudo aquilo mecanicamente, como se estivesse recitando algo decorado. Ben achou a explicação muito simplista e, tempos depois, descobriria que era pouco exata também.

— E isso acabou com toda a possibilidade que tínhamos de sermos verdadeiramente livres — interrompeu Kenan abruptamente, atraindo o olhar de todos mais uma vez.

— Por que você diz isso? — Tzizah olhou desconfiada para Kenan. A tensão cresceu outra vez entre os dois.

— Confiando que o Olho de Olam brilharia eternamente, o Conselho de Olamir baniu as antigas artes de manipulação das pedras — disse com rispidez o giborim. — Proibiu aos lapidadores desenvolver técnicas para potencializar armas, pois isso afrontaria o pacto com os shedins. Então, os shedins e seus aliados esperaram pacientemente até os homens se tornarem fracos, presas fáceis para eles. É exatamente o que somos hoje!

Tzizah ficou transtornada com a resposta. Pela primeira vez, Ben percebia que ela parecia profundamente desapontada com Kenan. Isso mostrava que a paciência dela era realmente grande.

— Se as artes antigas de manipulação das pedras não pudessem ser ensinadas, o Conselho não permitiria a existência da ordem dos giborins de Olam... — lembrou Tzizah.

— O que apenas cinquenta soldados podem fazer diante de uma guerra com as proporções desta que está para começar? — descarregou Kenan sem paciência. — Você faz ideia das criaturas que há no exército deles? Sabe o que jovens indefesas como vocês vão enfrentar quando eles deixarem a escuridão?

— O Conselho confiava no Olho — pronunciou Tzizah, ignorando o "jovens indefesas". — Ninguém podia imaginar que ele enfraqueceria.

— Jovens indefesas podem ter grande participação nessa guerra — se intrometeu Leannah, que vinha silenciosa desde Revayá.

— Eu tenho a certeza de que sim — rebateu Kenan com ironia. — Serão troféus para os shedins.

— O Olho de Olam pode ser reativado. — disse a cantora de Havilá com firmeza. — Precisamos confiar nisso agora

— Nunca deveríamos ter chegado ao ponto de depender de algo que não controlamos — devolveu Kenan. — Devíamos ser fortes por nós mesmos.

— Por que você começou tudo isso, Kenan? — foi a vez de Tzizah perguntar. — Por que foi até Salmavet e mandou o filho de Naphal para o Abadom? Por que começou essa guerra?

As perguntas de Tzizah deixavam transparecer uma mágoa profunda. Também havia algo mais, como se a pergunta implícita fosse: Por que fez tudo isso para colocar meu pai na situação difícil em que ele se encontra agora? Eram perguntas guardadas há muito tempo que saíram de uma só vez por causa do calor do momento.

Kenan olhou para ela com uma expressão dura como pedra. Ben imaginou que ele daria outra resposta raivosa, mas, após algum tempo, ele abaixou a cabeça e respondeu com uma voz cansada e fria.

— Eu não tive opção.

O giborim afastou a neve que havia caído em suas espessas sobrancelhas e continuou guiando Layelá pelo caminho cada vez mais branco.

A resposta não satisfez Tzizah, mas Ben viu a garota morder o lábio e se calar. Suas mãos se aferraram às rédeas ao ponto de saltarem veias, contudo ela permaneceu calada.

Ben não entendeu por que Kenan não falou sobre o plano de tentar antecipar o ataque dos shedins. Aquilo parecia uma boa justificativa. Era um plano falho, mas não deixava de ser bem intencionado.

Uma distância havia se estabelecido entre Kenan e Tzizah. Ben não sabia se ficava alegre ou apreensivo com isso. De qualquer modo, apesar de serem noivos, não pareciam muito íntimos. O guardião de livros não entendia como alguém que havia cumprido o Nedér para se tornar digno de se casar com ela poderia ser tão ríspido. Porém, nesse momento Ben estava sentindo muito frio. Havia algo estranho em seu coração, uma lembrança de quem ele era: um fora-da-lei de uma cidade insignificante. Não tinha o direito de desejar mais do que merecia. Devia estar sendo punido por algo que ele fizera, ou seus pais, os quais ele não conhecia. Se não havia ação sem reação, provavelmente sua vida era a reação a alguma ação malfeita.

Seu destino era vestir o capuz cinzento dos latashim, não a capa vermelha de um giborim e muito menos cobiçar o amor de uma princesa. Se conseguisse encontrar Enosh, provavelmente ele exigiria que Ben fizesse o juramento. Por que não se contentava com isso?

No meio do dia a neve deu uma trégua, mas o frio que, no entendimento dos exploradores, já tinha alcançado o limite máximo, mostrava-se persistente em provar o quanto estavam errados. À medida que se aproximavam dos picos pontiagudos e irregulares das Harim Keseph, todo calor e todo conforto desapareciam daquele mundo.

As montanhas ao norte agora podiam ser vistas mesmo com o céu fechado. De longe, a silhueta branca de duas se destacava. Elas destoavam das demais por terem exatamente a mesma forma. Eram conhecidas como as Gêmeas, e formavam um portal para a cadeia de montanhas.

O objetivo desse dia era chegar antes do anoitecer até uma cabana. No passado o abrigo fora utilizado pelos caçadores de tesouros. Ficava na base das Harim Keseph, não muito distante das Gêmeas. Foram informados da existência desse local e de como chegar até ele pelo estalajadeiro. Com tempo bom, o trajeto podia ser feito em um dia de viagem, mas como haviam enfrentado a neve, eles não tinham mais certeza se conseguiriam chegar antes do anoitecer.

A melhor das expectativas era a de passar a noite no abrigo e esperar que no dia seguinte o tempo estivesse favorável. O problema é que nem sabiam por onde começar a busca. A pedra somente indicava o próximo ponto localizado nas Harim Keseph, mas não havia outra pista. Supunham, entretanto, que ela brilharia outra vez quando estivessem perto do mecanismo de ativação.

A noite caiu sobre eles antes de chegarem ao abrigo. Um vento gelado os atrapalhou mais do que imaginavam. Ben tinha a sensação de que todo o seu corpo estava congelado. Ele não sentia mais as pontas dos dedos, e a frieza havia penetrado até o fundo de seus ossos. Era um frio cruel. Um inimigo disposto a matá-los lenta e silenciosamente.

Guiados pela luz da pedra do sol, eles continuaram a se mover penosamente sobre a neve. Os flocos brancos retornaram e cortavam a escuridão. Ao entrar em contato com a luz da pedra ficavam brilhantes, como se tivessem luz própria. No início da jornada eram suaves como plumas, mas naquele momento, estavam se tornando pesados e dificultando ainda mais a movimentação.

Só encontraram a cabana quando a noite já se encaminhava para a madrugada, e as forças tinham ido embora há muito tempo. Seu aspecto abandonado era a prova de que os homens haviam desistido de procurar tesouros nas montanhas. Era precária, mas sua estrutura de pedras ainda estava em pé na encosta, formando um esconderijo contra a neve e contra o vento cortante. Assemelhava-se a uma caverna, pois as pedras haviam sido posicionadas aproveitando o desnível do terreno. Para entrar no refúgio precisaram remover a neve acumulada que barrava a entrada. Isso os congelou ainda mais.

No passado, o abrigo apresentava condições para acomodar dezenas de pessoas, mas a maior parte havia desabado. Só restava um cômodo de pedras, precariamente reconstruído em tempos recentes.

Os cavalos foram recolhidos no mesmo cômodo, pois não sobreviveriam ao frio da noite. Como não havia alimento para os animais, o tempo de permanência precisaria ser muito breve.

— Eu trouxe um pouco de zefet — revelou Tzizah, batendo os dentes de frio.

Kenan assentiu e se pôs a vasculhar as coisas que Tzizah havia trazido de Olamir. Encontrou um pequeno tubo com uma substância escura. Sob os olhares curiosos de Ben, Adin e Leannah, ele amontoou algumas pedras do abrigo num dos cantos e derramou um pouco do líquido sobre elas. A substância rapidamente se espalhou sobre as pedras e penetrou nelas. Parecia betume.

— Use uma flecha! — orientou Kenan.

O olhar de Ben demonstrava sua incompreensão.

— Precisamos de fogo...

Ben colocou uma seta no arco e todos se afastaram do amontoado de pedras. O disparo incendiou o líquido, levantando uma forte labareda que aos poucos se acalmou. O líquido tornou-se incandescente. Então, lentamente as pedras começaram a brilhar e se tornaram como brasas.

Todos se aproximaram e absorveram prazerosamente o calor que emanava. Depois veio a sensação dolorida, quando as mãos começaram a descongelar.

— Quanto tempo vai durar? — perguntou Adin.

— Um ou dois dias — respondeu Tzizah, esfregando as mãos delicadas sobre o dourado incandescente das pedras. — Não sobreviveríamos sem isso.

Dentro da cabana experimentaram a sensação de que podiam se trancar do mundo, mas ao mesmo tempo, não podiam trancá-lo para fora. O vento zunia sobre os campos cobertos de neve e batia na estrutura de pedra do abrigo fazendo sons altos e estranhos, como se espíritos errantes soltassem gritos de desespero e danação. Esses zunidos bizarros entraram nos sonhos de Ben durante toda a noite. Ele acordou assustado várias vezes, com a impressão de que espíritos malignos estivessem chamando seu nome. Como medida de segurança, mesmo sem saber contra o quê, as armas ficaram em prontidão a noite toda. Essa foi a mais longa noite experimentada por Ben até aquele momento e a mais curta das que ainda experimentaria nas Harim Keseph.

Ao amanhecer, a nevasca havia cessado. Ben acordou e percebeu que Kenan havia se levantado e já estava fora do abrigo. Leannah, Tzizah e Adin ainda dormiam. Ben olhou para os três assentados e imóveis; pareciam petrificados. Com lentidão, movimentou os membros para que se soltassem e depois se ergueu com dificuldade, ainda sentindo o corpo enrijecido pelo frio. Em seguida saiu.

Para sua surpresa, contemplou uma esplendorosa paisagem que fora encoberta pela noite anterior. O branco do gelo contrastava com o azul límpido e intenso do céu.

Quando conseguiu se acostumar com a claridade olhou mais atentamente para as montanhas. À sua frente algumas elevações irregulares conduziam até as duas primeiras, com seus picos perfeitos. A disposição delas, lado a lado, dava a impressão de que haviam sido esculpidas. O nome, Gêmeas, era apropriado.

Logo todos levantaram e se puseram a fazer os preparativos para iniciar a busca nas Harim Keseph.

O estalajadeiro havia fornecido sapatos adequados para andar por cima da neve. Os resistentes e flexíveis calçados feitos de couro de crocodilo curtido tinham garras pontiagudas na sola, as quais se cravavam no gelo e ajudavam a manter o equilíbrio. A parte mais difícil era calçar e retirar os sapatos. Foram obrigados a sentar-se no chão para conseguir encaixar o pé e, então, enrolar nas canelas os cadarços de couro, para finalmente dar um nó, deixando-os bem firmes. Os aventureiros de Havilá, no início, mal podiam parar em pé, mas aos poucos se habituaram.

Preparados, iniciaram a subida.

Durante parte da manhã, avançaram em direção à silhueta das Gêmeas. As duas montanhas os aguardavam pacientemente, ora aparecendo, ora escondendo-se devido às elevações do caminho. No começo ainda havia algum tipo de vegetação, pois os pinheiros baixos tentavam se sobressair à neve que os sufocava pouco a pouco. Logo o gelo ganhou a disputa e havia apenas neve e rochas escuras. Ben se lembrou da fuligem de Midebar Hakadar e do quanto achou difícil se mover no deserto. Isso agora parecia fácil em comparação com a dificuldade de se movimentar sobre tanta neve. Mas pelo menos não estavam acorrentados.

Desde a estalagem não ouviram mais os piados estridentes de Evrá. Talvez, devido ao frio e à neve das montanhas, ela tivesse retornado, mas Ben esperava que a águia estivesse em algum lugar lá em cima observando-os. Sentia-se mais seguro quando seus olhos perscrutadores os vigiavam.

Com o ar rarefeito, a subida se tornava ainda mais difícil. O estalajadeiro havia advertido a respeito das gretas, verdadeiras fendas encobertas com uma fina camada de gelo que funcionavam como um alçapão, e que poderiam ter dezenas de metros de profundidade. Junto com as avalanches, eram os maiores riscos que as montanhas ofereciam. E ambas eram difíceis de prever.

Eles alcançaram a passagem entre as Gêmeas por volta do meio-dia. A parte final era a mais íngreme e, embora, com algum esforço todos pudessem chegar ao alto sozinhos, Kenan subiu primeiro e prendeu o guincho. Isso facilitou a subida, especialmente para as garotas.

Se depararam com uma visão compensadora para os dois lados. A cadeia de montanhas se erguia majestosa à frente das Gêmeas, com seus picos cada vez mais altos apontando para o céu e testemunhando uma glória intocada. Com o tempo bom e naquela altitude, era possível enxergar uma longa distância daquela parte completamente inabitada do mundo. Do lado contrário — de onde tinham vindo — era possível ver o planalto desnudo aos pés da montanha se estendendo branco e depois cinzento. Essa tonalidade se alterava na linha do horizonte, pois a cor negra, quase azulada da floresta de Ganeden, fazia uma barreira intransponível para a visão.

Apesar da vista deslumbrante, a subida não foi produtiva. Conseguiram se movimentar num espaço quase insignificante em relação ao tamanho da área ocupada pelas Harim Keseph. Era como procurar uma agulha num palheiro. E isso com uma complicação adicional: eles nem sabiam o que estavam procurando. Em momento algum a pedra de Ben brilhou.

Quando o sol se refugiou nas montanhas a oeste, o amarelo incandescente dava a impressão de que um dragão-rei estava soltando fogo atrás dos montes brancos. Os peregrinos entenderam que era hora de retornar ao abrigo.

As pedras ainda aqueciam precariamente o local. Foi um alívio mais uma vez deixar o frio daquele mundo de gelo. A cabana não estava exatamente o que se podia chamar de quente, e em situações normais eles achariam o lugar horrível, mas em comparação com o frio lá fora, era possível se sentir quase confortável, não fosse pela convivência cada vez mais complicada com Kenan. Durante o dia inteiro ele não dissera uma única palavra e parecia mais e mais contrariado com aquela expedição. Tzizah também não falou com ele durante todo aquele tempo, e o clima entre os dois parecia tão gelado quanto as montanhas.

De noite se alimentaram com a espécie de biscoito grosso e seco chamado por Yered de nikudîm. Já era duro suficiente sem estar congelado, mas pelo menos durava bastante tempo. O restante foi o esperado: noite longa, ventos uivantes e muito frio.

O amanhecer trouxe novos problemas. Havia voltado a nevar intensamente. Se essas condições persistissem, o convívio prolongado dentro do apertado abrigo se tornaria insuportável, e a missão lá fora praticamente impossível.

Mesmo sabendo dos terríveis riscos de andar pelas montanhas durante as nevascas, Kenan saiu sozinho. Retornou mais tarde, sem ter descoberto coisa alguma. Ben não entendeu por que ele havia saído. Não levara Halom. E sem Halom, jamais descobriria o local onde o próximo ponto poderia ser ativado. E Ben não estava disposto a entregar Halom para ele, não só por causa das palavras de Har Baesh, mas porque no momento, a última pessoa com quem ele se importava era Kenan.

No segundo dia todos saíram do abrigo. Poucos minutos do lado de fora foram suficientes para que Leannah, Tzizah e Adin retornassem rapidamente para o interior. Ben entrou algum tempo depois. Só Kenan parecia imune ao frio.

O vento e a neve eram insuportáveis. Eles precisaram usar o resto do zefet que tornava as pedras incandescentes, pois o efeito estava acabando. Isso significava que só restavam mais dois dias antes de congelarem totalmente.

Sentindo-se prisioneiros, cada um se entregou apenas aos próprios pensamentos.

Adin olhava hipnotizado para as pedras recobertas de zefet, que pareciam ovos de ouro, nunca se afastando delas. Suas bochechas avermelhadas se iluminavam pela luz agonizante das pedras. Havia emagrecido bastante. Seu olhar estava sempre entristecido, quase choroso. Por várias vezes demonstrou arrependimento de ter partido de Havilá.

Tzizah não cantava mais; aliás, não fazia isso desde o dia em que deixara a estalagem. No primeiro dia, ela ainda sussurrara algumas melodias tristes pelo caminho, mas depois da conversa difícil com Kenan, silenciou. Provavelmente estivesse preocupada com seu pai. Ben tentava se manter longe dela, mas todo o tempo se flagrava lembrando da manhã agradável debaixo das bétulas. Tzizah nunca mais lhe dirigira a palavra. E agia como se aquilo não tivesse acontecido.

Kenan não falava com ninguém, e isso era um alívio para todos. Sua única função era cuidar das pedras, posicionando-as de maneira a conseguir alguma sobrevida de calor para elas pois o efeito do zefet estava acabando. Ele praticamente não dormia e saía muito cedo para meditar.

Leannah passava horas olhando para o espelho e dormia com ele preso em suas mãos. Seus cabelos estavam desgrenhados. Seus olhos escondiam segredos. Ela estava muito diferente. Em alguns momentos, parecia ter alucinações. Algo havia acontecido com ela dentro do Morada das Estrelas e Ben já não sabia se havia sido positivo ou negativo. Quando Ben, num certo momento, quis pegar o espelho para ver o que havia de tão especial, ela não o entregou. Mesmo assim, ele insistiu e praticamente o tomou das mãos dela. Quando viu sua imagem refletida, subitamente empalideceu e devolveu o instrumento rapidamente.

— Todos nós escondemos muitas coisas — disse Leannah ao ver o horror do guardião de livros. — Especialmente, o que realmente somos.

Ben devolveu o espelho e nunca mais fez menção de pegá-lo.

Lá fora, a neve continuava a cair incessante. As condições precárias, o gelo eterno, o frio cortante; tudo contribuía para que eles fracassassem.

No terceiro dia, Kenan saiu do abrigo, mas retornou logo depois. Eles haviam ouvido grandes estrondos dentro da cabana. Kenan explicou que uma grande avalanche havia acontecido não muito longe.

O desânimo tomou conta de todos. Os biscoitos nikudîm haviam acabado. A fome já começava a mordiscar as entranhas dos exploradores. Eles precisavam fazer água derretendo a neve num recipiente deixado ao lado das pedras incandescentes. A água obtida tinha um gosto ruim. Os cavalos estavam em situação ainda pior, pois não haviam se alimentado durante todos aqueles dias.

— Nunca conseguiremos cumprir a missão a tempo — resmungou Kenan rompendo o silêncio que todos gostariam que continuasse. — Ela já nasceu morta.

Tzizah parecia cansada demais para discutir, mesmo assim respondeu.

— Não devemos perder a esperança. Talvez *El* ainda tenha algo para nos surpreender.

— Para surpreender e, talvez, também para nos esmagar se outra avalanche acontecer.

— Se não confiarmos em *El*, vamos confiar em quem?

— Em ninguém. Assim jamais correremos o risco de ficarmos decepcionados.

— Eu tenho pedido a *El* que devolva a você a fé...

Kenan deu uma risada forçada.

— Você tem falado com *El*? Não se sente meio solitária fazendo isso, como quem fala sozinha?

Depois disso, Tzizah desistiu.

Naquela noite, Halom voltou a se ativar em sonhos. Mas ao contrário de mostrar o futuro, ela revelou algo do passado. Ben viu diversos homens que passaram por aquela cabana. Alguns pareciam de séculos passados, pois usavam roupas estranhas que Ben jamais conhecera. No olhar de todos havia uma busca, um anseio por encontrar as riquezas das montanhas prateadas. Para muitos, no fundo, os tesouros eram só uma justificativa para algo maior que todos buscavam: o sentido da vida. E quanto mais peregrinos passavam por aquelas montanhas sem encontrar nada, mais o anseio dos caçadores de tesouros aumentava.

Ben viu as mesmas cenas se repetirem durante anos e anos, enquanto todo tipo de homens, desde jovens que haviam visto poucos invernos até velhos que já haviam suportado mais do que deveriam, atormentavam-se com aquele sentimento que os consumia dentro da cabana, enquanto as tormentas lá fora batiam sem compaixão na frágil estrutura. Ben viu muitos morrerem ali mesmo, congelados durante a noite ou por inanição após vários dias sem comida. Em poucos havia aquele sentimento de paz de quem havia encontrado o que tanto buscavam.

Então Halom mostrou um jovem. Seus cabelos eram castanhos e longos. Ele reconheceu o jovem do retrato da estalagem. Quase podia jurar que estava vendo a si mesmo. Ele ficou vários dias naquela cabana, solitário, fazendo incursões nas montanhas quando o tempo permitia. Em seu olhar havia aquele brilho desesperado, aquele vazio que o impelia a buscar os tesouros, num anseio por trazer dignidade e sentido à própria vida. Numa das noites, Ben viu Shahar chorando baixinho dentro da cabana. Ele estava muito ferido. O sangue empapava a túnica. Ouviu também uma oração. "Cuide de meu pai, jamais o deixe perder a esperança. Ajude-me a encontrar os tesouros, ajude-me a encontrar".

Quando Ben despertou, entendia um pouco mais a respeito de si mesmo.

No quarto dia, os céus finalmente atenderam às preces silenciosas, e a nevasca parou.

Eles já não aguentavam mais a monotonia de ficarem presos dentro do abrigo, e a visão límpida do céu azul lhes trouxe algum ânimo outra vez, embora não aplacasse a fome que estava se tornando aguda.

Porém, depois de outra expedição pelas montanhas que lhes custou alguns tombos e ferimentos e resultou em nenhuma descoberta, o desânimo retornou em definitivo. Em momento algum Halom deu qualquer sinal de proximidade com o lugar onde poderiam completar o próximo ponto do caminho da iluminação.

— Precisamos falar com Thamam — disse Kenan, fazendo sinal para que retornassem ao abrigo. — Ele precisa descobrir algo mais concreto para buscarmos aqui. Estamos perdendo muito tempo.

— Mas se fizermos isso, poderemos complicar a situação dele ainda mais — ponderou Tzizah.

— Se não descobrirmos algo logo, a situação dele vai se complicar de qualquer modo... E a nossa também...

Todos ficaram gratos pela ideia de retornar ao abrigo apenas porque as pedras incandescentes ainda emitiam um restinho de calor.

Kenan permaneceu do lado de fora. Ele retirou Herevel da bainha e fez com ela, sobre uma área coberta de gelo, um círculo de aproximadamente um metro e meio de diâmetro. Então, nivelou a face com a espada retirando todas as imperfeições até o deixar absolutamente plano e liso. Depois disso, entrou no abrigo e pegou a pedra do sol. Ele a colocou bem no meio da esfera de gelo.

A pedra amarela refulgiu ao ser batida. A luz ficou muito forte e se tornou impossível olhar para ela. Após alguns minutos, Kenan caminhou até o centro da circunferência e jogou sua capa sobre a pedra do sol. Em seguida a levou de volta para o interior do abrigo.

Ben e os irmãos se aproximaram e perceberam que algo havia acontecido dentro da esfera delineada por Kenan. O gelo parecia ter se cristalizado ainda mais pelo efeito da luz da pedra do sol. Tornara-se um espelho refletindo o céu azul.

Então, Kenan pediu a Tzizah que colocasse sua pedra bem no meio do círculo.

Ela olhou indecisa para o giborim e também para o círculo, mas após alguns instantes, retirou o colar que prendia a pedra pontiaguda em volta de seu pescoço e a depositou no gelo.

Da porta do abrigo, Ben, Leannah e Adin olhavam curiosos para a cena. Ben duvidava que fosse possível comunicar-se com Thamam. O Melek estava a quase meio mundo de distância dali. Não havia pedras com capacidade para se comunicar em distância tão grande.

Kenan enfiou Herevel no gelo bem na base do círculo e a afundou até o cabo. As pedras encravadas entraram em contato com o gelo.

— Chame seu pai! — Ele deu a ordem para Tzizah.

Ela se ajoelhou ao lado de Herevel, colocou suas mãos sobre a superfície lisa e fechou os olhos. Ficou nessa posição apenas por alguns instantes; então, retirou as mãos do gelo e se levantou.

— Não deu certo? — Adin foi o primeiro a não aguentar a curiosidade.

— Só vamos saber disso mais tarde — explicou Tzizah. — Eu mandei uma mensagem para meu pai. Se ele acessar sua pedra, receberá a mensagem e entrará em contato conosco. Se ele ainda puder fazer isso...

Ben ficou olhando desconfiado, sem entender ou acreditar que aquilo fosse possível.

Quase uma hora depois, quando a esperança e a paciência já estavam findando com o dia, a imagem de Thamam apareceu sobre o gelo. Ben correu até o local. "Então, isso é mesmo possível", ele pensou ao ver o Melek como se ele estivesse em pé diante deles. "Herevel tem outras potencialidades".

Ben podia ver atrás do Melek a janela do escritório que revelava a cidade de Olamir. Por um momento contemplou novamente aquelas torres e domos, os quais acreditou que nunca mais veria.

— Onde vocês estão? — Eles ouviram a voz sussurrada do rei de Olamir. Sua imagem aparentava cansaço e preocupação.

— Nas Harim Keseph — explicou Kenan. — O templo de Bethok Hamaim aplicou sobre a pedra um ponto de localização neste lugar. Mas não há nada aqui. Estamos há uma semana andando ao acaso, sem saber o que procurar. Você precisa nos ajudar...

Thamam ficou pensativo por alguns instantes.

— As lendas falam de um palácio de gelo vigiado por guardiões nessas montanhas... Teria sido um lugar onde os kedoshins depositaram parte de seus tesouros... Se existir, certamente poderia ser descrito como um presente dos kedoshins...

— Parece que os antigos caçadores de tesouro tinham alguma razão de fazer buscas nessa região... — disse Kenan. — Mas podemos confiar nessas lendas?

Kenan agora liderava a comunicação, pois Tzizah ainda estava enfraquecida.

— Não sei se há algo em que ainda possamos confiar... — respondeu Thamam.

— Este lugar é muito extenso — afirmou Kenan contrariado. — Jamais encontraremos o tal palácio, se é que existe... a pedra não deu qualquer sinal de proximidade...

— Aguardem um pouco — Thamam o interrompeu. — Agora não posso falar mais... Chamarei vocês mais tarde.

— Está tudo bem aí? — perguntou Tzizah parecendo apreensiva e aliviada ao mesmo tempo por ver o pai.

— Dentro do possível, minha querida... — ele respondeu com seu estilo peculiar e reticente. — Estou numa prisão domiciliar... Há dois guardas em minha porta. Vocês precisam completar o caminho... Ainda não fui julgado... A cidade não está se preparando suficientemente para a guerra.

— Cuide-se, papai!

— Cuide-se você também minha querida... Seja forte.

Depois daquelas palavras, a conexão se desfez. A imagem do Melek tremeluziu e desapareceu, o gelo do círculo voltou a refletir apenas o azul límpido do céu.

Kenan andou impacientemente de um lado para o outro, falando coisas incompreensíveis. Claramente estava nervoso com o que Thamam dissera sobre a falta de preparativos em Olamir para a guerra.

Tzizah estava enfraquecida. Ela se levantou e se dirigiu para dentro do abrigo ajudada por Adin. A comunicação sugara suas forças.

Todos entraram no abrigo deixando Ben sozinho com a pedra de Tzizah no meio do círculo raspado. Herevel ainda estava fincada na esfera de gelo. Agora Ben sabia que, de algum modo, a espada fora a responsável por aquela comunicação. Que coisas mais a espada era capaz de fazer? Será que aquele círculo de comunicação tinha outra utilidade?

Aproveitando que ninguém estava vendo, Ben se aproximou e colocou sua mão sobre o gelo. Com a outra mão em Halom, ele sentiu o estalo característico dentro da cabeça, quando a conexão com o sistema de pedras da biblioteca de Olamir se estabeleceu. Foi a mesma sensação daquele dia com Tzizah. Rapidamente buscou pelo nome da garota. Diversas mulheres com aquele nome apareceram na tela, dentro de sua mente. Ele refinou a pesquisa, como havia aprendido a fazer, buscando por "Tzizah filha de Thamam". Rapidamente a imagem da princesa de Olamir apareceu diante de seus olhos. Ele enxergou uma longa genealogia que começava com um homem chamado Héber, o primeiro rei de Olamir.

Era possível acessar informações sobre a vida dos antepassados dela. A maioria havia sido de grandes guerreiros e reis poderosos. Ele viu a imagem de uma mulher muito parecida com Tzizah. Chamava-se Tzillá e era a irmã mais velha de Tzizah. Era tão linda quanto Tzizah. Nunca ouvira falar sobre ela. As informações a seu respeito eram secretas, porém com Halom, Ben conseguiu acessá-las. Havia sido noiva de Kenan, mas morrera muitos anos antes. Não havia informações sobre a causa da morte. Tzizah fora prometida a Kenan como um modo de compensar a morte da irmã. Isso o deixou intrigado. Porém, Ben queria saber a respeito do Nedér. Fez a surpreendente descoberta de que Kenan havia cumprido o Nedér por Tzillá e não por Tzizah. Quando retirou as mãos e desfez a conexão, sentiu-se aliviado porque ninguém havia percebido o que ele fizera, e intrigado pelas coisas que descobrira.

Quando os últimos raios do sol pintaram as geleiras no alto, fazendo-as parecer recobertas de uma fina camada de ouro, Thamam os chamou novamente ao círculo em volta da pedra shoham de Tzizah.

— Eu tenho notícias para vocês, mas não são muito boas — foi logo dizendo. — Os registros mais antigos de Olamir gravados na geração anterior das pedras shoham falam de uma passagem. O local não é difícil de achar. Fica exatamente entre as Gêmeas.

— Não há nada lá. — contrariou Kenan. — Já passamos várias vezes...

— Relatos confusos sugerem que, em algumas épocas do ano, fenômenos naturais, como as luzes dançantes da aurora boreal que descem do norte longínquo até as Harim Keseph, abrem a passagem para o palácio de gelo. Mas isso geralmente acontece no início do verão e não nesta época. O mesmo pode acontecer quando, no auge do verão, há o fenômeno do sol-da-noite...

— Isso é realmente uma má notícia — lamentou Kenan, mas não parecia tão pesaroso.

— Há mais — continuou Thamam. — De algum modo, a informação do lugar onde vocês estão chegou ao conhecimento dos vigilantes das pedras aqui em Olamir. Eu não sei o que aconteceu, pois nossa comunicação foi secreta. É como se alguém houvesse denunciado o local onde vocês estão... De qualquer modo, eles detectarão esta transmissão também... Ou seja, vão me bloquear e não poderei mais ajudá-los... Talvez enviem alguém atrás de vocês. Alguns sacerdotes querem destruir a pedra de Ben, pois se atenderem as exigências de Naphal, acreditam poder evitar a guerra... Tolos... Já sabem o que vocês fizeram em Bethok Hamaim... São considerados inimigos de Olamir. Vocês precisam descobrir uma maneira...

Naquele instante, a transmissão foi interrompida. A imagem de Thamam se apagou. Tzizah levou a mão à boca assustada.

— Eles o bloquearam!

— Pode ter sido apenas alguma interferência — amenizou Kenan. — A distância para Olamir é muito grande.

O giborim já estava se preparando para retirar Herevel, quando Thamam reapareceu subitamente, para alívio de Tzizah.

— A situação está ficando muito difícil — ele continuou. — A aurora boreal não desce nesta época do ano sobre as Harim Keseph, nem o sol costuma aparecer muito durante as noites, e, infelizmente, até onde sei, não há outra maneira de abrir a passagem. É melhor vocês retornarem... Kenan será útil aqui, para ajudar o exército. Ainda não sabemos com quantos soldados das outras cidades poderemos contar... O Olho quase não brilha mais... Vocês devem retornar imediatamente.

Quando a imagem de Thamam sumiu de cima do círculo de gelo, todos estavam ainda mais assustados, principalmente Ben. A curiosidade dele colocara tudo a perder. Mas, talvez tudo já estivesse perdido antes disso. Era impossível acessar a passagem para o palácio de gelo naquela época do ano.

— Vamos retornar imediatamente — ordenou Kenan. — Não temos mais nenhum mantimento. A noite não vai demorar e parece que vai ser bastante gelada. Em três dias, cavalgando sem parar, estaremos em Olamir...

Os quatro olharam desanimados para o guerreiro. Não havia mesmo opção. Ben reparou que ele não parecia cansado, apesar de ter feito a comunicação.

— Chegamos tão longe para desistir... — lamentou Tzizah.

— Você ouviu seu pai — respondeu Kenan. — Não há luzes da aurora aqui nesta época do ano... Somos necessários em Olamir. Já perdemos tempo demais...

— Se o Olho se apagar de que adianta preparar um exército?

— Se as cidades do vale mandarem soldados, e postarmos um exército bem guarnecido dentro das muralhas, Olamir poderá resistir por bastante tempo... Ela foi construída para isso... No templo de *El* há um estoque razoável de armas potencializadas com pedras shoham... Se resistirmos por alguns meses, os lapidadores terão tempo para preparar mais armas... Devíamos ter agido assim desde o início. De certo modo, ao iniciarmos a busca, fizemos apenas o que o cashaph e os shedins desejavam. Deixamos Olamir despreparada.

Tzizah não estava convencida. Ela olhava para as Gêmeas e contemplava a faixa de sol sobre elas. Havia um misto de obstinação e decepção no olhar da princesa de Olamir.

Ben só sentia desânimo. Não tinha a mínima vontade de voltar até o alto da passagem entre as Gêmeas. Se no abrigo estava frio, lá no alto estaria insuportável. E logo a noite cairia. Ele não queria nem imaginar o frio que fazia lá em cima durante a madrugada. Além disso, estavam há três dias sem se alimentarem. A fome que Ben sentia era algo que o fazia delirar. De noite, sonhava que estava comendo alguma coisa, e acordava desolado. Ele já havia experimentado o gelo, mas tudo o que conseguiu foi uma sensação dolorida no estômago, como se tivesse engolido agulhas. Kenan e Thamam estavam certos, o melhor era retornar imediatamente para Olamir. Não havia mais motivos para permanecer outra noite nas Harim Keseph.

— Precisamos voltar lá esta noite. — insistiu Tzizah, surpreendendo a todos.
— Talvez haja uma maneira...
— Seu pai ordenou que retornássemos! — interrompeu Kenan.
— E por que ele fez isso? Você não acha estranho? Ele enviou vocês nesta missão; por que agora os está chamando de volta?
— Porque percebeu que é impossível, e inútil...
— Mas ele disse algo que não faz sentido: que você deveria retornar para ajudar o exército. Você foi condenado pelo Conselho, se voltar será morto... ou banido.
— Você está desconfiando de seu próprio pai?
— Talvez ele esteja sendo obrigado a fazer isso...
— Que bobagem! Ele é o Melek! Ninguém pode obrigá-lo a fazer nada!
— Dois pontos do caminho já foram completados — Tzizah olhou para Leannah, buscando apoio. — Isso significa que a metade já foi cumprida. Só faltam mais dois. E um está lá no alto daquelas montanhas. Precisamos continuar, não podemos desistir agora.

As palavras de Tzizah foram firmes. Ela parecia revestida de uma autoridade estranha. O modo delicado como falava costumeiramente havia desaparecido.

— O que você acha, Leannah? — insistiu a princesa de Olam. — Você abriu o templo quando parecia impossível. Acha que devemos desistir, ou tentar mais uma vez?
— Ouça Tzizah... — interveio Kenan.

— Ouça você, Kenan! — a voz de Tzizah se elevou firme e ecoou sobre o gelo, interrompendo as palavras do giborim. Todos estranharam a postura dela. — Precisamos ir até o portal! Uma noite a mais não fará diferença. Não podemos desistir sem tentar pelo menos uma vez. Fique aqui se não quiser ir junto, ou volte para Olamir. Eu estou disposta a ir até lá! Vou sozinha se preciso for! Mas deixarei Leannah decidir.

— O que você está esperando? Um milagre? — rechaçou Kenan, também falando alto.

— Por que não? Milagres acontecem. Você deveria acreditar nisso... O que você diz, Leannah?

— Jovens indefesas podem surpreender — disse Leannah.

Enquanto voltavam para as Gêmeas, Ben pensou que Thamam realmente estava diferente na segunda comunicação, após a queda da conexão. Na primeira vez ele falou sobre as dificuldades, mas insistiu que eles precisavam descobrir uma maneira de completar a missão. Na segunda vez parecia ter mudado de ideia. Ben sabia que algumas pedras shoham eram capazes de criar imagens que imitavam a aparência das pessoas.

Os cavalos permaneceram na cabana. Os animais estavam enfraquecidos por estarem há vários dias sem comida. Ben estava com pena deles, mas pensou que talvez devesse estar com pena de si mesmo. Nem lembrava mais que gosto tinha a comida. Os biscoitos nikudîm eram detestáveis, mas desde que acabaram, Ben sentia saudades deles tanto quanto sentiria do melhor manjar que havia provado em Olamir.

A noite cumpriu as palavras proféticas de Kenan e caiu rapidamente sobre as Harim Keseph, enquanto os exploradores seguiam a pé pelo caminho que conduzia até a passagem. E todo o frio que Ben imaginava, também se fez presente. Mas pelo menos o tempo ainda estava bom. As estrelas silentes pontilhavam o céu quase não deixando espaço para a parte escura aparecer. Yareah era só um fiozinho crescente no céu, mas logo aceleraria seu crescimento, encolhendo os dias de Olamir. A escuridão da noite, em contraste com o branco da neve, criava uma imagem quase azulada. Parecia irreal.

Leannah estava perdida em devaneios ao contemplar todas aquelas estrelas e planetas que pontilhavam o firmamento infinito. Ben a achava mais distante. Quando olhava para ela, não encontrava mais seus olhos de mel procurando os dele como antes, e isso lhe causava uma sensação esquisita, algo como um vazio.

Ben se sentia como se estivesse carregando um fardo. Ele desejava encontrar uma maneira de dizer aos seus companheiros que fora o responsável por terem descoberto onde eles estavam. De qualquer modo, talvez isso, naquele momento, não fizesse mais diferença.

— Há tantos segredos e mistérios — refletiu Leannah em certo momento. Ben olhou assustado para ela, mas só então percebeu que Leannah estava falando da amplidão celestial; não havia relação com a culpa íntima dele. — São mundos incontáveis... Nós somos muito pequenos — ela completou, e fez Ben pensar que ela estivesse um pouco perturbada. As estrelas é que eram pequenas no céu.

Kenan seguia à frente, com a pedra do sol iluminando o caminho sobre o gelo e criando mais um contraste na noite. O brilho amarelado da pedra do sol iluminava seu rosto obstinado. Parecia tão frio e duro quanto o gelo que os circundava e, contrariado, mais do que nunca.

Tzizah seguia logo atrás com uma expressão muito compenetrada. Aparentava menos fragilidade. Parecia conjecturar, como se soubesse de algo desconhecido para os demais. Mesmo envolta pelo pesado manto, ela estava mais bela do que nunca.

— O que aconteceu com sua irmã? — perguntou Ben, sem conseguir vencer a curiosidade.

Tzizah olhou para Kenan com um semblante preocupado, e o guerreiro tratou de fixar os olhos no caminho à frente.

— Ela morreu defendendo Olamir — respondeu Tzizah, tentando não alongar o assunto.

— Em Havilá, nunca ouvimos falar que o Melek perdeu uma filha — lamentou Ben — eu sinto muito.

— Não vejo nenhuma necessidade de vocês saberem algo sobre esse assunto — interveio Kenan rispidamente. — Assuntos de Olamir não dizem respeito às outras cidades.

Ben não entendeu o motivo de tanta ira abafada na voz de Kenan.

— Minha irmã foi morta pelo tartan dos shedins — explicou Tzizah para compensar a rispidez de Kenan. — Numa tentativa frustrada de roubar o Olho de Olam. Minha mãe, ao tentar defendê-la, também teve o mesmo destino...

Ben ficou chocado com aquela revelação e se arrependeu de ter perguntado. Pelo menos compreendeu a razão de toda a ira de Kenan, na noite do julgamento, quando o tartan adentrou o salão do Conselho. Har Baesh estava certo, o que movia o giborim de Olam não era justiça ou heroísmo, era vingança.

Thamam perdeu a esposa e uma filha, pensou Ben. *O que será que move o Melek?*

A certa altura, eles ouviram um uivo agudo e alto que ecoou aterrorizante pelas montanhas. O uivo recebeu respostas como se tivesse repercutido de diversas direções. Kenan retirou Herevel da bainha e Adin e Ben também pegaram suas armas. Adin havia escolhido algumas pedras antes de sair da estalagem. O velho providenciara flechas rústicas de madeira para o arco de Ben.

Os uivos se intensificavam à medida que o grupo se apressava em direção à passagem entre as Gêmeas. O medo lhes dava ânimo dobrado para enfrentar as dificuldades da subida.

Seguiam em fila, com Kenan à frente, Ben e Adin atrás e as duas garotas no meio. Assim tentavam vencer a íngreme distância até o local da passagem e se precaver contra algum ataque repentino.

Ben tinha uma seta preparada e apontava para todos os lados tentando antecipar algum movimento dos lobos. Suas mãos pareciam de ferro em volta do arco, enquanto espreitava a escuridão aguardando o inevitável ataque. Adin fazia o mesmo com a funda, porém era difícil distinguir qualquer coisa. Apesar de enfraquecidos pelos dias sem se alimentarem direito, o medo lhes incutiu forças para enfrentarem o perigo desconhecido.

Os uivos tornavam-se mais variados e horripilantes, mas nenhum ataque acontecia. Algumas vezes eles enxergavam alguma movimentação ao redor, quando Kenan focalizava a luz da pedra do sol. As sombras se moviam rápidas e ameaçadoras, mas não atacavam.

As feras pareciam esperar o melhor momento. Talvez quisessem encurralá-los em algum penhasco. Os rosnados foram aumentando de todas as direções. Ben tinha a certeza de que logo aconteceria um ataque.

A certeza se confirmou. Foi um ataque frontal com dois lobos enfrentando Kenan. Quando a luz da pedra do sol os focalizou, puderam vê-los pela primeira vez. Eram peludos, mas não eram brancos como Ben imaginara. Eram pretos e seus olhos refletiam avermelhadamente a luz da pedra. Pelo modo como rosnavam, estavam famintos.

Kenan os enfrentou com Herevel. Acertou um dos lobos na parte lombar quando ele saltou em sua direção. O animal caiu inerte no chão gelado. O outro animal subitamente soltou um uivo de dor e caiu atingido pela seta incendiada de Ben antes de alcançar Kenan. As flechas rústicas não possuíam a mesma energia das douradas, mas se inflamavam e assustavam aos animais.

Então, mais lobos negros surgiram da escuridão e cercaram o grupo. De todos os lados, raivosos e famintos, eles investiam com fúria contra os cinco. Ben disparou mais flechas. Tantas quantas conseguiu. A noite se iluminava com os disparos. Adin também arremessou diversas pedras, girando a funda ao lado do ombro, aproveitando os clarões causados pelas flechas de Ben. Vários animais caíram abatidos.

Essas baixas fizeram a alcateia recuar. Por um momento, os lobos os deixaram em paz, mas o alívio não duraria muito. De longe, continuaram acompanhando a comitiva, esperando o melhor momento para atacar outra vez. Ben olhou para o alto e enxergou a passagem entre as montanhas geladas. Não pareciam mais próximas.

* * * *
* * * * *

Num lugar bem mais quente, um seleto grupo de guerreiros mantinha uma cautelosa formação enquanto avançava através dos charcos.

Os pântanos quentes e salgados cheiravam a enxofre e se estendiam diante deles, numa visão desoladora até se perderem de vista. Os gases terríveis que explodiam do subsolo seriam letais para qualquer homem, mas não para os cinquenta shedins e 150 sa'irins. Havia também um grande e indefinido número de oboths, que se moviam como cães de caça invisíveis, farejando o caminho e tentando encontrar pistas. Os espectros se adiantavam e voltavam a fim de se comunicar com o comandante, passando informações. Mas ainda não haviam encontrado nada.

O tartan liderava o pequeno exército e estava satisfeito com os resultados de sua trabalhosa e complexa arte diplomática. Nem mesmo ele podia acreditar em como se saíra tão bem, talvez porque nunca houvesse dado valor à diplomacia. Negociar sempre lhe pareceu atitude de fracos. Mas, precisava admitir que tinha se dado melhor com a diplomacia do que com a ação. Fora enganado pelos jovens de Havilá. Os subestimara. Nunca poderia imaginar que se livrariam de suas garras do modo como fizeram. No próximo encontro não mais os subestimaria.

Naphal possuía informações secretas sobre a melhor forma de destruir Olamir. Um plano fora detalhadamente estabelecido. Coube ao tartan cumprir cada um dos pontos. Convencer os gigantes havia sido um passo importante. E, naquele momento, estava cumprindo o mais importante e difícil de todos. Convocar Leviathan, o dragão-rei, a participar da batalha. Ou no mínimo convencê-lo a não tomar partido. O dragão-rei precisava deixar que os exércitos de Bartzel atravessassem o seu território para invadir Olamir. Isso seria um desafio à altura do poder de Mashchit. Por isso viera aos pântanos salgados com um pequeno exército. Um duelo com Leviathan, como fizera com o senhor dos gigantes, estava fora de cogitação.

Leviathan não se guiava por princípios, não tinha aliados, não tinha senhores, nem companheiros. Fazia o que queria, quase sempre aleatoriamente. Era um poder neutro, uma força com a qual ninguém podia contar, nem controlar, mas que, se tomasse partido de um dos lados, tornaria as coisas muito difíceis para o outro. Por isso, muitos shedins alimentavam a esperança de que o dragão-rei pudesse ser aliciado e lutasse ao lado dos exércitos. O tartan não era tão otimista, pois conhecia a história do grande dragão.

Fazia centenas de anos que ninguém via Leviathan. Isso levava muitos a pensar que ele já estivesse morto ou nunca tivesse existido. Para algumas lendas ele morrera de solidão depois da morte de sua companheira, um dragão fêmea gigante chamado Raave. Músicas antigas faziam menção disso. Porém, estavam erradas. Ele ainda estava lá. Naphal sabia e Mashchit também, pois podiam senti-lo, um poder avassalador capaz de destruir sozinho um exército poderoso, ou esmagar uma cidade como Olamir em poucos minutos.

O tartan sabia que Leviathan era o último de sua espécie. Uma das poucas criaturas remanescentes da era anterior que ainda podiam andar livremente por Olam, embora não fizesse isso há muito tempo, pois nada o interessava fora dos pântanos salgados agora que era o último de todos. Os dragões-reis foram relativamente numerosos no passado, mas aos poucos foram desaparecendo. Eles eram tão imprevisíveis e brutais que, frequentemente, matavam-se uns aos outros. Naphal dizia que os dragões-reis não toleravam a ideia de existir alguma criatura que rivalizasse com eles em poder. Leviathan matara sua companheira Raave quinhentos anos antes. Desde então, vivera solitário, sem desafios. Ele sabia que era o ser mais poderoso do mundo.

Nas guerras antigas, quando o senhor dos shedins os convocava, os dragões-reis costumavam lutar ao lado dos exércitos das trevas. O senhor dos shedins era o único ser que os dragões-reis respeitavam. Duzentos deles participaram do cerco a Irkodesh, a cidade dos kedoshins, há dez mil anos. Mashchit jamais se esqueceria do poder de duzentos dragões-reis despejando fogo sobre a cidade santa, somado à força plena e sem restrições dos rebeldes batendo dia e noite contra as altíssimas muralhas. Lembrava-se do esplendor das flâmulas dos exércitos de Irkodesh que tremulavam no campo de batalha. Mesmo com o apoio dos dragões, nenhuma força do mundo poderia derrotar o exército da luz, exceto por um ato de traição... Ao final, nem Lahat-Herev, a espada que se revolvia, nem o antigo príncipe kedoshim puderam rechaçar o exército sombrio e evitar a queda da cidade santa.

Aquela fora uma batalha digna de ser lembrada. Nunca mais acontecera outra igual. Mashchit era apenas um soldado sem grandes atribuições naquele tempo, mas Leviathan havia participado ativamente. E agora se aproximava o dia em que, finalmente, uma batalha talvez comparável àquela, aconteceria. Mashchit ansiava por isso. E, isso, talvez, também despertasse Leviathan.

O conselho de shedins demorou um bom tempo para decidir se devia incomodar o dragão-rei. Os shedins acreditavam que a terrível besta estivesse adormecida há muito tempo e, para muitos, o melhor era manter o dragão assim, até que Olamir caísse, e as trevas envolvessem o mundo todo. Então, Leviathan precisaria se curvar ao poder absoluto de Naphal e, talvez, ao poder regressado do próprio senhor das trevas. Porém, a maioria era da opinião de que Leviathan precisava ser subjugado nesse momento. Eles não se conformavam com a ideia de existir um poder independente. No mínimo, não poderiam se permitir correr o risco de sofrer um grande atraso na campanha, caso os exércitos dos reinos vassalos fossem obrigados a contornar o Yam Hamelah. Por isso, Naphal acatou a opinião da maioria. Essa era a razão pela qual o tartan estava se deslocando para cumprir a última missão antes da batalha de Olamir. No entanto, usaria seus próprios meios para isso.

Pela primeira vez, Mashchit tinha um sentimento diferente, com o qual não sabia lidar. Algo parecido com temor. Não tivera grandes dificuldades em derrotar o senhor dos gigantes, mas agora estava enfrentando uma situação distinta. Não havia força na terra que rivalizasse com o poder de Leviathan. Então precisaria enganá-lo.

Os oboths moveram-se assustados. O tartan percebeu isso através das sombras que eles projetavam sobre os charcos e também pelos gritos histéricos dos espectros. Entendeu que eles haviam encontrado alguma coisa, pois fugiram em desespero, passando pela comitiva e soltando impropérios e maldições.

Os guerreiros shedins se prepararam para enfrentar o inominável, os sa'irins recuaram. Um rugido terrível se ouviu por entre a fumaça cinzenta dos pântanos quentes. O que veio primeiro foi um terrível jato de fogo liberado pelas narinas da besta, o qual veio varrendo os charcos. Os oboths haviam adentrado seus domínios, e ele reagira como qualquer outro animal faria se moscas o estivessem importunando. Soltou um pouco de fogo atrás deles, uma quantidade suficiente para incendiar uma floresta. Isso definitivamente significava que não estava adormecido, e também que não gostava de visitas.

O fogo atingiu a formação testuda dos soldados. Os escudos posicionados lado a lado cobriam inteiramente os guerreiros. Como eram revestidos de pedras shoham escuras, conseguiram absorver o fogo e o refrataram. Mesmo assim, o vento quente das labaredas empurrou a formação para trás.

Com satisfação, o tartan viu a cena, mas ainda não sabia se os escudos resistiriam ao pleno fogo de Leviathan.

— Quem ousa atormentar meu descanso? — bradou o dragão-rei.

Sua voz grossa e assustadora ecoou pelos charcos desolados. Leviathan conhecia algumas palavras na língua dos shedins. Embora utilizasse as frases de modo estranho, isso mostrava que ele sabia muito bem quem estava ali.

— O senhor das trevas o convoca para a batalha contra Olamir — respondeu o tartan.

— O senhor das trevas está no Abadom — retrucou com escárnio o dragão-rei.

— Naphal, o príncipe, o está convocando em nome dos shedins.

— E por que ele não veio pessoalmente?

— Eu sou Mashchit, tartan do exército shedim. Tenho autoridade para convocá-lo.

A resposta foi outra baforada, dessa vez com força razoável. O tartan estava preparado e contrapôs seu poder ao fogo do dragão, segurando a alabarda negra diante de si. Ele parou alguns instantes no meio do fogo. As chamas se dividiram, mas mesmo assim seu rosto ficou vermelho e se desfigurou ainda mais.

— Olamir com o Olho de Olam é o maior poder da terra — provocou o tartan após resistir ao ataque das chamas. — Um guerreiro manuseará Herevel. Está com medo de enfrentá-la?

Mashchit sabia que havia um antigo oráculo a respeito de Herevel e do dragão-rei. Sabia que estava tocando num assunto delicado.

Em resposta, o dragão despejou todo o seu fogo sobre o exército invasor. Os guerreiros shedins e sa'irins se protegeram mais uma vez atrás dos escudos, mesmo assim os primeiros da linha de frente foram atingidos. As pedras shoham não conseguiram absorver o poder do dragão-rei e se derreteram. Dezenas de sa'irins foram instantaneamente carbonizados. Os antigos espíritos sombrios se desintegraram com os corpos, enquanto soltavam terríveis urros de danação. Alguns shedins também foram atingidos pela labareda e suas armas e adereços metálicos se desfizeram como cera. Por um momento, no meio do fogo, enquanto os corpos humanos se desfaziam, os espíritos shedins revelaram suas formas monstruosas. Em seguida desapareceram daquele mundo.

— Ficou um pouco quente? — escarneceu o dragão-rei. — Eu posso esquentar muito mais.

O tartan percebeu que sua missão seria bem mais difícil do que imaginara. O prejuízo já havia sido imenso. Aqueles guerreiros fariam falta na batalha contra Olamir. Pelo jeito, o dragão-rei não estava em seus melhores dias, mas o tartan não podia recuar. Para conseguir seu intento, precisaria irritá-lo um pouco mais. Mashchit atacou a besta, seu terrível chicote estalou, revestiu-se de energia e atingiu a cabeça do dragão. Foi um golpe poderoso. A cabeça monstruosa se encolheu, provavelmente mais surpresa com a atitude do que ferida.

— Chegou a hora de retomarmos o mundo que sempre nos pertenceu! — bradou Mashchit. — Alie-se a nós, ou será destruído!

Os sa'irins sobreviventes rugiram e atacaram o dragão arremessando suas lanças contra as fileiras de escamas grossas como couraça dobrada de seu dorso. Cada lança atingia a besta com o impacto de um raio. O esforço conjunto produziu poucos ferimentos na armadura natural da criatura. Mesmo assim, o rugido foi ensurdecedor. Seu corpo sinuoso se moveu sobre os charcos, e toneladas de lama encobriram os sa'irins.

Os guerreiros shedins também cercaram o monstro e o atacaram com seus chicotes golpeando a couraça do animal e espalhando descargas elétricas poderosas, capazes de despedaçar rochas.

Isso só aumentou a fúria dele. O dragão-rei respondeu se encolhendo e cuspindo fogo ao mesmo tempo em todas as direções. Os charcos viraram um inferno.

E dessa vez Leviathan veio atrás deles envolto pelo fogo. O corpo sinuoso da besta colossal estava inteiramente coberto por chamas, como montanhas recobertas de labaredas. O rugido estrondoso era de derreter o coração do mais poderoso dos guerreiros.

Ao ver que ia ser atingido por uma quantidade insuportável de fogo, o tartan incitou Tehom e ele abriu suas longas asas membranosas. Do meio do fogaréu, Mashchit se elevou, atraindo para si as labaredas do dragão. Jatos imensos de fogo disparavam para o alto, acertando apenas o vazio cinzento enquanto o shedim se elevava e se afastava.

Agora Leviathan não desistiria mais. Furioso, o monstro se impulsionou com força avassaladora sobre os charcos. As escamas pontiagudas de seu ventre moviam-se como um instrumento de debulhar. O dragão-rei deslizou jogando água fervente e lama em todas as direções. Ganhou uma velocidade impressionante, apesar de seu tamanho gigantesco, e lançou-se ao ar. Seus três conjuntos de asas se esticaram e se inflaram de vento, ao mesmo tempo em que atiçavam ainda mais o fogaréu sobre o pântano. A fúria o fez subir antes da hora, ele decolou na diagonal. Por um momento pareceu que não conseguiria subir o suficiente, pois seu peso o fez perder altitude, porém mais duas ou três arfadas e já estava no alto, cobrindo parte dos charcos com sua sombra.

No ar, Leviathan se concentrou em Mashchit. O dragão-rei estava disposto a perseguir o tartan até o fim do mundo, se fosse preciso. Mashchit contava com isso. Mas não pretendia ir tão longe, bastava atraí-lo até o Yam Kademony, local da armadilha preparada. As águas geladas do mar oriental deixariam o fogo do dragão apagado por algum tempo. Depois, era só avisar Naphal que o terreno estava liberado para a travessia dos exércitos vassalos de Bartzel. O dragão-rei não ajudaria, mas também não atrapalharia. No entanto, duzentos guerreiros haviam sido sacrificados. O preço havia sido alto.

15 O teste do palácio de gelo

O céu ainda estava estrelado quando alcançaram a fenda entre as Gêmeas. Em campo aberto, quase não conseguiam se manter em pé devido à força do vento. Como haviam sido avisados, não havia qualquer sinal das luzes da aurora boreal.

Os lobos pareciam esperar alguma coisa, pois andavam em derredor, deixando-se ver de quando em quando, apenas para marcar presença.

— Não há nada aqui — resmungou Kenan. — Só estamos nos expondo! Não há aurora ou sol-da-noite nesta época do ano. Precisamos voltar!

— A espada! — ordenou Tzizah.

O giborim estranhou a ordem, mas novamente algo no olhar da jovem o fez obedecer.

— O que você pensa que vai fazer? — perguntou contrariado, segurando Herevel na mão enquanto vigiava os lobos.

Tzizah não respondeu. Ela depositou a pedra do sol sobre a neve no centro da passagem entre as montanhas. A pedra amarela ainda brilhava, porém mais fracamente, pois não havia sido recarregada suficientemente nos vários dias de céu encoberto.

— Golpeie!

— Você enlouqueceu? É uma pedra amarela!

Kenan pareceu entender o que ela pretendia antes mesmo de ela falar, pois proferiu as palavras praticamente ao mesmo tempo.

— Está enfraquecida — Tzizah respondeu calmamente. — Há pouca energia nela. Mas espero que seja o suficiente para abrir o portal. O que abre o portal à noite é algum tipo de fenômeno luminoso, como o da aurora boreal ou do sol-da-noite. Se a pedra explodir, pode criar um ambiente semelhante.

— É muito perigoso. Você sabe que podem acontecer reações inesperadas. Uma pedra do sol, mesmo enfraquecida, carrega muita energia...

— Não temos mais nada a perder...

— Talvez, funcione — disse Leannah e Tzizah olhou agradecida para ela

Kenan relutou, mas Tzizah não recuou. Seu rosto mostrava obstinação. Se o giborim não fizesse o que ela havia ordenado, mostrava-se disposta a pegar a espada e fazer ela mesma.

Com o semblante agora mais preocupado do que contrariado, o guerreiro se aproximou da pedra do sol. Levantou a espada no alto da cabeça com as duas mãos segurando o cabo. Titubeou. Avaliou a situação. Olhou novamente para os lobos que apenas os observavam. A capa vermelha do giborim se esticava com o forte vento.

Tzizah, ao seu lado, parecia fora de si. Seus olhos exibiam um brilho esquisito.

— Golpeie! — ela ordenou mais uma vez e se afastou.

Kenan venceu a indecisão e atingiu a pedra do sol. Ben teve a certeza de que ele fez isso apenas para apressar o retorno deles para o abrigo e depois para Olamir. Porém, a explosão o fez voar de costas envolto pelo intenso brilho. Ben não soube dizer se ele havia se ferido.

Gelo e luz subiram às alturas com a explosão que obrigou todos cobrirem os olhos. Por um momento, a noite virou dia nas Harim Keseph, como se o sol tivesse nascido do norte por entre o vão das Gêmeas. Era como se uma profusão de pedras shoham fossem acesas ao mesmo tempo. Inúmeros pontos brilhantes subiram colorindo a noite e começaram a descer como plumas coloridas.

Então algo terrível aconteceu. Eles ouviram risos dissimulados, vozes baixas e sussurros malignos na escuridão. Ben se lembrou das vozes malignas que ouviram no desfiladeiro em Midebar Hakadar antes de terem sido aprisionados pelos refains. Eram semelhantes.

Então, os lobos voltaram a atacar. A luz branca liberada pela destruição da pedra do sol mostrava faces diferentes. Eram macabras. Algo havia transformado os lobos em criaturas malignas.

O bando os cercou rosnando. Suas fisionomias eram demoníacas, seus olhos se tornaram amarelados como duas bolas de fogo. Os dentes enormes se projetavam para fora das imensas bocarras. Os corpos, agora com poucos pelos, eram desproporcionalmente musculosos e aberrantes.

Kenan se levantou e se colocou com Herevel na frente do grupo. Ben e Adin tinham as armas preparadas. Uma pedra da funda de Adin atingiu um dos lobos. Com o impacto, a criatura foi arremessada para trás, mas logo se levantou e voltou a ameaçar os cinco como se nada tivesse acontecido.

— São oboths! — gritou Kenan. — A luz da pedra do sol os atraiu!

Sete ou oito lobos demoníacos investiram contra Kenan. Os animais, com os músculos retesados e os dentes à mostra, estavam prontos para um ataque mortal. Kenan segurava Herevel com as duas mãos e olhava fixamente para os animais que se aproximavam.

O primeiro lobo furioso saltou sobre Kenan, mas foi interceptado por Herevel com um golpe tão poderoso que o animal foi partido ao meio. A cabeça do segundo foi decepada quando tentou imitar o ataque do predecessor. Mesmo assim, seu corpo no chão apresentava espasmos, a força que o possuía ainda tentava movê-lo.

Uma seta incendiada, disparada pelo arco de Ben, cortou a escuridão e atingiu um dos animais. A criatura foi tomada pelas chamas, mas continuou avançando, parecendo ainda mais terrível. A fera saltou contra Kenan, mas foi interceptada por Herevel e partida ao meio. Seu corpo, desta vez inerte, continuou queimando sobre a neve.

Ben entendeu o que Kenan estava fazendo. Não adiantava meramente ferir os animais, era preciso despedaçá-los para que a força maligna não conseguisse mais movê-los. O arco e a funda não pareciam úteis para aquela tarefa.

Abaixo da montanha, olhos amarelados subiam de todas as direções, atraídos pelas luzes dançantes da pedra do sol que ainda iluminavam o vão entre as Gêmeas.

Atrás do guardião de livros e seus companheiros, algo brilhou com uma intensidade ainda maior. Eles se voltaram e viram uma passagem aberta entre as montanhas. A luz amarelada tocava o chão e subia até as alturas dos picos, e bem no meio dela uma fenda de luz revelava outro lugar, e o que parecia ser as paredes brancas de um palácio.

— O portal está aberto! — gritou Tzizah admirada por ver que seu plano havia funcionado.

— Atravessem! — ordenou Kenan, enquanto tentava deter o avanço dos lobos. Leannah foi a primeira a cruzar o portal e desaparecer nas brumas luminosas. Tzizah, agora relutante, foi em seguida, obedecendo à ordem de Kenan.

Adin e Ben não queriam atravessar, pois Kenan lutava com diversos lobos ao mesmo tempo. Eles viram Kenan recuar, enquanto abatia os lobos que o atacavam. Perceberam que o guerreiro estava se aproximando do portal, detendo os monstros pelo maior tempo possível para poder entrar.

— Não posso deixar os oboths passarem! — gritou Kenan. — Vão agora!

Os dois rapazes se entreolharam indecisos e, em seguida, atravessaram o portal.

A última cena que Ben viu foram diversos lobos demoníacos saltando ao mesmo tempo sobre Kenan. Num piscar de olhos, Ben não estava mais ali.

* * * *
* * * *

Tzizah saiu da esfera de luz e se deparou com um imenso palácio de gelo encravado na montanha. Sua visão, por um momento, tornou-se cativa daquela maravilha. Ela viu Leannah um pouco à frente, em estado de deslumbramento, também contemplando o palácio. Ben e Adin chegaram em seguida. Seus olhares foram atraídos irresistivelmente como os delas.

O céu exibia a tonalidade azul-escuro que antecede o amanhecer. No chão tudo estava igualmente tomado por uma luminosidade azulada que vinha de uma direção difícil de identificar, mas a impressão era de que o palácio brilhava fracamente.

O coração de Tzizah ainda batia descompassado pela constatação de que seu plano funcionara. Sua atitude havia sido impulsiva, como frequentemente ela agia, mas graças a *El*, dessa vez havia funcionado. Ela levou alguns segundos para vencer o transe hipnótico até perceber que Kenan não havia atravessado. Voltou-se com ansiedade para o portal e esperou angustiada pelo momento em que o guerreiro também o atravessaria.

Quando a esfera de luz se fechou, ela entendeu que ele não havia conseguido.

— Kenan! — gritou Tzizah.

A princesa correu até onde estava o portal, mas só havia um imenso paredão de gelo que funcionava como muralha externa do palácio. Ela bateu com os punhos fechados como se pudesse abrir uma porta no gelo. O portal luminoso havia desaparecido.

Os três se aproximaram da filha de Thamam sem saber o que dizer.

— Ele vai ficar bem — disse Leannah após alguns instantes.

— Mas eram muitos... — declarou Tzizah apreensiva. — Eu não sei se a explosão o feriu...

— Ele vai conseguir sobreviver — ponderou Ben sem muita convicção.

Tzizah olhou para Ben e quis acreditar nas palavras dele, mas a imagem dos olhos amarelados subindo de todos os lados da montanha ainda era nítida em sua mente.

A filha do Melek andou de um lado para o outro tateando as paredes geladas, procurando alguma passagem para o mundo exterior. Percebeu que era inútil. Lutou com todas as forças para deixar os sentimentos de lado e fazer o que precisava ser feito.

Os três jovens de Havilá viram-na voltar-se para o palácio diante deles. Seu rosto estava obstinado outra vez quando disse:

— Vamos fazer o que precisa ser feito.

Todos contemplaram a estrutura de gelo. Só uma palavra ocorria a Tzizah para descrevê-lo: "imponente". Era esculpido na montanha. A parte de trás era a própria montanha. Duas torres duplas laterais subiam se afunilando até as alturas. Diante das torres, havia um grande portão branco em arco, esculpido num paredão que servia como muralha interna. Entre a muralha interna e o local onde eles estavam havia uma estreita passarela sobre um fosso, cujo fundo não era possível enxergar.

O gelo resplandecia como cristal. Suas quatro torres pontiagudas pareciam tocar o céu onde as estrelas começavam a evanescer.

Envoltos em suas simlâs, os quatro permaneceram alguns instantes contemplando a silhueta majestosa. Havia um silêncio reverente no grupo. Mesmo sabendo que precisavam tentar entrar logo, algo os fazia esperar, como se os estivesse preparando para o pior teste de suas vidas. Um teste no qual eles seriam reprovados.

Tzizah estava preocupada porque ouvira Thamam falar em guardiões e agora não teriam Kenan, nem Herevel.

Podia ver que os garotos também estavam preocupados e já armados: Ben segurava o arco, Adin a funda. Tzizah sabia que ambos eram corajosos, mas não eram guerreiros experientes como Kenan, apesar de seu pai lhes ter dado aquelas armas.

Desde o início ela não havia entendido por que seu pai havia enviado os três jovens de Havilá com Kenan naquela missão. Seria muito mais apropriado se ele tivesse permitido que Kenan escolhesse três dos melhores giborins de Olam. Ele poderia ter escolhido Merari, o Negro, e também Uziel, o Martelo de *El*, ou mesmo Libni, Espada Cortante, que era o segundo na hierarquia dos giborins, abaixo apenas de Kenan. Todos eram guerreiros de renome em Olam. Nenhum deles, entretanto, comparava-se a Kenan. A presença dele era a única garantia de que aquela missão teria alguma chance. Porém, agora ele não estava ali.

Tzizah sempre amara Kenan. E havia algo até mesmo maior que seu amor: sua admiração por ele. Ela o admirava desde quando ele havia sido o prometido de sua irmã. Nunca existiu uma mulher mais bela que ela. Tzizah tinha 10 anos quando sua irmã e mãe foram mortas. Ela viu a tristeza de Kenan e também a de seu pai após a tragédia, e se sentiu impotente. Quando sua irmã estava viva, ela sempre achara impossível se equiparar a ela; e agora que estava morta, sentia-se incapaz de substituí-la.

Tzizah pensava, acima de tudo, ser seu dever se casar com Kenan. Thamam não tinha filhos homens. Quando Tzillá morreu, Tzizah entendeu que essa agora seria sua missão. Se dependesse dela, isso já teria acontecido, mas, ano após ano, Kenan adiava a data do casamento. Sabia que ele não a amava como amou sua irmã, mas um dia isso poderia acontecer. Esperançosa, aguardava resignada e cumpria seu dever.

Nunca havia titubeado. Até aquela manhã em Olamir, quando o jovem da pequena cidade de Havilá a confundiu com uma camareira quando ela foi até o quarto dele para agradecer pelo que havia feito por Kenan. No início ela achou a situação engraçada e não quis envergonhá-lo revelando quem era. Depois, resolveu levar adiante a história para ver até onde ia, e como seria a reação dele quando descobrisse a verdade. Afinal, só alguém muito cego não perceberia o modo como ela se vestia e também a forma como as pessoas da cidade a tratavam ao andar pelas ruas. Porém, ao mesmo tempo, o modo desinteressado como Ben a tratara, a admiração que demonstrara com a plantinha que nasceu, e também depois, debaixo das bétulas, dizendo que ela era bonita, mesmo quando ainda não sabia que era uma princesa... Isso mexeu com ela. E por isso, num impulso o beijara. Depois, obviamente, ficara arrependida. E até agora ainda não entendia que sentimento fora aquele.

Kenan jamais dissera que ela era bonita... Talvez ele nem percebesse isso. Quase todos os príncipes das cidades do vale já haviam pedido Tzizah em casamento. O mais jovem tinha quatro anos e o mais velho, a idade de Thamam. Nenhum deles a conhecia: queriam se casar com o trono. Ben fora o único que gostara dela por ela mesma.

Tzizah fez um esforço para se livrar desses pensamentos confusos ao ver que se aproximavam do início da passarela. Sua obrigação era mais importante do que seus sentimentos. Precisava cumprir a missão pela qual havia deixado Olamir e se juntado à comitiva.

Observou a estreita passarela de gelo sem corrimão por onde precisavam passar para entrar no palácio dos kedoshins. Um deslize e nem saberiam para onde estariam caindo. Ela viu Ben ser o primeiro a iniciar a travessia tentando não olhar para baixo. As garras dos calçados dele se fixavam sobre o gelo e quando se soltavam, empurravam alguns fragmentos para o abismo.

Seguindo em fila, apesar do receio de escorregar, eles venceram sem problemas a distância até o pórtico externo do palácio. A plataforma em meia-lua era uma espécie de antessala descoberta do primeiro portão. Tudo estava muito silencioso. Isso lhes dava alguma esperança de encontrar o local deserto. Talvez as lendas sobre guardiões não fossem verdadeiras.

As duas altíssimas e pesadas portas de gelo, cada uma com uma argola, estavam trancadas, provavelmente emperradas pelo longo tempo sem uso, se é que haviam sido usadas alguma vez.

Juntando a força dos quatro, eles empurraram as portas, apenas para comprovar que estavam mesmo travadas.

Adin recuou alguns passos e fez sinal para que os amigos se afastassem.

— O que você vai fazer? — perguntou Leannah sem sair da frente das portas.

— Arrombá-las — respondeu, como se estivesse dizendo algo óbvio.

Leannah olhou contrariada para ele.

— Espere um pouco!

Então, aproximou-se da porta e começou a tateá-la.

— Em Bethok Hamaim havia um modo de abrir a porta. Talvez aqui também haja.

Suas mãos pequenas deslizaram procurando alguma manivela, fechadura ou algo parecido que permitisse abri-la. O frio do gelo e sua aspereza comprometiam as mãos delicadas.

Ela pegou uma das argolas dependuradas. Era bem pesada. Levantou-a até o máximo. Tzizah e Ben ajudaram, mesmo sem entender a razão. Um rangido causou uma sensação de gastura nos ouvidos, quando a argola subiu. Então a soltaram. O baque surdo no gelo ecoou pelo interior do palácio ricocheteando nas paredes. *Blemg*! Foi se alongando e assumindo novas formas. Por algum tempo eles ainda ouviram a reverberação do estalido nos paredões de gelo até que foi diminuindo gradativamente. Então, subitamente surgiu em outro lugar, como se tivesse renascido. *Blang, blalang, blalaang...* Alguns instantes de expectativa se passaram e, apesar do barulho que ainda podia ser ouvido muito distante, nada aconteceu.

Adin se animou mais uma vez. Preparou a funda, segurando-a firmemente em volta do seu pulso e girando-a ao lado do corpo. Os três saíram da frente. A funda foi ganhando impulso para fazer um arremesso poderoso. Quando estava pronto para soltar a pedra, o garoto precisou frustrar o arremesso. As duas pesadas portas simplesmente se abriram causando um rangido agudo ao se desprenderem uma da outra. Um pátio estreito e comprido de gelo liso e plano se revelou. Circundava o palácio até onde se encontrava com a montanha.

O local não estava vazio. Havia algo ali. Pareciam estátuas. Eles o adentraram e se aproximaram delas. Tinham o formato de pessoas. Havia várias e estavam distribuídas no espaço entre o palácio e a muralha. Tzizah contou treze estátuas. Ela se aproximou de uma e confirmou com assombro que era realmente uma pessoa. Todas eram. Estavam envoltas por grandes blocos de gelo transparente.

Os amigos se olharam assustados sem entender como aquelas pessoas haviam sido congeladas como que instantaneamente. Ainda exibiam expressões de medo e dor, pois o último movimento de vida lhes fora roubado. Era óbvio que estavam mortas, pois a cor pálida quase azulada da pele indicava isso. Os olhos abertos expressavam pavor, um quadro do último instante de sofrimento preservado pelo gelo. A morte as havia tomado antes que percebessem, e parecia mantê-las num eterno estado de horror.

— Eram caçadores de tesouros — conjeturou Tzizah, enquanto observava os colares dependurados nos pescoços e vários objetos preciosos caídos no chão.

— Eles encontraram o tesouro! — admirou-se Adin.

— O que pode ter congelado estas pessoas desse modo? — perguntou Leannah. — Estão muito bem conservadas.

— Pelo tipo das roupas podem estar aqui há centenas de anos — reconheceu Tzizah.

Havia um estranho silêncio naquela antessala. As expressões dos homens congelados dava a impressão de que estavam gritando de horror. No entanto, o silêncio era absoluto, eterno.

Os olhares dos quatro se voltaram para a outra porta, a que dava acesso para o interior do palácio. Também estava aberta. Tzizah viu Ben pegar Halom, e todos enxergaram o brilho intenso dela.

Com uma mescla de medo e expectativa, eles atravessaram o curto pátio e acessaram o interior do palácio. Deram com um amplo salão oval. O teto era altíssimo, havia arcos translúcidos sobre colunas que pareciam ter sido esculpidas no gelo da própria montanha.

A luminosidade no interior era esquisita. A luz brincava nas quinas e nos arcos do palácio e parecia dançar entre os vãos, como se tivesse substância; flutuava no alto condensada numa espécie de nuvem luminosa gelada.

Então, avistaram um trono branco. Estava vago. Também era de gelo semitransparente, mas o assento terminava em três pontas. Ficava na extremidade do salão e tinha uma escadaria diante de si que se elevava até a base do trono. Todos sentiram uma estranha vontade de se ajoelhar ao vê-lo, mas não havia ninguém para reverenciar.

Ao lado do trono, sobre uma coluna de gelo, uma coroa de ouro cravejada de pedras brancas brilhava mesmo a distância. Atrás dele, duas portas pareciam conduzir para salas ocultas. E, diante dele, nas laterais do salão, bem próximo às paredes, duas enormes estátuas de tannînins esculpidas no gelo se postavam como guardas do assento real. Tinham o dobro do tamanho de um homem. O coração de Tzizah deu um tropeção dentro do peito ao ver os dragões de gelo.

Ben aproximou-se de uma das estátuas e deslizou sua mão pela estrutura.

— É um trabalho de escultura impressionante — reconheceu.

— São dragões! — admirou-se Leannah ao se aproximar de Ben.

— São estátuas de tannînins — corrigiu Ben. — Dragões pequenos.

— Ainda existem dragões em Olam?

— Acho que existem alguns — respondeu Ben olhando para as estátuas.

— Os dragões são bons ou são maus? — perguntou Adin, também se aproximando e tocando as estátuas com a mão.

— É difícil dizer. Os tannînins são animais, são predadores. As lendas, entretanto, falam de um grande dragão muito antigo, conhecido como Leviathan. É um dragão-rei, o último da espécie. Ele vive em algum lugar entre o sul e o oeste de Olam, no grande pântano salgado, abaixo do Yam Hamelah, próximo aos reinos vassalos.

— E ele solta fogo pela boca? — insistiu Adin.

— As lendas dizem que um bocado...

Tzizah via os três conversando diante das estátuas e, mais uma vez, sentiu-se estranha. Parecia haver pouco ar dentro do salão oval. Havia um chiado esquisito num dos lados da cabeça, como se uma conexão por meio de uma pedra shoham tivesse sido mal estabelecida. Por outro lado sentiu alívio ao perceber que os guardiões eram apenas estátuas. As lendas eram verdadeiras, o tesouro era vigiado por guardiões, mas eram de gelo. Não ofereciam riscos.

O trono, a coroa e as estátuas eram os únicos objetos dentro do salão oval. E a coroa era o único que não era de gelo.

Ben caminhou até a extremidade do salão e se aproximou de uma das salas que ficavam atrás do trono. Ele espiou o interior e arregalou os olhos. Fez sinal para os amigos se aproximarem. Tzizah viu os olhos dos companheiros brilharem. Ela se aproximou e contemplou o que, de certo modo, os quatro já esperavam encontrar: pedras preciosas, colares, diamantes, tiaras e diversos tipos de instrumentos brilhantes, todos amontoados no chão. E havia também muitas pedras shoham com diferentes cores: vermelhas, alaranjadas e amarelas.

— Os tesouros dos kedoshins! — exclamou Ben, contemplando aquelas riquezas de valor inestimável. — Vejam! Pedras shoham amarelas!

Tzizah não conseguia entender o enigma daquelas duas salas cheias de tesouros que pareciam atraí-los. E também daquele alto trono vago com a coroa belíssima ao seu lado. Algumas perguntas começaram a passar pela mente da princesa de Olamir sem que ela desejasse: Quem se assentará naquele trono? Por que estava vago?

*****
*****

Leannah andava ao derredor do salão como se estivesse procurando algo, mas só conseguia prestar atenção aos outros. Sentia-se tão gelada quanto aquelas paredes. Em Bethok Hamaim ela conseguira se conectar com o templo, mas ali, seria impossível. E a razão era muito simples: Tzizah. Não desgostava da garota em si mesma. Parecia bem intencionada, apesar de insuportavelmente bonita. O problema era Ben, e o modo como ele olhava para a filha de Thamam o tempo todo.

Leannah achava que até mesmo Kenan já havia percebido, mas Ben parecia cego. Por que os rapazes eram tão cegos? E por que Ben era tão indeciso?

Ela fez um esforço para se livrar desses pensamentos. Eles não a ajudariam a encontrar o meio de completar aquela tarefa e voltar para casa.

Subitamente ela sentiu uma vontade de retornar para sua pequena cidade e seu mundo conhecido. Se Ben quisesse seguir em busca de aventura, que seguisse. Já estava cansada de tentar agradá-lo. Se ele quisesse bancar o tolo por um amor impossível, que o fizesse.

Quase todas as noites, Leannah sonhava com a cidade-torre de Schachat em Midebar Hakadar. E com as mulheres... Ela estava lá. E também estava grávida. De sua barriga enorme, veias azuis saltavam. Havia algo monstruoso dentro dela. Desejava matá-lo, mas não podia. Toda vez que acordava era um alívio. Naquela noite, no julgamento de Kenan, quando o príncipe dos shedins adentrou o salão, belo e majestoso como um deus, Leannah percebeu o olhar insistente e cobiçoso que ele lhe lançou. Num primeiro momento ela se sentiu fascinada por aquele olhar, mas depois ele lhe causou terror.

Novamente Leannah precisou fazer um esforço para abandonar esses pensamentos estranhos. Eles entravam em sua mente sem que fossem convidados. Não conseguia entender a razão de toda a ira dentro de si. Tinha experimentado coisas incríveis. O conhecimento de Olamir, as experiências em Bethok Hamaim, todos os lugares fantásticos pelos quais ela e os companheiros passaram... enfim amadurecera. Havia algo maior e mais importante na vida do que disputas infantis e egoístas. Mesmo assim, os pensamentos voltavam, sugerindo situações terríveis e ela não conseguia controlá-los.

Leannah voltou a procurar algo dentro do salão. Ela olhou para as paredes brancas, quase transparentes, lisas como diamantes. Lembravam um pouco as paredes do templo de Bethok Hamaim. Então, outro pensamento incontrolável lhe veio à mente, enquanto seus olhos eram atraídos para o trono. Se ela fosse dona de todos aqueles tesouros, se fosse uma rainha assentada num trono como aquele, com uma coroa real, talvez Ben a amasse de verdade. Sim, então ele a amaria... Ou talvez, Ben nem lhe fizesse mais falta! Esse pensamento súbito a surpreendeu. Mas talvez fosse verdade. Aquela coroa parecia ser poderosa. Podia ver as pequenas pedras brancas parecidas com as que estavam na espada de Kenan. Quem a usasse teria poder para fazer o que desejasse.

Uma rainha. Ela seria uma rainha.

Ela havia decifrado o enigma para chegar ali; então, conquistara o direito de usá-la. Com o conhecimento adquirido em Olamir, e as experiências ganhas em Bethok Hamaim, ela seria a melhor e mais justa rainha que Olam já havia visto. Com aquela coroa seria a mais bela e poderosa rainha da história.

* * * *
* * * * *

Adin estava parado diante das estátuas dos dragões de gelo imaginando quem teria esculpido aquilo. Não havia marcas, nem divisões. Os olhos de gelo quase pareciam reais. Eram olhos cruéis. Ele deu graças a *El* por serem apenas estátuas. Passou mais uma vez a mão pelo gelo a fim de certificar-se, sentindo-o liso e firme.

Estava aborrecido porque ninguém prestava atenção ao que ele dizia nem dava valor ao que ele fazia. Uma voz semelhante a um chiado dentro de sua cabeça estava lhe dizendo que ele havia sido fundamental em Bethok Hamaim ao ajudar Kenan a deter os soldados. Com aquela funda, ele podia fazer coisas excepcionais, mas ninguém notava... Teria estourado as portas do palácio se não o tivessem impedido. A glória de ter aberto o palácio de gelo seria dele, como Leannah abrira o templo de Bethok Hamaim. Por que ninguém lhe dava valor? Todos o viam como um menino de baixa estatura e com muitas sardas no rosto, sem força ou inteligência para fazer algo grandioso. E ele estava cansado disso. Estava na hora de tudo mudar.

Mesmo em Havilá, se não fosse o filho do sumo sacerdote, sofreria muito mais humilhações. Até seus amigos faziam chacota dele. Leannah era bonita e inteligente, enquanto ele era feio e estúpido. Era Admoni, o vermelho. Seu pai também o desprezava, pois ele não estava à altura dos ideais da família. Sempre lhe dizia que precisava se interessar pelas questões do templo e não por aquelas idiotices de saber o nome das árvores, dos animais, dos insetos, das pedras e de um monte de outras inutilidades.

Se ao menos ele tivesse todos aqueles tesouros, então as pessoas teriam que respeitá-lo. Não fariam chacota de seu jeito engraçado de falar ou de se vestir.

Adin sentiu vontade de subir as escadarias do trono e se assentar. Precisava colocar a coroa em sua cabeça. Se fizesse isso, seria verdadeiramente feliz e todos o admirariam. E ele tinha o direito de ser feliz. Afinal, o trono estava vago, alguém precisava se assentar nele, por que não ele?

* * * *
* * * * *

Ben estava muito inquieto, bravo na verdade. Leannah parecia muito mal-humorada novamente. Ela ficava olhando para ele com aquela expressão de desaprovação sempre que ele dizia algo, e isso o estava deixando cada vez mais furioso. Por que as garotas eram tão impacientes? E por que Tzizah estava sendo tão dissimulada? Por que o beijara debaixo das bétulas e agora agia como se ele nem existisse?

Seu maior desejo sempre foi sair de Havilá, de preferência para algum lugar distante. Agora estava detestando tudo. Onde estavam as aventuras emocionantes? Onde estava a glória e o renome? Ele merecia ser chamado de Ben, o Guerreiro, afinal, matara a saraph! Por que ninguém o chamava assim?

Acima de tudo, estava cansado de se controlar, de fazer tudo o que os outros desejavam. Não queria mais lutar contra si mesmo, nem ocultar seus verdadeiros sentimentos, ou sua verdadeira natureza. Sempre soube que era diferente. Sentia, bem lá no fundo do seu ser, que não era como os outros. E o espelho de Leannah revelara isso lá no abrigo... Ele viu seu verdadeiro rosto refletido nele, não vira? Para que se esconder? Para que disfarçar?

Ben olhou para o trono e soube que, se todos aqueles tesouros fossem seus, as pessoas o respeitariam e o admirariam. Então outro pensamento o assolou. No fundo não precisava de nada, nem de ninguém. Se ele fosse poderoso, um grande rei, então as pessoas o admirariam e não perceberiam suas indecisões e seu temperamento vacilante. Mas que importava isso também?

"Pensem o que quiserem! Eu serei poderoso e ponto final".

Essas palavras ficavam repercutindo dentro de si como o eco do estalido da argola repercutira nos paredões de gelo. Eram pensamentos contraditórios, mas alimentavam seus sentimentos mais íntimos. Davam-lhe coragem para fazer algo que desejava.

Ele olhou para as pequenas pedras brancas esculpidas e incrustadas na coroa. Aquilo só podia ser obra dos kedoshins. Eles não haviam feito apenas uma espada poderosa, fizeram também uma coroa real, para um rei todo-poderoso governar.

A coroa era um presente dos kedoshins. Ele não era merecedor, afinal de contas, de usá-la? Não fora ele quem matara a saraph no deserto? Só estavam vivos por sua causa.

Já era suficiente que Kenan utilizasse a espada. A coroa devia ser de Ben, o Guerreiro, ou melhor, Ben, o Melek. E depois, pegaria a espada também. Ele já a havia manejado, ela era poderosa em sua mão. Por fim, reativaria o Olho de Olam, e o Olho também seria seu. Por que não?

* * * *
* * * * *

Tzizah sentia uma pressão muito grande dentro da cabeça. A luminosidade interna da sala do trono estava ficando cada vez mais esquisita. As luzes da névoa gelada pareciam se mover de modo imprevisível, autônomas. Não tinham uma origem.

O chiado estava ficando cada vez mais alto. Ela não sabia o que estava acontecendo, mas achava que era algo muito errado.

Sua vontade era de chorar sem parar. Havia tanta decepção em sua alma. Também percebia um ódio dentro de si, uma emoção jamais experimentada, nem quando Kenan havia sido julgado, nem mesmo quando sua mãe e irmã foram mortas.

Sentimentos e pensamentos horríveis pareciam entrar em sua cabeça e, a cada momento, ela era incitada a olhar outra vez para os tesouros dentro das duas salas atrás do trono. Sussurros malévolos a mandavam agir de maneiras de que se envergonhava só em pensar. E de repente, estava pensando naquilo. Era incontrolável.

Nunca antes se interessara muito por riquezas ou *status*, mas agora alguma coisa a estava atraindo. Sentia uma necessidade quase incontrolável de colocar aquela tiara real cheia de pedras brancas sobre sua cabeça. Se colocasse a coroa feita pelos kedoshins, teria poder e autoridade para deter a guerra, talvez até mesmo para expulsar os shedins definitivamente de Olam. Poderia ajudar Kenan a se vingar e assim, ele desistiria de procurar o tartan, e, talvez, descansasse... Tudo voltaria ao normal.

Isso, naquele momento, era o que ela mais desejava. Queria viver tranquilamente em Olamir, cuidando das bétulas e fazendo flores nascerem do chão. Desejava tanto que sua mãe e irmã retornassem, para que sua família fosse completa e feliz mais uma vez. Seu pai jamais havia demonstrado alegria desde aquele dia terrível.

Ela olhou fixamente para o trono branco que dominava o ambiente. Será que aquela coroa poderia fazer isso? Poderia fazer tudo voltar ao normal? Sentiu um desejo incontrolável de pegá-la; afinal, era justo, era por um bom motivo. E ela possuía o direito de usá-la, afinal não era a herdeira do trono de Olam?

Tzizah percebeu que todos estavam olhando para o trono branco ao mesmo tempo. Seus olhares pareciam obcecados. Assemelhavam-se a cães famintos diante da comida.

Os quatro correram em direção ao trono. Cada um queria chegar mais rápido do que o outro e colocar a coroa sobre a cabeça. Estavam todos dominados por alguma força sinistra.

Tzizah só percebeu o que estava acontecendo quando ela já estava na metade da escadaria.

— Parem! — ela gritou, como que despertando de um transe. — Não façam isso!

Mas era tarde demais, os outros não lhe deram ouvidos.

Adin foi violentamente empurrado por Ben e escorregou, descendo a escadaria aos trancos. Leannah ainda tentou deter Ben, mas ele já estava quase alcançando o trono, e a empurrou com uma das pernas, desvencilhando-se de suas mãos.

Tzizah apenas gritava desesperadamente, mas Ben conseguiu chegar até o alto. Ele pegou a coroa de ouro cravejada de pedras brancas. Seus olhos brilhavam de cobiça. Num movimento rápido, ele se assentou e colocou a coroa sobre a cabeça.

— Eu sou o Melek! — decretou do alto do trono — Sou Ben, o Melek!

Instantaneamente, a coroa brilhou e uma abertura redonda apareceu bem na frente. Ben pareceu crescer de tamanho e assumiu uma imponência não vista antes.

Leannah e Adin, ao perceberem que Ben conseguira ficar com a coroa, olharam furiosos para ele. Os dois ainda estavam sedentos. Eles desceram as escadarias e correram para as salas repletas de tesouros.

— O tesouro é meu! — esbravejou Ben do alto do trono. — É tudo meu! Não toquem em nada!

Mas eles não lhe deram ouvidos e começaram a pegar tudo: colares, tiaras, vestes reais, moedas de ouro, pedras preciosas. Precisavam carregar tudo o que podiam.

— Parem! — clamava Tzizah desesperada. — Larguem essas coisas antes que seja tarde...

Mas ela própria queria pegar aquelas preciosidades também. Todas as forças do mundo a impeliam para correr até as salas e se encher de joias. Só podia estar ficando louca, ou...

Um estalido alto repercutiu pela abóboda do salão real. Um barulho semelhante a gelo se partindo ou estalactites se soltando do teto de uma caverna. Mas era outra coisa. Ela se virou bem a tempo de enxergar as duas estátuas adquirindo movimento. Com mais alguns estalidos, os guardiões andaram dentro do grande salão. Ainda eram translúcidos como gelo, porém havia algo diferente neles, quase como se fossem compostos de um estranho líquido que lhes permitisse o movimento. As luzes que antes flutuavam no alto do salão, agora pareciam estar dentro das estátuas móveis.

Adin e Leannah, cheios de colares e objetos preciosos, pararam apavorados diante das bestas.

— Fujam! — gritou Tzizah.

— Eles têm de me obedecer! — Bradou Ben enlouquecido. — Eu sou o Melek!

Ben estava em pé diante do trono, com a coroa na cabeça, e gesticulava para os tannînins, como se pudesse fazê-los parar só com um gesto. Estava fora de si.

Um tannîn se voltou para Ben e fez um barulho gutural ameaçador. O dragão recolheu o pescoço e se preparou para cuspir algo. Ele abriu a boca e soltou o que pareceu ser um líquido gelado. Com um último resquício de sanidade, Ben se encolheu, e o líquido passou sobre sua cabeça levando sua coroa. O instrumento parou no ar, congelando-se imediatamente dentro de um bloco de gelo transparente.

Ben entrou em desespero. Tinha os olhos esbugalhados como quem acorda de um sonho, só para perceber que estava dentro de um pesadelo. Desceu a escadaria procurando a saída e passou pelo meio das criaturas. Adin e Leannah correram, também despertos da estranha influência, mas ainda carregavam alguns adereços preciosos. Tzizah já estava do lado de fora.

Adin era o que estava mais carregado com colares e objetos preciosos e não conseguiu sair rapidamente do salão. O tannîn despejou o líquido em sua direção e o atingiu instantes antes que ele conseguisse atravessar a porta. Um bloco de gelo transparente se formou ao seu redor.

— Adin! — desesperou-se Leannah ao ver o que havia acontecido com o irmão.

O outro dragão estava atrás dela e despejou o líquido em sua direção. Por pouco não a acertou. Leannah correra por entre as estátuas, e o líquido se desviou rebatendo nelas. Um pouco do líquido, porém, respigou e se apegou aos seus pés. Instantaneamente eles se congelaram e ela caiu deslizando sobre o gelo até se chocar contra o muro de proteção. Com o impacto, Leannah ficou desacordada.

O tannîn vinha logo atrás cuspindo o líquido gelado em todas as direções. Ele despedaçou três estátuas de caçadores de tesouro enquanto procurava por Leannah. Quando ela caiu, o guardião ficou temporariamente desorientado. Era como se não conseguisse enxergá-la mais. O tannîn se moveu de um lado para o outro tentando encontrá-la.

Ao ver que o dragão se aproximou perigosamente de Leannah, Ben agiu por desespero. Mesmo sem saber o que poderia acontecer, ou qual seria a eficácia do arco naquela situação, ele colocou uma seta e disparou. A flecha se incendiou imediatamente e, ao atingir o tannîn, o fogo o envolveu. Mesmo assim o monstro continuou se movendo, mas agora na direção de Ben, gelo e fogo simultaneamente.

Sem hesitar, disparou as duas últimas flechas contra o tannîn. A primeira fez a labareda dobrar de tamanho. A segunda e última foi a flecha mais poderosa que aquele arco já havia soltado. Uma energia diferente atingiu o dragão e o fez congelar outra vez e se despedaçar. Pedaços se espalharam pelo chão do pátio interno do palácio.

Não deu tempo de sentir alívio. O outro dragão o localizou no lado externo. Ben o enxergou tarde demais. A besta já estava na sua frente. Não havia como fugir, nem flechas para acertá-lo. O tannîn despejou o líquido. Ben viu aquela substância brilhante saindo da boca do dragão e compreendeu que ia ser congelado como Adin.

— *Petzeni mitannin!*[8]

As palavras vieram aos seus lábios, sem que ele soubesse de onde.

Halom subitamente se aqueceu e Ben entendeu que a pedra estava ativa. Luz jorrou dela como um rio, e se encontrou com o líquido. Fogo contra gelo. A estranha energia amarelada rebateu o líquido gelado e atingiu o tannîn. A criatura se congelou e se espatifou.

Assustado e incrédulo com a rapidez com que tudo aconteceu, Ben olhou à volta, certificando-se de que todos os dragões haviam sido destruídos.

Viu Leannah caída, mas sua preocupação maior era Adin. Correu até a entrada do salão e se deparou com a estátua de gelo.

Tzizah, que havia atravessado o portal e já estava do outro lado da passarela, também retornou. Seus olhos apavorados pareciam não compreender o desfecho da situação.

— Ele está... — a princesa não completou a frase.

Adin estava envolto por um bloco transparente igual aos que ainda restavam do lado de fora do palácio. Seu pescoço sustentava pesados colares, e sua expressão estava petrificada do mais puro horror. Havia várias joias caídas no chão à sua volta.

— Precisamos descongelá-lo — disse Tzizah em desespero.

— Mas como? — perguntou Ben desesperado, achando que o garoto já estivesse morto. Lembrou-se do sonho, quando Adin havia sido atingido pelo tartan. Talvez não fosse mesmo possível enganar o destino.

Sua mão buscou Halom mais uma vez. Havia poder na pedra, talvez o mesmo fogo que destruíra o tannîn pudesse descongelá-lo. Mas não tinha a mínima ideia de como despertara a pedra para lhe proteger do ataque do dragão. Nem se quer lembrava as palavras ditas.

---

8 Livra-me do dragão!

— Os sapatos! — gesticulou Tzizah. — As garras!

Ben se lembrou das garras metálicas e se assentou rapidamente para desamarrar um deles.

Utilizando o sapato como um formão, ele começou a bater as garras contra o gelo que envolvia Adin. O material recente ainda não havia alcançado o ponto máximo de congelamento e começou a ceder e abrir rachaduras. Ben atingia o gelo com as pontas metálicas, mas o trabalho precisava ser feito com muito cuidado para não ferir ainda mais o garoto.

Tzizah também tirou um dos sapatos e começou a despedaçar o gelo em volta de Adin, iniciando pelas pernas.

Leannah começou a acordar.

— Adin! — ela gritou em desespero ao lembrar o que havia acontecido com o irmão.

Ela tentou se levantar, mas seus pés estavam congelados. Com muito esforço, a cantora de Havilá conseguiu livrar um deles. Então, com as garras do sapato ela soltou o outro. Quando se juntou a Ben e Tzizah, Leannah chorava tentando ajudar a libertar o irmão. As lágrimas congelavam em seu rosto e caíam como cristais espatifando-se no chão.

— Eu o convenci a vir junto de Havilá... — culpou-se Leannah. — Ele nunca gostou muito de aventuras. A culpa é minha.

Um sentimento semelhante devorava Ben.

Quando o gelo estava bastante quebrado, o corpo de Adin fez pressão e se inclinou, pois não havia mais sustentação. Eles o seguraram e o deitaram no chão enquanto tiravam todo fragmento de gelo à sua volta. A pele do garoto estava rígida.

Tzizah, rapidamente, retirou o casaco dele e o vestiu com o seu, tentando aquecê-lo. Leannah também retirou a sua simlá e o envolveu inteiramente.

— Ele está vivo — disse Tzizah após alguns instantes. — Está respirando fracamente.

*****
*****

Quando os lobos possuídos ainda tentavam atravessar o portal entre as Gêmeas, Kenan precisou tomar uma decisão difícil: retardar ao máximo sua passagem, mesmo correndo o risco de não conseguir entrar.

Talvez por perceber que o portal estava para se fechar, as criaturas pularam todas ao mesmo tempo sobre o guerreiro. O giborim golpeou tudo que surgiu à sua frente, mas sua habilidade com Herevel não foi suficiente para detê-los, pois eram muitos. Ele caiu. Naquele instante seria devorado pelos lobos macabros, mas Evrá se abateu sobre eles com suas garras destruidoras. Içou dois lobos e os atirou para longe. Os animais enfurecidos começaram a saltar em direção da águia. Foi o suficiente para que Kenan se levantasse e retomasse a ofensiva.

Muitos animais haviam passado sobre ele no exato momento em que o portal se fechava. Kenan não tinha certeza se algum animal ou espírito havia conseguido atravessar o portal.

Mais dois lobos foram destroçados pelas garras de Evrá enquanto Kenan movia Herevel impiedosamente, mandando diversas criaturas de volta para o inferno.

Quando as luzes da explosão da pedra do sol desapareceram completamente, os oboths instantaneamente deixaram os lobos, e os animais voltaram ao normal. Os feridos simplesmente caíram mortos, e os demais fugiram amedrontados pelos piados furiosos de Evrá, e também ao verem o grande número de animais despedaçados sobre o gelo.

Kenan ainda fez uma tentativa de atravessar o portal. Vislumbrara o palácio de gelo quando estava aberto. Entretanto, não havia mais passagem. O amanhecer se infiltrava por entre as Gêmeas revelando apenas o espaço vazio.

Contrariado, o guerreiro andou em volta batendo e espatifando gelo com a ponta da espada. Precisaria, então, fazer aquilo que mais detestava: esperar.

O giborim sentiu a indecisão crescer dentro de si. Thamam havia solicitado o retorno dele para Olamir. Havia pouca utilidade em ficar nas montanhas, pois não dispunha de outra pedra do sol para tentar abrir o portal na noite seguinte. Não podia adivinhar os perigos que os quatro enfrentariam no palácio de gelo, nem se retornariam. Por outro lado, ele começava a acreditar que forças maiores estavam em atuação naquela jornada. Coisas aparentemente impossíveis estavam acontecendo. Talvez, os jovens conseguissem realizar mais aquele feito.

A luz do dia já se espalhava pelo branco das Harim Keseph quando ele retornou para a cabana. Precisava ver como estavam os cavalos. O único consolo era saber que Evrá estava novamente por perto.

* * * *
* * * * *

Aos poucos, a pele de Adin começou a reaquecer. O sangue estava voltando a circular. Ben deu graças a *El* que o garoto ainda estivesse desacordado, pois a dor e o formigamento deveriam ser insuportáveis.

O guardião de livros ainda não conseguia entender como Halom produzira aquela energia que atingiu o dragão. Nunca soube que alguma pedra pudesse fazer aquilo. Por certo algum poder havia se acumulado em Halom devido aos pontos já completados do caminho da iluminação. Provavelmente fosse o poder que reativaria o Olho.

Instantes depois, Adin despertou. Ele tossia e tremia violentamente. Seu rosto e mãos estavam queimados pelo gelo. O garoto chorava de dor. O casaco grosso e forrado que usava quando os tannînins o atingiram havia sido o principal responsável por sua sobrevivência. Sem a simlâ do estalajadeiro, jamais teria sobrevivido ao gelo dos guardiões.

— Meu corpo inteiro dói — disse soluçando. — Meu rosto arde como fogo.

— Você vai ficar bem. — Leannah ainda tinha lágrimas nos olhos enquanto o abraçava e consolava. — Você vai ficar bem.

— Foi minha culpa — disse Ben, com a voz trêmula. — Eu sinto muito.

— Todos nós desejamos ser senhores — disse Tzizah ao ver os olhares envergonhados. — Mas não mandamos nem em nosso próprio coração. Tivemos um duro teste aqui.

— E reprovamos — choramingou Adin.

O silêncio foi a única resposta apropriada às palavras dele.

— Precisamos fazer o que viemos fazer — retomou Tzizah ao perceber que Adin estava melhor. — Agora, sem os guardiões, talvez seja possível.

Ela olhava para o imponente trono. A admiração de antes havia sido substituída por temor e também vergonha por terem se deixado consumir por aquele sentimento de egoísmo e de cobiça. Os homens congelados do lado de fora eram a prova de que outros já haviam cometido o mesmo erro. Eles haviam agido como se estivessem anestesiados. Se tudo era um teste, Adin estava certo, eles haviam fracassado.

Alguns pedaços de gelo ainda não totalmente derretidos espalhados pelo chão eram uma testemunha da ganância deles. O único consolo era saber que os tannînins não existiam mais. A névoa gelada e luminosa havia se condensado novamente e pairava próxima ao teto.

— Você foi a única que não sucumbiu — reconheceu Leannah.

— Eu desejei aquela coroa e aqueles tesouros tanto quanto vocês — reconheceu Tzizah.

Ben se lembrou da gravação deixada pelo velho Enosh na pedra. Ele havia dito que o pior perigo estava dentro do homem. Naquele momento, a mensagem começou a fazer sentido.

— Há algo aqui que põe em xeque nossas mais profundas intenções — disse Leannah consternada. — Olhar para dentro de nós é como olhar para um poço profundo. Nunca sabemos realmente o que está abaixo da superfície, mas agora, creio que todos tivemos uma amostra disso. Não importa o conhecimento que adquirimos, as experiências ou os dons que recebemos, isso não nos torna necessariamente melhores.

— Eu só sei que não quero mais saber desses tesouros — disse Adin com uma voz ainda chorosa. Sua face estava avermelhada devido às queimaduras do gelo. Ele tremia de frio e soltava gemidos de dor.

— Um unguento poderia ajudá-lo — disse Tzizah ao ver a expressão de dor do garoto, — mas ficou no abrigo.

— Eu posso suportar. Mas tentem descobrir algo depressa para podermos ir embora desse inferno gelado...

— Esse trono é a chave — Leannah olhava fixamente para ele. Seu rosto ainda estava corado, mas ela parecia ter recuperado a postura serena que exibia desde Bethok Hamaim. — O que um trono vago significa?

Ninguém respondeu. Mas uma resposta dolorosa passou pela mente de Tzizah, embora ela não tenha colocado em palavras. Um trono vazio poderia significar que um rei estava deposto, ou morto. *Como estará meu pai?*

— Aqui dentro tudo foi preparado para funcionar como um teste, ou uma prova, para os visitantes — continuou Leannah. — Todos esses tesouros disponíveis para quem quisesse pegar... fácil demais. Um trono com uma coroa ao lado para quem quisesse se coroar... No entanto, quando alguém os pegava, os tannînins de gelo despertavam...

Leannah parecia estar falando consigo mesma. Os três apenas a observavam.

— Tudo isso é uma parábola. Uma lição. Vocês não entenderam? Há uma pergunta implícita em toda essa cena: Quem deve se sentar no trono? Essa é a pergunta. Há um trono vago, com uma coroa ao lado. Quando entramos aqui, todos nós nos imaginamos sentando naquele trono, e usando a coroa. Algo em nós sente o desejo de estar no comando. Há uma ilusão dentro de nós dizendo que podemos comandar, quando nem percebemos que estamos sendo comandados.

— Então eles queriam nos ensinar uma lição de humildade e de desapego das coisas materiais? — perguntou Adin.

— Eles quiseram que nós nos víssemos como realmente somos... O objetivo deste palácio é fazer as pessoas entenderem que elas não estão no controle de nada. Há forças maiores operando neste mundo. E nós podemos nos tornar apenas peças de um jogo, sendo manipulados por forças exteriores e também por sentimentos íntimos falsos.

Por um momento, os quatro permaneceram silenciosos contemplando o trono.

— Olhem à nossa volta — continuou Leannah. — Tudo é gelo, menos aquela coroa. Neste salão, ela é a única peça real. Ela não é uma parábola. É verdadeira. O verdadeiro tesouro dos kedoshins que nenhum de nós pode usar, pelo menos não fora daqui.

Ben olhou mais uma vez para a coroa congelada dentro de um bloco sobre o trono e sentiu um calafrio ao lembrar a cena que protagonizara há pouco. Não conseguia entender de onde havia vindo aquele sentimento de soberba e superioridade. Ou será que entendia?

— Se essa coroa é o segredo, como ela pode nos ajudar? — perguntou Ben.

Leannah não respondeu e começou a subir os degraus até o trono. Ben e Tzizah seguiram-na um pouco relutantes. Pararam alguns degraus antes do trono.

A cantora de Havilá se aproximou da coroa. Estava dentro do bloco de gelo, suspensa no ar. Então pegou o sapato e despedaçou o gelo do guardião em volta do objeto. A coroa caiu sobre o trono e ela afastou os cacos de gelo. Por um momento todos ficaram apreensivos, esperando que alguma coisa ruim acontecesse. Leannah olhava para a coroa e sorria.

— Acho que você conseguiu — ela disse para Ben.

Tzizah e Ben completaram os degraus restantes e se colocaram ao redor do trono olhando sobre os braços do mesmo. Eles viram uma abertura bem na frente da coroa. Uma pequena abertura arredondada que parecia ser do tamanho exato da pedra de Ben.

— Ao colocar a coroa sobre a cabeça — disse Leannah apontando para a abertura —, você ativou o mecanismo da coroa. Provavelmente porque você carregava Halom. Acho que você deve encaixá-la para que o próximo ponto seja indicado.

Ben pegou Halom sem entender como aquilo podia fazer sentido. Como seu fracasso poderia significar uma vitória? Suas mãos tremiam quando ele se adiantou e a colocou no lugar exato, na parte da frente da coroa.

A pedra se encaixou perfeitamente e, no mesmo instante, uma forte luz a atravessou. Eles se afastaram, deixando a coroa sobre o trono, entre assustados e admirados com aquela luz branca e ofuscante que partiu em várias direções, alcançando as paredes e o teto do salão oval.

Todos sabiam que algo iria acontecer.

Uma das paredes do salão refletiu como um espelho. Eles olharam naquela direção e viram outro lugar, outro palácio. Parecia que estavam no meio de uma grande cidade.

Desceram as escadas e caminharam até a parede. Eles podiam ver a cidade através do espelho. Ben se aproximou da parede e a tocou. Sua mão atravessou. Ele olhou com surpresa para os três amigos. Em seguida, passou para o outro lado.

Era mesmo uma cidade muito grande. Não era Olamir, nem Bethok Hamaim ou qualquer outra das grandes de Olam. Era muito maior. Torres brilhantes se espalhavam em todas as direções. Subiam e desciam montanhas. Algumas eram tão altas ao ponto de atravessarem as nuvens. Uma cidade daquele tamanho era simplesmente inimaginável. Era como se todas as grandes cidades de Olam estivessem juntas, espalhando-se por um imenso planalto. Logo perceberam que a cidade estava sob um terrível ataque. Eles podiam ouvir os sons das ofensivas. Explosões e fogo podiam ser ouvidos e vistos de todos os lados. O chão tremia, brados e maldições horríveis vinham com o vento impregnado dos odores da guerra.

Ben viu Adin, Leannah e Tzizah se aproximando. Eles também haviam atravessado a parede.

— É Irkodesh — sussurrou Leannah. — A maior de todas as cidades que já existiu. Foi destruída milênios atrás.

Viram um homem glorioso se aproximar. Por um momento assustaram-se, pensando que o homem fosse falar com eles, pois ficou bem diante deles, como se os visse. Suas vestes brancas resplandeciam, sua face tinha traços humanos, mas um brilho reluzente a perpassava. Segurava uma espada luminosa em sua mão e a expressão demonstrava preocupação. Entenderam que estavam diante de um kedoshim. Ele contemplava a cidade sob ataque. Depois virou-se e seguiu seu caminho em direção à entrada da torre central da cidade.

Sem entender o que estava acontecendo, eles se viram seguindo o homem. O palácio de gelo queria lhes mostrar algo.

O interior da torre central se refletiu no espelho. Um kedoshim estava assentado numa cadeira elevada feita de pedras transparentes. Sua aparência lembrava vagamente a de um homem. Era impossível saber a idade dele, mas obviamente não era velho. Possuía uma expressão serena. Ele usava um longo manto branco de uma única peça de tecido. Era muito alto. Seus cabelos eram curtos e quase dourados, e seus olhos, cinzentos, mas com um brilho prateado.

As janelas do salão interno da torre real não traziam luz para o interior e também não havia pedras; no entanto, uma luz que eles não sabiam dizer de onde vinha iluminava o local. Quando o homem se levantou da cadeira e caminhou na direção do mensageiro, tiveram a impressão de que a luz também se movimentava, acompanhando-o.

O mensageiro se aproximou e se ajoelhou rapidamente. Em seguida segurou nas duas mãos de seu líder e se levantou.

— O exército invasor é muito mais poderoso do que imaginávamos! — relatou o mensageiro. — Duzentos dragões-reis estão despejando fogo contra a cidade. Estamos cercados. Rebeldes incontáveis forçam nossas muralhas. E todo tipo de criaturas da noite uivam e rosnam para entrar em nossas ruas... O próprio senhor das trevas está aqui. Não vamos resistir por muito tempo! Nossa única chance é abandonar a cidade.

O homem soltou as mãos do mensageiro e caminhou de volta em direção ao trono, mas não se assentou. Sua expressão demonstrava que aquelas más notícias já eram esperadas.

— Abandonar Irkodesh... — disse com profunda tristeza. — Por tantos milênios lutamos para construí-la... E agora seremos obrigados a sacrificá-la...

— Fomos traídos, meu príncipe. Não há outra explicação. Eles não poderiam ter ultrapassado todas as barreiras...

— Isso agora não importa mais. Precisamos tomar atitudes a fim de minimizar os danos...

— Faremos o que o senhor mandar — disse o mensageiro, curvando respeitosamente a cabeça. — Nossos exércitos estão reduzidos, mas os guerreiros estão dispostos a lutar até o fim.

O líder andou em volta do trono de cristal. Lanças brilhantes contornavam o trono. Ele carregava um pesado fardo. Precisava tomar uma difícil decisão; aparentemente, vinha pensando a respeito dela há muito tempo. Seu rosto serenou mais uma vez, enquanto ele olhava através das janelas para a escuridão que se aproximava de Irkodesh.

Os observadores dentro do palácio de gelo permaneciam em frente ao espelho, como intrusos silenciosos e testemunhas impotentes de um dos momentos mais difíceis da história dos kedoshins. Um momento que mudou para sempre a história de Olam.

— Não há tempo de abandonarmos a cidade — disse o príncipe kedoshim, após a reflexão silenciosa. — E mesmo que fizéssemos isso, eles nos perseguiriam até o fim do mundo. Desde que os antigos partiram e a rebelião começou, nós nos tornamos minoria. Além disso, todos sabemos a razão de eles estarem aqui... Os rebeldes...

— Então lutaremos até o fim... — disse o mensageiro retomando coragem. — Lutaremos até o último fio de esperança! Será assim que tudo terminará. A glória de Irkodesh não será solapada!

O líder balançou negativamente a cabeça.

— Não será assim que tudo terminará. Minhas ordens são as seguintes: reúna todo o remanescente. Devem utilizar o caminho secreto que construímos durante a era de paz e abandonar a cidade. Após atravessar os túneis e alcançar as terras ermas, nosso povo deverá procurar os homens descendentes dos antigos clãs que deixaram Ganeden e ajudá-los a construir uma nova civilização, transmitindo-lhes o conhecimento da lapidação das pedras. Você pessoalmente deve assegurar que isso aconteça.

O rosto do mensageiro demonstrou alívio com a decisão de partir, mas algo nas palavras de seu senhor também fez com que sentisse certa inquietação.

— Podemos partir imediatamente... Basta o senhor nos liderar...

— Você não entendeu... Eu não vou partir.

— Não vamos deixá-lo! — respondeu o mensageiro num sobressalto. — Nunca o abandonaríamos! O senhor é nossa luz, nosso guia para a esperança!

— A esperança sempre renasce — disse o príncipe calmamente. — E para que isso aconteça, às vezes, ela precisa morrer. Essas são minhas ordens. Você sabe que deve obedecê-las.

Por um momento, o mensageiro não se moveu. Lutava contra todas as forças do mundo e do além para cumprir a ordem.

— Quanto mais tempo você perder aqui — disse o kedoshim — menos possibilidades nossos irmãos terão de escapar...

Os observadores viram quando, finalmente, o mensageiro deixou a sala do trono e partiu para cumprir as dolorosas ordens de seu líder.

Após a saída dele, o príncipe kedoshim se viu sozinho no imenso salão real. Ele caminhou lentamente até seu trono e se assentou. Retirou uma longa espada da bainha e a contemplou. A espada refulgia, brilhando como fogo.

— Lahat-Herev — disse ele para a espada. — Você esteve comigo desde o início. Essa será nossa última dança, vamos fazer valer a pena. Permitir o renascimento da esperança.

Então, ele colocou a espada atravessada sobre as próprias pernas e esperou.

As explosões distantes foram se aproximando, mas ele não teve um único sobressalto. Os ataques estavam chegando cada vez mais próximos, pois o barulho de estruturas se demolindo e os brados terríveis do exército das trevas foram ficando mais altos. Durante todo o tempo, o príncipe esperou impassível, sem se levantar de seu trono e sem que qualquer expressão de assombro passasse por seu rosto.

Quando os dragões-reis, com seus urros infernais, incendiaram a torre central aterrorizando toda a cidade, e as criaturas demoníacas a invadiram de todos os lados, então, a espada do kedoshim reluziu. Ele se pôs em pé e assumiu uma imponência não revelada até aquele momento.

Os quatros jovens que o estavam observando nunca haviam visto alguém lutar com tanto poder e honra. Na escuridão que aumentava, Lahat-Herev se revolvia em todas as direções. Dragões-reis caíram do céu, criaturas demoníacas incontáveis foram abatidas, e por muito tempo as trevas não conseguiram avançar sobre a luz do guerreiro solitário. Porém, a luz que eles viam foi aos poucos diminuindo. As trevas o comprimiram, o poder desolador da escuridão avançou. Até que, por fim, só um pequeno fio de luz se manteve. E, então, também desapareceu.

A escuridão por um momento dominou a cena. Os observadores nada mais enxergaram. Eles haviam presenciado o fim de uma era.

Então, aos poucos, seus olhos viram novamente uma parede de gelo surgindo diante deles. Atravessaram e retornaram ao palácio de gelo.

Os peregrinos estavam num estado de êxtase; no entanto, a seu modo, a visão causaria efeitos diferentes em cada um deles.

Sobre o trono, a coroa permanecia imóvel, com a pedra ainda encaixada. Mesmo de longe, Ben podia ver que Halom estava com um tom amarelo-esbranquiçado. Ele não conseguia entender a razão daquelas mudanças de cor na pedra, mas sabia que um novo ponto havia sido indicado.

O guardião de livros subiu os degraus e fez menção de desencaixar a pedra.

— Não ainda! — disse Leannah.

Ben olhou para ela sem entender a razão da relutância.

— Ainda não terminou. Coloque-a sobre a cabeça. Receba o presente dos kedoshins.

Assustado, Ben olhou para o espaço onde antes estiveram as estátuas dos tannînins, agora despedaçadas, lembrando-se do que aconteceu quando ele havia colocado a coroa sobre a cabeça.

— Não há mais riscos — tranquilizou Leannah. — O teste já acabou. Você só não pode levá-la.

Indeciso, Ben olhou para a coroa e para Halom. Então, cuidadosamente, colocou a coroa sobre a cabeça, mas não se assentou no trono. Seus olhos não se desviavam das poças de gelo e das luzes dançantes no alto.

Ben nunca conseguiu descrever o que aconteceu em seguida. Na verdade, não é algo que possa ser realmente descrito. Ele recebeu uma espécie de conhecimento, mas não era exatamente um conhecimento semelhante ao recebido em Olamir. Também não se tratou de uma experiência igual às que haviam sido liberadas em Bethok Hamaim para Leannah. Era outra coisa, algo como uma intuição. Foi como se sua mente instantaneamente fosse equipada com uma capacidade de tomar decisões, de fazer escolhas, mesmo sem conhecer toda a realidade, ou todos os fatores envolvidos, e ainda assim, saber o que fazer apenas por um senso interior. Isso é tudo o que pode ser dito sobre as experiências dos quatro dentro do palácio de gelo. Aquele era o terceiro presente dos kedoshins para os peregrinos do caminho da iluminação. Ele ainda faria muita diferença nesta história.

Após alguns instantes, Ben retirou a coroa da cabeça e a passou para Tzizah. A filha de Thamam também ostentou a coroa e depois a passou para Adin. Leannah foi a última a colocar o tesouro dos kedoshins sobre a cabeça e a receber o dom do palácio de gelo. Era a única até aquele momento a somar as três experiências do caminho.

Por fim, Ben desencaixou a pedra da coroa. Não parecia a mesma pedra. O vermelho havia desaparecido. Halom estava ficando branca.

Todos aguardavam com ansiedade que ele vasculhasse a pedra.

O guardião de livros encontrou coragem e olhou para dentro da shoham. A satisfação tomou conta de seu rosto. Havia um novo ponto no mapa. Parecia algum lugar muito distante, ao Oriente, para além do Yam Kademony.

No mesmo instante, um portal se abriu na muralha externa do palácio de gelo. Antes de sair, Ben recolheu as três flechas que havia disparado contra os tannînins.

* * * *
* * * * *

Quando os quatro exploradores atravessaram o portal entre as Gêmeas, encontraram Kenan junto a corpos dilacerados de lobos que já estavam parcialmente encobertos pela neve.

O guerreiro havia retornado às Gêmeas e olhou desconfiado para eles, mas o sorriso de Tzizah o convenceu de que haviam conseguido.

Atrás deles, o portal se fechou. Dentro do palácio, onde os olhos agora não podiam mais ver, duas estátuas de tannînins estavam reconstituídas e postadas como sentinelas diante do trono, esperando outros aventureiros para o teste.

Quando Tzizah correu para abraçar Kenan, o guardião de livros olhou para o chão a fim de não ver a paixão no gesto dela.

16 A encruzilhada do destino

12 de Bul, do ano 2042 após o estabelecimento do Olho de Olam.

Do abrigo nas montanhas, com os cavalos, eles partiram para Revayá. A mesma trilha coberta de neve os aguardava. Embora a paisagem estivesse praticamente igual ao momento em que haviam deixado a estalagem, tudo mudara, especialmente dentro deles.

Da altitude das montanhas, eles desciam cuidadosamente, ansiando por chegar ao planalto em que ficava a estalagem. Evrá os acompanhava voando mais baixo e se anunciando repetidamente.

Por terem permanecido vários dias nas montanhas, não sabiam exatamente o que poderiam encontrar. Por isso, cada piado de Evrá era considerado como um alerta. Mas a águia dourada aparentava apenas se deliciar com a paisagem.

Kenan não havia contado como sobrevivera aos lobos possuídos, mas a presença de Evrá explicava em partes o que havia acontecido. O olhar de Ben para a águia era de admiração e de um pouco de inveja. Como gostaria de ser livre.

A vista era de fato inspiradora. Os topos das montanhas mais baixas agora também estavam cobertas de neve, fazendo com que as florestas escuras se destacassem ainda mais na paisagem. E, para completar a sensação de amplidão, o tempo estava bom. Os sentimentos, em compensação, estavam mais nebulosos do que nunca. Uma nebulosidade que demoraria a se dissipar.

O ponto seguinte de localização do caminho da iluminação ficava nas Terras do Além-Mar. O destino do grupo era a principal cidade de Sinim, conhecida como Urim, onde havia um grande farol com milhares de anos de existência. E o mais importante: era um presente dos kedoshins. Mas antes precisavam retornar à estalagem para se reabastecerem.

Todos ansiavam por passar mais uma noite na velha hospedaria. Seria uma oportunidade para se recuperarem fisicamente depois da desgastante jornada até as geladas Harim Keseph. A razão principal era Adin. Ele precisava urgentemente de cuidados. O unguento, que estava entre as coisas trazidas de Olamir, foi passado por Tzizah sobre o rosto e mãos queimados do garoto; isso estava ajudando bastante, principalmente no alívio a dor, mas Adin precisava descansar e se alimentar.

No dia seguinte, restaurados depois de uma boa refeição e uma noite de sono, com os cavalos alimentados, poderiam recuperar o tempo perdido cavalgando em velocidade máxima na direção do sol nascente. Pelos cálculos de Ben, faltavam apenas cerca de quatro dias para a lua cheia. Se por um lado agora parecia impossível reativar o Olho antes que estourasse a guerra, por outro precisavam manter a esperança, pois três pontos da pedra já haviam sido completados. Só faltava um.

Leannah trazia Halom. A garota pedira a pedra ainda no abrigo improvisado nas Harim Keseph, dizendo que gostaria de analisá-la. Ben entregou-a, mas já estava querendo pegá-la de volta.

O grupo de peregrinos praticamente nada conversou durante a jornada de volta. Dessa vez não era devido a alguma desavença. Todos estavam pensativos depois das experiências passadas dentro do palácio de gelo.

A imponência da paisagem que estava diante deles exigia um silêncio meditativo. Era o melhor remédio para as feridas da alma, embora não trouxesse as respostas desejadas por todos.

Os três jovens de Havilá sentiam que haviam amadurecido com tudo que passaram. De certo modo, isso os ajudava a entender a dimensão da busca que estavam realizando. O Olho de Olam era o instrumento mais poderoso da terra, o maior de todos os presentes dos kedoshins para os homens. Ben estava entendendo que os kedoshins pretendiam, não apenas ensinar o caminho para reativar o Olho, mas também ensinar algo a respeito do próprio Olho. Talvez o modo como devesse ser utilizado, no caso de voltar a ser controlado por uma única pessoa.

Estranhamente, Ben percebia que agora dominava certas informações, sem as ter aprendido. O conhecimento obtido em Olamir parecia se completar com a sabedoria intuitiva recebida no palácio de gelo. Ele observava a natureza e compreendia a razão de quase todas as coisas serem como eram. A função da neve e também o modo como se formava. A altura dos pinheiros impulsionada por suas raízes profundas. Os aclives e declives das montanhas formados pelos choques violentos das ondas milenares do Yam Kademony. Agora, podia ver os fios da malha da vida interligando-se, sustentando-se, renovando-se, e sempre progredindo em direção a um alvo desconhecido.

Ao mesmo tempo, algo ainda o inquietava. De certo modo, o compartimento dentro da coroa para encaixar a pedra somente se abriu quando ele, enlouquecidamente, colocara a coroa sobre a cabeça, despertando os tannînins. Eles haviam sido reprovados no teste do palácio de gelo e, no entanto, isso possibilitara que ativassem o próximo ponto. Foi como se tivessem de falhar para prosperar.

Por outro lado, isso havia despertado os tannînins. Não fosse a queda de Leannah que causou desorientação no guardião, todos seriam estátuas dentro do pátio do palácio, cheios de tesouros, mas sem poder usá-los.

A verdade é que haviam conseguido completar aquela tarefa como se sustentados por apenas um fio.

— Um quebra-cabeça — disse Ben, pensando alto.

Adin, que vinha ao seu lado, o único montado, parecia estar pensando a mesma coisa.

— Impossível encaixar todas as peças — concordou o garoto com um tom de voz menos infantil.

A neve que começara a cair quando eles partiram da estalagem para as montanhas, agora tomava conta de boa parte do caminho. Mas ainda havia lugares sob as árvores e nas encostas inclinadas por onde podiam passar sem grandes dificuldades. O inverno estava chegando às regiões centrais de Olam e envolvendo-as com seu abraço branco e gelado. Só havia calor ainda no sul. Mas de lá também todo o mal avançava sobre Olam.

Enquanto puxavam os cavalos, Tzizah contou a Kenan o que havia acontecido dentro do palácio de gelo. O giborim apenas ouviu sem emitir qualquer comentário. Suas expressões igualmente mantiveram em segredo seus pensamentos. Mas depois de um tempo, Ben ouviu Kenan assobiar uma canção. Foi surpreendente, pois nunca ouvira o homem cantarolando. Talvez ele estivesse alegre porque Tzizah voltara, ou talvez porque a missão estava mais adiantada.

A melodia do assobio era familiar. Era um hino marcial, conhecido para o guardião de livros desde os tempos em Havilá, mas não sabia dizer se o aprendera na escola, nas aulas sobre as leis do templo, ou mesmo entre os sacerdotes. De qualquer maneira, Ben se lembrava da letra, e ela parecia dizer muita coisa a respeito do giborim de Olam e de sua dor. Enquanto Kenan assobiava, a memória de Ben ia formando a letra.

> Morram os perversos
> No Inferno, submersos
> Na terra os devorem
> Vermes que não morrem
>
> Apague-se a memória
> Finde-se a história
> Consumam-se no escuro
> Os dias sem futuro

A música continuava por várias estrofes, exaltando a bem-aventurança dos justos e lançando imprecações sobre os perversos.

> Vivam sempre os justos
> Não paguem os custos
> De vidas errantes
> De passos claudicantes.

Ele lembrou a filosofia de Thamam: *toda ação gera reação*. Ainda não conseguia entender isso. Não lhe parecia que havia punição para os perversos. A vida não era muito justa, a menos que, depois da morte, houvesse algum tipo de acerto de contas.

> Sejam árvores plantadas
> Sob o leito das águas
> Os frutos da verdade
> Abundem na herdade.

Ao contrário do que dizia a música assobiada, as pessoas boas eram as que viviam menos.

Subitamente Kenan interrompeu o assobio. Ben enxergou luzes amarelas distantes. Ainda não havia escurecido totalmente, mas mesmo assim o clarão se destacava na paisagem crepuscular sobre a fina camada de neve. Num primeiro momento, Ben não conseguiu entender o que significava. Até pensou que fossem luzes de alguma cidade ou acampamento não percebidas antes, mas logo a realidade surgiu distintamente cruel. Era fogo. A estalagem de Revayá estava em chamas.

Kenan montou e acelerou Layelá. Tzizah e Leannah o seguiram com Boker, apesar da neve que ainda dificultava o galope.

Ben, com Erev, não conseguiu acompanhar a velocidade dos cavalos, pois tinha medo que Adin não conseguisse se segurar.

A estalagem inteira queimava. As chamas amarelas contrastavam com o branco da neve que rodeava a construção destruída e com a escuridão que englobava o mundo. Não só a casa principal, mas também as casas menores estavam tomadas por um fogo ardente e devorador. O fogo já havia consumido praticamente tudo, porém ainda era intenso. As labaredas lambiam as poucas paredes que estavam em pé. O calor era insuportável.

Kenan desceu de Layelá e correu em direção ao pátio da estalagem. Foi impossível se aproximar devido ao calor e às chamas alimentadas por algum material inflamável.

— Yered!? — ele gritou pelo seu velho amigo, sem obter resposta.

O guerreiro andou em volta como um animal acuado pelo fogo, tentando encontrar algum acesso para os corredores e passagens que ainda estavam de pé. Chamou pelo amigo repetidas vezes, mesmo sabendo que se o homem ainda estivesse ali, só poderia estar morto.

Após mais alguns minutos procurando em vão, o giborim se aquietou.

— Que *El* tenha lhe dado uma morte sem sofrimento, velho amigo — começou a dizer as palavras de encaminhamento. — Uma morte digna de tudo o que você já viveu. Que você leve suas histórias para o além, onde se reunirá com seus antepassados, e poderá tocar sua flauta e beber seu cálice de vinho... Que *El* o conserve nas altas estalagens para além deste mundo, onde os espíritos dos justos repousam sob a eterna luz primaveril...

Um gemido baixo interrompeu as palavras de Kenan. Vinha de algum ponto no meio das chamas. O gemido colocou todos em estado de alerta. Quando viram o que estava acontecendo, Tzizah e Leannah levaram as mãos ao rosto em desespero. O homem estava amarrado a uma coluna dentro de um círculo de chamas que crepitavam e se agitavam pelo vento. As chamas não o atingiam diretamente, mas o abrasavam.

Com um horror inexprimível eles entenderam a situação. Alguém o havia colocado ali para que tivesse uma morte lenta e dolorosa. Sua pele estava toda vermelha e repleta de bolhas e escoriações. Não deixava de ser um milagre o fato de que ainda estivesse vivo, mas era um milagre cruel.

O desespero tomou conta dos espectadores porque não havia nada que pudesse ser feito. Nem sequer poderiam se aproximar, pois as chamas formavam um paredão em volta do pobre homem. Sem dúvida, quem o colocara ali havia planejado tudo.

Quase enlouquecido, Kenan ainda queria resgatá-lo, mas todos podiam ver que era tarde demais. O giborim soltou a espada e ia se lançar no meio das chamas, mas Tzizah, segurando-o pelo braço, implorou que ele não fizesse isso. Somente a duras penas conseguiu impedi-lo de fazer aquela loucura.

— Acabe com o sofrimento dele! — Kenan se voltou e ordenou para Ben, que havia acabado de chegar.

Ben não conseguiu entender o que ele estava dizendo.

— O arco! — insistiu Kenan, gesticulando nervosamente. — Acabe com o sofrimento dele!

Horrorizado, Ben compreendeu a ordem, mas isso lhe soou ainda mais repulsivo. Nunca havia matado ninguém, e aquele homem os havia tratado tão bem.

— Ele está sofrendo! Você não percebe isso? Não há chances de ele sobreviver!

É claro que Ben percebia, porém tirar a vida de uma pessoa não lhe parecia algo tão simples. Por outro lado, o homem estava em intensa agonia. Não havia a mínima chance de que pudesse escapar.

Ben sentiu o dilema crescer dentro de si. Pressionado, pegou o arco sem saber se teria coragem de fazer aquilo. Mesmo assim, posicionou uma seta e mirou. Suas mãos tremiam. Ele baixou o arco. Não tinha coragem. As garotas choravam desesperadamente.

Kenan gritava para que ele atirasse logo. Ben apontou outra vez, fechou os olhos e soltou a flecha. Os gemidos silenciaram. O choro de Tzizah e Leannah aumentou. Ben sentiu as lágrimas descendo por sua face, como naquela madrugada em Havilá.

Kenan, desolado, afastou-se do grupo. Caminhou solitário para longe das chamas, dizendo palavras numa língua incompreensível.

Os quatro jovens, em estado de choque, permaneceram olhando para aquela cena cruel. As chamas agora devoravam inteiramente o corpo de Yered. A flecha ainda estava atravessada em seu peito.

O fogo devorava a estalagem de modo semelhante ao velho casarão em Havilá. Enosh, Yered, o barqueiro, os soldados... Quantas vítimas estariam em seu caminho? Então, uma verdade dura o assolou. Aquele era um mundo cruel. Não parecia haver limites para o mal. Os inocentes sempre sofriam. Não havia recompensa para os justos, nem punição para os perversos.

Enquanto as lágrimas turvavam seus olhos, Ben teve a impressão de ver alguém andando no meio do fogo. As labaredas não o atingiam. Era um jovem. Ele se aproximou do velho e passou a mão carinhosamente por sua face em chamas. Ben não sabia se era real ou se estava vendo apenas aquilo que gostaria de ver. Chacoalhou a cabeça, enxugou as lágrimas e a imagem ilusória desapareceu.

Kenan abruptamente reapareceu das trevas e fez sinal para que se afastassem do local.

— Quem fez isso ainda está por perto — disse ele. — Nós precisamos encontrá-los.

— Mas ele precisa de um sepultamento digno — lembrou Tzizah.

— A estalagem inteira será seu túmulo — disse Kenan olhando para as chamas e montando Layelá.

O giborim estava transtornado. Talvez pensasse que conseguiria encontrar os criminosos, mas não havia o menor sinal deles. E os cavalos estavam cansados. Todos estavam exaustos.

Em alta velocidade, Layelá tomou a mesma trilha que cruzava a rota dos antigos peregrinos e depois costeava a floresta de Ganeden. Em instantes viram apenas o reflexo prateado do animal diminuindo na paisagem sombria. Tzizah, desesperada por alcançar Kenan, foi atrás com Leannah.

A neve não havia chegado na baixada, e os cavalos, com um severo esforço, dispararam. Ben outra vez não conseguiu acompanhar a velocidade deles, pois não podia cavalgar tão depressa com Adin ferido. De longe, pela movimentação da luz da pedra do sol, ele percebeu quando os dois cavalos alcançaram a rota dos peregrinos.

Uma lua dividida ao meio oferecia luz suficiente para enfraquecer a noite e destacava a floresta cerrada, mas não facilitava muito identificar os buracos do caminho. Então, Ben avistou os cavaleiros. Estavam próximos da floresta. Eram três. As figuras malignas mais escuras do que a noite, com seus olhos como duas chamas de fogo, eram como espectros se movimentando pela estrada deserta. O luar parecia ser absorvido pelas capas e capuzes pretos.

O giborim, furioso e sedento de vingança, lançou-se contra os vultos negros. Ben percebeu que ia começar um combate.

Os cavaleiros-cadáveres ainda não haviam percebido a presença deles, mas quando Kenan investiu com Herevel em punho, eles se viraram e também foram em sua direção. Eram três contra um, porém Kenan não se intimidou. Espadas tilintaram quando se encontraram, soltando faíscas na escuridão da noite.

Quando Tzizah e Leannah se aproximaram, um dos cavaleiros-cadáveres abandonou o combate com Kenan e se dirigiu para elas. Ao perceber que seriam atacadas, Tzizah incitou Boker para o lado tentando fugir do perseguidor. O cavaleiro anteviu a manobra e praticamente emparelhou os cavalos, obrigando-as a se dirigir para a borda da floresta. Ben e Adin alcançaram a estrada naquele momento.

Os dois cavaleiros-cadáveres simultaneamente atacavam Kenan. Herevel parecia uma espada comum na mão do giborim, mas ele estava tão sedento de vingança, que atacaria aqueles monstros até com um pedaço de pau. Um golpe certeiro do guerreiro de Olam atingiu um dos cavaleiros-cadáveres e o derrubou.

Ao ver que Tzizah estava sendo acossada em direção à floresta, Kenan percebeu que havia cometido um erro e recuou. Ele tentou alcançar Boker para protegê-las, mas o outro cavaleiro o seguiu de perto, tentando atingi-lo pelas costas. Kenan precisou fazer Layelá dar meia-volta e se lançou contra o inimigo. As espadas se chocaram lançando mais faíscas sobre a relva ressecada. Um pequeno foco de incêndio se formou a partir das faíscas, mas logo se apagou com as próprias patas dos cavalos. Ao se chocar com Herevel, a espada do cavaleiro-cadáver voou e se perdeu no matagal. Com outro golpe preciso, o cavaleiro sombrio também despencou.

O desespero aumentou quando perceberam outros vultos negros se aproximando velozmente. Eram dezenas de cavaleiros-cadáveres que subiam a rota dos peregrinos como uma nuvem negra. Ben imaginava que logo o tartan e os sa'irins também apareceriam ali.

O guardião de livros finalmente conseguiu chegar perto do local onde Tzizah e Leannah tentavam se defender dos ataques do cavaleiro-cadáver. Desarmadas, só a velocidade de Boker estava conseguindo evitar os golpes traiçoeiros da espada do cavaleiro. Ben se aproximou lateralmente e esticou uma flecha na linha. Não era fácil mirar naquela escuridão, suas mãos estavam trêmulas, mas ele estava perto o bastante para acertá-lo. A flecha zuniu e acertou o cavaleiro. Ela atravessou o manto negro e saiu do outro lado, perdendo-se no meio das árvores. Foi como atravessar um saco vazio. O ataque não surtiu qualquer efeito naquela criatura. Foi quando Kenan surgiu da escuridão e acertou o cavaleiro-cadáver com Herevel, fazendo-o desabar do cavalo.

— Fiquem juntos! — bradou Kenan ao ver a aproximação de dezenas de cavaleiros-cadáveres.

Ben percebeu que não podiam enfrentá-los. Eram muitos.

Atrás de si uma estranha voz o chamou. O som era como o vento percorrendo os galhos das árvores. Era a mesma voz que ele ouvira do outro lado da floresta quando enfrentaram a armadilha do tartan.

— Para a floresta! — gritou o giborim percebendo que não havia outra opção. Com as armas inoperantes, não podiam enfrentar dezenas de cavaleiros-cadáveres.

Fugindo dos perseguidores, os três cavalos ultrapassaram a barreira das árvores e mergulharam no breu da floresta.

Ganeden os atraíra. O destino deles estava em uma encruzilhada.

*****
*****

— Precisamos esperar mais tempo! Ele vai sair! — disse Leannah com uma voz desesperada ao perceber que o dia já estava amanhecendo do lado de fora de Ganeden. Não havia mais sinal dos cavaleiros-cadáveres.

— Ninguém volta rápido de Ganeden — explicou Tzizah mais uma vez. — Infelizmente, ele poderá ficar preso por muito tempo, talvez décadas, ou mesmo para sempre... Não devíamos ter entrado.

— O plano era ficar apenas na borda — justificou-se Kenan.

Na noite anterior, fugindo dos cavaleiros-cadáveres, todos haviam adentrado o breu de Ganeden. No entanto, assim que entraram, apearam e esperaram os perseguidores desaparecerem. Quando sentiram que os inimigos não estavam mais do lado de fora, saíram da floresta. Todos, menos Ben.

Leannah teve a sensação de ver uma pontinha de tristeza no semblante de Tzizah ao falar sobre o desaparecimento do guardião de livros, e isso a deixaria ainda mais aborrecida se a situação fosse outra. Naquele momento, entretanto, ela estava suficientemente desolada com o que poderia ter acontecido com Ben.

— Se reativarmos o Olho — anunciou Kenan impaciente. — Talvez tenhamos sabedoria suficiente para resgatá-lo, se ainda estiver vivo... Infelizmente jamais deveríamos ter entrado nessa floresta, mas não havia outra opção...

Aquilo foi a coisa mais parecida com um pedido de desculpas que ouviram do giborim. Se ele não tivesse se lançado contra os cavaleiros-cadáveres, nada daquilo teria acontecido.

Leannah e Adin não queriam partir. Precisavam dar uma chance a Ben de conseguir sair. Mas a noite inteira havia passado sem qualquer sinal dele. Quando o dia amanheceu, parecia mesmo que ele não sairia.

— Temos que entrar outra vez! — disse Leannah. — Precisamos procurá-lo.
— Eu vou com você! — gemeu Adin.

Leannah sentiu pena do irmão. Tinha medo que seus ferimentos infeccionassem. Ele não tinha a menor condição de acompanhá-la naquela busca.

— Algumas poucas pessoas que conseguiram retornar após terem se perdido, só saíram anos depois... — Tzizah os alertou novamente. — E estavam totalmente enlouquecidas por terem vagado sem rumo no vazio por mais tempo do que a mente humana pode suportar. Há uma maldição nessa floresta...

— Se vocês fizerem isso, talvez se percam e nunca mais os acharemos — reforçou Kenan. — Existem passagens misteriosas na floresta. Ao acessá-las, de algum modo, as pessoas vão para lugares imprevisíveis. Vocês não o encontrarão desse modo, apenas se perderão para sempre também. Sinceramente, eu nunca fiz questão de que vocês viessem, porém agora o melhor é seguirmos para as terras do Além-Mar. Reativar o poder do Olho de Olam é nossa única esperança não só de evitar essa guerra, mas também de reencontrar o guardião de livros... Você está com a pedra. Isso foi providencial. Caso o garoto tivesse se perdido com ela, esta missão estaria definitivamente acabada.

Leannah percebeu que Kenan, aparentemente, começara a acreditar na possibilidade de reativar o Olho. De fato havia motivos: três pontos completados. E algo estava acontecendo com Halom, estava mudando de cor, como se estivesse ficando cheia de energia. Provavelmente, quando os quatro pontos fossem completados, Halom teria poder para reativar o Olho de Olam.

Mesmo assim, Leannah e Adin esperaram toda a manhã. Não houve argumentação que conseguisse convencê-los a abandonar seu amigo. Estavam naquela missão por ele, não fazia sentido segui-la sozinhos.

Enquanto Leannah e Adin esperavam por Ben, Kenan saiu para encontrar comida. As cenouras selvagens que trouxe eram muito diferentes do que pensavam desfrutar na estalagem de Revayá, mas pelo menos podiam ser comidas cruas. De qualquer modo, diante da situação, um carneiro assado não lhes traria alegria.

Ao meio-dia, o giborim e Tzizah decidiram que não podiam esperar mais.

— Não podemos exigir que vocês venham conosco — lamentou Tzizah. — Sei que parece injusto deixá-lo para trás, mas acreditem, ele não vai voltar. Ninguém jamais voltou tão rápido. Vocês precisam se conformar. Se quiserem ficar, entenderemos, entretanto nós precisamos partir. Nosso tempo é muito curto. Cada hora que passa significa menos chance de Olamir sobreviver. Você é a pessoa a quem Ben confiou a pedra... Eu acredito que ele gostaria que você fosse conosco, mas não posso obrigá-la...

— Entregue a pedra para mim — disse Kenan. — Eu a conduzirei. Então vocês estarão livres para fazerem o que quiserem... Poderão entrar na floresta ou até mesmo voltar para Havilá...

Leannah se lembrou das palavras de Har Baesh na noite em que deixaram Olamir. Kenan parecia muito interessado em pegar Halom.

Leannah olhou mais uma vez para a floresta que parecia tão cheia de vida. Como era possível que ela tivesse aprisionado Ben?

A cantora de Havilá enfrentou o maior dilema de sua vida até aquele momento. Não queria abandonar Ben, mas não podia deixar a pedra com Kenan. Ben, talvez prevendo alguma coisa, havia confiado a pedra a ela, afinal, Halom revelava coisas do futuro para ele. Mesmo indo contra seus sentimentos, Leannah decidiu prosseguir com o grupo.

Instantes depois, os quatro partiram para as terras do Além-Mar.

Por muito tempo, Leannah ainda olhou para trás enquanto cavalgavam no sentido leste da rota dos peregrinos, sentindo uma esperança boba de que fosse ver Ben cavalgando atrás deles.

Finalmente Layelá, Erev e Boker puderam fazer uso de sua velocidade máxima. A estrada ajudava. Eles até mesmo podiam revezar os cavalos, deixando um livre. Adin, amarrado com uma correia à garupa de Kenan, ainda precisaria esperar até encontrar algum lugar apropriado para se recuperar dos ferimentos.

Enquanto os cavalos aceleravam, a cantora de Havilá se deixou levar, mas seu coração ficou em Ganeden. Finalmente as lágrimas contidas correram livres por seu rosto e voaram com o vento. Ela chorou como nunca antes na vida. Chorou por sua mãe e pela longa enfermidade dela. Chorou por seu pai e toda a tristeza que por fim se transformou em indiferença em seu coração. Também por Adin que não pôde ter uma mãe para continuar cuidando dele e lhe dar carinho. Pelo estalajadeiro e seu filho. E chorou por Ben, pela vida de sofrimento dele, por não saber quem eram seus pais, e agora não poder mais vê-lo. Toda a tristeza do mundo finalmente aflorou do fundo de sua alma e voou com o vento.

A rota dos peregrinos desviava para o sudeste em algum ponto do caminho e seguia na direção da cidade de Nod. Por precaução, eles a deixaram e continuaram ao leste pela campina rumo ao mar. Nod era uma cidade importante de Olam. Diziam que era mais velha que a própria Olamir. Suas altas muralhas cinzentas eram quase tão altas. Em outro lugar ainda se falará mais dessa cidade que acabou tendo papel importante nesta história, mas não agora.

Quando os cavalos diminuíram a impressionante velocidade, a tarde estava avançada, e eles, num chapadão liso e coberto de grama que se interrompia bruscamente em forma de penhasco. Centenas de metros abaixo, as águas violentas do Yam Kademony batiam nas rochas, espalhando espuma branca e ribombando como trovão.

Os cavalos foram recompensados com um tempo de descanso. Finalmente puderam se alimentar sem pressa nas vastas pastagens disponíveis, enquanto Kenan investigava a região tentando encontrar uma maneira de descer até a praia onde havia um antigo embarcadouro.

Leannah e Adin contemplavam o mar. Estavam desnorteados com a altura do penhasco e com a imensidão das águas. O vento soprava forte e gelado, fazendo as ondas baterem furiosas nas pedras, espalhando a espuma branca a grandes alturas.

— Não tem fim! — disse Adin admirado.

— Tem, mas não se pode ver — explicou Leannah. — Tudo tem fim... Mesmo as maiores coisas.

Relinchos distantes chamaram a atenção do grupo. Eles se voltaram para a direção de onde vinha o barulho, temendo ver perseguidores novamente. Com o enfraquecimento do Olho, não tardariam a ver cavaleiros-cadáveres andando por Olam em plena luz do dia. Além disso, sabiam que estavam sendo procurados pelo tartan de Hoshek. Porém, o que viram foi algo mais espantoso. Era uma tropa de cavalos diferentes. Eram altos e imponentes como Layelá, com algo a mais: um chifre solitário e asas drapeadas nos lombos.

— Cavalos com asas! — exclamou Adin.

— São re'ims — explicou Tzizah. — Normalmente eles ficam mais ao norte, onde há campos vazios, entretanto, por alguma razão, hoje estão aqui embaixo.

— Re'ims... — repetiu Adin. — O que são re'ims?

— São cavalos alados. Eles conseguem atingir velocidades tão altas a ponto de planarem através de suas asas. Assim, eles podem saltar de montanha em montanha e cobrir imensas distâncias em pouco tempo. Dizem que até mesmo conseguem atravessar para as terras do além-mar em algumas ocasiões, quando o vento é favorável.

— Não é com eles que nós vamos, é? — perguntou Adin com um sorriso assustado.

— Ganharíamos muito tempo — disse Tzizah, séria — porém, infelizmente os re'ims não se deixam montar.

A tropa passou perto deles e mergulhou do alto do penhasco em direção ao mar. Leannah sentiu um calafrio ao ver todos aqueles animais saltando para o abismo. Logo os primeiros fizeram a curva e subiram, puxando a fila que se elevou, todos com suas asas esticadas, batendo e surfando as correntes. Com grande velocidade, os animais contornaram e tomaram a direção norte. Alguns eram pretos, outros amarelados e alguns avermelhados. Todos tinham chifre. As crinas e rabos eram coloridos como os de Layelá, Erev e Boker. Em pouco tempo todos haviam desaparecido no azul do céu.

— Layelá, Erev e Boker também são re'ims — explicou Tzizah ao ver que Leannah e Adin estavam comparando os animais.

— Mas eles não têm chifre nem asas! — observou Adin.

— E por isso nós ainda podemos montá-los — observou Tzizah. — Eles ainda não atingiram a idade adulta de um re'im. Quando isso acontecer, o chifre e as asas crescerão e eles seguirão com a tropa.

— Mas eles não podem ficar? — perguntou Adin, sentindo-se subitamente triste pelo fato de perdê-los também.

— Podem — riu Tzizah —, porém têm o direito de seguir seu destino quando a hora chegar. Como todos os seres vivos têm.

Pouco depois, os quatro seguiram no sentido sul, na direção contrária em que partiram os re'ims. Encontraram uma trilha íngreme que descia a encosta na direção da pequena faixa de areia, centenas de metros abaixo. Parecia pouco segura, mas era o único caminho possível para chegar até beira-mar. Lá embaixo ficava o antigo e praticamente desativado porto que, em eras passadas, havia sido utilizado pelos peregrinos que vinham de Além-Mar.

Do alto era possível ver alguma movimentação na pequena faixa de areia. Enquanto se dirigiram para lá, Leannah entendeu que eles iam pegar uma embarcação.

— Não é possível chegar a Sinim por terra? — perguntou Leannah enquanto desciam puxando os cavalos. Da metade para baixo, a trilha se tornou ainda mais estreita e escorregadia. Parecia muito fácil se desequilibrar e pender para o abismo. Leannah observou que seria uma queda e tanto daquela altura até as rochas severamente açoitadas pelas ondas.

— Possível é — declarou Tzizah —, mas seria preciso contornar todas as Harim Keseph, depois seguir ao Leste e contornar o mar. Uma viagem que levaria meses, mesmo com a velocidade dos cavalos. Sem falar que precisaríamos passar pelo campo dos behemots.

— Behemots? — questionou Adin.

— Criaturas gigantes — explicou Tzizah.

— Como Leviathan, o dragão-rei?

— Quase tão ferozes, mas não soltam fogo pela boca.

Eles demoraram mais do que pretendiam para descer aquela encosta íngreme. Era necessária muita paciência.

Leannah e Adin continuavam muito abatidos por terem deixado seu melhor amigo para trás. A jornada que, até então, estava sendo feita por eles com alguma animação e expectativa, agora parecia um grande peso e uma responsabilidade injusta.

Uma melodia triste brotou dos lábios da cantora de Havilá, enquanto descia a encosta sinuosa e estreita e contemplava o azul intenso do mar. Ela cantou tão baixinho que ninguém, exceto ela própria, ouviu sua bela voz.

O dia estava se despedindo com tons melancólicos de púrpura, quando eles finalmente pisaram a areia da pequena praia onde algumas velhas embarcações estavam ancoradas. O vento lúgubre do crepúsculo soprava sobre a baía esprimida pelos rochedos, trazendo cheiro de peixes mortos. Não devia ter mais do que 100 metros de extensão e sua areia era grossa e escura, enquanto que a água estava extremamente fria e espumosa.

— Este porto parece abandonado... — Adin descreveu o que todos já haviam visto.

— Praticamente não é mais usado — explicou Tzizah. — Não há mais peregrinos. As embarcações que vêm com mercadorias de Sinim e de outras terras se dirigem para o porto oriental de Maor, no delta. Por isso essa região caiu no esquecimento. Só restaram pescadores e pequenos comerciantes que se arriscam nas águas bravias do canal.

— A travessia até Sinim é muito extensa?

— Isso eu não sei dizer com certeza. Nunca fui até lá. O porto fica localizado no lugar onde o golfo de mar que divide Olam e Sinim é mais estreito, mesmo assim pode levar um dia inteiro, ou uma noite toda.

— Se Ben sair da floresta, ele nunca vai nos encontrar...

Tzizah apenas olhou com condescendência para Leannah, pois não havia nada que ela pudesse dizer.

Do antigo porto só restavam os velhos tocos do embarcadouro que resistiam ao vaivém da maré. A faixa de areia espremida entre penhascos era o único ponto acessível para tomar uma embarcação em toda aquela região. Por isso, mesmo nas condições precárias em que se encontrava, o embarcadouro continuava sendo usado pelos pescadores.

Uma plataforma de madeira construída sobre a água fazia um caminho até os barcos ancorados. Havia quatro. Dois de cada lado. Todos pareciam ter navegado por muito mais tempo do que deveriam, e sofrido com muitas tempestades. Pelo menos dois deles estavam completamente abandonados. Os outros dois não estavam encalhados, mas apenas um parecia ter alguma condição de navegação. Era um barco a vela. Não utilizava o sistema de cataventos dos que subiam e desciam o Perath. Era assustadoramente velho, com o madeiramento preto pelo uso contínuo sobre as águas salgadas e tumultuosas. Havia dúvidas se ainda conseguiria flutuar, e mais ainda se conseguiria resistir ao mar bravio.

Kohen, um experiente pescador com uma barba amarelada e roupas tão surradas quanto o barco, estava fazendo manutenção nas redes de pesca. Ele ouviu com incredulidade que eles queriam partir dali para as terras do Além-Mar.

— Ninguém mais faz a travessia por aqui — explicou com alguma rispidez. — Há barcos bem melhores em Maor. Com esses cavalos, vocês podem chegar ao porto ocidental em quatro ou cinco horas. Se venderem um, podem até comprar um barco.

O homem disse aquilo e deu as costas, voltando a mexer nas redes. Leannah percebeu que elas tinham muitos furos.

— Está anoitecendo — explicou Kenan. — Não dispomos desse tempo. Precisamos partir para lá essa noite.

O marujo avaliou Kenan cuidadosamente.

— Tempos estranhos esses em que um giborim de Olam precisa de um velho barco de um pescador para atravessar para Sinim, tendo à sua disposição todos os recursos de Olamir.

— De fato são tempos estranhos — confirmou Kenan —, e você pode ter a certeza de que ficarão ainda mais se não partirmos esta noite para as terras do Além-Mar.

Kohen avaliou mais o grupo de viajantes. Fixou seu olhar principalmente em Tzizah e Leannah.

— Havia um barco em melhores condições aqui há quinze dias — relatou. — Mas partiu para o norte em busca de morsas e peixes-lança. Já deveria ter retornado; talvez retorne ainda esta noite, ou amanhã.

— Já disse. Não temos tempo para esperar.

— Mas terão que esperar de qualquer maneira. Meu barco não está em condições de fazer a travessia neste momento. Provavelmente naufragaríamos no meio do canal. Passem esta noite na vila de pescadores. Lá há uma pousada que nunca recusa pouso para viajantes. Retornem aqui amanhã cedo. Vou tentar fazer os reparos necessários no barco e reunir uma pequena tripulação. Se até amanhã o outro barco não retornar, eu prometo fazer o possível para levá-los. Mas isso custará dez siclos de ouro.

— Dez siclos de ouro é o que devia valer seu barco quando novo — se indignou Kenan.

— Como eu disse, Maor fica a cinco horas daqui. Vocês certamente encontrarão algo melhor lá...

Kenan capitulou.

Leannah não gostou do modo como o marujo olhou para ela e para Tzizah. Sua vontade era partir para Maor, mesmo que tivessem que cavalgar a noite inteira. Mas dificilmente passariam despercebidos na cidade do delta.

Os visitantes seguiram silenciosos por uma estradinha arenosa ladrilhada por conchinhas do mar, e costeada por juncos baixos que se afunilavam, até alcançarem uma vila de pescadores bastante depredada. Suas construções baixas de pedra estavam envelhecidas. Imersa nas sombras da noite, a vila era assustadora. Lamparinas a óleo fumegavam e espalhavam um cheiro forte e enjoativo no ar. Só viram pessoas velhas ali.

— Olamir não permite o uso das pedras shoham nestes lugares atrasados tão próximos do Yam Kademony — observou Tzizah com pesar. — Poderia ser fácil contrabandeá-las para o outro lado.

Então entenderam a razão do estado precário da vila e de toda aquela região.

Eles encontraram uma estalagem cuja condição indicava que não via hóspedes há muito tempo. A dona, uma mulher obesa que usava um avental velho, recebeu-os com certa surpresa, mas fez de tudo para que se sentissem bem.

— Hospitalidade é algo sagrado — ela falava cada vez que os encontrava e oferecia algum serviço. Era tão prestativa que Leannah se sentiu constrangida, porém sentia calafrios de olhar para o local. Não inspirava segurança. A vila não era muito menor do que Havilá, mas era bem diferente. Tudo ali era sombrio e envelhecido.

O constrangimento aumentou quando a velha senhora se assentou com uma bacia de água morna diante de Leannah para lhe lavar os pés. Leannah queria recusar, mas Tzizah fez um sinal enfático para que aceitasse o gesto.

Depois, Tzizah lhe explicou que as pessoas daquela região demonstravam hospitalidade daquele modo. Se Leannah não aceitasse, teria ofendido a mulher.

A hospedeira trouxe comida também e se desculpou o tempo todo por não poder oferecer nada mais especial, pois a pesca havia sido praticamente interrompida devido aos rumores da guerra. Falou sobre o fato de muita gente ter abandonado a vila em busca de refúgio no norte. Só haviam ficado os velhos pescadores porque julgavam não ter mais nada a perder.

De fato a comida não era abundante, porém eles ficaram agradecidos mesmo assim. Alguns pequenos peixes assados em brasa e um tipo de raiz amarga que se parecia bastante com batata, mas com uma textura um pouco mais pastosa, saciou a fome dos viajantes. Parecia que nunca haviam provado comida mais saborosa. Do mesmo modo o vinho, embora forte e pesado, foi igualmente apreciado por eles.

Finalmente a velha senhora os encaminhou para os quartos. As duas garotas precisaram compartilhar um quarto, Kenan e Adin outro, pois não havia mais ambientes em condições de hospedar alguém. Os viajantes assentiram; tudo o que desejavam era um lugar em que pudessem descansar por uma noite inteira.

Adin finalmente pôde deitar-se numa cama de verdade; a mulher lhe trouxe também um remédio primitivo para as queimaduras. O unguento passado por Tzizah já havia feito um bom trabalho, mas o garoto não estava totalmente recuperado. As marcas vermelhas ainda se destacavam na pele branca, e ele andava com alguma dificuldade.

Leannah se deitou numa cama não muito confortável, ouvindo o forte barulho das ondas quebrando nas rochas. As frágeis paredes envelhecidas e repletas de infiltrações do pequeno quarto não ofereciam uma sensação de segurança. Ela soltou os cabelos acobreados que se espalharam sobre o travesseiro e pensou mais uma vez em Ben, tentando imaginar onde e como ele estaria. Seus pensamentos retornaram aos dias que agora pareciam distantes, tanto quanto a cidadezinha de Havilá distava geograficamente dali.

Ao contrário de Ben, Leannah amava Havilá. Só não gostava muito de sua própria casa. Ela lhe trazia lembranças de sua mãe, ou melhor, da realidade do fato de ela não estar mais lá. Talvez, por isso, ficasse mais tempo fora de casa, e considerasse a cidade como seu verdadeiro lar. As ruas estreitas e circulares recobertas de pedras quadradas, os edifícios baixos e os rostos conhecidos e gentis que podiam ser vistos em todo lugar transmitiam segurança e conforto para ela. Lembrava-se dos passeios pelas aldeias próximas, quando seu pai ainda não era o sumo sacerdote, e iam visitar as pessoas que forneciam recursos para o templo. Passavam as noites nas vilas e logo de manhã visitavam as vinhas e os rebanhos. Era maravilhoso sentir o aroma adocicado das vides florescendo, e também o perfume das romeiras que as circundavam, bem como das mandrágoras que enfeitavam as sebes.

Ela nunca quisera realmente partir em busca de aventuras pela terra de Olam. De certo modo, tudo o que Leannah sempre desejara estava em Havilá, até o dia em que Ben dissera que partiria para Olamir.

Às vezes, quando via o guardião de livros descrever Havilá de um modo muito diferente, como um lugar vazio e triste, até mesmo chegava a duvidar de que ele estivesse falando da mesma cidade. Ela sempre se perguntava o quê, afinal, havia visto no ajudante de Enosh. Talvez fosse seu sorriso amplo ou seu ar de mistério. Ela não sabia dizer. Temia algum dia descobrir que não havia motivo algum. Mas, talvez, o amor verdadeiro fosse assim mesmo, como Tzizah que amava Kenan, que não parecia ter o mesmo sentimento. Será que era errado amar tanto alguém?

Uma dor angustiante consumia o peito da cantora de Havilá. Também uma sensação de solidão, uma falta de algo que nunca havia sido seu e, provavelmente, nunca seria mesmo. Havia ainda uma sensação dolorosa de que o tempo passava... Tantas coisas ficavam para trás, e não podiam mais voltar... Ela daria tudo para retornar aos dias passados em Havilá, com Ben e seu irmão, brincando nas ruas cálidas, ignorando todo aquele mundo, mas vivendo tranquilamente com o que conheciam, e que, até então, havia sido suficiente. Mas agora era impossível. O tempo passava e não retornava. Aquela vila de pescadores testemunhando o vaivém das marés anunciava que tudo o que era formoso um dia envelheceria e chegaria ao fim.

— O que você acha que pode ser o quarto ponto do caminho nas terras do Além-Mar? — perguntou para Tzizah que olhava atentamente, com a autorização de Leannah, para a pedra. A filha de Thamam ainda tinha os longos cabelos negros presos num coque. Parecia obstinada como naquela noite gelada em que havia convencido Kenan a retornar para as montanhas gêmeas. Leannah teve que admitir que sem ela, nunca teriam conseguido completar o terceiro ponto.

— Há um farol que foi construído pelos kedoshins como um presente para os antigos reis de Sinim — explicou Tzizah. — É o maior farol deste mundo.

Leannah assentiu, buscando em algum lugar de sua memória informações sobre aquele farol. Foi como se o visse, duzentos metros de altura, espalhando uma luz azulada na direção do mar tenebroso.

— Ele ainda funciona?

— Eu não sei. Foi construído numa época em que civilizações de terras distantes atravessavam o mar para conhecer a sabedoria dos kedoshins. O farol era para ajudá-los nas tempestades, mas as peregrinações acabaram...

— Eu gostaria que esse farol nos guiasse em nossa peregrinação até o lugar onde pudéssemos completar os pontos do caminho da iluminação — disse Leannah com um suspiro, sem conseguir evitar o sentimento de que, afinal, tudo seria em vão, que não se podia deter o avanço das marés.

— Eu também — confirmou Tzizah ainda parecendo obstinada.

Leannah adormeceu de pura exaustão. Seus sonhos refletiram seus sentimentos conturbados. Por um momento, voltou a ser criança brincando nas ruas de calçadas estreitas. Ben também estava lá. O sorriso desinteressado e misterioso dele a fascinava. Depois, eles cavalgavam no meio de uma floresta com árvores altas. Ambos estavam muito mudados. Estavam mais velhos e se amavam... Enquanto cavalgavam, iam passando por árvores que pareciam indicar o caminho a ser seguido. Pessoas altivas com vestes resplandecentes os saudavam à beira do caminho, como se eles fossem o rei e a rainha retornando para casa.

Tzizah permaneceu mais tempo acordada admirando Halom. A pedra estava da cor de palha e parecia cada vez mais cheia de energia. A princesa de Olamir acabou adormecendo com a pedra em suas mãos. Quando acordou, Tzizah não sabia dizer se seus sonhos foram apenas sonhos ou se foram premonições causadas por Halom. Ela viu batalhas. Muitas. Algumas que duravam quase a vida inteira de uma pessoa. Talvez fossem do passado, mas outras eram do futuro, pois ela estava lá, e Ben também. O guardião de livros havia se tornado um guerreiro poderoso e liderava as forças rebeldes contra os terríveis exércitos dos shedins. Mas havia uma sombra sobre si mesma. Mesmo sem entender, ela soube a razão: era Kenan. Por todos os lados, ela via apenas morte e destruição.

Apesar dos sonhos tumultuosos, por alguns momentos, os quatro viajantes puderam dormir, embalados pelo barulho das ondas que quebravam nas rochas, empurradas por ventos procelosos que levavam e traziam histórias de lugares distantes. Foi o primeiro sono reparador desde aquela noite na Estalagem de Revayá, quando o vinho e a música alegre os embalaram. E também o último dessa história.

17 Criaturas da noite

Leannah acordou assustada com os gritos que pareciam vir das casas próximas da pousada. Apesar do susto e de seu coração bater aos tropeções dentro do peito, não estava surpresa. As sombras os haviam encontrado. Era inevitável.

Tzizah também ouvira os gritos. As duas garotas correram para o corredor onde toparam com Kenan e Adin. Os quatro desceram as escadas e chegaram à sala de jantar, em que horas antes haviam comido os peixes e as raízes amargas. Depois acessaram o pátio exterior onde o gelado vento noturno ainda trazia o cheiro enjoativo de peixe.

Ao chegar lá se depararam com o caos. Pessoas corriam desesperadas enquanto casas queimavam. Gritos de dor e desespero vinham de todos os lugares. Eles encontraram os cavalos assustados e, então, descobriram o motivo daquele pânico. Cavaleiros-cadáveres estavam atacando a pequena aldeia e destruindo tudo o que estivesse pela frente.

Kenan montou Layelá, empunhou Herevel e se preparou para o combate. Adin, mesmo debilitado, também imediatamente segurou a funda e buscou pedras no chão. Quando os cavaleiros os viram na frente da velha pousada, interromperam a destruição do vilarejo e se dirigiram para lá. Então ficou claro que procuravam por eles. Em instantes, foram rodeados por quinze ou vinte cavaleiros-cadáveres que se moviam nas sombras, mas estranhamente não os atacavam, apenas andavam irrequietos de um lado para o outro.

Kenan continuou em guarda, tentando estabelecer uma estratégia de defesa. Herevel brilhava em sua mão. Adin se antecipou e arremessou uma pedra na direção de um dos cavaleiros, soltando em seguida um grito de dor ao esticar a pele sob as queimaduras. Entretanto, com um rápido movimento, o cavaleiro simplesmente se desviou, e a pedra caiu sobre uma casa do outro lado da rua, arrebentando o frágil telhado.

Os olhos amarelados e malignos das criaturas os espreitavam de dentro da escuridão que os rodeava sob o capuz. Não emitiam som de vozes, apenas um estranho chiado semelhante ao vento dentro de tubos. Estavam esperando alguma coisa.

Os quatro logo entenderam a razão da espera. O grupo de cavaleiros-cadáveres abriu caminho para que passasse um vulto negro maior, montado num enorme cavalo preto com asas membranosas drapeadas. Apesar do horror crescente, Leannah novamente não se surpreendeu ao reconhecer o cruel tartan do exército de Naphal. O rosto do shedim estava ainda mais distorcido, como se houvesse enfrentado terríveis labaredas. Repuxado, deformado e vermelho; parecia em carne viva.

Leannah olhou para Kenan e viu seu semblante se transtornar. Ela se lembrou do que Tzizah havia dito sobre sua irmã. Àquela altura já conhecia toda a história. O giborim apertou Herevel com força. O ar pareceu se carregar de uma eletricidade atordoante.

O momento havia chegado. A esperada batalha finalmente aconteceria.

O tartan dos shedins se aproximou dos quatro peregrinos. Ao se mover, parecia que seu corpo inteiro se distorcia na escuridão. O shedim os observou atentamente com seus olhos vermelhos como sangue. Olhou demoradamente para Herevel empunhada por Kenan. Seu rosto agora se mostrava inteiramente demoníaco.

— Soube que você deseja cumprir um juramento. — A voz do shedim era baixa e controlada, mas carregada de uma maldade atordoante. Ao mesmo tempo, evidenciava a consciência de um poder avassalador.

Havia algo insano no olhar do guerreiro de Olam. Sua sede de vingança havia aflorado ao ver o tartan se aproximar inesperadamente. Leannah intuitivamente podia adivinhar os pensamentos que passavam pela mente dele. Depois de tantos anos de espera, depois de tantas buscas, algumas quase suicidas, finalmente o monstro que destruíra sua vida estava bem na sua frente. E ele estava com Herevel. Finalmente o destino havia atendido às suas preces.

A tensão cresceu exorbitantemente com a sensação de que haveria um duelo. Mesmo assim, ambos pareciam um pouco hesitantes, como se o confronto estivesse sendo antecipado. Dava a impressão de que o embate precisava ficar reservado para os dias gloriosos de batalhas que ainda viriam, e não para aquele momento obscuro, numa vila insignificante junto ao Yam Kademony.

— Vocês não eram cinco? Onde está o guardião de livros? — perguntou o guerreiro shedim.

— Perdeu-se na floresta — Leannah se viu respondendo, antes mesmo de pensar em não responder, como se uma força sinistra a obrigasse a contar tudo o que sabia.

O shedim soltou uma risada satisfeita.

— Quem diria que Ganeden faria parte de meu trabalho? Agora só é preciso eliminar quatro. Alguma coisa me diz que não será tão difícil.

Kenan continuava calado. Segurava Herevel entre eles e o shedim. Parecia fazer esforço para se controlar. Talvez estivesse buscando um ponto de equilíbrio. Fúria não era suficiente para enfrentar Mashchit. Leannah o ouviu recitando algumas palavras, como se estivesse tentando relembrar os ensinamentos, as técnicas, e tudo o que aprendera. Precisaria de tudo isso para enfrentar o mais terrível guerreiro do império dos shedins e, finalmente, poder vingar-se ou, então, morrer.

Leannah teve a impressão de ver paz surgindo nos olhos do giborim, como se ele tivesse alcançado o estado de espírito o qual o capacitaria a lutar sem sentimentos, sem cobranças, sem excessos. A serenidade de Thamam pareceu recobrir o rosto do guerreiro de Olamir. Apenas lutaria, venceria ou morreria, qualquer que fosse o resultado estaria em paz. Teria cumprido seu juramento e se encontraria outra vez com Tzillá.

— Vamos facilitar as coisas — o tartan se dirigiu para Leannah. — Você me entrega a pedra, e nós a destruímos aqui mesmo. Então eu deixo você, a filha de Thamam e o garoto viverem.

Leannah não entendia como o tartan sabia que ela estava com a pedra.

— E quanto a Kenan? — perguntou Tzizah.

Mashchit lançou outro olhar demorado para o giborim.

— Meu senhor ainda quer encontrá-lo pessoalmente. Tem contas a acertar com ele...

— Para que esperar? — desafiou o giborim falando pela primeira vez. — Por que eu e você não acertamos nossas próprias contas?

O shedim o olhou com uma expressão de ironia. Parecia haver alguma indecisão quanto a lutar com Kenan. Provavelmente por Herevel, ou talvez por aquele estado de paz que transparecia nos olhos do líder supremo dos giborins. Contudo o tartan não parecia ser do tipo que levava um desafio para a cortina das trevas.

— É isso o que você quer? Um duelo comigo, discípulo de Thamam? É o que você sempre desejou desde aquela noite, não é mesmo?

— Por que não? Ou até mesmo para isso você precisa da autorização do seu senhor?

— Não preciso da autorização de ninguém para destruir você. Nada me daria mais prazer.

Mashchit olhou mais uma vez para Herevel. Era evidente que ele conhecia o poder da espada. E, de algum modo, esperava que ela estivesse mais enfraquecida naquele momento, mas a espada continuava ativa. As experiências do caminho da iluminação diziam a Leannah que tinha algo a ver com Halom.

— Naquele nosso primeiro encontro, há quarenta anos — disse o tartan —, você teve sorte de conseguir escapar de Salmavet, embora, digamos, tenha sido uma fuga não muito nobre. Agora será que você não está velho demais para uma batalha?

— Nobre, no que se refere a você, é uma palavra nula. E acho que seu corpo já não o aguenta mais. Seu espírito asqueroso deve estar ansioso por deixá-lo e visitar o Abadom, seu verdadeiro lar.

O tartan deu uma risada sarcástica.

— Isso foi uma lembrança de Leviathan — disse apontando para o rosto ainda mais deformado pelas chamas. — Mas eu até que gostei. Combina mais comigo.

— O que combina com você é o Inferno — retrucou Kenan.

Mashchit riu sinistramente mais uma vez. Leannah percebeu que Kenan estava deixando a conversa do shedim o inquietar. Isso era um erro. Devia apenas lutar, sem sentimentos, sem mágoas. Devia confiar em Herevel e destruir o corpo daquela criatura, enviando seu espírito para o Abadom. Isso seria um golpe considerável nos planos dos shedins.

— Até hoje você ainda não sabe de tudo o que aconteceu com ela, não é? — disse o shedim percebendo que sua tática estava dando resultado.

— Eu sei o suficiente — respondeu Kenan. — O suficiente para querer com todas as forças de minha alma enviar você para o Abadom, que é o lugar onde uma escória do seu tipo merece estar.

O tartan soltou outra de suas risadas malévolas.

— Talvez suas forças não sejam suficientes para isso... — disse num deboche. — Nem essa espada. Ela me parece um tanto quanto apagada... É a nobreza que a fortalece... E ao que parece você também está carente dela...

Kenan retesou os músculos do braço que seguravam a espada. Herevel parecia pulsar em sua mão. A noite foi tomada de energias conflitantes.

— Ela era tão bonita... — zombou o tartan. — E tão, digamos, tinhosa. Foi por isso que você a deixou sozinha? Não a protegeu?

Kenan explodiu, seu rosto se transtornou, todo o esforço anterior se perdeu. Ele incitou Layelá ao encontro do shedim. Estava dominado pela ira e só havia fúria e sentimento de vingança em seu semblante. Herevel brilhava inteiramente, como se tivesse sido reenergizada após as últimas batalhas com os cavaleiros-cadáveres. Leannah sentia Halom aquecida dependurada pelo colar.

O tartan retirou a longa alabarda do compartimento num dos lados do cavalo alado. A lâmina da alabarda era escura, tanto a lança quanto o machado. Mesmo assim, era possível ver pequenas pedras pretas incrustadas. Leannah viu que a mão que segurava o cabo não era humana.

Nenhum dos dois guerreiros usava escudo, pois material algum poderia deter os golpes daquelas lâminas.

Quando os cavalos se encontraram, Kenan atacou. O tartan aparou o golpe com sua alabarda, e todos viram um clarão quando as lâminas se encontraram, iluminando as faces cadavéricas ao redor.

Os cavalos se afastaram após o primeiro choque. Leannah observou que o shedim era muito mais alto do que o giborim, mas naquele encontro, as forças pareciam ser equivalentes.

— Se você fosse digno de usar essa espada, talvez eu devesse me preocupar. — Mashchit parecia satisfeito pelo modo como conseguira se defender do ataque furioso de Kenan.

Herevel brilhava. A alabarda também.

Os animais contornaram e se dirigiram um contra o outro mais uma vez. Foi a vez de o shedim atacar. Com força e destreza, atingiu Herevel fazendo outro clarão iluminar a vila que agonizava nas chamas já enfraquecidas. Kenan desviou Layelá, enquanto se defendia, percebendo que seu oponente era muito forte. Mesmo assim, também conseguira evitar o ataque do shedim, demonstrando que Herevel continuava potente.

Leannah se sentia aturdida. Era como se estivesse participando do duelo. Sentia a força dos golpes. Antevia os movimentos. Havia alguma ligação entre Halom e Herevel. Leannah ainda não podia compreender isso naquele momento, mas percebeu que podia ajudar.

Mais três vezes os cavaleiros se encontraram medindo forças com as lâminas. Os cavalos se cruzavam e se afastavam, e as faíscas saltavam para todos os lados. As pedras escuras da alabarda e as pedras brancas de Herevel reluziam. Havia cada vez mais energia no ar.

Ao redor, a vila de pescadores continuava em grande confusão. Feridos gritavam de dor, sobreviventes tentavam socorrê-los, e muitos assistiam de longe à batalha.

Leannah, Tzizah e Adin presenciavam o combate sabendo que nenhum dos dois pararia até que o outro estivesse aniquilado. Até aquele momento, não dava para saber quem estava levando vantagem. As lâminas se chocavam e liberavam correntes de energia, mas estas pareciam fortalecer apenas o shedim.

No encontro seguinte, quando as duas armas se chocaram, a explosão foi tão forte que ambos foram arremessados dos cavalos. As correntes irregulares de energia se espalharam pelo ar como relâmpagos iluminando a noite escura.

O shedim caiu de pé. Kenan também se recuperou rápido. Então, o duelo se tornou corpo a corpo e acelerado. As lâminas brilhavam na escuridão, encontravam-se e espalhavam mais energia. Os guerreiros avançavam e recuavam, golpeavam e se defendiam. Os estrondos das armas se encontrando ficavam cada vez mais altos e assustadores.

Kenan era mais ágil por sua estatura e também pela leveza de Herevel em comparação com o peso da alabarda. O tartan compensava com sua força.

Mashchit golpeou com o machado da alabarda de cima para baixo, e Kenan se defendeu; então, foi a vez de Kenan golpear com Herevel, mas o tartan interrompeu. As lâminas faiscavam de puro poder, incendiando a noite.

Enquanto o rosto de Kenan demonstrava descontrole, o do tartan exibia apenas frieza. Havia muita técnica dos dois lados e também muita força. Guerreiros comuns não suportariam um único golpe daqueles. O poder das armas crescia.

A alabarda desceu mais uma vez com força destruidora, porém Kenan conseguiu se desviar, e o machado partiu as rochas do chão; no mesmo instante se soltou e voou na horizontal para arrancar a cabeça do oponente, mas Herevel o deteve em uma nova explosão de poder.

Após mais duas tentativas frustradas, o tartan recuou.

— Até que foi razoável — debochou o tartan. — Mas você me parece cansado. As forças o estão abandonando, discípulo de Thamam? Ela merecia mais do que isso. Teria sido uma boa mãe para meus filhinhos. Thamam não lhe contou? Não lhe disse o que ele teve que fazer?

O rosto de Kenan se transtornou. Algo nele mudou. Leannah não sabia dizer o que era, mas percebia que algo havia acontecido. Herevel parecia descontrolada em sua mão. Enlouquecido de fúria, o guerreiro de Olam investiu na direção do shedim. Por um momento, pareceu assumir um tamanho que não tinha, uma imponência reluzente, enquanto Herevel zunia pelos golpes dados no ar. Kenan bateu com todas as suas forças contra o tartan. Golpe após golpe, todos explodiam sobre a alabarda. O giborim não recuaria mais. Ele avançou com uma fúria desmedida, sem se importar em se defender, sua força se multiplicava nos golpes incessantes da espada dos kedoshins.

Leannah entendeu que podia ajudá-lo. Segurou Halom firmemente e tentou transmitir força ao guerreiro e também cautela. Mas a mente de Kenan estava fechada, totalmente obcecada.

O tartan recuou à medida que ia aparando os golpes. Seu olhar frio só focalizava o atacante, seus movimentos apenas evitavam as investidas de Herevel. Por um momento Leannah teve a sensação de que Kenan venceria. Herevel parecia estar crescendo e seu poder aumentando. O tartan também percebeu isso, pois continuou a recuar, e só com grande dificuldade conseguiu rebater os golpes que se sucediam num ritmo alucinante.

Herevel brilhava por inteiro, do cabo à ponta da lâmina, mas a ira de Kenan fez com que ele se excedesse. O mais poderoso golpe até aquele momento, capaz de abrir a couraça de um behemot, passou ao lado do tartan atingindo apenas a areia do chão. Então, antes que Herevel pudesse subir outra vez, a alabarda se elevou poderosa como um raio da mais pesada nuvem de tempestade, e caiu sobre o guerreiro de Olam. O golpe foi estrondoso. Herevel apenas o desviou. Não o suficiente. O machado abriu uma verga na armadura de Kenan. O guerreiro de Olam recuou, sentindo um grave ferimento no ombro.

O tartan avançou. Seu poder havia alcançado o máximo. Ele investiu contra Kenan de modo implacável, um golpe depois do outro, sem descanso.

O guerreiro de Olam agora mal conseguia aparar os ataques com Herevel. Recuou aos tropeços. Um dos golpes foi forte demais e pôs fim à batalha antes do que todos esperavam. A alabarda atingiu Herevel com tanta força que Kenan foi arremessado para trás. Herevel se soltou de sua mão e voou rodopiando sobre as pedras do pátio, parando aos pés de um dos cavaleiros-cadáveres.

Leannah teve a sensação de que a espada havia escapado da mão dela.

Tzizah soltou um grito de horror ao ver que Kenan caíra e batera a cabeça, mas não havia nada que ela pudesse fazer.

Mashchit marchou resoluto na direção do guerreiro de Olam. Ele próprio parecia surpreso pela batalha ter sido decidida de maneira tão rápida. Sua tática funcionara.

— Hora de sofrer — disse com um riso diabólico. Então, atravessou a perna direita de Kenan com a ponta da lança da alabarda. O guerreiro soltou um gemido de dor.

— Isso é pelo que você fez em Salmavet — disse o shedim, enquanto perfurava também o lado esquerdo de Kenan, na região do abdômen. O giborim gemeu mais uma vez.

Tzizah gritava desesperadamente. Leannah e Adin estavam apavorados. Cercados pelos cavaleiros-cadáveres, era impossível fazer alguma coisa, exceto ver o tartan torturar Kenan até a morte. E ele não parecia ter pressa em terminar a tarefa.

Então ouviram um piado furioso. Instantaneamente Leannah soube que Evrá estava por perto. A águia se lançou num ataque fiel e destemido contra o tartan. As garras protuberantes atingiram o homem por trás, rasgando a pele de sua nuca e cabeça. Mashchit se voltou e tentou golpear a águia com a ponta da alabarda, mas o pássaro se elevou e se preparou para um novo ataque. Teria sido tempo suficiente para o giborim se levantar, mas ele estava ferido demais para fazê-lo. Então, o chicote do tartan estalou. Antes que Evrá conseguisse descer em um novo ataque, a longa tira luminosa atingiu a águia nas alturas. Evrá perdeu altitude. Suas asas feridas ainda se debateram em desespero. Foi só o suficiente para se afastar. Leannah viu o pássaro despencar e cair não muito longe dali.

Leannah olhou angustiada para Herevel caída diante de um dos cavaleiros-cadáveres e desejou mais do que nunca que Ben estivesse ali. Talvez ele pudesse fazer alguma coisa, como quando estavam em Midebar Hakadar e manejara Herevel. Leannah pensou em ela própria correr até a espada e pegá-la. Com o conhecimento adquirido até aquele momento, sentia que poderia manuseá-la, mesmo que lhe parecesse uma tarefa impossível enfrentar o tartan. Então, para seu desespero aumentar, viu o cavaleiro-cadáver descer e se dirigir até Herevel, como se houvesse previsto as intenções dela.

Quando o cavaleiro-cadáver pegou a espada dos kedoshins, algo inusitado aconteceu. A criatura das trevas soltou um grito esquisito, quase como um zunido, e começou a girar descontroladamente a espada no ar. O cavaleiro-cadáver atingiu um companheiro com Herevel e o partiu ao meio. Os demais recuaram assustados, zunindo para não serem atingidos. A formação deles se desfez, pois todos tentavam se esquivar dos golpes descontrolados daquele que segurava Herevel sem poder se livrar dela.

Então Leannah entendeu que ainda podia fazer algo. Apertou Halom firmemente e dirigiu seus pensamentos contra o tartan. Talvez pudesse controlar a espada. Em resposta, o cavaleiro-cadáver avançou contra seu senhor.

Mashchit, contrariado, precisou interromper a sessão de tortura e marchou nervosamente em direção ao cavaleiro que ousava enfrentá-lo com Herevel.

O shedim soltou impropérios e precisou ele próprio se desviar dos ataques enlouquecidos do seu soldado, o qual não conseguia dominar a espada sagrada. Por várias vezes, o cavaleiro-cadáver investiu contra seu tartan, como se estivesse possuído de alguma força contrária. A espada passou perto da cabeça deformada de Mashchit, agindo por si mesma. Por vários minutos, o tartan só conseguiu se defender dos ataques poderosos de Herevel. Mas, subitamente o cadáver parou de atacar. Sem titubear, o tartan golpeou o braço do cavaleiro. A espada caiu no chão ainda pulsando com a mão esquelética grudada ao cabo.

Num acesso de pura raiva, o shedim golpeou outra vez o cavaleiro-cadáver, agora lhe decepando a cabeça. A ossada despencou no chão.

Concluída essa inglória tarefa, o tartan se voltou para continuar seu trabalho de tortura. Então, soltou um urro furioso. O giborim e os três jovens haviam desaparecido.

*****
*****

Um denso aroma de flores despertou o guardião de livros. Olhou para o alto e enxergou um teto verde, salpicado por milhões de estrelas douradas. A luz de Shamesh invadia Ganeden e o vento arqueava uma panóplia de folhas coloridas. Ben percebeu que a noite havia passado, a luz voltado e a floresta parecia um lugar comum.

Os sons da mata subitamente invadiram seus ouvidos. Ele se levantou e sentiu uma vertigem. Para sua admiração, percebeu que era uma agradável floresta, cheia de árvores muito altas, com troncos redondos e lisos. Ben nunca soubera identificar todos os tipos de árvores como Adin, mas agora sabia dizer que havia cedros, pinheiros e um tipo alto que se afunilava como um cone. Chamavam-no abeto.

Ele demorou algum tempo até se lembrar do que havia acontecido na noite anterior. Seus pensamentos eram confusos, nebulosos, como se não estivesse plenamente acordado. Ben tinha certeza de que os cavaleiros-cadáveres os haviam visto entrar na floresta, mas para sua surpresa, eles pararam diante da última linha de árvores. Lembrava-se de ter olhado para trás enquanto se embrenhavam na mata, e percebeu que, à medida que a distância aumentava, os vultos que absorviam o luar iam ficando distorcidos. Os rostos misteriosos, com seus olhos de fogo, foram desaparecendo aos poucos, e as chamas se apagando. Após alguns instantes, desapareceram totalmente, como se tivessem se dissolvido nas trevas.

Lembrava-se também de ter visto os seus companheiros logo atrás e ouvido a voz de Tzizah dizendo que nunca deveriam ter entrado na floresta. Ben não conseguia entender a relutância de Tzizah em se esconder em Ganeden. Afinal, funcionara. Os cavaleiros-cadáveres haviam ficado do lado de fora.

Como era impossível cavalgar sem enxergar nada, lembrava-se também de ter descido de Erev e começado a puxá-lo.

Depois, as vozes dos companheiros começaram a soar distorcidas para ele. À sua volta o clima parecia mudar, ora mais frio, ora mais quente. "Onde vocês estão?", lembrava-se de ter perguntado, mas ninguém respondeu. De algum modo, não conseguiam mais ouvi-lo.

"Fiquem todos juntos, esta floresta tem muitas armadilhas", ainda ouviu Kenan dizer. A voz dele parecia vir de outro mundo.

Então percebeu que não estava mais puxando Erev. O cavalo havia desaparecido. Ben andava numa espécie de limbo. Não havia nada à sua volta. Nem sons, nem imagens, nem objetos; apenas escuridão.

Após ter caminhado por um longo tempo tentando encontrar a borda da mata, assentou-se de pura exaustão. Seus amigos haviam desaparecido totalmente. Não adiantava gritar, andar ou fazer qualquer coisa. A escuridão, o vazio e o silêncio eram a única realidade.

Depois disso não se lembrava de mais nada. Provavelmente havia perdido a consciência. Talvez houvesse alguma substância inebriante no ar. Ou toda aquela escuridão por fim tivesse ativado em seu cérebro os elementos do sono; ele adormeceu por horas, ou mesmo dias. Um sono parecido com o estado de inconsciência. Sem sonhos. Vazio como a morte.

Quando despertou estava completamente só.

O solo da floresta era limpo e agradável de caminhar. Não podia ser o mesmo lugar da última noite. Os raios do sol atravessavam as folhas no alto e chegavam ao chão mesclando luz e sombra, pintando a floresta com centenas de matizes de verde. De algum modo, a neve não conseguia chegar ali dentro.

As cores agradáveis das árvores e o chão limpo causavam uma sensação de bem-estar. Ben olhou deslumbrado para aquela natureza exuberante, sentindo-se encantado pela melodia dos pássaros e pelos aromas das flores silvestres. Na escuridão parecia um limbo, mas sob a luz era um paraíso.

As árvores começaram a soltar plumas leves e brancas que desciam das copas altas e descansavam suavemente no solo. Agitadas por qualquer vento, moviam-se livres e independentes, como se tivessem vida própria, escolhendo rumos imprevisíveis e deslizando pelo ar, dançando a um ritmo inaudível.

— Bennn! — ouviu novamente a voz que o chamava. — Bennnn!

Algumas plumas se assentaram sobre suas roupas e cabelo. Ele se viu rindo para elas, mesmo sem saber de onde vinha aquele estranho sentimento de alegria. Ouvia sons de animais. Grunhidos baixos e piados de corujas, mas não eram assustadores. A floresta parecia intensamente povoada por animais pequenos de todas as espécies.

Ele se forçou a olhar à sua volta em busca de alguma pista que pudesse lhe dar um senso de localização, mas era impossível não se sentir confuso. Mesmo assim, ele se pôs a caminhar. Precisava tentar encontrar o grupo, ou uma saída. A borda da floresta não devia estar longe. Ele procurou o lado mais claro e rumou naquela direção.

Ben andou a maior parte do dia sob as árvores altas, embora ele mesmo só houvesse percebido que o dia findava quando viu os raios do sol inclinados sobre as copas, espalhando sua luminosidade como uma película de óleo fino e precioso.

Aos poucos a floresta foi ficando escura outra vez.

Não havia alcançado a borda e agora imaginava que tinha escolhido o lado errado. Já podia antever o preço daquele erro, pois seria impossível alcançar o outro lado antes do anoitecer.

Ben se sentiu tomado de calafrios. Os raios do sol que se infiltravam através das folhas grandes começaram a rarear. A escuridão foi se elevando da terra úmida e escalando os troncos das árvores até apagar o verde vivo das copas. Era impressionante como o dia havia passado rapidamente.

Também começou a esfriar. Uma névoa fina se levantou do chão recoberto de relva que havia naquela parte da floresta. Era um lado mais sombrio, mesmo de dia. Ele não queria imaginar como ficaria de noite. Sentia calafrios ao pensar em entrar outra vez naquela escuridão como um limbo sem-fim. Temeroso, ele moveu-se irrequieto, enxergando cada vez menos o que estava diante de si. A sensação de frio e solidão aumentou, como se tivesse retornado às Harim Keseph.

Quando a escuridão praticamente dominava, ele se viu diante do que parecia ser um paredão coberto de trepadeiras. As folhas eram escuras, e o emaranhado de fios esbranquiçados parecia se mover. A mistura de tons claros e escuros fazia o paredão ter uma cor acinzentada. Ele olhou à sua volta, mas não havia por onde passar. As trepadeiras desciam do paredão como uma cascata. Do paredão, as pontas se espalhavam e se agarravam às árvores próximas que eram baixas e retorcidas. A névoa fina englobava tudo.

Ben se aproximou e apalpou o paredão de plantas que parecia uma cortina. Suas mãos afundaram. Era surpreendentemente quente lá dentro, ao contrário do exterior gelado. Seus braços foram até o limite que alcançavam e mesmo assim ele não conseguiu tocar em coisa alguma.

Com as mãos ainda dentro das plantas, uma sensação de alívio percorreu todo o seu corpo, como quando o calor aquece os ossos enregelados. Ele sentiu uma vontade estranha de adentrar àquele mundo cinzento. Algo lhe dizia que ali encontraria o calor que poderia aquecer seu corpo quase congelado pelo frio do exterior. Ou talvez fosse uma passagem para sair daquela floresta. Quem sabe seus amigos estivessem do outro lado.

Atendendo ao estranho chamado, ele viu todo o seu corpo se afundar nas plantas. Na verdade nem lhe pareceu que tivesse dado um passo, mas que as plantas o estavam puxando suavemente, segurando suas mãos como se uma jovem o estivesse puxando para dançar, como as mãos de Tzizah naquela noite na estalagem, ou será que eram as mãos de Leannah? As ramagens o atraíam e o envolviam como braços carinhosos. Ele não ficou decepcionado. Lá dentro era aconchegante e quente.

Uma sensação agradável tomou conta dele, como se em cada parte de seu corpo estivesse sendo injetada alguma substância prazerosa. Parou de se mover em meio às plantas que o rodeavam. Não queria mais sair dali. Seus amigos poderiam esperar. O mundo poderia esperar. As batidas do coração se aceleraram, a respiração ficou subitamente ofegante, mas logo tudo se acalmou, como se estivesse flutuando nas águas salgadas do Yam Hamelah, embalado por ondas suaves de puro prazer.

Ben estava faminto, pois não havia comido nada há vários dias, mas envolvido pelas trepadeiras teve uma sensação imediata de saciedade. Era tão agradável que poderia passar sua vida inteira absorvido por aquele paredão de plantas. A sensação de conforto e bem-estar o satisfazia inteiramente. Talvez aquelas plantas o estivessem alimentando, renovando suas forças, fortalecendo seu corpo. Aquela floresta era mesmo muito misteriosa, mas até o momento nada de ruim havia acontecido, exceto o vagar pelo limbo da noite anterior. Mas agora a floresta estava compensando.

A impressão de plenitude aumentou até o limite do incompreensível. Ele fazia parte de tudo, de cada folhinha, de cada tronco, de cada semente. Os galhos e as trepadeiras eram parte de seu corpo agora. Membros que ele podia mover e com eles alcançar todos os lugares da floresta. Como num delírio, ele se sentiu parte da complexa rede de vida, compreendia todo o seu sistema, desde os raminhos de relva brotando no chão até a copa das árvores altas antes iluminadas pelo sol e agora banhadas pela luz crescente de Yareah que começava a vencer seu lado escuro.

De algum modo, ele fazia parte da floresta. Podia fazer as árvores crescerem como Tzizah fizera aquele dia em Olamir. Podia dar vida aos rios e aos seres vivos que pululavam pela floresta, alimentar-se de tudo e ao mesmo tempo alimentar a tudo.

— *Todos em um* — sussurrou para si mesmo, sentindo as ondas de prazer atravessando todos os seus músculos, órgãos e ossos. — *Eu sou tudo.* — Sentia até mesmo os brotos surgindo nas árvores por toda a floresta como agulhas verdes nascendo dos caules das plantas. Era ele quem dava vida a tudo.

Ben não tinha como saber há quanto tempo estava ali, mas só havia um sentimento dentro de si: felicidade. Quando viu que alguém estava tentando tirá-lo daquele lugar maravilhoso, gritou, mas sua voz não saiu da garganta. Parecia que ele nem tinha mais garganta. Ou então, foi como se seu grito ecoasse por toda a floresta, através dos rios, dos animais, dos galhos altos das árvores, das plantas que se interligavam no solo como uma grande malha, até alcançar o infinito.

Ele viu indistintamente quando cortaram os ramos que envolviam todo o seu corpo e chorou desesperado, como uma criança chora quando se vê desligada de sua mãe e precisa nascer. Ben não queria nascer. Percebeu vagamente que o dia já havia amanhecido, mas ele não queria ver a luz.

Quando o último ramo foi desligado de seu corpo, ele caiu sem forças no chão. Voltara para aquele mundo frio e triste que não desejava.

Mesmo sem forças, Ben abriu os olhos e ficou surpreso com o que viu. As pessoas que o retiraram do paredão de trepadeiras eram muito esquisitas. Tinham os pés peludos. Mediam pouco mais de um metro de altura. Pareciam crianças gordinhas, mas ele logo percebeu que não agiam como crianças. Ben imaginou que fossem anões, mas não tinham a fisionomia típica dos anões. E até onde sabia, não havia anões em Olam.

Eram dez ao todo aqueles homenzinhos atarracados que o tiraram das plantas. Vestiam roupas rústicas feitas de folhas da floresta. Eram todos muito parecidos, praticamente idênticos. Assim que o retiraram, enrolaram um manto grosso e úmido em seu corpo. Depois o colocaram sobre uma carretilha puxada por dois pôneis. Suas pernas ficaram de fora. O manto também parecia ser um tipo de folha gigante e estava todo revestido de unguento. Ben se assustou com a cor de sua pele. Estava albina. Seus braços estavam esqueléticos.

Os homenzinhos da floresta o conduziram para uma escadaria imponente no meio das árvores altas. A escadaria era larga e não parecia levar a lugar algum. Marcava um desnível na floresta, entre uma parte mais baixa e uma parte mais alta, mas toda a imponência daquela escadaria era um contrassenso.

Enquanto a carroça sacolejava subindo os degraus, Ben começou a ouvir uma música alegre. Aquela música o acompanharia durante todo o tempo em que permaneceria ali, às vezes mais alta, às vezes mais baixa, como se viesse de muito longe, mas sempre presente.

O final da escadaria os deixou em uma aldeia. Ben viu diversas cabanas precárias de folhas de árvores ao redor de um pátio de chão batido e limpo. Era um acampamento cercado por árvores que formavam uma barreira incrivelmente alta à sua volta, fazendo-o parecer ainda mais baixo e achatado. No alto, o céu azul servia como teto infinito.

Ben viu pelo menos cinquenta homenzinhos. Havia também mulheres e crianças. Estas eram impressionantemente pequenas.

Sempre havia pessoas daquele povo dançando em volta de uma fogueira no centro da aldeia. Bebiam uma bebida doce e cantavam sem parar numa língua que soava esquisita para Ben, uma língua tão antiga quanto a própria floresta. Todos pareciam viver numa constante celebração.

Enrolado no manto de folha, o guardião de livros foi colocado numa esteira de frente para o pátio onde as pessoas baixas e rechonchudas cantavam, dançavam e riam sem parar. Ele não conseguia entender o motivo de tanta alegria. Para ele, tudo era tristeza e dor. A vida não tinha mais graça. Talvez nunca tivesse tido. Só queria retornar ao paredão de plantas.

No alto, as estrelas tremeluziam e pareciam se mover mais rapidamente do que o normal. Já havia anoitecido de novo! Os galhos altos das árvores também se movimentavam de modo estranho, embalados pela música. Ben tinha a certeza de que sua mente estava confusa. A música, os galhos, os homenzinhos dançando, as estrelas tremeluzindo, tudo era hipnotizante. O sono chegou outra vez. Adormeceu.

— Acordar você precisar — A voz infantil não parava de repetir aquelas palavras. — Acordar precisar agora.

Ben abriu os olhos com a sensação de que havia apenas pestanejado, mas a súbita claridade do dia machucou seus olhos sensíveis. Da fogueira e da noite agora só restavam as cinzas. Ele havia dormido sobre a esteira praticamente um dia e uma noite inteira, enquanto o unguento trabalhava sobre sua pele ressecada.

Uma daquelas pessoas baixas e atarracadas o estava cutucando com um galho de árvore.

— Acordar precisar agora! — repetiu impaciente.

Ben se levantou de um salto, ainda se sentindo desnorteado, e caiu sentado mais uma vez, sem forças para ficar em pé. Não conseguia se lembrar do que havia acontecido, nem que lugar era aquele e, muito menos, o que estava fazendo ali.

Só naquele instante ele reparou que sua pele estava se descascando por inteiro, como quando alguém fica tempo demais exposto ao sol e, então, descola-se uma camada superficial.

— Levantar agora — o homenzinho que parecia uma criança com pouco mais de dez anos insistiu. — Ter trabalho para fazer. Você vir conosco dever.

Ben achou engraçado aquele jeito de falar. Suas frases eram entrecortadas, ele carregava bastante no "r", e colocava as palavras de forma caótica nas frases. Mesmo assim conseguia entendê-lo.

— Quem é você? — perguntou Ben. — Como vim parar aqui?

— Eu Zamar. Você de doce morte sobrevivente. Túnel escuro passar. Estar aqui aprender para.

Ben entendeu o que ele disse, mas não fazia sentido.

— Você viu meus amigos? Três cavalos? Quatro pessoas parecidas comigo?

Ben se assustou com sua voz ansiosa e rouca, fraca como se fosse de um velho.

— Não com você parecidas quatro. Dois parecidos com você. Outros diferentes dois.

— Você os viu? Sabe onde estão? — perguntou Ben se agitando ainda mais intimamente e não entendendo o que ele queria dizer com "outros dois diferentes".

— Longe floresta agora da — o homenzinho fez um gesto apontando para uma direção que Ben não fazia a mínima ideia de onde fosse. — Seguindo vão trilha, terras Além-Mar do, voltar aqui não mais.

— Eles foram embora?

— Pressa eles ter! Tempo curto batalha para a, partir necessário.

— E me deixaram aqui? Abandonaram-me? — Ben não conseguia acreditar.

— Morto você para eles. Encontrar esperança não há...

O homenzinho proferiu aquelas palavras com pesar e balançou a cabeça.

— Como assim morto? Eu estou vivo!

— Viver morrer. Morrer viver.

Ben sentiu a indignação tomar conta de si. Seus amigos haviam partido e o deixado naquela floresta terrível? Isso não fazia sentido. Alguma coisa devia estar errada. Será que estava morto mesmo?

— Meus amigos nunca me abandonariam...

— Seus amigos abandonar você não. Mas esperança não ter. Floresta depressa ninguém sair da. Você prisioneiro aqui.

— Prisioneiro? Mas por quê? O que foi que eu fiz?

— Não fazer nada precisar prisioneiro ser para. Você entrar aqui. Agora você floresta querer.

— Mas por quê? — Ben não estava entendendo coisa alguma. — Quando poderei ir embora?

— Nunca talvez. Ou amanhã. Antes não, depois nem.

Ben estava achando aquilo tudo uma grande loucura. Seus amigos não podiam tê-lo deixado ali. Será que era verdade? Eles de fato precisavam seguir para as Terras do Além-Mar, e Leannah estava com a pedra, não precisavam mais dele para isso. Também era verdade que eles não tinham mais tempo e se pensassem que ele estivesse morto, não adiantaria esperar. Mesmo assim, Ben não conseguia conter o ressentimento por ter sido abandonado.

— Sentimento mau não bom — o homenzinho disse, falando com seriedade, como se pudesse ler os pensamentos de Ben. — Mundo mal suficiente já. Esta floresta mal suficiente já. O que tem de ser feito, feito tem de ser. Você ficar aqui aprender para. Mal ter abandonar que. Assim ser.

— Aprender o quê? — Ben estava confuso e ressentido.

— Primeiro dançar aprender — o homenzinho respondeu com um sorriso.

— O que você está dizendo?

Zamar o ajudou a se levantar e o puxou, mesmo contra a vontade, para o meio da aldeia onde a luz do sol atingia plenamente o chão. A música recomeçou, ou pelo menos, parecia mais próxima, como se subitamente tivesse aumentado de volume. Os homenzinhos também recomeçaram a dançar. O som era de flautas e tamborins, mas Ben não conseguia entender de onde vinha, pois não via os músicos.

Zamar o arrastou até onde o sol banhou todo o seu corpo. Foi difícil para Ben caminhar até lá, pois estava muito fraco. Como sua pele estava sensível, num primeiro momento, sentiu uma repulsa ao sol. Havia uma camada de unguento em seu corpo, e a luz do sol ativou alguma substância que lhe trouxe alívio e também uma estranha energia. Ele sentiu que aquilo estava curando sua pele morta e parecia estar fazendo algo para seu estado de espírito também.

O homenzinho dançava e saltitava ao sol. Ele girava e rodopiava sobre o mesmo lugar e cantava uma música que Ben não podia entender. Parecia feliz. Tolamente feliz. Ele fez sinal para que Ben o imitasse. O guardião de livros sentiu vontade de rir do jeito desengonçado e saltitante do baixinho e atarracado chamado Zamar. Porém, não sentia a mínima vontade de dançar. Isso lhe parecia um contrassenso. Não havia motivos. Lá na estalagem de Revayá havia. A presença de Tzizah e o vinho de Yered... Mas agora, dançar daquele modo era atitude de tolos. Mesmo assim o homenzinho insistiu. Desajeitadamente, Ben o obedeceu, sentindo-se estranho por estar fazendo aquilo, afinal era uma insanidade. Então, um pensamento bizarro lhe passou pela cabeça: talvez tudo fosse uma grande insanidade. Pelo menos admitir isso lhe trouxe uma sensação boa, um alívio mental. Talvez fosse bom ser tolo, pelo menos de vez em quando.

Ben começou a dançar sobre o chão batido, sentindo o calor do sol aquecendo seus ossos. Seus pés e quadris endurecidos não conseguiam fazer grandes movimentos. Mesmo assim, ele tentou se soltar e se esquecer de tudo. Deixou o som da flauta entrar em seus ouvidos e percorrer todo o seu corpo. Era um convite para flutuar com as plumas que caíam das copas das árvores.

O som dos tamborins parecia se conectar com as batidas de seu coração. Logo Ben percebeu que era o ritmo dos tambores que estava ditando o ritmo de seu coração, fazendo-o acelerar em alguns momentos e se acalmar em outros. Novamente ele sentiu uma conexão com tudo o que estava à sua volta e foi um pouco parecido com o que aconteceu no paredão de trepadeiras.

Então, suas mãos e pés adquiriram vida própria. Ele continuou dançando de modo espontâneo. Sentia o chão debaixo de seus pés se desmanchar, enquanto pisava e girava de um lado para o outro, tornando-o uma massa pastosa, como um oleiro divino amolda a terra e cria um novo mundo. O tempo parou. Os sons do mundo desapareceram. Ele nem ouvia mais a música. Parecia que ele próprio era a música, ou a floresta uma mãe que o balançava em seus braços.

A sensação era de plenitude enquanto Ben dançava ao sol diante das árvores altas que se agitavam com o vento nas copas. Estranhamente, em vez de ficar cansado, estava se sentindo cada vez mais forte, como se aquela dança o estivesse revigorando. Ele tinha a impressão de que as árvores também dançavam embaladas pelo vento e pela música daquelas pessoas pequenas. Entendeu intuitivamente que o mundo inteiro se movia. O movimento era a essência da vida.

O sol estava a pique quando o homenzinho chamado Zamar se aproximou mais uma vez e falou com ele.

— Parar agora. Tempo comer de.

Ben precisou fazer um esforço para que seus pés o obedecessem e parassem. Ele olhou para sua pele e levou um susto. A lama do chão respingada cobria boa parte de seu corpo e estava seca pelo sol. Sua pele não estava mais branca como antes, recuperara bastante a tonalidade, embora ainda não estivesse normal.

O homenzinho apontou para um lugar embaixo das árvores onde mesas estavam dispostas. Várias daquelas pessoas baixinhas estavam lá, comendo, rindo e festejando. Parecia ser a única coisa que faziam. Ben ainda não conseguia entender a razão de tanta alegria.

— Vocês nunca param de fazer festa? — perguntou enquanto acompanhava Zamar.

— O que fazer festa é? — o homenzinho devolveu a pergunta parecendo realmente confuso.

— Isso que vocês estão fazendo. Estão sempre comendo, bebendo, dançando e rindo.

— Isso fazer festa? Para nós viver é.

Antes de se dirigirem às mesas, o homenzinho o levou até uma fonte arredondada formada por pedras cinzentas. A água límpida jorrava tranquilamente. Zamar fez sinal para que Ben lavasse as mãos e retirasse um pouco da lama que cobria seu corpo.

Quando Ben contemplou sua imagem na superfície cristalina da água soltou um grito de horror. Não era sua imagem que estava lá. Era um velho esquelético. Seus cabelos estavam grisalhos, suas feições repuxadas, seus olhos esmaecidos. Então ele olhou mais uma vez para suas mãos e pés. Só naquele momento percebeu que estava tão velho quanto Enosh.

— Você rejuvenescer — disse Zamar, tentando tranquilizá-lo. — Vida floresta devolver lhe. Ela tirar e agora ter devolver que. Ter esperar que.

— O que aconteceu comigo? Por que eu estou tão envelhecido? — perguntou Ben horrorizado. Não conseguia mais olhar para sua imagem refletida na água.

— Doce morte — respondeu com um risinho condescendente.

— Você está falando do paredão de plantas? Foram elas que fizeram isso comigo?

— Toda sugar plantas energia. Se mais ficasse horas, inconsciência viria, consumido. Morte doce.

Ben não conseguia entender como aquilo era possível. Dentro do paredão, ele nunca se sentira tão feliz e pleno em toda a sua vida.

— Substância do prazer, vítima imobilizada, sugar tudo até. Feliz morrer.

— Então por isso vocês a chamam de "doce morte"?

Quando se aproximou das mesas, Ben esqueceu as outras perguntas que desejava fazer. Seu apetite se aguçou com tudo o que viu. Tinha a certeza de nunca haver visto alimentos mais suculentos e apetitosos, mas provavelmente era porque estivesse mesmo com muita fome.

Esquecendo-se de toda a compostura, ele se sentou no chão, e mesmo assim as mesas ficaram baixas. Então começou a devorar a comida. Ben entendeu por que todas aquelas pessoas eram tão rechonchudas.

O guardião de livros olhou para Zamar ao seu lado, acreditando mais uma vez que tudo não devia passar de um estranho sonho.

— Afinal quem são vocês? Vocês são reais ou tudo isso é um sonho?

— Sonho ou realidade. Tudo mesma coisa.

— Por que estão tentando me ajudar?

O homem colocou o dedo gorducho diante dos lábios exigindo silêncio.

— Perguntas não mais. Respostas não diretas. Tudo redor ao.

Logo anoiteceu outra vez debaixo das árvores. O dossel formado pelos galhos foi desaparecendo enquanto a bruma subia e escalava os troncos lisos. No alto, os fragmentos da luz de Yareah se desviavam através das folhas, revestindo de prata o lado inclinado das árvores e iluminando os fiapos da bruma suave que subia às alturas.

A fogueira voltou a arder. As chamas se agitaram pelo vento e dispararam sombras para todas as direções, como se fossem espíritos brincando sobre a relva.

Ben tinha a sensação de que o tempo passava muito rapidamente dentro de Ganeden. Anoitecia e amanhecia com uma rapidez impressionante. Por outro lado, tudo era paradoxalmente muito monótono. A rotina de cada dia era exatamente igual. Isso causava ainda mais confusão, pois era como se todo dia amanhecesse o mesmo dia. Ben realmente começou a pensar que estivesse morto e sua alma, em algum lugar intermediário, esperasse por algo desconhecido.

Nos fins de tarde os homenzinhos sempre saíam a andar pela floresta. Ben ia com eles. Zamar era o líder do grupo, embora fosse tão parecido com os demais que Ben só o reconhecia pelo tom da voz. Eles colhiam frutas e plantas e traziam para a aldeia. As mulheres eram responsáveis por preparar os alimentos. Num certo sentido, eles se pareciam com alguma tribo primitiva; porém, por outro lado, pareciam conhecer muitos segredos, além de estarem sempre muito felizes. Às vezes Ben os achava irritantemente felizes.

Todas as noites, o brilho da fogueira se pulverizava pelas árvores altas crepitando com a música que balançava a floresta. Ao amanhecer, as árvores pareciam recobertas de milhões de diamantes, pois as gotas de água do orvalho refulgiam em cada galho sob a luz do sol.

Era um paraíso, mas ele se sentia um prisioneiro. Embora fosse tratado com muita gentileza e estivesse se alimentando bem, toda vez que falava em partir, eles lhe diziam que ainda não havia chegado o momento. Orientaram solenemente que nunca saísse sozinho, pois a floresta era cheia de passagens misteriosas que só com o tempo aprendia-se a distinguir. Ele poderia pegar uma passagem e ser conduzido a algum lugar onde nunca mais seria encontrado. Só a floresta sabia a hora dos visitantes irem embora. Quem tentasse apressar, acabava ficando mais tempo.

Sua pele estava se recuperando rapidamente, já havia readquirido parte do peso perdido, e isso ele devia àquelas pessoas que o estavam ajudando, mas tudo o que ele queria era ir embora e tentar encontrar seus amigos. Não suportava mais aquela monotonia. Lá fora as coisas poderiam estar muito complicadas. Certamente, o prazo dado por Naphal para o ataque a Olamir já havia estourado.

Durante todos os dias, Ben jamais voltou a olhar para si mesmo na fonte de Zamar. Mesmo assim, a imagem de seu rosto envelhecido nunca desapareceu de sua mente.

Num amanhecer, Ben acordou com uma estranha inquietação dentro de si. Não aguentava mais esperar por algo que não sabia o que era. Ele se levantou antes que

Zamar o acordasse com o galhinho de árvore. Precisava ir embora. A ansiedade dominava seu coração. Ignorando todos os riscos, se pôs a correr. Era loucura, ele sabia, mas já não se importava em agir como um louco. Ele correu tanto que lhe pareceu passar metade da manhã. Temia a qualquer momento atingir uma das passagens e deslizar para algum lugar imprevisível. Mas naquela hora não podia mais parar.

Corria, mas a sensação era de que não saía do lugar. Mesmo assim continuou até o limite da exaustão. Finalmente teve a certeza de que estava conseguindo se afastar do acampamento.

Ben sentiu a umidade aumentar naquele lado da floresta onde as trilhas não existiam. A vegetação densa e emaranhada o forçou a diminuir a velocidade da corrida desenfreada. Então viu que todo o seu corpo estava cheio de arranhões e suas roupas rasgadas. Mas também não se importou com isso. Subitamente uma linha de árvores acabou e ele se deparou com uma superfície plana e brilhante. Enquanto as golfadas de ar diminuíam e sua respiração se normalizava, percebeu que era um rio imenso. Entendeu que estava às margens do Hiddekel que cortava aquela parte da floresta. Ben se surpreendeu. Tinha chegado ao final de Ganeden. Mas, então olhou para o outro lado da margem e viu que a floresta continuava. E também para baixo e para cima do rio, até alcançar o infinito. Aquilo não fazia sentido. Ganeden não era tão grande.

Ficou ali todo aquele dia, esperando que alguma embarcação passasse e o levasse embora de Ganeden, pois o Hiddekel tinha grande movimento de barcos. Mas só viu animais aquáticos, crocodilos e garças.

No meio da tarde um trovão abalou a floresta. Logo a chuva grossa despencou das alturas surrando seu corpo abatido e intensificando o ardume dos arranhões. A margem virou um mundo de lama.

Ao final do dia, Zamar apareceu com dois companheiros.

— Já disposto voltar a? Zamar fome ter! Melões deliciosos hoje.

Sem falar nada, Ben os seguiu de volta ao acampamento.

No retorno, a chuva diminuiu, embora o vento, ao chacoalhar as folhas, presenteasse-lhe com sucessivos banhos até chegarem ao acampamento.

— Floresta ser boa com sobrevivente doce morte de, erro testá-la de novo.

Essas foram as únicas palavras de Zamar durante a longa caminhada que se estendeu noite adentro. Ben finalmente entendeu que não adiantava tentar fugir.

A partir daí começou contar os dias fazendo riscos em uma árvore. Era uma maneira de tentar manter a lucidez.

Sessenta riscos depois, o homenzinho se aproximou e disse que aquele era o dia de ouvir o vento. As costumeiras cutucadas do galho de árvore o acordaram, e mais uma vez ele não entendeu o que ele estava dizendo, mas isso também já estava se tornando habitual.

— Ouvir Kadim — insistiu Zamar. — Kadim vento bom. Hoje trazer novidades de longe.

Ben nem pensou em tentar descobrir o significado daquilo antes de chegar ao local. Já havia descoberto que dificilmente podia adivinhar as coisas antes de vê-los fazendo e, mesmo depois, ainda podia duvidar que fossem verdade. Porém, nesse dia, o que eles propuseram realmente lhe pareceu absurdo.

Era a parte das árvores mais altas, o que significava pelo menos 100 metros de altura. Como precisavam de mais espaço para conceder envergadura a seus galhos que se esticavam como longos braços, as árvores ficavam mais distantes umas das outras. Isso também fazia a luminosidade do alto adentrar mais fortemente até o solo.

Ben olhou para os troncos nus cinzentos, quase pretos, que subiam vertiginosamente. Os galhos se entrecruzavam como o domo do salão do Conselho em Bethok Hamaim. A altura daquelas árvores fazia qualquer outra criatura se sentir minúscula.

A ideia era subir até o topo para ouvir o vento. Ben achou que estivessem brincando com ele. Depois, descobriu que, embora fosse mesmo uma brincadeira, também era verdade.

Os homenzinhos tinham um engenhoso equipamento para se lançar às alturas. Era um guincho que os suspendia de uma só vez cerca de 40 metros.

Ben olhou para a árvore gigantesca, mas não conseguiu enxergar a copa. Ele demorou a acreditar que eles fariam aquilo, até ver três homenzinhos subindo em direção ao alto da árvore com inacreditável habilidade. Eles prendiam os cabos nos lugares apropriados.

Zamar tentou lhe dar todas as explicações sobre como se suspender e usar o peso do próprio corpo para subir, mas falava de modo tão desorganizado, e Ben estava tão atônito, que não conseguia entender, ou talvez não quisesse realmente. Por outro lado, parecia que Zamar também não estava compreendendo que Ben não ia subir.

Eles lhe deram sapatos com garras especiais; depois, amarraram uma cinta em volta de sua cintura. Ben gesticulou que não queria fazer aquilo, mas foi em vão. Ele sentiu um forte puxão suspendendo-o e foi informado de que deveria correr árvore acima, caso contrário poderia se machucar.

Zamar foi içado primeiro. Ben o viu correndo pelo tronco em direção ao alto como se estivesse num campo plano. Quase não acreditou que aquilo fosse possível. Quando sentiu um puxão em sua corda, pressentiu que precisava fazer algo ou seria arrastado, provavelmente se esfolando tronco acima.

Ben tentou imitar Zamar. Logo descobriu que os sapatos de fato grudavam na árvore. Ele só precisava fazer os mesmos movimentos que fazia quando estava correndo. Assim, viu o tronco virar uma estrada diante de si, e subiu vertiginosamente em direção à copa, por uma espécie de trilha por entre os galhos.

Mais ou menos na metade da altura, eles trocaram o cinto, e Ben teve um tempinho para respirar. Ele nunca se imaginou equilibrando-se sobre um galho, 50 metros acima do chão. Seu descanso durou menos do que ele desejava. O novo mecanismo estava pronto para a segunda etapa da subida.

Novamente Zamar partiu na frente e sumiu entre as folhas grandes. Logo Ben estava correndo outra vez, sentindo-se completamente louco por estar fazendo isso, mas também um pouco feliz. Se caísse sobraria pouca coisa dele lá embaixo, mas a única coisa que Ben não fazia era olhar para baixo.

Enquanto subia atropelou alguns pássaros que circulavam o imenso tronco. Imaginou que as pobres aves deveriam estar mais assustadas do que ele em ver aquela estranha criatura correndo árvore acima.

Quando estava a menos de 10 metros da copa, a força do guincho que o puxava subitamente diminuiu. Ben quase caiu de testa na árvore, pensando na estupidez que seria cair para cima.

Zamar o esperava sentado tranquilamente sobre um galho. Balançava os pezinhos peludos como uma criança num balanço. Então lhe deu a notícia de que o equipamento de suspensão só podia levá-los até ali, pois o tronco afinava demais para cima e não era possível fazer o efeito de suspensão.

— Não seguro é — afirmou solenemente.

Ben riu pensando se ele realmente conhecia o significado da palavra "seguro".

Então Zamar lhe disse que precisariam subir aqueles últimos 10 metros sem nenhum equipamento, apenas se segurando nos galhos.

O homenzinho não esperou para ver a reação apavorada de Ben. Começou a se suspender através dos galhos em direção à copa da árvore, mostrando na prática como devia ser feito.

Para alcançar a copa, Ben levou mais do que o dobro do tempo que havia levado para chegar ali. A subida não era tão difícil porque os galhos eram generosos e bem distribuídos. Não era necessário muito esforço para pular de um galho para o outro, mas o temor de escorregar e despencar daquela incrível altura fazia com que Ben demorasse muito para mudar de galho. Só dava o passo seguinte depois de ter certeza de que conseguira se segurar com firmeza.

Quando finalmente alcançou a copa onde Zamar o esperava impaciente, sentia-se como alguém que havia escalado o monte mais alto da terra. Devia ter enlouquecido, pois se sentia leve e feliz.

Sua cabeça emergiu das folhas da árvore, e ele perdeu o resto de fôlego que ainda tinha. A vista era simplesmente espetacular. Aquela era a árvore mais alta da floresta. Ao lado, as outras árvores um pouco mais baixas também estavam cheias daqueles homenzinhos que se balançavam nas copas. Parecia que esse era o programa comunitário do dia.

De algum modo, do alto era possível enxergar toda a extensão da mata. Ao norte se sobressaíam os picos prateados das Harim Keseph. Lá, em algum lugar oculto, ficava o palácio de gelo onde Ben pensou que poderia ser um Melek. Ao sul e ao leste o terreno declinava até se perder de vista em planícies distantes que se rebaixavam com o Perath e o Hiddekel até alcançar o Yam Kademony. Mais ao leste ele viu a silhueta distante e acinzentada de uma grande cidade com altas torres quadradas e uma impressionante muralha escura que a circundava. Era Nod.

— Kadim chegar logo. Firme ficar — avisou Zamar.

Ele mal terminou de falar, e a copa da árvore balançou com um sopro súbito de vento. Ben conseguiu se segurar um segundo antes de despencar lá de cima.

— Agora ouvir silêncio Kadim. — ordenou Zamar.

Ben não entendia o que ele queria dizer. Será que precisava ouvir o zunido do vento? De fato era um zunido alto e frio que batia em suas orelhas e quase o derrubava lá de cima.

— Trazer Kadim longe notícias de. Só poder em cima ouvir aqui. Atenção.

Sem saber como era possível fazer aquilo, Ben tratou de fechar os olhos e sentir o vento vindo do leste. Ele ergueu sua cabeça o máximo possível para fora das folhas que se agitavam como seus cabelos.

O vento passava por toda a floresta e trazia os aromas das flores e das folhas das árvores distantes. Ben teve uma sensação de liberdade enquanto a copa da árvore balançava. Para ele, aquele sentimento já compensava a longa subida. Ele se segurava firmemente nas alturas, entretanto não estava ouvindo coisa alguma.

— Soltar-se. Deixar Kadim pensamentos levar seus. Deixar vento levar coração seu. Ouvir Kadim — orientou Zamar, já com pouca paciência diante da falta de habilidade de Ben.

Por um momento ele se imaginou soltando-se daquela árvore e viajando com o vento. Talvez não pudesse fazer isso com o corpo, mas pudesse fazer com os pensamentos. Sua mente, quem sabe, pudesse seguir para o oeste e alcançar distâncias incríveis.

Ben realmente teve a sensação de que estava voando para o oeste e alcançando os prados desnudos ao pé das Harim Keseph, nos lugares que ele já conhecia. A paisagem se mostrava em *dégradé*, com o verde já meio apagado próximo, o cinza escuro intermediário das primeiras montanhas e o branco reluzente da neve nos pontos mais altos. Mas ele queria mais. Queria seguir além, até ver o início dos rios gêmeos, e ver outras montanhas além das Harim Keseph, e as cidades e vales distantes. E outras florestas, e novamente outros vales e rios, depois montanhas ainda mais distantes. E cidades de que ninguém ouvira falar, localizadas muito além de grandes mares onde pessoas vestiam roupas esquisitas e construíam casas de pedras. Ele queria saber de tudo o que acontecia. Queria levar conhecimentos secretos de um lugar para o outro, como as sementes das plantas levadas pelo vento que espalhavam vida em lugares inusitados.

Sem saber como isso estava acontecendo, Ben teve a sensação de que realmente estava ouvindo o Kadim. Foi só como um sussurro, mas ele entendeu que aquele vento vinha do grande mar oriental onde havia empurrado embarcações e superado penhascos. Atravessara planícies vazias, visitado cidades cheias de novidades e agitações e refrescado campos repletos de animais. Arrefecido como brisa suave em vales cobertos de flores para sentir o perfume delas, e acelerado em campos desnudos e pedregosos onde zuniu com intensidade, ajudando a marcha inexorável do tempo a moldar as paisagens.

O vento falava de lugares belos que existiam ao leste muito além do mar, mas também de desolações e da escuridão que avançava do sul. Falou de exércitos que se preparavam para a batalha no grande deserto, e também de quatro pessoas que navegavam em meio a uma terrível tempestade em busca de um segredo desconhecido até do próprio Kadim.

Quando ouviu falar dos quatro viajantes, Ben se alarmou. Só podiam ser Leannah e Tzizah e também Adin e Kenan. Então ele desejou vê-los e estar com eles mais uma vez. Por um momento, ele os viu açoitados pelas ondas terríveis sob uma avassaladora tempestade, lutando pela própria vida. Estavam perdidos e sendo levados para um imenso redemoinho no meio do mar tempestuoso que os engoliria inteiros. Ben queria ajudá-los, mas não podia fazer nada, pois não estava lá, era apenas o vento. Então, viu uma luz azul no horizonte e, de algum modo, ele, ou o vento, fez aquela luz furar o bloqueio das nuvens e alcançar o frágil barco para guiá-los à segurança. Subitamente, a visão se desfez. Ben acordou do transe e quase caiu mais uma vez do alto da árvore.

O guardião de livros fechou os olhos e tentou ouvir mais, porém dali para frente pouco conseguiu entender, pois as informações vinham de forma fragmentada. Era como se o vento continuasse falando em línguas difíceis de compreender. O Kadim estava falando com Zamar e anunciando coisas que diziam respeito ao futuro. Semelhante ao modo como Halom se conectava com outras pedras, o conhecimento acumulado pelo Kadim podia fazer previsões a partir dos elementos do passado e do presente. Pareceu-lhe ouvir falar de guerras e batalhas antigas que seriam revividas e também de uma grande destruição que aconteceu e aconteceria outra vez se tudo aquilo não fosse evitado. O Kadim disse que um grande e esperado herói apareceria, um nasî como os dos tempos antigos, mas não era possível saber se ele tomaria o lado certo da batalha, pois tanto o mal quanto o bem militavam dentro dele. Por fim, anunciou que as águas subiriam sobre a terra e engoliriam tanto a glória quanto a desonra. Ou talvez, estivesse falando de algo que havia acontecido no passado. Depois disso, Ben não entendeu mais coisa alguma.

Horas mais tarde, quando desceram da árvore, Ben se sentia atordoado. Levaria tempo para perder aquela sensação de voar com o vento. De certo modo, ele recuperou a crença de que o mundo era um belo lugar. Um belo e ameaçado lugar.

Certa manhã, que Ben não tinha como saber qual era, pois após duzentos riscos no tronco ele desistiu de marcar os dias, Zamar o acordou mais uma vez com o habitual galhinho de árvore.

— Tempo de sobrevivente de doce morte acabar. Povo de Zamar ensinar tudo já. Agora partir dever.

Ben se levantou sem saber se podia acreditar no que ele havia dito. No início ele tivera muita vontade de ir embora, mas agora, quando finalmente parecia que podia, ele estranhou.

— Visitante partir dever — o homenzinho insistiu. — Hora chegar.

— Vocês vão me ensinar a sair da floresta?

— Zamar não saber dizer. Floresta dizer. Mas ir ter agora que. Floresta chamar.

Ben deixou a aldeia com um sentimento misto de ansiedade e agradecimento. Estava apreensivo por não saber se poderia sair da floresta e agradecido por eles terem curado sua fraqueza.

Depois de descerem a escadaria, eles o acompanharam até um local perto da aldeia. Seguiram por um caminho que Ben ainda não conhecia. Andaram apenas alguns metros e pararam. O homenzinho atarracado chamado Zamar fez sinal para que ele continuasse sozinho.

Ben olhou indeciso para ele. Aprendera a gostar deles. A simplicidade, a alegria contagiante, o modo sincero de ver as coisas e falar delas, que eram características deles, no início o deixaram intrigado, mas depois aprendera a admirar. Agora sabia que sentiria falta.

— Já ensinar tudo. — Zamar disse mais uma vez, com certa impaciência, e fez um gesto de encorajamento. — Em frente ir. Destino de sobrevivente de doce morte aberto estar. Lembre-se: viver morrer, morrer viver.

Ben se despediu com um aceno e caminhou pela trilha indicada. A certa altura, houve uma intensa e súbita mudança de temperatura para mais quente. Uma espécie de deslocamento de ar, como se todo o ar gélido daquele espaço tivesse sido retirado e outro ambiente mais quente projetado sobre ele. Ben sabia o que estava acontecendo. Era a mesma sensação da primeira noite. Estava entrando em outro daqueles túneis invisíveis, e, provavelmente, acessando uma passagem para algum lugar desconhecido da floresta.

A sensação de vazio o dominou instantaneamente. Ele se conformou com a ideia de vagar indefinidamente. Tentou imaginar quanto tempo permaneceria naquele vazio dessa vez, enquanto caminhava em direção ao nada. Por outro lado, talvez estivesse realmente saindo da floresta. Zamar havia dito que a floresta dizia a hora de sair. Quem sabe este fosse o momento.

Ele pensou mais uma vez em seus amigos e desejou revê-los. Onde estariam? Será que haviam completado a missão? Talvez já tivessem reativado o Olho e retornado para Havilá, ou talvez fracassado e a guerra estourado.

Ben se angustiou com esses pensamentos e se recriminou por estar perdendo tanto tempo. Precisava sair da floresta, não podia ficar mais. Porém, se estivesse mesmo morto, nunca mais retornaria. Então, o que o esperava?

Subitamente a passagem acabou. Ben se sentiu ainda mais confuso pela rapidez. Ele podia jurar que estava no mesmo lugar. As mesmas árvores, a mesma trilha, tudo estava exatamente igual. Ele se virou para ver se o povo de Zamar ainda estava ali também, mas não viu ninguém. A trilha se afunilava diante dele e sumia dentro das árvores até o lugar onde ele sabia que estava a escadaria e, ao final dela, o acampamento.

Confuso, Ben resolveu voltar. Precisava dizer a eles que a passagem não havia funcionado. Pelo jeito passaria mais uma temporada com o povo de Zamar. Por um lado isso não era ruim, principalmente se pudesse ouvir o Kadim mais uma vez.

Ben subiu as escadas que não pareciam fazer sentido, pois não havia a mínima necessidade de uma escadaria tão imponente para um acampamento tão precário, mas dessa vez elas fizeram muito sentido. Um atordoante sentido. Os degraus terminaram numa plataforma que antes não estava lá. De longe enxergou o clarão aberto na floresta pelo espaço entre as árvores, e ainda por entre elas, viu a silhueta branca de um edifício que parecia ser um templo ou um palácio muito alto. Era de pedras brancas reluzentes e tinha torres finas e pontudas tão altas quanto as maiores árvores da floresta.

O acampamento baixo e achatado havia desaparecido como se nunca tivesse existido e, em seu lugar, estava aquele majestoso e altíssimo palácio branco. Ben teve uma sensação de total desorientação ao ver aquela imagem inesperada. O palácio inteiro brilhava ao sol.

"Só posso estar morto mesmo."

* * * *
* * * * *

Leannah sentiu uma mão forte tapando sua boca para que não gritasse. Ela se debateu em agonia tentando se livrar, pois estava controlando Herevel através de Halom e golpeando o tartan. Então viu Tzizah, Adin e Kenan também sendo resgatados sorrateiramente, enquanto o tartan atacava seu descuidado cavaleiro que havia cometido o erro imperdoável de pegar Herevel.

Mesmo na escuridão, Leannah enxergou três homens carregando Kenan. Estavam correndo por uma trilha que conduzia até a pequena enseada onde o barco de Kohen, o marujo do mar, bem ou mal, estava preparado para partir em direção às terras do Além-Mar.

Instantes depois, o velho barco deixava a praia carregando sete tripulantes e os quatro fugitivos. Os gemidos do madeiramento velho se confundiam com os gritos dos remadores que impulsionavam o barco contra as ondas que quebravam na praia.

Enquanto se afastavam do embarcadouro, dois sentimentos conflitavam em Leannah: o temor de que o tartan ainda os alcançasse, e a surpresa pela nova reviravolta, quando tudo parecia perdido.

— Por que vocês se arriscaram por nossa causa? — perguntou Leannah para o marujo, enquanto Tzizah, no compartimento inferior do barco, passava unguento nos ferimentos de Kenan.

— Mesmo um homem estúpido como eu precisa saber a hora de agir — o marinheiro respondeu com seriedade. — Se aquelas criaturas estão perseguindo vocês, por certo vocês devem estar fazendo algo muito importante.

Leannah recriminou-se por ter desconfiado dele antes. Uma lágrima de gratidão desceu por sua face. Outras desceriam mais tarde.

— Porém, espero que vocês tenham mesmo as dez moedas de ouro...

O pescador disse isso e foi ajudar os remadores na difícil tarefa de superar as ondas.

Leannah desceu para a cabine. O ferimento no abdômen do giborim era o mais preocupante, mas aparentemente não havia perfurado nenhum órgão vital. As lesões no ombro e na perna eram graves, demorariam a cicatrizar, mas se ele pudesse contar com um tratamento apropriado, provavelmente sobreviveria. O torturador não queria que sua vítima morresse depressa e isso, talvez, tivesse salvado sua vida. Entretanto, Herevel havia se perdido. E essa perda era irreparável.

O velho barco cortou as últimas barreiras de ondas da praia com rangidos corajosos e se afastou consideravelmente da costa, já sem precisar dos remadores. Impelido pelo vento, movia-se por si mesmo como um vulto na escuridão da noite, que só era interrompida por relâmpagos distantes.

De volta ao convés, Leannah enxergou as chamas que haviam tomado conta da pequena aldeia de pescadores. A vila estava destruída. Kohen olhava pesaroso para as chamas.

A embarcação começava a ser assolada por ondas um pouco maiores, mas continuava valentemente cortando as montanhas calmas de água que vinham ao seu encontro.

— Trouxemos destruição para esse lugar — disse Leannah angustiada. — Mais um sacrifício para essa missão.

— Nem sempre as pessoas por quem nos sacrificamos merecem nosso sacrifício — disse Kohen lúgubre como o mar.

Leannah olhou para o marujo sem entender o que ele estava querendo dizer. Ele se manteve em silêncio por um bom tempo, apenas olhando para as chamas. Por fim, meio relutante, falou.

— Era uma noite de tempestades parecida com essa que iremos enfrentar — disse olhando para os relâmpagos mais próximos. — Eu e meu irmão pescávamos nessas águas. Ele queria retornar, pois já havíamos apanhado bastante peixe, mas eu queria mais. Nunca havíamos pescado tanto num só dia e eu queria aproveitar ao máximo. O barco virou, apesar de todo o nosso esforço. Lembro-me vagamente de estar afundando. Algo havia atingido minha cabeça. De algum modo, meu irmão conseguiu me alcançar e me puxou para cima. Eu me agarrei a uma prancha e acordei na praia. O mar me devolveu o corpo dele no dia seguinte.

As lágrimas desceram outra vez pelo rosto de Leannah.

— Não há tempo de chorar pelos mortos — disse Kohen, voltando-se para a escuridão.

O vento da tempestade subitamente começou a agitar fortemente os cabelos dele. Então, o pescador retornou aos instrumentos.

O barco rumou para a tempestade durante a maior parte da noite. Pouco a pouco os clarões no céu negro foram se tornando tão intensos, como se dragões-reis duelassem nas alturas. Pelos olhares apavorados dos tripulantes, Leannah podia deduzir que o terror da noite estava longe de terminar.

A força do vento foi enfurecendo cada vez mais as ondas, e elas se empinaram. Logo estavam jogando o barco de um lado para o outro. Mesmo assim, a embarcação resistia miraculosamente. Os sete marinheiros corriam sobre o convés tentando atender as emergências que surgiam e minimizar os choques com as ondas. Aventuravam-se a cortá-las com a proa.

Quando a escuridão, os raios e o vento terrível testemunhavam que eles haviam alcançado a tempestade em seu ápice, os marinheiros lutaram com todas as forças para não deixar o velho barco ser virado, mas a sensação era de que, a qualquer momento, uma onda os lançaria no abismo negro. A sucessão de raios que riscavam irregularmente o céu era atordoante.

— Mantenham a vela na direção! — gritava o comandante.

À essa altura estavam completamente perdidos no meio da tempestade. Tudo o que faziam era se apegar à esperança de que o furor do mar acabasse logo. Cada segundo parecia muito tempo.

Os marinheiros não sabiam para qual direção virar a vela, pois no meio da tormenta, todos os lugares eram iguais. Giravam o pesado instrumento apenas para tentar fazer contrapeso, devido à força do vento, tentando evitar que o barco virasse. A chuva forte os açoitava, e os relâmpagos formavam desenhos cada vez mais assustadores no céu, como se todos os dragões e demônios estivessem em guerra uns contra os outros.

Subitamente, o vento pareceu mudar de direção, e as nuvens abriram um estranho clarão em meio à tempestade. Quando enxergou aquela luz azulada atravessando as nuvens, Leannah pensou que fosse apenas mais um forte relâmpago clareando o barco e as ondas, fazendo a escuridão retornar tão rápida quanto desaparecia, mas a luz azulada continuou firme e estável.

— O farol! — um dos homens gritou ao enxergar a luz.

— O farol de Sinim está funcionando novamente! — outro homem gritou, enquanto todos tentavam colocar o barco na direção do farol.

— Girem a vela! — ordenou o comandante. — Puxem as cordas! Na direção da luz! Vamos deixar este inferno!

Os marinheiros fizeram uma força descomunal para tentar girar a vela e impulsionar o barco na direção da luz azulada que cortava as nuvens tenebrosas. Com o movimento, o barco deu uma guinada, e a vela escapou girando descontrolada. Com o movimento, parecia que o barco ia se partir ao meio. Os homens correram sobre o convés, mesmo com o risco de serem tragados pelas ondas. O esforço para segurar as cordas foi sobre-humano. A vela se posicionou puxada por meio dos guinchos, e o velho navio se colocou na direção da luz.

— Segurem firme! — bradou o comandante. — Aguentem só mais um pouco! Vamos conseguir!

Mas aquele pouco parecia uma eternidade. Todo o barco rangia enquanto eles tentavam escalar as ondas gigantes. Leannah não podia deixar de pensar que era um milagre a velha embarcação ainda resistir, mas não sabia quanto tempo o milagre duraria.

— Estamos indo para o redemoinho! — gritou um dos tripulantes ao ver a sombra gigantesca que mergulhava no oceano. — Virem! — desesperou-se o homem.

— Mantenham a vela! — insistiu Kohen, mesmo contra a vontade dos tripulantes que percebiam que estavam se dirigindo para o olho do furacão.

— Vamos ser engolidos! — gritaram os tripulantes. — Precisamos virar!

— Se virarmos agora, vamos nos despedaçar! — Kohen não recuou. — Força nas velas! Confiem na luz! Ela nos mostrará o caminho!

Entre gritos de desespero e rangidos assustadores, o barco passou ao lado do funil que se afundava no mar. A força contrária os rebateu e os afastou do funil ao invés de atraí-los. O farol os guiou pelo único caminho possível.

— Vamos conseguir! — gritou um dos marinheiros. — O farol vai nos levar para a segurança!

Quando parecia que escapariam, o vento virou outra vez, como se forças malignas o impulsionasse. Então, eles ouviram um barulho terrível de madeira se partindo.

— O mastro! A vela está caindo!

Com horror, eles viram a vela principal despencar do alto e afundar parte do convés. O mastro quebrado ainda rolou sobre a lateral do barco e carregou um dos homens para dentro das águas tumultuosas.

— Homem ao mar! Homem ao mar!

Dois deles tentaram resgatá-lo das águas, mas o barco agora estava totalmente sob o domínio dos ventos e rapidamente mudou de direção. Os gritos de socorro foram engolidos pela noite tempestuosa, com as lágrimas de desespero dos tripulantes.

— Onda gigante à direita!

As más notícias pareciam não ter fim.

Eles se voltaram e viram a onda mais destruidora da noite atingir a lateral do barco. A água varreu o convés com força brutal e carregou mais dois tripulantes para as profundezas. Como se fosse uma garra gigantesca, a onda arrastou o barco em direção aos penhascos pontiagudos que os relâmpagos iluminavam intermitentemente.

— Segurem-se! — gritou o comandante, pois era a única coisa que podiam fazer naquela hora. Estavam à mercê de uma força inimiga terrível.

O barco se aproximou perigosamente dos penhascos.

Leannah enxergou o paredão de rochas assustadoramente perto e se preparou para o impacto. O frágil barco seria estraçalhado.

— Virem a vela à esquerda! — ela ainda ouviu o comandante gritar.

Enxergou os três homens tentando mover uma vela menor, porém lhe parecia ser tarde demais. Os penhascos estavam muito próximos, uma vela pequena jamais seria suficiente para fazer o barco voltar.

Mesmo assim os marinheiros lutaram bravamente e conseguiram mover a pequena vela. Então, o vento desviou um pouco o curso do barco. Foi o suficiente para que desviassem da primeira rocha saliente do penhasco e passassem ao lado dela. Leannah conseguiu divisar uma passagem entre os paredões. Foi para lá que o barco se encaminhou, mas era muito estreita e uma das laterais raspou nas pedras, arrancando pedaços de madeira da embarcação e jogando fragmentos de rocha para o convés. A água jorrou mais uma vez para dentro da embarcação.

Impulsionados pela onda que perdia força, adentraram o que parecia ser um desfiladeiro com enormes paredões de rochas se elevando até as alturas. O barco era insignificante diante daquela imensidão escura. Dentro do desfiladeiro a tempestade não conseguia agitar as ondas com tanta intensidade. Por um momento Leannah respirou aliviada. Pelo menos estavam a salvo da tempestade, mas os rostos dos marinheiros não transmitiam sensação de alívio. Leannah viu os homens tentando impedir que o barco seguisse em frente. Ela não entendeu a razão, mas se preferiam a tempestade lá fora à proteção do labirinto, certamente dentro dos penhascos não devia ser um bom lugar. Entretanto, a embarcação não tinha mais qualquer controle, todos os instrumentos estavam quebrados. Definitivamente, não eram mais eles quem controlavam o barco.

Contra a vontade dos três marinheiros e do comandante, o barco avariado foi conduzido por um fluxo de água que o arrastava cada vez mais para dentro daquele lugar assustador. A chuva caía forte, e também granizo pipocava sobre o convés. Enquanto os relâmpagos riscavam com ira o céu em todas as direções, protegido dos ventos, o velho barco seguia tranquilamente em direção ao centro do desfiladeiro.

Não demorou para que Leannah entendesse a relutância dos marinheiros. Sombras se moveram no alto. Um rosnado assustador revelou algum tipo de animal escuro que se movia sobre o desfiladeiro. Quando o barco passou muito próximo ao paredão, deu para ver que pareciam ser leões marinhos. Entretanto, conseguiam se manter sobre os paredões como se fossem símios. Tinham faces horrendas, com dentes ferinos.

As criaturas macabras os acompanhavam subindo e descendo as elevações e esperando a melhor oportunidade de atacar. Parecia que estavam sendo conduzidos exatamente para o lugar que elas queriam. Uma delas não quis esperar os penhascos ficarem mais baixos e saltou para dentro do barco. Debateu-se sobre o convés com o impacto, mas logo se colocou em pé. Então veio rosnando ameaçadoramente na direção de Leannah. A garota recuou apavorada pressentindo o ataque. Quando a criatura avançou, foi interceptada pelo marujo com uma lança. Mesmo atravessada pela arma, a criatura soltava um guinchado assustador e espirrava um sangue preto. Seus grandes dentes ferinos estavam à mostra e pareciam ter força para arrancar um braço ou uma perna de um homem com uma só mordida.

— Para a cabine! — ordenou Kohen.

Leannah e Tzizah voltaram a se refugiar na cabine, onde Kenan e Adin, feridos, estavam recolhidos.

Os três marinheiros pegaram lanças parecidas com a que o comandante utilizava e apontaram para as criaturas.

A movimentação de sombras ao redor indicava que o número de predadores aumentava. Famintas, as criaturas emitiam um rosnado estridente. Pulavam de pedra em pedra e acompanhavam o barco em direção ao centro do desfiladeiro.

Mais duas não quiseram esperar o melhor momento e saltaram para o convés, sendo logo atacadas pelos marinheiros e atravessadas com suas lanças. As outras resolveram aguardar. Instantes depois, o barco parou bem no meio de um cruzamento de correntes.

Leannah olhou através da pequena janela da cabine e viu que provavelmente haviam alcançado o centro do desfiladeiro, pois as correntes contrárias começaram a fazer a embarcação girar em torno de si mesma. Então, ficou claro que era o momento esperado pelas criaturas. De todos os lados começaram a pular para dentro da embarcação, aproveitando os paredões mais baixos. Outras escalaram o convés avariado, emergindo de todos os lados das águas escuras do mar.

Os três marinheiros conseguiram rebater as primeiras, mas outras vieram em multidão e começaram a tomar o convés. Enquanto o barco girava, a desorientação aumentava. Parecia impossível que apenas quatro homens conseguissem resistir por muito tempo à ferocidade das criaturas.

Um dos homens foi atacado e deixou a lança cair. Ele foi arrastado por uma perna para dentro do mar. Os companheiros não puderam fazer nada. As criaturas pularam como enxame em cima dele e disputaram os pedaços dentro da água. Por um momento, o convés ficou quase vazio. Porém, isso durou muito pouco, pois outros animais pularam para dentro do barco em busca de mais comida.

Os dois marinheiros sobreviventes resistiram por pouco tempo. As criaturas surgiram de todas as direções e investiram contra eles e os arrebataram também. Nem deu tempo de serem arrastados para as águas. Foram despedaçados ainda sobre o convés. As criaturas atacaram umas às outras para ficar com os pedaços, na cena mais terrível que Leannah já havia presenciado.

Na frente da porta da cabine, Kohen era o último baluarte contra as criaturas. Ele as golpeava com sua lança. Lutava com grande ferocidade. A lança girava, mergulhava na barreira de criaturas e recuava, esguichando sangue preto.

Ele estava tentando entrar na cabine, mas não conseguia, não dava tempo. A cada estocada uma criatura era atravessada, mas as outras espreitavam e arreganhavam os dentes. Parecia só uma questão de tempo até que a onda negra o abocanhasse também.

Leannah gritou horrorizada quando uma delas se lançou por baixo da lança e conseguiu morder a perna do comandante, fazendo-o cair de joelhos. Isso foi a deixa para um monte delas tentar pular sobre ele. Mesmo ajoelhado, ele ainda conseguiu estocar outras duas que se adiantaram, mas Leannah viu com horror indescritível que ele ia ser devorado, como havia acontecido com os outros.

Ela implorou aos céus que algo acontecesse, e pela primeira vez se lembrou de utilizar o espelho. Não sabia o que ele podia fazer naquela situação, mas Thamam lhe dissera que talvez pudesse ajudar. Em desespero, abriu a porta da cabine e apontou o espelho para as criaturas. Os olhos esverdeados dos monstros se refletiram, e uma luz amarelada irrompeu do espelho assustando as criaturas da noite. Elas recuaram um instante. Foi o suficiente para que as duas garotas puxassem Kohen para dentro da cabine e fechassem a porta.

O comandante estava bastante ferido, porém ainda vivo. As feras haviam mordido suas pernas e braços. Também apresentava ferimentos no rosto e no peito. Leannah não tinha certeza se ele sobreviveria.

As criaturas se reagruparam após a luz do espelho as ter afugentado. Começaram a investir contra a frágil porta da cabine. Também havia animais em cima da cabine e em todas as laterais. Rosnavam, chiavam e arreganhavam os dentes. Logo estavam arrancando pedaços de madeira e abrindo caminho para o interior.

O barco, tomado de criaturas, continuava a girar em torno de si mesmo bem no centro do desfiladeiro da morte.

Adin, mesmo ferido, tomou a lança do comandante, e estocou uma que inseriu a cabeça para dentro da cabine através de um buraco aberto. Logo várias tentavam se introduzir em buracos por toda a frágil fuselagem.

Leannah apontava o espelho na direção das feras. Cada vez que os olhos esverdeados se refletiam, o instrumento liberava uma luz amarela. Obviamente detestavam a luz. Mas os cinco estavam cercados por todos os lados. Dentes pontiagudos apareciam em várias aberturas da cabine. Não havia como Leannah deter o avanço de todas com o espelho. Adin mal conseguia parar em pé com a lança do marujo.

Os buracos na fuselagem aumentaram consideravelmente por todos os lados. Algumas das feras terríveis já estavam com meio corpo dentro da cabine. Cada vez que Adin, com grande esforço, estocava uma delas, ouvia um guinchado assustador, mas outra tomava seu lugar. No auge do desespero, um raio de luz amarelada atravessou os penhascos e atingiu o barco. Por um momento, Leannah achou que era o espelho que estava emitindo uma luz mais forte, mas era Shamesh que estava nascendo sobre o mar, rompendo as trevas da noite, e lançando sua luz dourada por entre as fendas do desfiladeiro.

Com a luz do sol, as feras recuaram e começaram a fugir. Cegas por causa do amanhecer, chiavam e guinchavam em desespero, debatiam-se sobre o convés e se chocavam com os destroços do barco. Pouco a pouco foram mergulhando para dentro das águas escuras.

Só nesse momento Leannah percebeu que a tempestade havia ido embora e a noite também. Um novo dia havia nascido. Depois de todo o terror da noite, o súbito amanhecer ensolarado presenciado parecia irreal.

O convés vazio testemunhava que a luz vencera as trevas. Os rosnados e chiados assustadores haviam desaparecido. Não havia mais ameaça. Mesmo assim, Leannah e Tzizah não tiveram coragem de abrir a porta da cabine.

O barco ainda girava em torno de si no meio dos desfiladeiros, mas Leannah percebeu que o movimento estava mais lento. Após alguns instantes, parou de girar. Uma das correntes cessou e outra entrou no desfiladeiro, provavelmente devido à mudança da maré. O barco foi empurrado para fora pela mesma água que os trouxe para aquele inferno.

A corrente os conduziu para longe dos paredões de pedra. Leannah viu com alívio quando os rochedos ficaram para trás e foram levados para o mar aberto. De longe, avistou uma grande faixa branca. Era uma praia.

18 Os irins de Ganeden

Ben olhou para o palácio branco sem conseguir acreditar como era possível estar em um lugar totalmente diferente sem ter saído de onde estava.

Os passarinhos cantavam, as árvores balançavam suavemente seus galhos e uma paz envolvente se espalhava pela superfície da floresta qual uma névoa branca. Isso testemunhava que continuava em Ganeden. Mas não havia música nem sinal do povo de Zamar. Ao contrário, o ambiente era sóbrio e harmônico.

Havia pessoas ali. Foi como se num piscar de olhos elas aparecessem. Eram altas e esguias, e moviam-se com tanta graciosidade, como se flutuassem. Seus corpos não pareciam inteiramente materiais.

— Seja bem-vindo, guardião de livros!

Ben sentiu alguém colocando suavemente a mão em seu ombro. Foi um toque tão leve como o de uma folha caindo. Ele se admirou por ver alguém utilizando as palavras de modo correto nas frases depois de todo aquele tempo que passara com o povo de Zamar.

Uma daquelas pessoas estava ao seu lado. Sua aparência quase se assemelhava a de um homem, embora Ben não conseguisse dizer precisamente qual era a diferença. Não era velho, nem jovem. Como se não tivesse uma idade definida. Ele usava um longo manto branco de uma única peça de tecido. Sobre os cabelos curtos, quase dourados, havia uma coroa de ramos de árvore.

Sua expressão era serena, mas um pouco austera também. Ele era muito alto. Ben tinha a impressão de que batia um pouco acima da cintura dele. Seus olhos cinzentos, impressionantemente vivos e brilhantes, exibiam um reflexo prateado, quase como o da lua cheia.

— Onde está o povo de Zamar? — perguntou, sentindo-se desorientado.

— Estão aqui, mas agora não é mais possível vê-los.

Quando ele falou, a sensação estranha foi de estar revendo um velho conhecido.

— Quem são vocês? Onde eu estou? Quem é você?

— Meu nome é Gever. Somos os irins. E você está entre nós. É bem-vindo aqui, se quiser ser. Estávamos aguardando você chegar. Há muito tempo o aguardamos.

Havia lido sobre os irins. Nas lendas, eles eram algum tipo de juízes que participaram do julgamento do mundo antigo.

— Vocês também dançam? — perguntou Ben, sem saber direito o que dizia.

— Temos uma sociedade um pouco mais sóbria — o homem falou com suavidade, mas seu olhar demonstrava alguma surpresa com a pergunta. — Mas isso não quer dizer que não haja alegria aqui.

— Então o que vocês fazem?

— Eu já disse. Somos irins, os vigilantes.

Ben imaginou que, se não estivesse morto, só podia estar sonhando. Talvez estivesse em um estado de inconsciência, como o que ficara em Olamir após enfrentar a saraph. Por certo, aqueles povos da floresta eram apenas projeções de sua mente a partir das informações dos livros que já havia lido. Talvez, tudo fosse induzido por alguma pedra. Em algum momento acordaria e perceberia que nunca havia saído de Havilá, ou talvez ainda estivesse em Olamir.

— Quantos anos você tem?

No mesmo instante, Ben se arrependeu de ter feito a pergunta. Tivera vontade de perguntar isso ao homenzinho atarracado que o havia acompanhado todos aqueles dias. Sua coragem não chegara a tanto, apesar de ter ficado com ele todo o tempo. Agora, não conseguia controlar a própria língua.

— Não muitos — o homem respondeu gentilmente. — Venha comigo. Vou lhe mostrar nossa comunidade.

Ben não se moveu.

— Agradeço muito pela receptividade, mas eu gostaria de ir embora... Preciso ajudar meus amigos...

Gever se voltou para ele e o olhou com serenidade.

— Acredite, não haveria nada que você pudesse fazer por eles neste momento.

— Então a guerra já começou? Meus amigos falharam?

— Cada coisa em seu devido tempo — disse fazendo um sinal com a mão, para que Ben se acalmasse. — O povo baixo da floresta já fez parte importante do trabalho. Eles tiraram algo que precisava ser tirado de você. Agora é nossa vez de acrescentar algumas coisas. Só então você estará pronto.

— Pronto para quê? Por que estão fazendo isso?

— Porque é nossa função.

A resposta não o satisfez, mas Ben percebeu que não haveria outra e seguiu o homem.

As pessoas altas com cabelos dourados eram belas como seres celestes. Todos os homens usavam mantos longos e cobriam a cabeça com turbantes baixos e leves. As mulheres usavam cabelos longos e lisos. O homem chamado Gever não cobria a cabeça, pois usava aquela coroa de ramos de árvores. De algum modo, o guardião de livros soube que ele era um tipo de rei ali.

Ben nunca teve permissão para entrar no templo branco, que era como eles o chamavam, entretanto, de alguma maneira, o tempo todo estava diante dele. Grupinhos de duas ou três pessoas do povo alto sempre conversavam diante do templo. Falavam sem pressa e discutiam assuntos relativos à floresta e à passagem das estações. Também falavam sobre as estrelas, sobre Shamesh, sobre Yareah, sobre o eclipse que se aproximava. Às vezes, o assunto era sobre os homens, mas homens que Ben nunca ouvira falar. O guardião de livros teve a impressão de que, enquanto o povo de Zamar dançava e comia, o povo de Gever conversava e meditava.

Um dia, ao ouvi-los falar sobre o eclipse, algo no guardião de livros se agitou e ele se intrometeu.

— Vocês estão falando do eclipse do dia 15 de Bul? Quando Naphal trará as tropas para Olamir? Então, ainda não aconteceu?

Os homens o olharam com uma expressão de incompreensão.

— Estamos falando do eclipse solar que possibilitou aos homens descobrirem a técnica de lapidação das pedras — explicou um dos irins.

Então Ben percebeu que não teria as respostas ali.

Gever o tutelou durante toda a sua estada naquele lugar, e sempre demonstrou serenidade. Ben nunca o viu se exasperar por coisa alguma, mas também não o via rindo muito.

— Tudo tem o seu tempo — ele o alertava. — Você é um aluno iniciante e não muito disciplinado. Contudo o tempo lhe ensinará muitas lições. Não há mestre mais capaz.

A primeira atitude do anfitrião foi levar o jovem até uma oficina nos fundos do templo branco para forjar uma espada. Lentamente, Ben viu o metal se endurecendo após ter sido aquecido numa temperatura altíssima. Então, as marteladas começaram a dar forma, dobrando o metal centenas de vezes, afinando seus dois gumes e alongando-o com extraordinária perícia. Foi um trabalho demorado e minucioso.

— Esta é a primeira lição que você precisa aprender — disse Gever. — O metal está aí, porém, não tem utilidade em estado bruto. Não é fácil modelá-lo. Há grande desgaste para quem o modela e principalmente para ele próprio. Se tiver dó de bater, o modelador não conseguirá fazer uma boa espada. Por isso *El* é o melhor forjador de espadas que existe. Ele bate o tanto que é necessário.

O homem quis que Ben participasse do trabalho, mas as batidas que o jovem deu no metal não causaram efeito algum.

— Há apenas dois modos de se obter uma boa espada: fazendo uma, ou sendo escolhido por alguma já pronta — continuou Gever. — O relacionamento com uma espada precisa ser por toda a vida, como um amor verdadeiro.

Quando terminou o serviço, Gever colocou o instrumento dentro de um tonel de água para esfriar.

— O calor dá forma ao metal — disse olhando com serenidade para Ben. — Ajuda também a eliminar as impurezas. Mas, para ser usado numa luta, o instrumento precisa estar frio. Quanto mais frio, mais resistente.

O guardião de livros tinha a impressão de que ele não estava falando apenas sobre espadas.

Alguns instantes depois, ele a retirou e voltou a bater com a bigorna para dar os retoques.

— Mesmo fria ainda precisa de umas batidas. É assim que *El* modela as almas.

Repetiu o procedimento várias vezes e, por fim, entregou-a para o observador.

— Mas e o arco? — Ben se lembrou da arma que trazia desde Olamir.

— É uma excelente arma! Será muito útil ainda, porém, nenhum guerreiro se torna guerreiro até que saiba manejar uma espada.

Depois, o homem o levou para andar na floresta. Num clarão aberto no meio das árvores, ele o instigou a lutar.

Desajeitado, Ben tentou atingi-lo, mas mal conseguia segurar o peso da espada quanto mais acertá-lo. A primeira tentativa foi um completo fracasso. Gever se movia com calma e tranquilidade, mas sempre estava longe dos golpes inúteis do adversário iniciante. Num certo momento, o guardião de livros pensou ter tocado de leve nele, porém não sentiu algo material.

Após várias tentativas frustradas, Gever encerrou o treinamento e disse para Ben descansar. De bom grado, ele foi se assentar debaixo de uma árvore.

— Fique aí e medite em tudo o que está à sua volta — sugeriu Gever. — Aspire a harmonia, veja como os animais caçam, como as plantas se defendem, aprenda com eles.

Ben dirigiu-lhe um olhar carrancudo.

"Que tolice é essa?" era a pergunta que estava impressa em seu rosto.

"Apenas faça", foi a resposta também inaudível.

A qualquer momento, Gever aparecia e o chamava para continuar o treino. Pelo menos não o acordava cutucando com um galho de árvore. Porém, os treinos eram muito mais conversas do que ação. Ele não conseguia entender como adquiriria habilidade com a espada se raramente a utilizavam. Gever preferia conversar sobre a floresta, sobre as árvores, os animais, as tonalidades de azul do céu que os espreitava por entre as folhas no alto. Tudo, até as coisas mais insignificantes, pareciam ser objeto de estudo e de longas conversas.

Sem muita boa vontade, no início, Ben se levantava e o acompanhava. Entretanto, aos poucos, foi sendo seduzido pelo povo alto. A harmonia com que os irins conduziam a vida, o modo simples, mas ao mesmo tempo com uma aura mística que perpassava tudo o que faziam e falavam, marcou profundamente Ben. A maior dificuldade, sem dúvida, era suportar a paciência e a morosidade com que eles realizavam todas as suas atividades. Definitivamente não tinham pressa para nada.

A certa altura ele se imaginou vivendo ali para sempre. Afinal não havia problemas, desentendimentos ou preocupações. Só as coisas simples e básicas da vida importavam e realizá-las fazia com que ele sentisse um tipo de alegria que nunca havia sentido. Se havia morrido e estava numa espécie de paraíso, por um lado precisava admitir que era bem diferente daquilo que os sacerdotes descreviam, mas por outro, não estava decepcionado. Além disso, o velho lobo que insistia em aparecer, levando-o a fazer coisas das quais depois se arrependia, parecia agora adormecido. De qualquer modo, não adiantava se preocupar com a guerra lá fora. Já estava há muito tempo na floresta. A guerra deveria ter começado e terminado.

— Você precisa aprender a controlar a respiração, os pensamentos e as emoções — disse Gever, interrompendo aquelas percepções. — Tudo isso influencia num combate.

Ben fechou os olhos e respirou os aromas de Ganeden. Concentrou-se em tudo o que estava à sua volta. Mesmo sem abrir os olhos, percebeu que Gever investia contra ele com uma espada. E assim, o treino começou.

De qualquer lugar em que estivesse, Gever parecia poder atingir Ben com facilidade. Cada golpe dele teria sido fatal, se não interrompesse o movimento no último instante.

Com a espada ainda apontada para o peito de Ben ele orientou:

— Nunca aja de modo afobado. Sempre há tempo para escolher a melhor opção, mesmo dentro de uma fração mínima de tempo. Se a mente estiver suficientemente limpa, menos de um segundo será suficiente para fazer diversas escolhas, e até mesmo voltar atrás em uma decisão errada. Lembre-se: tudo está em sua mente. O bem e o mal, o certo e o errado, o sucesso e o fracasso.

— Para quê você está me treinando? — perguntou Ben, olhando para a ponta da arma e lembrando o modo como Thamam havia segurado a espada de Mashchit na noite do julgamento de Kenan. — Se estou morto, acho que não faz mais muita diferença...

Gever não respondeu. Continuou explicando como Ben devia manejar a espada, o modo de pegá-la, de girá-la, de golpear. E antes mesmo de fazer isso, o modo de pensar sobre aquelas coisas.

— Não existe perfeição — ponderou Gever. — Mas qualquer pessoa que aprender a lidar com seus fracassos pode se destacar, se souber minimizar os erros e superar as falhas. Controle sua mente e controlará seu corpo. Não deseje ser um herói para os outros, é peso demais para carregar. Não existem heróis, só homens falhos e imperfeitos que podem superar suas imperfeições e vencer seus maiores medos. Vença a si mesmo e será mais fácil vencer os outros inimigos. Controle sua mente e seu mundo não estará mais caótico.

Ben achava que o homem conhecia suas dificuldades íntimas e seus momentos de indecisão. Ele parecia entender perfeitamente tudo o que Ben sentia, suas contradições. Além do mais, não se irritava, e isso fez com que gostasse dele. Mas ele também dificilmente parecia satisfeito com o que Ben fazia.

O guardião de livros tentava atingir Gever, mas a espada parecia um instrumento rebelde demais para ser controlado. Ela não passava nem perto do irin.

— Uma arma depende daquele que a maneja. A mão que a dirigir fará seu destino.

Ben começou a golpear com mais força, deixando todos os seus sentimentos aflorarem, sua ira por causa dos acontecimentos do passado, descarregou sua frustração em golpes fortes, porém inúteis.

— Os motivos que você tem para lutar não o farão um bom lutador. O treino o fará.

Ben viu a espada escapulir de sua mão mais uma vez. Nem havia percebido o movimento de Gever, e, de repente, o impacto, e sua espada fora ao encontro das árvores novamente.

O guardião de livros se admirou com a capacidade que Gever demonstrava em manejar a espada. Vê-lo lutar era arrebatador. Uma mistura perfeitamente equilibrada de harmonia e força, de precisão e estrondo. Era um guerreiro espetacular, mas isso o confundia, pois ali não havia batalhas ou inimigos.

Resignado, foi buscar a espada entre os arbustos, sabendo que a ação havia terminado por aquele dia.

Ben tentou colocar em prática tudo o que o homem estava lhe ensinando. Tentava mover a espada como ele fazia, sentindo-a profundamente em seu coração, mas lhe parecia que o progresso estava sendo muito lento.

— Tudo o que você fez até hoje foi lutar como um louco... — avaliou Gever. Então seus olhos brincaram pela primeira vez. — Certamente, é verdade que a sorte, às vezes, protege os loucos... Mas agora precisa aprender a lutar como um guerreiro. A sorte não estará sempre do seu lado.

O jovem aprendiz ainda não conseguia entender qual era a diferença.

— A mente Ben! Não ouviu tudo o que eu lhe disse? Pense... Sinta... Está tudo aí dentro. Abra seus olhos, abra sua mente, reorganize os pensamentos. Mude sua maneira de pensar e mudará sua vida. Todo rio tem uma fonte. As ações começam na mente. Uma fonte poluída não gera um rio cristalino.

Aos poucos, ele foi percebendo que havia, de fato, um tipo de comunicação com a arma. Algo que vinha do seu interior. Uma espécie de contato por instinto, mas sua impressão é que levaria uma eternidade para algum avanço significativo. Tentativa e erro foi uma rotina que se arrastou por dias, isso se fosse possível contar os dias, pois Ben não tinha mais qualquer noção de como o tempo passava em Ganeden. De qualquer modo, pareceu-lhe que demorou muito até fazer a espada atingir com mais precisão os alvos e mudar a direção no meio dos movimentos. Quando, pela primeira vez, conseguiu atacar com grande velocidade e acertou o ponto exato da espada de Gever, fazendo-a se soltar, percebeu que havia progredido. Foi como se soubesse em que ponto precisava atingir para que o instrumento se soltasse e voasse para a floresta.

O treinador ficou satisfeito com a proeza do discípulo. Provavelmente facilitara um pouco o treinamento. Mesmo assim observou que algo estava incompleto.

— Você não é um caso perdido, contudo ainda não está pronto. Há certa indecisão dentro de você; dúvidas tolas que precisam ser eliminadas.

Ben se sentia uma criança ao lado de um adulto. A proporção de tamanho era semelhante a dele com Zamar. Só que agora, perto de Gever, ele é quem tinha o tamanho de Zamar. E provavelmente, também falava de modo confuso.

— Quando estarei pronto? Quando poderei ajudar meus amigos?

As perguntas dele refletiam um anseio profundo. Talvez a lição mais difícil que estava aprendendo era esperar.

— Por que se preocupar com perguntas que ainda não podem ser respondidas?

— Não podem ser respondidas por que não há respostas, ou por que elas não devem ser dadas?

— Há respostas para tudo, mas agora não fariam sentido... Você ainda não está preparado para recebê-las.

— Mas eu já sei manejar a espada...

— Mas ainda não sabe manejar seu próprio coração. Precisa saber controlar suas emoções, seus pensamentos. A maior luta é contra você mesmo. Há algo dentro de você que precisa morrer para que o verdadeiro guerreiro surja.

— Eu preciso ir embora — interrompeu Ben subitamente, colocando-se em pé. — Preciso ajudar meus amigos, ou, ao menos, saber o que aconteceu com eles. Tenho de acordar deste sonho.

— Você ainda não está pronto para voltar.

— Como vou saber quando estarei? — insistiu Ben.

— Só quando você tiver um desapego tão grande dos fatos exteriores que nada impeça ou influencie suas decisões. Quando aprender a morrer para si mesmo, então, estará pronto para viver livremente. Definitivamente, você ainda não está morto... Não o quanto deveria...

— E quando isso vai acontecer? — perguntou, mesmo não entendendo nada do que ele dissera. Afinal estava ou não estava morto? O melhor era viver ou morrer?

— Há um teste. Quando chegar a hora, eu vou lhe mostrar.

Ben se assentou mais uma vez. Gever o olhou com aqueles olhos cinzentos, serenos como as árvores antigas, que eram um convite para que fizesse todas as perguntas, mesmo sabendo que não ouviria todas as respostas. Só o fato de poder fazê-las já era recompensador.

— Por que estão fazendo isso? Por que estão me treinando? Vocês também vão participar da guerra?

— As guerras dos homens não nos pertencem mais. Não podemos sair da floresta. Nossa vida está ligada a estas árvores. Foi-nos permitido viver aqui. Se a floresta for destruída, desapareceremos. Se sairmos, não poderemos mais voltar e morreremos como árvores secas no deserto. Não podemos entrar em suas batalhas; de certo modo, esse nem é o acontecimento mais importante para nós. O que realmente desejamos é ajudar quem vai lutar: você.

— Mas, por que eu? — perguntou Ben assustado com a indicação. — Eu fui escolhido para isso?

— Escolhido? De onde você tirou isso?

— De algum modo, estou aqui... — concluiu o guardião de livros meio sem jeito — só pode ser que fui escolhido pelos deuses para essa guerra... E você disse que eu estava sendo esperado há muito tempo...

O homem riu alto. Foi a primeira vez que Ben o viu rir.

— Não fale bobagens!

Então ele parou de rir e falou com a seriedade de sempre.

— Por que as pessoas sempre acham que precisam ser escolhidas, que precisam ser nobres de nascimento, para fazer algo bom? Só podem fazer coisas especiais se forem especiais? Não deveria ser o contrário? Fazer algo especial porque é a atitude certa a ser tomada? Há uma guerra lá fora... Sempre há alguma... Precisa-se de alguém que esteja disposto a fazer o que é certo. Então pode ser você, ou qualquer outro que tenha coragem. *El*, às vezes, prefere utilizar os mais imperfeitos instrumentos para construir suas maiores obras. Acho que você já ouviu essa frase por aí...

— Sempre acreditamos que, se formos especiais, teremos forças para enfrentar nosso destino... — justificou Ben.

— E por que, em vez de enfrentá-lo, você não o constrói? Por que espera que tudo esteja determinado? Por que não se envolve na tarefa?

— Mas é possível? — perguntou desanimado. — Tudo o que precisamos passar nesta vida já não foi escrito por *El*, como os sacerdotes em Havilá costumavam dizer? Ou somos nós quem decidimos o que devemos ser? Afinal, de quem é a decisão?

— Pela primeira vez você fez uma pergunta que vale a pena de ser respondida — riu Gever discretamente. — No entanto, eu vou lhe responder com outras perguntas: por que ambos os conceitos não podem ser verdadeiros? Será que é necessário eliminar um ou outro? Se *El* definiu seu destino, isso vai acontecer automaticamente, ou cabe a você construí-lo também? Você é uma criatura livre ou um escravo de um destino cego e impessoal? Se foi escolhido, não precisa também se escolher? E no final, suas escolhas e as escolhas de *El* não serão misteriosamente as mesmas?

Ben se calou diante do bombardeio de perguntas que não necessitavam de respostas.

Lembrou-se dos acontecimentos que antecederam o momento crucial em que se perdera dentro de Ganeden. Agora tudo lhe parecia uma malha interligada, como as plantas daquela floresta. Cada acontecimento gerava outro acontecimento. Thamam tinha razão quanto a isso... Mas era apavorante pensar que a vida e as atitudes de todos pudessem estar de tal modo interligadas, a ponto de se influenciarem mutuamente. E ainda mais estonteante pensar que era livre para fazer tudo o que fazia, e, ao mesmo tempo, nada fugia do controle de *El*.

Pela primeira vez, Ben pensou que, talvez, até o fato de ser órfão fosse parte do propósito. A velha pergunta sobre se tudo o que acontecia era pelo destino ou pelo acaso agora parecia ter nova resposta. Talvez fossem ambos. Mas como isso poderia se encaixar na mente humana?

— Todos nós fomos feitos para algo grande — continuou Gever. — Não sentimos isso dentro de nós? Existimos por alguma razão e não deve ser apenas para comer, dormir e morrer, você não acha?

— Mas eu sou um órfão! — os sentimentos antigos despertaram mais uma vez. — Você sabe o que é isso? Eu não tenho ninguém! É disso que estou falando!

Assim que revelou aquilo, Ben se arrependeu. Sempre tentara esconder aqueles sentimentos. Esforçava-se por parecer forte. Naquele momento percebeu que eles o machucavam muito.

O olhar de Gever não demonstrava condescendência. Sua voz foi surpreendentemente fria quando ele falou:

— Está em suas mãos construir uma grande existência, não importa quão longa ou curta seja sua vida, ou quão nobre ou pobre tenha sido seu nascimento. Ou então, siga o caminho das queixas, das lamentações... Se você acreditar, guardião de livros, poderá ser aquele que fará essa guerra tomar outra direção. Porém, um príncipe sem fé não conseguiria isso. Não importa como nascemos, importa como vivemos, e por fim, como morremos. *El* quer usá-lo, por mais indigno que você seja.

— Mas se *El* existe, então por que ele não impede essa guerra?

— *El* quer usar essa guerra para seus propósitos incompreensíveis. Não nos cabe tentar entender ou adivinhar, mas apenas vivê-los da melhor maneira, pois não há outra realidade, nem como fugir disso.

— Eu gostaria que ele não tivesse me incluído nisso...

— Eu também — o homem respondeu, e isso mais uma vez surpreendeu Ben.

— Pensei que você concordasse com *El* em tudo... Achei que...

— Que eu compreendesse tudo? — completou Gever. — Ninguém compreende tudo. Eu apenas decidi confiar. Não escolhemos a época em que nascemos, não escolhemos o mundo em que vivemos, mas podemos confiar que existe alguma razão para tudo o que acontece. Por algum motivo desconhecido, o Criador permitiu que o mal crescesse outra vez nestas terras. Há muito tempo o mal foi subjugado por um poder maior, porém agora está retornando e conquistando adeptos. Sempre existirão traidores e pessoas que sucumbem às tentações e promessas falsas, mas também sempre existirão pessoas corajosas e dispostas a lutar. Não se sinta oprimido pensando que você lutará sozinho. Muitos escolherão o lado certo. Este mundo já viu tantos assim, cujos nomes mereciam ser mais lembrados nas cantigas dos menestréis, entretanto, infelizmente, os maiores feitos realizados frequentemente não têm testemunhas.

— Às vezes não parece haver razões para lutar. Para fazer o bem... O mal sempre leva vantagem. Algumas pessoas vivem poucos anos, outras fazem o bem e só recebem o mal em troca... Muitas são más e nunca são punidas por seus crimes... O mal parece ser maior do que o bem.

— A balança de *El* é a única capaz de detectar o peso de cada ação. Para ele o equilíbrio envolve uma conjunção muito grande de fatores, que são impossíveis para a mente humana calcular. Quer saber? No fundo você sabe a resposta. Lute pelo que você sabe que é certo, busque o bem, e tenha certeza de uma coisa: você nunca se arrependerá. O bem compensa por si mesmo. Por outro lado, faça o mal, se entregue a ele, e você verá que o mal nunca estará satisfeito com o que tem. Ele vai consumi-lo até a última centelha, como a *doce morte,* justamente porque as pessoas querem ser consumidas. Você pode ter o mundo aos seus pés, entretanto sentirá lá no fundo de sua alma que não compensa. O mal é autopunitivo. Se um dia você pisar atrás da cortina das trevas entenderá o que eu estou dizendo... Você acha que é um escolhido? Pois eu lhe digo que você é mesmo. A luz e a escuridão escolheram você.

A última frase causou um sobressalto em Ben. Gever, sem mais explicações, levantou-se e se afastou, deixando o guardião de livros só, porém com dúvidas ainda maiores.

Ben continuou a rotina de treinar com a espada e também com o arco. Isso lhe parecia algo mais simples do que tentar entender os motivos ou razões de *El*. Tentava não pensar em mais nada, e esforçava-se por ignorar o quão inútil lhe parecia fazer aquilo.

Outros irins se juntaram ao seu treinamento e o acompanhavam durante as ausências de Gever. Um deles, o que parecia o mais jovem, era tão sóbrio e comedido quanto Gever, porém nunca tirava o turbante baixo da cabeça, e parecia ter a mesma idade de Ben. Eles o chamavam Bahur.

Bahur era o responsável por levar Ben para ter lições com as árvores. Ele era muito apegado às árvores. Ben gostava de andar com o jovem irin por entre os troncos grossos e lisos que subiam às alturas. Todas as árvores tinham nomes e Bahur sabia coisas impressionantes sobre cada uma delas: a família a que pertenciam, de quem eram filhas, de onde se originavam, se haviam chegado ali por migração, quais as principais qualidades que exibiam, do que gostavam mais...

Ele falava delas como se fossem pessoas.

Na região das árvores mais antigas da floresta, os troncos eram muito grossos, mas os galhos já não tinham tanta força para subir às alturas e se arqueavam com o peso das Eras. As cascas eram enrugadas, descoloridas e recobertas de musgo. Ben reparou que, na verdade, assemelhavam-se às pessoas idosas. Aquele era o lugar da floresta de que Ben mais gostava. Havia uma serenidade contagiante ali. Uma paz inexplicável.

Bahur se aproximava das árvores e colocava as mãos sobre cada uma delas. Depois fazia marcas em algumas.

— Por que você as está marcando? — perguntou Ben sem disfarçar a curiosidade.

— Minha função é descobrir as necessidades delas para informar Gever — explicou Bahur. — Algumas precisam apenas de um pouco mais de sol, pois seus galhos já não conseguem chegar às alturas, outras têm sérios problemas nos caules e nos troncos, causados pelas tempestades e mudanças no solo, além das que se sentem solitárias, pois suas raízes são muito grossas e já não conseguem se ramificar e se encontrar com as demais. As últimas são as que mais precisam de cuidado, pois o isolamento é uma das piores situações para qualquer ser vivo.

— Elas têm sentimentos? — perguntou com incredulidade, lembrando-se do modo como Tzizah falara sobre as bétulas.

— É claro que têm. Todos os seres vivos têm sentimentos. Diferentes uns dos outros, mas todos, de algum modo, sentem, percebem e entendem o mundo em que vivem... Eu vi estas árvores nascerem. Não gostaria de vê-las morrer. Por isso, minha função é cuidar delas, e de certo modo, elas também cuidam de mim. Nossa existência está ligada à delas, por isso, quanto mais elas viverem, mais nós também viveremos.

— Quantos anos você tem? — perguntou Ben, com admiração.

— Eu não sei — respondeu Bahur. — Isso é importante?

— Você é mais velho do que estas árvores?

— Em comparação com o tempo da existência do universo, estas árvores são bem jovens. Eu também sou... Quando eu nasci, outras estrelas brilhavam no céu — disse olhando para o alto onde as estrelas começavam a aparecer no céu ainda iluminado. — Elas se apagaram... Eu sinto falta delas. Mas dizem que quando Gever nasceu, nem havia ainda estrelas no céu.

Ben arregalou os olhos.

— Isso é uma brincadeira, não é?

— Brincadeira? — perguntou Bahur com seu tradicional estilo sóbrio.

Quanto mais o tempo passava, mais Ben se envolvia com o estilo de vida dos irins. Procurava observar e absorver a sobriedade deles, o modo calmo e harmônico como agiam, realizando todas as tarefas como se elas tivessem a mesma importância. Debaixo daquelas árvores, o tempo não contava. Tudo lá fora podia mudar, mas ali dentro, nada mudava. Mil anos podiam passar, mas os troncos, os galhos e as folhas eram sempre os mesmos, graças ao trabalho dos irins.

A espada aos poucos se tornou um instrumento mais fácil de manejar. O arco também. A habilidade do guardião de livros aumentava cada vez mais.

Duas cerimônias eram realizadas todos os dias pelos irins. Ao nascer e ao pôr do sol, eles ficavam juntos diante do templo branco e levantavam silenciosamente as mãos para o céu. Ben os observava sem entender a razão do ritual, porém percebia que toda a floresta parecia silenciar enquanto eles levantavam as mãos. Quando perguntou o sentido do ato, Gever não respondeu, apenas o chamou para participar. Ben atendeu ao chamado; porém, enquanto participava, sentiu-se um tolo. Tão tolo como quando dançou animadamente com Zamar ao redor da fogueira, mas ao mesmo tempo, tão feliz como naquele dia... estranhamente feliz. O silêncio que se estabeleceu dentro de si enquanto levantava as mãos foi inexplicável, porém recompensador.

Ben notava que os dois povos da floresta eram muito diferentes. Um era festivo e brincalhão, o outro pensativo e sóbrio, mas ambos tinham um ponto em comum. Tinham consciência de seus potenciais e os viviam plenamente sem excesso de responsabilidade ou culpa. No entanto, ainda não conseguia entender a relação entre eles.

Ao mesmo tempo, a paciência que os irins cultivavam, dava a Ben uma noção dolorosa de que o tempo continuava passando. Seus cabelos estavam cada vez mais compridos e sua pele totalmente recuperada da experiência com a doce morte.

Bahur ensinou Ben a técnica de sentir com as mãos as necessidades das árvores. No início, talvez por sua incredulidade, ele não conseguia ouvir nada. Aos poucos, porém, começou a ter a impressão de ouvir sussurros lentos e incompreensíveis. Não eram palavras. As árvores não falavam com linguagem objetiva. Tudo era subjetivo: sentimentos que se expressavam de maneira não racional. De algum modo, Ben soube que podia entendê-las graças ao conhecimento intuitivo recebido no Palácio de Gelo, embora a palavra que melhor poderia descrever esse processo não fosse "entender", mas "sentir".

Ao colocar as mãos sobre os troncos das árvores milenares, Ben se sentiu tomado de estranhas sensações. Podia perceber a teia da vida através de suas infinitas interligações, como os incontáveis entrelaçamentos das raízes abaixo da superfície. O fluxo da vida percorrendo como seiva todos os lugares, renovando todas as coisas. A paciência em esperar que tudo tivesse seu tempo, e que crescesse conforme as estações e os recursos disponíveis. A resistência às intempéries e a capacidade de se restaurar de severas condições. Entendeu como as árvores e os irins se influenciavam mutuamente. De onde vinha a paciência e a determinação para superar todos os obstáculos e viver plenamente cada segundo, mesmo que insignificante diante da eternidade que eles possuíam.

Daquela vez, demorou muito até que Gever retornasse. Ben até imaginou que ele não mais retornaria. Mas, certo dia, lá estava ele outra vez com seus olhos compreensivos e, ao mesmo tempo, misteriosos. Gever o levou até uma clareira bem no meio da floresta. O jovem aprendiz pensou que fossem treinar e, na verdade, estava ansioso por testar suas habilidades com Gever, mas a intenção do rei da floresta era outra.

Estavam num campo aberto cercado de árvores. O clarão formava uma estrela cheia de pontas. Várias trilhas partiam das pontas, semelhante a um entroncamento de estradas.

Ben já vivia tempo suficiente na floresta para discernir as passagens. No início, ele não fazia a mínima ideia de onde elas estavam, mas após todo aquele período de treinamento e meditação, seus olhos mostravam-se aptos a distingui-las, apesar de que tinha a sensação de não as ver realmente com os olhos. Parecia que algum mecanismo dentro de sua cabeça, na parte de trás, era ativado quando estava diante de uma passagem, embora não soubesse para onde conduzia.

— Daqui é possível ir para praticamente qualquer lugar — explicou Gever. — Muitas passagens nós ainda não exploramos.

— Estão aqui há todo esse tempo e ainda não exploraram tudo?

— Há muitas ramificações e desdobramentos — explicou Gever. — É praticamente impossível entender todo esse complexo... Se já soubéssemos tudo, que graça teria?

— O que você pretende?

— Fazer uma viagem. Vai ser longa. Você precisa ampliar sua mente. Tem relação com nossa última conversa. Você lembra? Você disse que o mal parece ser maior do que o bem. Então, eu quero lhe mostrar algo que, talvez, mude sua visão de mundo.

A expressão "viagem longa" assustou o guardião de livros, pois ainda sentia uma pressa dentro do seu coração, um desejo de retornar logo para o mundo dos homens. No entanto, seguiu o irin, pois também queria ficar mais tempo ao lado dele.

Gever escolheu aleatoriamente uma passagem, não parecia ter nada de especial. Adentrou e foi seguido por Ben. Instantaneamente eles não estavam mais ali.

Se a intenção do homem era fazer Ben ampliar a mente, sem dúvida nisso ele foi bem-sucedido, mas também o ajudou a ficar ainda mais perplexo. A viagem fez com que o guardião de livros soubesse que aquela floresta era infinitamente maior do que ele podia imaginar, ou talvez, nem estivessem mais realmente dentro dela, poderiam ter tomado uma passagem para outros mundos ou outras esferas.

Ben descobriu que os homens baixos e os altos não eram os únicos habitantes ali. Havia diversas civilizações que pareciam existir sobrepostas. Não sabia dizer se eram do passado ou do futuro, ou talvez, o tempo não fizesse diferença naquelas esferas. Gever e Ben as enxergaram de longe, passando diante delas como se estivessem olhando as janelas dos edifícios costeiros de Bethok Hamaim.

Gever contou que não recebera permissão para acessar as habitações daquelas civilizações. Disse que um dia eles entrariam para aquelas esferas inacessíveis também, e até mesmo o povo de Zamar, mas isso levaria muito tempo. A sensação de Ben é que viajaram por muito tempo, entrando e saindo dos túneis secretos, contemplando povos e civilizações.

Quando retornaram da viagem, Ben percebia que sua mente não era suficiente para armazenar tantas informações. Foi uma viagem calma e sem nenhum percalço, semelhante a tudo o que os irins faziam, mas Ben sentiu algo parecido com a experiência de ouvir o Kadim com Zamar.

— O mundo é muito grande — foi tudo o que ele conseguiu dizer após aquela experiência.

— O bem é muito grande — corrigiu Gever. — É o início e o fim de tudo. Um dia será concedido aos homens saber como resolver o problema do mal. O mal parece ser muito poderoso neste mundo, mas no fundo é um intruso, um parasita que consome seus adeptos e os mantém eternamente sedentos e famintos. O bem é a realidade última. Todas essas civilizações, se é que poderíamos chamá-las assim, cada uma delas é muito maior do que o império dos shedins.

— Mas, então, por que não se unem para extirpá-lo de uma vez?

Gever olhou para Ben e parecia haver certa decepção em seu olhar, como se ele acreditasse que os ensinamentos passados tornassem aquela pergunta desnecessária.

— Eu já disse. Mesmo o mal serve aos propósitos de *El*. Nas trevas a luz brilha mais. Extirpar os shedins não adiantaria nada. Não agora. O mal está dentro de cada ser humano.

Gever disse isso e, então, outra vez deixou Ben sozinho no meio da floresta com seus pensamentos conturbados. Ele gostaria que as explicações fossem mais diretas, porém, era como se o homem deixasse tudo no ar. Cabia a Ben entender ou não.

— As respostas verdadeiras nunca são diretas? — perguntou Ben para as árvores.

Elas não responderam, apenas balançaram as folhas com a suave brisa.

Ben percebeu que intuitivamente sempre tomava a direção das árvores mais antigas da floresta. Elas lhe transmitiam sensações que as árvores mais jovens não conseguiam. Em alguns lugares, as raízes gigantes não se satisfaziam em ficar embaixo da terra e se espalhavam pelo solo, criando túneis da altura de Ben. Ele treinava sozinho, sentindo-se observado por aquelas árvores que haviam visto o amanhecer do mundo e provavelmente também veriam o ocaso. Suas mãos estavam calejadas de tanto manejar a espada. Ela realmente parecia uma parte de seu corpo agora.

Quando, tempos depois, Gever lhe disse que sua estada havia chegado ao fim, Ben até sentiu um pouco de receio. Uma parte dele não queria mais ir embora. Não sabia que mundo encontraria lá fora. O caminho da iluminação, seus amigos, Olamir, a guerra, tudo poderia fazer parte de um passado distante.

— Chegou a hora do teste de que lhe falei — Gever afirmou, quando deixaram uma passagem que os levou até uma parte da floresta que Ben conhecia. O lugar não lhe trazia boas recordações.

Ben parou diante do paredão de trepadeiras. Uma sensação estranha tomou conta de seu corpo quando ele olhou para as plantas. Fazia tanto tempo desde que ele estivera ali, naquela segunda noite, quando se perdera e se envolvera com os ramos da *doce morte*. Mesmo assim, ainda havia algo lá que o atraía, apesar de ele saber que entrar era suicídio.

— Se tiver força de vontade para sair sozinho, é porque está pronto. Se não tiver, não estará — disse Gever com seu tom sereno de sempre.

Ben olhou assustado para Gever, esperando que ele estivesse brincando, mas a expressão do homem era de absoluta seriedade. E ele nunca brincava mesmo.

— Mas por que preciso ser testado em algo que está além das minhas forças?

— Não há vitória sem sacrifício. Se não aprender a abrir mão de si mesmo, não poderá triunfar nas batalhas que o esperam.

Uma parte dele ansiava entrar naquele paredão, mas agora que sabia que tudo aquilo era uma estratégia das plantas, outra parte não desejava. E tinha quase certeza de que não teria a força de vontade suficiente para sair.

Ben caminhou em direção ao paredão sentindo todo o frio do ambiente à sua volta mais uma vez. Ele sabia que as plantas já estavam agindo, criando um clima hostil e desagradável, justamente para contrastar com o bem-estar que proporcionavam dentro da cortina. Quanto mais próximo do paredão, mais a sensação de vazio e tristeza aumentava.

Alcançou o paredão e parou a poucos centímetros dele. Tudo o convidava para entrar. Obedeceu. Quando ele adentrou, sentiu imediatamente aquela primeira sensação de conforto. O frio e o vazio ficaram para trás. Um calor agradável percorreu toda a superfície de seu corpo e seus pelos se arrepiaram. Os ramos o envolverem com gentileza. Era uma sensação de carinho, como ser puxado e acariciado pelas mãos da mulher amada. E agora que já conhecia a sensação, ele a desejava ainda mais.

As plantas começaram a injetar as toxinas em seu corpo. As fagulhas de prazer percorreram cada parte de seu organismo. Ele repetia para si mesmo, falando em voz alta, que precisava sair dali, mas suas palavras haviam mudado. Ele estava dizendo para si mesmo que precisava ficar, pois era o único lugar que desejava estar, e queria receber tudo o que as plantas tinham para lhe oferecer.

Sabia que a troca já estava acontecendo. As plantas injetavam a toxina do prazer e simultaneamente absorviam sua vitalidade. E tudo o que ele mais queria era ser consumido inteiramente por elas. Queria que seu corpo e espírito alimentassem toda a floresta. Seria um pouquinho de tudo, alimentaria a malha interligada de vida.

Ben encontrou em algum lugar de sua mente um último resquício de sanidade. Gritou para si mesmo que precisava sair dali. Suas mãos se movimentaram e seus pés também. Ele teve a sensação de que conseguiria abandonar tudo aquilo. As plantas o envolveram com maior pressão. Uma pressão carinhosa. Sentiu uma dose dobrada daquela toxina sendo injetada em seu corpo. Foi puro êxtase. Toda a resistência acabou. Não havia mais protesto, apenas submissão. Ele se entregou, desejando mais do que tudo ser consumido inteiramente.

Sua mente parecia estar se desmanchando, mas mesmo assim, de algum recôndito, veio a lembrança de Leannah e Adin, e da responsabilidade que tinha de encontrá-los e levá-los de volta para Havilá. Lembrou-se do Kadim falando deles, enquanto eram açoitados pelas ondas. Sentiu vergonha de si mesmo. Não podia abandoná-los. Ele se lembrou de Enosh, e de toda a confiança que depositara nele, e de seu sacrifício. Porém, todas essas responsabilidades não mudavam o desejo que havia dentro de si de ficar ali. Não eram suficientes. A força que o prendia era mais forte.

"Eu vou ficar", disse para si mesmo. "Aqui é meu lugar".

— *Não há vitória sem sacrifício.* — As palavras de Gever o alcançaram dentro do paredão. Talvez ele estivesse dizendo essas palavras do lado de fora.

— *Viver morrer, morrer viver.* — Parecia que Zamar estava ali com sua estranha filosofia.

— *Não há ação sem reação!* — Thamam também estava ali? A sensação foi de ouvir sua voz.

— *O mundo é um lugar mágico, Ben.* — disse Enosh, sorrindo de algum lugar do passado.

Então Ben clamou. Um clamor para que *El* o ouvisse através da noite escura. No fundo do seu ser ele sentiu que havia uma busca interior, uma busca pelo sentido da vida; sabia que nada o satisfaria enquanto não o encontrasse. Esse era o objetivo do caminho da iluminação do qual ele se desviara.

Como um pássaro vencendo a tormenta e se lançando num voo solitário sobre os altos montes, ele se sentiu flutuando sobre os picos brancos, ansiando por chegar a algum lugar onde pudesse pousar, e sua alma descansar, esquecendo-se das tormentas, da dor e da escuridão, e simplesmente ser aquilo para o que foi feito.

Subitamente Ben entendeu. Parou de fazer de conta que estava lutando. Nunca estivera realmente. Imediatamente algo em seu corpo bloqueou a transferência da toxina. Tudo estava em sua mente. Ele entendeu que as plantas só injetavam as toxinas enquanto ele as desejasse. De certo modo, não eram as plantas que injetavam, mas ele quem as absorvia. Ele precisava morrer. Morto, não haveria desejos destruidores. Controlar a mente era morrer para os pensamentos que o impediam de ser um homem verdadeiro.

— Eu preciso morrer — disse. — Eu estou morto!

Inesperadamente, Ben não sentia mais prazer algum em estar naquele lugar. Percebeu que era tudo uma ilusão. Mesmo muito fraco, jogou-se para frente e sentiu as plantas se desligarem de seu corpo. Elas o soltaram. Não eram mais carinhosas, eram frias e indiferentes. Não ofereciam nada realmente em troca, só queriam consumi-lo. Ele caiu do lado de fora do paredão.

Quando Gever o ajudou a se levantar, a floresta parecia insossa e sem vida mais uma vez, mas havia paz em sua alma.

Ele sentiu o unguento fazendo efeito e renovando sua pele. Tinha vencido a batalha contra as plantas, mas não sem marcas. Ele olhou para sua pele esbranquiçada e pensou que seria bom carregar algumas marcas por toda a vida. Ajudariam a lembrar de que não podia confiar em si mesmo.

Os irins o ungiram da cabeça aos pés com um óleo que emitia uma fragrância muito agradável. Ben sentiu um fluxo de vida percorrer todo o seu corpo e chegar até sua mente. Ao mesmo tempo, parecia que as plantas haviam tirado algo dele, algo que não fazia falta. Ele sentiu dentro de si, no silêncio de sua alma, que não estava mais lá. Era aquela velha sensação de ansiedade, aquele barulho terrível que sempre o incomodava na hora das decisões. Era o velho lobo. E agora algo novo estava acontecendo. Uma transformação. Nos compartimentos secretos de seu coração, uma onda de luz começou a abranger tudo. Devia haver algo especial naquele óleo.

Quando Ben acordou, o povo de Gever estava reunido em frente ao resplandecente templo branco, com suas torres finas apontando para o céu. Gever, com a coroa de ramos, estava diante deles. Suas roupas reais também resplandeciam. Os irins formavam lado a lado um longo corredor que conduzia até uma passagem numa das laterais do templo.

Ben soube que havia chegado a hora de partir. Mesmo desejando ir embora, não conseguiu evitar as lágrimas.

Gever o acompanhou pela passagem até o ponto em que o guardião de livros e seus companheiros haviam entrado naquela noite, quando os cavaleiros-cadáveres os espreitaram. Ele parou a alguns metros da borda, o suficiente para enxergar o exterior, mas não para ser visto de fora. Então Gever lhe entregou uma armadura. Num primeiro momento, Ben até pensou que fossem apenas roupas, mas depois viu os fios semi-dourados entrelaçados e as partes que a compunham. Era belíssima e parecia bastante leve. Ao sol, partes da armadura brilhavam como ouro.

A espada, entretanto, ele disse que precisava ficar ali. Ela se juntaria às outras espadas. Porém, lhe devolveu o arco.

— Vá, guardião de livros! Seja aquilo para o que você foi feito.

— Posso voltar algum dia? — perguntou Ben antes de encarar outra vez o céu aberto.

— Nunca nos acharia — respondeu condescendentemente o rei da floresta.

Com um aceno de mão, Ben se virou e deixou Ganeden.

O antigo príncipe dos kedoshins permaneceu um longo período parado, olhando o guardião de livros retornar para o tempo dos homens.

19 O farol de Sinim

13 de Bul, do ano 2042 após o estabelecimento do Olho de Olam.

Faltavam dois dias para a invasão. Olamir estava sob tensão. O temor e a desconfiança haviam tomado conta de todos. A guerra era inevitável.

O exército de Nod já chegara. Essa havia sido a única boa notícia. Era pouco. Os exércitos das outras cidades estavam sendo ansiosamente aguardados. Estavam atrasados. Desconfiava-se que não viriam.

Depois de vários dias de acirrados embates, nos quais todas as leis de Olamir foram testadas até o limite, acabara, de maneira trágica, o mais terrível julgamento da história da cidade.

Todos os sacerdotes encontravam-se, naquele momento, reunidos junto à grande muralha, aguardando que o primeiro raio de sol tocasse o alto da torre do Olho para o cumprimento da pena. Em dois mil anos, este seria o primeiro banimento.

O sol estava atrasado, como se não quisesse participar daquilo. Uma camada de escuridão tornava o horizonte mais elevado. Estavam esperando Shamesh ultrapassá-la.

Quatro homens achavam-se sobre o posto de observação praticamente na quina da muralha, no ponto mais alto sobre o abismo. Thamam havia sido despojado das vestes e da coroa e forçado a trajar roupas de prisioneiro. Suas mãos foram amarradas e sua barba, cortada. Uma faixa escura cobria seus olhos. Agora todos podiam ver que o único descendente homem de Tutham era apenas um velho frágil.

Diante dele, Har Baesh segurava uma grande pedra shoham, e seus olhos refletiam o brilho do fanatismo. Quando o sumo sacerdote percebeu que o sol se aproximava, começou a ler a sentença.

"Por teres cometido a mais terrível traição, tu foste condenado ao banimento. Por teres desejado o fim de Olamir, tu foste condenado a vagar pelos antros da perdição. Por teres arquitetado um terrível plano para lançar este mundo em trevas perenes, o Abadom se abrirá, receber-te-á e te devolverá todas as trevas do teu coração".

As três célebres negativas ecoaram do alto das muralhas:

"Não há misericórdia para os infratores".

"Não há compaixão para os desertores".

"Não há apelação para os traidores".

Todo o povo de Olamir olhava atônito para os homens no alto da muralha. Havia um silêncio angustiante entre os observadores. Nunca haviam visto um banimento. E jamais poderiam imaginar que um dia veriam um Melek ser banido.

"O Abadom será teu lar eterno; junto às piores e mais amaldiçoadas criaturas tu descerás para os abismos da perdição". — A voz de Har Baesh continuou ecoando e fazendo os observadores se encolherem.

Então, vieram as três palavras condenatórias:

"Eu te amaldiçoo em nome de *El*";

"Eu te condeno a um estado sem apelação";

"Eu te expulso para as trevas eternas".

Os dois homens posicionaram Thamam.

Abaixo do posto da guarda, o precipício caía até o deserto a centenas de metros.

Nesse momento, a venda dos olhos de Thamam foi tirada. Ele visualizou o povo de Olamir à sua frente. Dois olhos tímidos lhe chamaram a atenção em meio à multidão. Era o jovem loiro Anamim, o aprendiz de lapidador. Havia remorso no olhar dele.

Dando as costas para o povo da cidade, Thamam se voltou para o deserto e o viu cheio de soldados das trevas e de todo tipo de maquinário de guerra. Era só uma visão, mas ela adiantava o que logo se tornaria realidade.

Naquele instante, o primeiro raio do sol tocou o alto da torre do Olho e repercutiu no ponto exato da muralha onde Har Baesh segurava a grande pedra shoham.

Os dois homens lançaram Thamam do alto da grande muralha branca. Ele despencou para o vazio, levando consigo todos os seus muitos segredos.

O último pensamento que passou pela mente do décimo sexto e último Melek de Olam, enquanto caía no abismo, é que o que estava acontecendo com ele era justo. Algum dia precisaria mesmo pagar pelo que fizera com Tzillá, sua filha. Não havia ação sem reação.

— Abra-se o Abadom! — gritou Har Baesh do alto da muralha.

No mesmo instante, a luz da pedra em suas mãos mergulhou atrás do Melek e o alcançou. Thamam desapareceu das vistas de todos, mas continuou caindo para dentro da escuridão.

* * * *
* * * * *

As ondas quebravam gentilmente a alguns metros da praia. Depois, chegavam mansas até os pés dos náufragos, imergindo-os na água morna. Então, subitamente pareciam se agitar e agarravam-se aos tornozelos como se não quisessem voltar para as profundezas.

O barco havia encalhado na praia deserta após ter sido conduzido até ali, todo avariado, pela corrente marítima. Adin, mesmo debilitado, conseguiu sair e caminhar sozinho, dirigindo-se à praia. Depois, Leannah e Tzizah carregaram os dois homens feridos para fora do barco. Foi só com extrema dificuldade que conseguiram arrastá-los até a areia branca e fofa, enquanto as ondas baixas ainda molhavam seus pés.

— Eles precisam de uma das pedras curadoras de Olamir — disse Tzizah angustiada, percebendo que o estado de ambos havia piorado. — Não vão suportar por muito mais tempo. Os ferimentos estão infeccionando.

Estavam todos exaustos quando completaram a tarefa de retirá-los do barco. Por um momento, ficaram assentados sobre a areia, contemplando sem esperança o azul calmo do mar. Coqueiros balançavam ao vento e gaivotas sobrevoavam a praia. Era um lugar paradisíaco. Porém, o estado de exaustão em que se encontravam era tal que não conseguiam enxergar beleza em nada.

Leannah olhava para a praia calma, mas o que via ainda eram as terríveis cenas da noite anterior. Os cavaleiros-cadáveres, a vila destruída, o tartan, a tempestade, os marinheiros mortos pelas criaturas. Quase não podia acreditar que estavam ali depois de tudo. O que num determinado momento lhes havia parecido totalmente impossível, acontecera: conseguiram superar todos aqueles obstáculos e agora encontravam-se nas Terras do Além-Mar, onde poderiam completar Derek-Or. Porém, não havia motivos para comemorar. Sofreram grandes perdas e, entre os sobreviventes, havia dois homens morrendo. Além disso, não sabiam em que parte daquela região estavam.

— Precisamos procurar ajuda — disse Tzizah tentando mostrar ânimo, ignorando que os feridos não tinham condições de andar, e de modo algum poderiam deixá-los ali sozinhos.

Para alívio de todos, não demorou até que alguém aparecesse na praia. Provavelmente o barco havia sido avistado enquanto ainda se aproximava da costa. Várias pessoas vestindo esvoaçantes roupas de seda e usando pesada maquiagem em volta dos olhos foram ao encontro dos náufragos. Carregavam duas liteiras.

— Graças a Elyom vocês chegaram! — disse um dos homens, exatamente as mesmas palavras que Leannah estava prestes a pronunciar. — Esperávamos ansiosamente que alguém do Poente chegasse aqui. A rainha mandou escoltá-los.

Sem entender como é que podiam ser esperados, eles foram conduzidos para a cidade de Urim, que ficava aos pés do grande farol. Lá havia um porto. Deveriam ter sido conduzidos justamente para aquele lugar, na noite anterior, caso não tivessem sido arrastados para o desfiladeiro.

Os viajantes de Olam encontraram nas terras do Além-Mar um poderoso reino em declínio. Em tempos remotos o comércio havia sido intenso entre Sinim e o Poente, que era como eles chamavam Olam, mas com o passar dos anos, diminuiu por várias razões. A travessia através do golfo foi se tornando cada vez mais perigosa e, naquela região, a fronteira com Hoshek ficava exatamente sobre o mar, de modo que o território não era confiável.

As construções, entretanto, comprovavam que Sinim já fora um importante centro de conhecimento, mais importante até do que Olam. Isso havia sido antes de Olamir aprender a técnica de lapidação das pedras com os kedoshins. Uma longa dinastia de reis construíra grandes obras através de todo o extenso país. Muitas dessas maravilhas ainda existiam, como o grande aqueduto que trazia e purificava a água do mar, o imenso jardim botânico que abrigava praticamente todas as espécies de plantas do mundo, usadas principalmente para fins medicinais, e, é claro, o farol.

Sem poder utilizar as pedras, Sinim tivera que aprender outros meios de se defender e de desenvolver sua civilização. Esses meios, por sua vez, eram dominados apenas pela rainha e seus altos conselheiros. Chegaria o dia em que esses segredos seriam cruciais para a sobrevivência de Olam, mas naquele dia, quando os náufragos chegaram à costa de Sinim, isso ainda estava longe de acontecer.

Urim, a principal cidade de Sinim, era diferente de tudo o que já haviam visto. Os edifícios baixos e quadrados pareciam ter sido simetricamente construídos. A maioria deles tinha uma cúpula branca ondulada como telhado. Parecia uma cidade de conchas do mar, que reluziam ao sol do meio-dia.

Shamesh iluminava fortemente a cidade após a noite tempestuosa, mas ainda havia poças de água por todas as ruas. Os cidadãos de Urim, vestindo roupas de seda e exibindo suas tradicionais maquiagens pesadas, tratavam de limpar a cidade.

Os feridos foram levados para um lugar onde receberiam tratamento. Leannah e Tzizah foram conduzidas para o palácio da rainha.

As duas admiraram-se diante do grande palácio quadrado com quatro torres finas e altas em cada uma das laterais. O teto formava um domo ondulado, qual uma gigantesca concha do mar. Isso transmitia uma sensação de grandiosidade. Leannah conseguia entender os detalhes arquitetônicos aplicados na obra, bem como a antiguidade deles. Uma planta desse palácio estava armazenada em algum lugar de sua memória, mas vê-lo com os próprios olhos era uma experiência incomparável.

A escolta as conduziu por um corredor até o interior do palácio. Nas paredes elas viram grandes escudos enfileirados que pareciam ser de ouro batido. Também havia escudos menores, de bronze polido. Finalmente chegaram a um suntuoso salão redondo cheio de ornamentos, onde as viajantes precisaram esperar até que a rainha pudesse recebê-las.

Afrescos nas paredes exibiam imagens dos antigos reis e também de batalhas épicas. Havia muitos escritos entre as figuras dos afrescos que relatavam as histórias ilustradas, mas as línguas eram desconhecidas até mesmo dos habitantes de Sinim.

Leannah se aproximou cheia de admiração. Podia perceber que eram poesias, pela disposição das frases e das estrofes. Talvez fossem cânticos narrando os feitos antigos do poderoso reino de Sinim. Ela sentiu um desejo de ler aqueles afrescos. Algo lhe dizia que, se fizesse um esforço, poderia lê-los. O conhecimento daquelas línguas estava depositado em sua memória devido aos presentes do caminho da iluminação. Ela aspirou o cheiro da tinta antiga que ainda emanava e, então, o conhecimento foi despertado.

Leannah leu em voz alta o que parecia ser um hino à sabedoria do rei:

> Ninguém pode deter o fluxo das eras
> Que, como as marés, sobem e descem;
> Ninguém pode entender o que espera
> Aos que da sabedoria se esquecem.
>
> Exércitos numerosos são incapazes
> De vencer esse poder avassalador
> Magos não sabem ler todas as fases
> Do verdadeiro saber perscrutador.
>
> As águas que marretam nos penhascos
> Não a conseguiriam mover de lugar
> Nem susish e seus poderosos cascos
> Poderia a sabedoria real destronar.

Os arautos as convidaram a adentrar o salão real e Leannah interrompeu a leitura. As duas jovens de Olam atravessaram outro corredor pisando um assoalho xadrez brilhante, nas cores rosa e branco. Tapetes grossos com desenhos de batalhas forravam o chão em vários lugares.

O trono real ficava no meio do salão central, sob o teto ondulado e semitransparente. Era de marfim, com partes recobertas de ouro. Havia fulgor sobre ele e em volta dele. Uma luz descia do teto semi-transparente e se projetava sobre o trono, destacando-o e dando a impressão de que tinha luz própria. Tinha sete degraus que, como círculos, se elevavam. De ambos os lados havia braços junto ao assento e dois leões de bronze ladeando os braços causavam a impressão de que saltariam sobre as pessoas que se aproximavam.

Uma mulher encontrava-se sentada no trono de Sinim. A silhueta esguia sobre o trono causava um contraste estranho. Ela estava com a cabeça baixa e a expressão de seu rosto demonstrava preocupação. Quando ela as avistou, fez sinal para que se aproximassem. As duas garotas caminharam cautelosamente até a base do trono e pararam respeitosamente. Não sabiam se deviam fazer alguma reverência; mesmo assim, inclinaram a cabeça.

Então perceberam que a mulher era bastante jovem para ser uma rainha. Usava uma coroa fina na cabeça. Grossos colares de pérolas lhe adornavam o pescoço longo e esguio. Seus cabelos eram claros. Seus olhos eram verdes como o mar que contornava Sinim. A maquiagem escura os destacava ainda mais. A combinação formava um rosto muito bonito, e, ao mesmo tempo, frágil.

— Ó, Rainha Chozeh — um dos homens que as escoltaram as apresentou. — Trigésima segunda soberana de Sinim, aqui estão representantes do Poente, trazidos pelo mar.

— Trigésima segunda! — sussurrou Tzizah. — Thamam é só o décimo sexto de Olam.

Ela se levantou do trono e desceu até o nível de Tzizah e Leannah. Havia algo especial nela. Mesmo que não tivesse sido apresentada como rainha, só de olhar para a jovem, podia-se perceber uma aura de majestade, mas ainda estava muito longe do que se esperava ver em uma rainha.

— Então vocês sobreviveram ao desfiladeiro? — ela perguntou. Tinha uma voz suave, quase infantil, mas ao mesmo tempo, séria e não muito receptiva. Era a mais alta das três — Eu vi vocês enquanto lutavam com a tempestade e depois com as criaturas da noite.

Leannah e Tzizah assentiram. As duas não souberam o que dizer. Não entendiam como a rainha podia tê-los visto no meio do mar tempestuoso. Não havia pedras shoham em Sinim.

— É a primeira vez que temos notícias de alguém haver sobrevivido ao ataque no desfiladeiro da morte...

— Nem todos que estavam conosco tiveram a mesma sorte... — disse Tzizah. — Toda a tripulação foi dizimada.

A rainha assentiu com uma expressão de pesar.

— Venham comigo. Vamos cuidar dos seus feridos. O tempo é muito curto.

A jovem soberana de Sinim acessou um longo corredor recoberto de grossos tapetes e caminhou até uma sala onde Kenan, Adin e Kohen estavam deitados. Eles tinham uma fina película de óleo sobre o corpo. Estavam envoltos por um tipo de sudário. Só o rosto ficava descoberto.

A rainha se aproximou das macas e olhou para os homens feridos. Especialmente Kenan e o marinheiro seriam alvo de sua atenção, mas inicialmente ela se aproximou de Adin. O garoto, ao vê-la, arregalou os olhos, fascinado por sua beleza.

Chozeh colocou as mãos delicadamente sobre a testa de Adin e permaneceu poucos instantes com os olhos fechados. Em seguida retirou-as.

— Este aqui já está bem. Suas queimaduras foram doloridas... Eu pude sentir a sua dor... Mas não são muito profundas. E o unguento agiu bem... Não precisa de mais tratamento, apenas de repouso.

Então, ela se aproximou de Kenan e repetiu o procedimento. Porém, ficou vários minutos com as mãos sobre a testa do guerreiro. Algo estava acontecendo porque Kenan começou a suar. Parecia que sua pele estava muito quente. Depois de um longo tempo, a rainha retirou as mãos.

— Foi muito grave... Por muito pouco ele não morreu. A lâmina perfurou o abdômen e foi muito próximo do estômago... Teria sido fatal... Mas ele vai ficar bem... Pelo menos fisicamente... Eu consegui retirar a infecção interna... Porém, nada posso fazer quanto aos pensamentos sombrios que o assolam...

As garotas ouviam as explicações, mas era difícil acreditar no que ela estava fazendo. Podia curá-los com as mãos?

Finalmente, a rainha se dirigiu ao marujo. Os ferimentos se destacavam apesar dos panos. A pele ao redor das mordidas estava branca e esponjosa. Um líquido amarelado brotava como espumas que se soltavam das batidas do Yam Kademony nas rochas. A rainha de Sinim colocou suas mãos delicadas sobre a testa dele. Então, todo o corpo de Kohen tremeu. Em seguida, a rainha também começou a tremer. Ela ficou o dobro do tempo que havia permanecido com as mãos sobre Kenan. Uma luta parecia estar sendo travada. Por fim, retirou as mãos. O rosto de Chozeh estava pálido. Ela parecia enfraquecida.

— Infelizmente não posso garantir que ele sobreviva — disse com uma voz cansada. — Fiz tudo o que era possível, mas os ferimentos foram profundos e estão muito infeccionados. Nas próximas horas saberemos se o socorremos a tempo ou não.

A rainha lavou as mãos numa bacia de ouro que um assistente lhe apresentou e, em seguida, deixou o quarto, retornando pelo mesmo corredor à sala do trono. Cansada, apoiava uma das mãos na parede do corredor. Ela possuía uma maneira quase abrupta de se mover e de falar. Não se voltava para ver se estava sendo seguida, e nem se estavam entendendo o que dizia. Ela parecia preocupada, como se carregasse um fardo.

Tzizah e Leannah a seguiram, ainda sem compreender inteiramente o que ela havia feito, mas, de algum modo, sabiam que a rainha os havia curado.

"Que tipo de magia sabia operar a jovem soberana de Sinim?" era a dúvida que estava na mente das duas. Em Olam, as pedras realizavam curas, mas não era nada mágico; entretanto, o que haviam visto ali era inexplicável.

— Estávamos esperando que vocês chegassem, mas nunca poderíamos imaginar que iriam desafiar uma noite de tempestade! — A rainha falou sem se virar, enquanto atravessavam o corredor.

— O Olho de Olam está se apagando — Tzizah explicou. — Resta pouco tempo!

A rainha parou e arregalou seus grandes olhos verdes. Estavam na porta de entrada da sala do trono.

— Olamir está ameaçada — continuou a princesa de Olam. — Amanhã, no eclipse lunar será atacada. É uma longa história, mas estamos tentando reativar o Olho de Olam. Há uma pedra que pode ser capaz de reativá-lo por meio do antigo caminho da iluminação idealizado pelos kedoshins. Já cumprimos três pontos do caminho. É provável que só falte mais um. Nossa esperança é que seja o último...

— Como sabem disso? Como podem ter certeza? — a rainha Chozeh olhava incrédula para as duas visitantes de Olam.

— Porque encontramos o palácio de gelo nas Harim Keseph — explicou Tzizah — e um mecanismo indicou que o próximo ponto ficava aqui em Sinim, na cidade de Urim.

— Palácio de gelo?

— Em Bethok Hamaim; o templo nos revelou que era o próximo ponto...

— O templo de Bethok Hamaim foi aberto?

A rainha parecia bombardeada com todas aquelas informações. Leannah achou que havia mesmo motivos para duvidar que duas garotas conseguissem realizar façanhas que nem mesmo os maiores sábios da História haviam conseguido.

Sem pensar em algo melhor, Leannah retirou Halom da sacola e a mostrou para a rainha.

Chozeh viu a pedra que estava com um tom amarelo-pálido, mas não entendeu o que Leannah estava propondo.

— Dê-me a sua mão — disse Leannah.

A rainha estendeu a mão, mas não se aproximou. Leannah deu dois passos e pegou a mão da rainha. Então, a soberana de Sinim viu o mapa de Olam e os quatro pontos de localização: Olamir, Bethok Hamaim, Harim Keseph e, ao lado, Sinim.

— O farol de Sinim — a rainha entendeu.

— É o que nós também imaginamos — concordou Leannah, acreditando que Chozeh as ajudaria. A rainha parecia ter bom senso, e os versos na sala de entrada enalteciam a sabedoria dos reis de Sinim.

Chozeh se virou e caminhou em direção ao trono. Elas a viram atravessar o comprido salão. Quando se assentou, parecia frágil demais para o trono e seu semblante demonstrava mais preocupação do que antes.

— Meus servos cuidarão de vocês. Usufruam um pouco de minha hospitalidade, recuperem suas forças. Seus feridos também precisam de repouso. Eu as chamarei para conversarmos sobre o farol e sobre os problemas que estamos enfrentando aqui.

Imediatamente, os servos conduziram as duas para aposentos individuais. Fizeram tudo com muita gentileza; porém, ao mesmo tempo, a atitude deles demonstrava que não dariam a elas a opção de fazer outra coisa. Não que Leannah naquele momento estivesse pensando em outro tipo de curso de ação. Afinal, estavam sendo tratados com todo o conforto, como príncipes e princesas, apesar de Tzizah não ter se apresentado como filha do Melek de Olam. A única coisa que as inquietava era o fato de a rainha ter feito referência a problemas em Sinim. Eles tinham problemas suficientes. O que esperavam encontrar ali era uma solução.

O quarto era amplo e sua varanda oferecia uma vista esplendorosa do mar de Sinim e também da cidade de Urim. Não havia cama, mas os estofos no chão de tecido nobre eram macios. Leannah teve a certeza de que nunca se deitara em nada tão confortável, no entanto, não conseguia se sentir confortável. Sua intuição lhe dizia que algo estava muito errado. Sentia seu coração apertado.

Foi-lhes servida uma boa refeição, com a orientação de descansarem até o momento em que seriam chamadas. Entretanto, não foram convocadas à presença da rainha Chozeh durante todo aquele longo dia, e isso as inquietou. Não entendiam o porquê de tanta demora. O tempo de que dispunham era muito curto, e a rainha já sabia disso.

Quando a noite chegou, Leannah viu, da janela de seu quarto, Yareah surgir quase cheia. Algum fenômeno a deixava praticamente dourada. Na noite seguinte, a grande esfera estaria plena, e, então, em minutos se apagaria por completo, eclipsando a glória de Olamir.

Esfuziante e, ao mesmo tempo, fria e indiferente, ela se elevou sobre o mar escuro e lançou suas luzes formando um caminho prateado sobre as águas. Parecia uma estrada que levava para o infinito. Quando o luar alcançou as cúpulas onduladas da cidade, Leannah não conteve a admiração. Todas brilharam refletindo a luz de Yareah. Parecia uma cidade de prata. Ao ver a cidade inteiramente iluminada, Leannah entendeu o motivo de seu nome ser Urim.

Enquanto contemplava a principal cidade de Sinim, a cantora de Havilá pensou mais uma vez em Ben. Será que ele também estava vendo aquela lua? Ainda estaria dentro de Ganeden?

Várias vigílias da noite se passaram enquanto Leannah continuava em frente à janela, olhando para a noite. Sabia que devia descansar, mas não conseguia se mover da posição em que estava. Ela viu Yareah cortar o céu até desaparecer atrás das paredes do palácio. A angústia habitava seu coração e, nesse momento, não havia espaço para outro sentimento, nem para canções. Seus pressentimentos não eram bons. Todo o conhecimento acumulado, as experiências, as intuições... Estava tão cheia de recursos, mas, ao mesmo tempo, tão confusa. Não possuía habilidade para usar tudo o que havia recebido.

Quando o último dia do ultimato de Olamir amanheceu, logo cedo, foram chamadas à presença da rainha Chozeh. Kenan ainda permanecia em repouso e também o marinheiro. Ambos, afinal, venceriam a batalha contra os ferimentos, como a própria rainha fez questão de anunciar, assim que elas adentraram o salão real.

Adin pôde acompanhar Leannah e Tzizah até a sala do trono. O garoto estava totalmente recuperado e parecia muito ansioso em rever a rainha. Quando adentrou a sala, Adin não conseguia deixar de olhar para a bela e jovem rainha de Sinim.

Chozeh estava assentada no trono, porém dessa vez havia outra pessoa de pé ao seu lado: um homem alto e tão magro que seus ossos podiam ser notados sob as vestes. Tinha um nariz aquilino e seu rosto era fino, mas seus olhos eram astutos. Seus cabelos eram cinzentos. Usava longas vestes de seda nas cores branca e vermelha. Tratava-se do chefe dos magos, o grupo de conselheiros da rainha.

— Como eu lhes disse ontem, nós esperávamos que alguém do Poente chegasse aqui — disse a rainha parecendo cansada. Leannah poderia jurar que ela também havia passado a noite acordada — mas acho que vocês não vieram a Sinim para atender às nossas expectativas. Pelo que disseram...

— Expectativas? — perguntou Tzizah, demonstrando não fazer a mínima ideia do que a rainha falava. — Quais expectativas?

— O farol de Sinim está apagado. De tempos em tempos, ele precisa ser reaceso. Isso só pode ser feito de duas maneiras: ou o Olho de Olam é trazido até aqui, ou a pedra do farol é levada até o Olho. Há quatro meses mandamos mensageiros a Olamir solicitando, em nome da aliança, que o Conselho de Sacerdotes enviasse uma escolta para buscar a pedra do farol, já que não permitem que uma escolta daqui faça isso. Quando vocês chegaram, imaginamos que nos traziam uma resposta, mas pelo que me contaram ontem, estão aqui por outra razão.

— O Olho de Olam está se apagando — explicou Tzizah. — Além disso, nenhum pedido foi apresentado ao Conselho de Olamir a respeito do farol.

— Neste caso — continuou a rainha deixando claro que aquele comentário vinha ao encontro do que pretendia dizer —, se o próprio Olho se enfraqueceu, então, talvez Sinim deva realmente seguir seu caminho separado de Olam, como de certo modo, Olam sempre quis, e como, na prática, tem acontecido.

— Mas a cerimônia dos pedaços tem validade eterna — lembrou Tzizah. — A aliança não pode ser quebrada.

— Um dos lados sempre pode quebrar — retorquiu a rainha. — Então o outro lado está livre para exigir vingança ou seguir seu caminho.

— Olamir não quebrou a aliança! — defendeu-se Tzizah.

— Alguns dos nossos acham que sim. Um dos pontos da aliança dos pedaços oficializada por Tutham e meu antepassado dizia que, em caso de ataque, o Olho seria posto em ação aqui pelo farol. Isso agora parece ter chegado ao fim, pois o Conselho de Olamir nem sequer respondeu à nossa solicitação. E aqui estão vocês dizendo que o próprio Olho está se apagando...

A rainha olhava o tempo todo para o conselheiro ao lado, como se buscasse aprovação dele para suas palavras. O chefe dos magos de Sinim, os hartummîm, se mantinha impassível, numa posição respeitosa, parecia concordar inteiramente com o que a rainha dizia.

— Mas o Olho pode ser reativado! — interveio Tzizah. — O próximo ponto para a ativação encontra-se aqui! Precisamos fazer isso hoje. É o prazo final!

A rainha absorveu a informação. Algo em seu olhar parecia desmentir a frieza de suas palavras.

— Então, depois de tanto tempo negando compartilhar conosco a técnica de lapidação, finalmente Olam precisa de nossa ajuda? Gostaríamos de ver o pedido formal do Conselho de Sacerdotes de Olamir.

— Não temos nenhum pedido — revelou Tzizah em tom de quase desespero. — A história é complexa e envolve um aprendiz de lapidador que infelizmente se perdeu na floresta de Ganeden, e também um latash que foi raptado. Eu sou a filha de Thamam, e estou fazendo aquilo que meu pai acredita que seja a única esperança para este mundo.

Ao ouvir essa revelação, a rainha e o chefe dos magos trocaram olhares significativos.

— A princesa de Olamir deveria se apresentar para ser tratada como uma princesa — censurou a rainha.

— O tratamento que nos deram foi amplamente satisfatório — desculpou-se Tzizah. — Só o que queremos é ajuda para completar o caminho da iluminação. Falta pouco...

— Há pouco tempo, fomos procurados por representantes de Naphal — revelou a rainha, e foi a vez de Tzizah arregalar os olhos. — Vieram mostrar o lado deles nessa história toda. Revelaram-nos a traição de Olamir e o desejo de eliminar o império dos shedins, ações que nem os kedoshins concordavam. Provas nos foram mostradas sobre o que fez o líder supremo dos giborins de Olam. Ficamos sabendo do plano de usar o Olho de Olam para satisfazer a sede de vingança do Melek de Olamir e do líder supremo dos giborins, razão pela qual, o Olho estaria se enfraquecendo... Nós sabemos de tudo. Sabemos que o próprio Melek seria julgado por traição no Conselho de Olamir, sob a acusação de ser um cashaph.

— Os shedins estiveram aqui? — perguntou Tzizah em estado de pânico, só então percebendo o quanto a situação era pior do que ela imaginava. *Meu pai, acusado de ser um cashaph?*, era o pensamento que podia ser lido em sua face.

— Há muito tempo que os sacerdotes de Olamir orgulhosamente se recusam a compartilhar conosco o presente que receberam dos kedoshins — respondeu a rainha. — Não sabemos mais o que esperar de Olamir e seu Melek...

— Mas e o farol? — Tzizah estava atônita. — O Olho de Olam não tem alimentado o farol esse tempo todo?

— Sim, e agora, no momento mais crucial, ele está se apagando, deixando Sinim à mercê dos inimigos.

— Vocês acreditam que se Hoshek destruir Olamir, não vai investir contra Sinim? Olamir é o baluarte contra as trevas!

— Durante todo o tempo em que Olamir manteve o tratado com Irofel, não foi atacada. Nem ela nem ninguém. Os shedins não podem viver fora da terra de Hoshek... Não haveria necessidade de começar uma guerra. Se a guerra agora é iminente, isso é culpa de Olamir que atacou o império... Vocês queriam a guerra... Então, devem lidar com ela.

— Mas era pelo enfraquecimento do Olho... — interrompeu Tzizah. Então a princesa de Olamir arregalou ainda mais os olhos, subitamente pareceu compreender tudo. — Vocês já fizeram aliança com eles!

Leannah também não precisava esperar a resposta da rainha para ter certeza disso.

— Nosso povo sofre com nossas próprias guerras — justificou a rainha. — Preciso administrar um grande reino com diversas carências. Ao leste e ao norte, lidamos com as invasões dos bárbaros, um povo cruel que fala uma língua esquisita e usa instrumentos primitivos, mas em sua ferocidade consegue fazer muitos estragos quando invadem nosso território. Ao sul, a cortina das trevas é sempre uma ameaça. E ao poente, Olam se mantém como um aliado distante e insensível.

— Então, não vão nos ajudar?

— Não podemos nos envolver numa guerra suicida contra Hoshek. Se há chance de não sermos atacados, com a única exigência de que não nos intrometamos nos assuntos do outro lado do mar, acho que essa é uma exigência aceitável...

Só naquele momento, Leannah percebeu o quanto Naphal estava preparado para a guerra. Ele havia armado uma teia perfeita. Olamir estava desamparada. E também entendeu o porquê de o tartan não os ter perseguido quando partiram da vila de pescadores. Só haviam perdido tempo. Haviam sido manipulados? E agora o tartan tinha Herevel... Olamir parecia condenada.

— Pelo menos nos deixarão ir embora? — perguntou Tzizah já sem nenhuma esperança. — Permitirão que tentemos completar o caminho da iluminação?

— Eu sinto muito — disse a rainha com um olhar triste. — Uma das exigências do acordo é que, se alguém viesse de Olamir falando em reativar o Olho, nós os entregaríamos para Naphal.

Ao ouvir aquelas palavras, Tzizah, Leannah e Adin deram dois passos para trás, mas os soldados estavam próximos. Então, entenderam a razão de tantos soldados os terem escoltado o tempo todo dentro do palácio. Não eram hóspedes, eram prisioneiros.

— Vocês não entendem? — desesperou-se Tzizah — É o Olho que os restringe! Sem o Olho, não haverá limites! Se Olamir cair, a cortina de trevas avançará sobre este mundo inteiro!

Os soldados empurraram os três para fora do salão real.

Tzizah ainda implorou, em nome da antiga aliança, que a rainha repensasse, mas ela apenas se limitou a olhar para os estrangeiros com seus belos olhos verdes que pareciam infelizes.

— Você está decretando a destruição de Sinim! — advertiu Tzizah, mas a essa altura já estavam do lado de fora do salão real.

Foram aprisionados numa das salas do palácio de Urim. Os guardas os despojaram de todos os pertences. Era uma espécie de quarto-prisão, bem menos confortável do que o anterior. Ficava numa das quatro torres do palácio. Diversos soldados armados com espadas e lanças montavam guarda, impossibilitando qualquer chance de fuga.

— O que aconteceu? — perguntou Kenan quando foi levado com Kohen para o quarto-prisão. Uma sombra parecia ter se estabelecido definitivamente sobre o rosto do giborim de Olam.

— A única coisa que não podíamos esperar — respondeu Tzizah, vendo que ele e o marinheiro estavam em melhores condições, mas ainda bastante feridos, principalmente Kohen. — A rainha de Sinim entrou em acordo com Naphal. Comprometeram-se a não se envolver na guerra; e também a entregar para os shedins todos os que viessem aqui buscar ajuda...

— Ela é a mulher mais linda que eu já vi em toda a minha vida — disse Adin. — Não parece estar satisfeita com o rumo dos acontecimentos...

— Eu devia imaginar que isso ia acontecer — disse Kenan, fazendo pouco caso do comentário do garoto. — Fomos enganados desde o início... Estivemos seguindo uma ilusão.

— O caminho da iluminação não é uma ilusão! — justificou Leannah. — Três pontos já foram completados... Só falta um.

— Hoje à noite Yareah estará cheia e se eclipsará — lembrou Kenan. — A esta altura, os exércitos já devem ter atravessado a cortina de trevas e nós estamos aqui perdendo nosso tempo, como desde o início...

Leannah tentou identificar rancor nas palavras de Kenan, mas lhe pareceu que havia mais tristeza do que rancor.

Ela limitou-se a olhar para a cidade através das grossas grades da janela. Lá embaixo a cidade parecia tranquila. Começava a chover fracamente, mas não havia sinal de tempestade.

— Não podemos desistir — disse Tzizah após algum tempo. — Precisamos encontrar uma maneira de sair daqui e chegar até aquele farol.

— Sem armas, sem Halom, sem Herevel... além de impossível, seria inútil... — Adin pôs em palavras o que parecia ser o pensamento de todos.

E ainda por cima com dois homens feridos, pensou Leannah. As chances de completarem a missão tornaram-se nulas. Mesmo que completassem, como retornariam a tempo para Olamir? A essa altura, os exércitos de Hoshek e Bartzel já deviam estar diante das muralhas.

O único pertence que os soldados não haviam tirado deles era o espelho de Leannah. Provavelmente acreditaram ser apenas um instrumento inofensivo. Aquele espelho realmente não parecia funcionar como algum tipo de arma, apesar de ter espantado as criaturas do desfiladeiro.

O sol fez seu percurso de forma mais rápida do que os prisioneiros gostariam. Quando começou a se aproximar do horizonte, Leannah observou que a última noite da história de Olamir estava para começar.

— Onde estará Ben? — perguntou Leannah, olhando angustiada para o espelho. Tinha a sensação de que aquela missão não poderia ser completada sem ele.

Talvez, o espelho pudesse lhe dar alguma informação a respeito do guardião de livros. Ela concentrou-se em olhar para o instrumento. Subitamente, a superfície de vidro mudou de cor, e uma imagem se formou. Ela enxergou o que parecia ser um lago dentro de uma grande floresta com árvores muito altas. Seu coração bateu acelerado quando ela viu o rosto de Ben. Os cabelos dele estavam mais longos e a barba havia crescido. Ele parecia feliz. Seu rosto tinha uma expressão suave e relaxada enquanto flutuava na água límpida.

Como podia estar feliz? Como podia estar tão relaxado diante da tragédia que se aproximava? Talvez, ele tivesse perdido a lucidez. Ou, talvez, já estivesse morto.

Leannah tentou falar com ele. Gritou seu nome e tentou lhe dizer tudo o que estava acontecendo, mas num instante ele desapareceu do espelho. Então, o lago tranquilo subitamente se agitou. As águas límpidas se turvaram, tornaram-se douradas como fogo e depois vermelhas como sangue. Então, transbordaram e correram para todas as direções, engolindo a floresta inteira. Rios de fogo e sangue correram por toda a terra de Olam.

Quando a imagem desapareceu, Leannah viu refletido no espelho apenas seu rosto assustado, cercado pelos cabelos acobreados e desalinhados.

Todos olhavam para ela sem saber o que estava acontecendo.

— O que você viu? — perguntou Adin preocupado.

— Ben ainda está na floresta — disse Leannah sem entender o significado daquela visão.

— Se Ben está na floresta, então ele está melhor do que nós — disse Adin.

— Acho que eu vi o futuro... Ele estava com cabelos longos e barba, como se muito tempo houvesse passado... Creio que ele não terá mais nenhuma participação nessa guerra.

Depois disso, Leannah não conseguiu mais ver coisa alguma no espelho, embora tentasse fazer isso várias vezes. Demoraria muito tempo para que o instrumento voltasse a ser útil para ela.

A última noite de Olamir não se atrasou e adentrou o quarto-prisão com sua friagem. Podiam ver pela janela, lá das alturas, que tudo estava submerso numa densa névoa. Somente sobressaíam as torres finas que circundavam o palácio real. A mudança do clima anunciava a mudança da lua.

O dia acabara, como as esperanças em conseguir completar a tarefa. Para os prisioneiros desarmados e feridos, só restava esperar o terrível destino que os aguardava.

Leannah pensava no caminho da iluminação. Três etapas já haviam sido cumpridas através daquelas longas distâncias percorridas. Não entendia plenamente o sentido de tudo pelo que eles haviam passado, mas sentia que estavam muito diferentes. Às vezes, do nada, ela se descobria pensando em coisas que nunca pensara, como se tivesse conhecido lugares que não se lembrava de ter visitado, ou experimentado situações sem as ter presenciado. Era tudo muito desconexo, como se ainda faltasse a peça-chave que uniria todas aquelas peças soltas, mostrando o sentido de tudo. Também identificava sentimentos concorrentes dentro de si. Em um nível superficial de seus pensamentos e emoções ainda existia muito do que ela sempre fora, desde os dias em Havilá, suas agitações íntimas, sua ansiedade, e, principalmente, a falta que sentia da mãe. Mas num nível mais profundo, havia algo diferente, uma pessoa praticamente irreconhecível que conseguia se manter calma diante das situações mais adversas, e encontrar a direção certa mesmo em meio ao caos. Sentia que a transformação não estava completa, nem sabia dizer que tipo de pessoa ela se tornaria. Só sabia de uma coisa: essa pessoa ainda amaria o guardião de livros mais do que a tudo naquele mundo.

Um barulho do lado de fora revelou movimentação e colocou todos em estado de alerta. Logo a porta se abriu e quatro figuras esguias apareceram. Vestiam túnicas prateadas com capuzes e seguravam arcos. Eram os arqueiros de elite de Sinim.

Ao ver os arqueiros, as esperanças de Leannah naufragaram mais uma vez.

— Os prisioneiros serão transferidos agora — disse um dos homens. — Um barco os aguarda na praia. De lá serão conduzidos para os shedins. São ordens da rainha e nós fomos encarregados do transporte.

O encarregado pela guarda dos prisioneiros verificou o selo do mandato e liberou a passagem.

O líder da escolta avaliou com seus olhos escuros os cinco prisioneiros, então fez sinal para que os acompanhasse.

Os cinco se levantaram e acompanharam a escolta, descendo uma longa escadaria. O líder ia à frente e os outros três arqueiros seguiam atrás deles com flechas preparadas. Durante todo o percurso, os arqueiros permaneceram silenciosos.

— São capazes de acertar um falcão voando — disse Kenan, como para justificar que, desarmados, não havia nada que pudessem fazer.

Os prisioneiros precisaram descer a longa escadaria até se depararem com uma porta larga, toda de metal enferrujado, fechada por dentro com uma pesada tranca de ferro.

Um dos arqueiros ajudou o líder a levantar a tranca. Com um barulho estridente o mecanismo se soltou. Entretanto, um forte puxão foi necessário para que a porta, grudada pela ferrugem e pelo tempo, fosse aberta. O vão revelou do outro lado um túnel.

O líder da escolta iluminou o túnel com uma tocha, e eles enxergaram alguns escombros, areia e lama. Os prisioneiros adentraram e perceberam uma pavimentação sob seus pés. Parecia um tipo de calçada bem antiga recoberta pelo limo muito escorregadio. As paredes também estavam recobertas de um tipo de musgo.

Quando a porta de ferro foi fechada atrás deles, um dos encapuzados que vinha na retaguarda se adiantou e retirou o capuz. A luz da tocha revelou os cabelos longos e claros, e as belas feições de uma mulher. Eles não acreditaram quando reconheceram o rosto delicado, porém determinado, da rainha de Sinim.

— Não tenho tempo para lhes explicar tudo — disse Chozeh com evidente pressa. — Não posso concordar que meu povo se alie a Naphal e ao império dos shedins, mas não tive opção. O farol está adormecido há vários meses, mas na noite anterior ele voltou a brilhar por um breve momento... E quando vi a pedra que traziam entendi que foi a causadora disso. Eu seria tola em acreditar que Naphal poupará Sinim caso Olamir caia, mas infelizmente ele tem seus servos aqui dentro, como por certo os tem em Olamir. Estou numa situação muito delicada, o chefe dos magos praticamente tomou conta do reino por meio de ilusões, subornos, mentiras e traições. Eu não tenho forças para me opor a ele. Eu fui forçada a fazer aliança com Hoshek.

Nesse instante ela mostrou Halom e a entregou para Leannah. Adin também recebeu de volta sua funda.

— Só há uma maneira de levá-los até o farol sem que os soldados do chefe dos magos os aprisionem — explicou a rainha. — É por aqui, através desse aqueduto construído pelos antigos reis de Sinim. A entrada da água do mar fica bem próxima do farol. O problema é que com a lua cheia a maré vai subir a qualquer momento e a passagem vai ficar inteiramente inundada. Eu vou tentar levá-los até lá antes que isso aconteça. Certamente essa será a atitude mais arriscada que já tomei na vida, mas de qualquer modo, se não fizermos algo, certamente logo todos morreremos. Sigam-me. Não temos tempo a perder.

A rainha disse aquelas palavras e se pôs a andar através do túnel.

Leannah se lembrou dos versos na parede do salão que diziam que os reis de Sinim eram sábios. Agora percebia que a descendente deles fazia jus à coroa.

Depois disso, o local virou um labirinto. Chozeh conduziu o grupo com destreza por caminhos interligados de túneis utilizados para a purificação da água do mar. Percebia que ela conhecia muito bem aquele lugar. Leannah buscou nos livros armazenados em sua memória uma planta do local e concluiu que jamais conseguiria encontrar o caminho pela malha de túneis sem a ajuda da rainha.

Os prisioneiros esforçavam-se por acompanhá-la, principalmente ao saber que corriam duplamente contra o tempo. Kenan e o marinheiro ainda sentiam muitas dores, mas pelo menos não precisavam mais de ajuda para caminhar. O poder curador da rainha de Sinim era impressionante.

A certa altura eles encontraram uma encruzilhada. O túnel se bifurcava, revelando dois caminhos imersos pela escuridão. Não parecia diferente das várias bifurcações que já haviam passado, mas a rainha parou um instante diante do cruzamento. Pela primeira vez, parecia em dúvida. Os cinco também pararam, aliviados, aproveitando a pausa para recuperar o fôlego.

— Pela direita o caminho é mais curto — explicou Chozeh —, porém se a água subir, não há qualquer possibilidade de escaparmos. Pela esquerda é mais longo, mas há algumas aberturas que, em último caso, poderiam servir como válvula de escape...

— Vamos pelo mais curto — disse Kenan. — Não temos tempo a perder. Os minutos de Olamir estão se acabando.

Leannah conseguia ver em sua mente os dois caminhos. De fato, o caminho da direita era reto, largo e, aparentemente fácil de percorrer. Já o da esquerda era estreito e cheio de bifurcações.

— Sugiro o mais longo — resistiu Leannah. — Nunca é sábio ficar sem qualquer opção.

Chozeh olhou fixamente para Leannah. Algo no olhar da cantora de Havilá fez com que a rainha tomasse o túnel da esquerda.

Não demorou até que começassem a ouvir barulho de água corrente. Logo, a água gelada os encontrou e seus pés foram encharcados. Com os tornozelos cobertos, eles tentavam correr, pois pressentiam que logo o mar inundaria completamente o local.

A certa altura, a rainha parou mais uma vez. A água já estava na cintura.

— Não vai dar tempo — disse aflita. — A aproximação do eclipse deve estar fazendo a maré subir mais rapidamente. Pela quantidade de água aqui dentro, a entrada perto do farol deve estar completamente inundada. Não conseguiremos sair. Esta é a última abertura — ela apontou para cima, onde havia uma tampa redonda de ferro. — Se avançarmos, não haverá mais retorno.

— Estamos muito longe do farol? — perguntou Tzizah.

— Na metade do caminho. O problema é que, se sairmos agora, poderemos ser vistos pelos guardas do palácio.

— E se continuarmos, morreremos — vaticinou Adin.

— Mas como alcançaremos o tampão lá em cima? — perguntou Leannah.

— Teremos que esperar a água inundar completamente o túnel, então flutuar até o alto para tentar abrir a escotilha.

— E se estiver emperrada?

— Melhor não pensar nisso!

Em segundos, a velocidade da água aumentou consideravelmente e também o nível. Então perceberam que tinham tomado a atitude correta. Em instantes eles estavam com água no pescoço. Não demorou até que os encobrisse inteiramente.

A força da água dificultava se manter no mesmo lugar, e eles precisaram se segurar às paredes para não serem arrastados de volta. Os soldados da rainha fizeram diversas tentativas para alcançar a escotilha no alto, mas sem ter em que se apoiar, acabavam sendo empurrados pela força do mar que forçava a entrada do aqueduto.

Quando só havia espaço suficiente para a cabeça ficar fora da água, finalmente os homens conseguiram alcançar a escotilha. Com o esforço conjunto os três arqueiros tentaram mover o tampo de ferro. Kenan e Kohen, mesmo feridos, tentaram ajudá-los a empurrar a pesada peça de metal, revezando-se quando os soldados não aguentavam mais o esforço. Mesmo assim, não obtiveram sucesso.

Em instantes, a água alcançou o teto, submergindo-os. Em desespero, Leannah percebeu que só teriam alguns minutos, até que não aguentassem mais ficar sem respirar embaixo da água. Os homens ainda batiam desesperadamente na escotilha tentando fazê-la se soltar. Subitamente, talvez com a ajuda da própria pressão da água, a tampa cedeu e a água verteu para fora como um gêiser.

Um a um, todos conseguiram abandonar o túnel inundado.

Do lugar onde tinham saído, podiam ver as luzes da cidade atrás e a chuva fina através dos clarões causados pela iluminação noturna à base de óleo marinho.

A explosão de água pela escotilha chamou a atenção dos soldados que guardavam o palácio e eles foram localizados.

— Corram! — ordenou a rainha. — No alto daquele farol pode estar a resposta para a vitória ou para a derrota de Olam e de Sinim. Que *Elyom* os ajude.

Depois de dizer aquelas palavras, a rainha caminhou com os três arqueiros de elite em direção aos soldados que vinham ao encontro deles.

As poucas centenas de metros até o farol foram vencidas rapidamente pelos peregrinos do caminho da iluminação. O terreno arenoso e recoberto por plantas rasteiras não impediu que corressem até o maior presente dos kedoshins para os reis de Sinim.

Até mesmo Kenan e o marinheiro subiram com menos dificuldades os degraus da escada em caracol que levava ao alto do farol. Era como se a revelação dos acontecimentos houvesse injetado novas forças aos seus corpos já quase restaurados pelas mãos curadoras da rainha Chozeh.

— Ainda haverá tempo? — perguntou Leannah enquanto subiam os degraus rumo ao topo do farol.

— Precisamos crer que Olamir pode resistir à invasão por algum tempo — respondeu Tzizah.

Quando chegaram ao topo, a visão do mar foi assustadora e arrebatadora ao mesmo tempo. Mas nenhum deles perdeu tempo contemplando a paisagem. A ansiedade fez a atenção de todos se voltar para a estrutura central da última câmara. Eles enxergaram um berço de pedra bem no meio da sala, que tinha quatro janelas voltadas para os pontos cardeais.

Dentro do berço, encaixada, repousava a pedra shoham doada pelos kedoshins. Quando desperta, a shoham enchia a câmara de luz e depois a lançava pelas janelas para salvar os perdidos na escuridão.

Havia um mecanismo de regulação que fazia com que a luz se dirigisse para a janela pretendida. Nada disso lhes dizia o que precisavam fazer para reativar o Olho de Olam. Naquele momento tudo estava apagado dentro da câmara elevada do farol.

Os peregrinos de Derek-Or pararam indecisos diante do berço. A pedra do farol era praticamente branca.

Leannah tinha Halom em sua mão e percebeu que ela brilhava intensamente.

20 Encontro marcado

Do lado de fora da floresta, o mundo não parecia mais ser o mesmo. Ben não sabia se isso era porque as coisas estavam diferentes ou se era porque ele estava diferente. Talvez ambos. Quando ele saiu ainda era noite e fazia muito frio. Achava-se exatamente no mesmo ponto em que entrara; entretanto, a neve agora cobria as margens da estrada. O inverno havia descido das Harim Keseph e alcançado aquela região.

Sabia que seus amigos haviam se dirigido para o leste, para as terras do Além-Mar, pois era o próximo ponto do caminho da iluminação. Ben decidiu caminhar naquela direção, mesmo não ignorando a distância a ser percorrida e o tempo que havia passado. Era impossível se livrar da sensação de que estava terrivelmente atrasado.

Yareah praticamente cheia espalhava sua luz prateada sobre a neve branca que cobria a beira da estrada, mas isso não conseguiu ajudá-lo a calcular quanto tempo permanecera dentro da floresta. Quando se perdera, a lua estava pela metade e agora faltava um pouco para ela ficar inteiramente cheia; então, poderiam ser poucos dias, mas poderiam ser meses, e o mais provável é que fossem anos.

Ele se sentiu desorientado fora da floresta. Acostumara-se a estar sempre rodeado por árvores altas. Agora, em campo aberto, sentia vertigem e insegurança. Aos poucos a sensação foi desaparecendo à medida que ele caminhava pela antiga rota dos peregrinos, rumo ao sol nascente que ainda demoraria a surgir no horizonte. A estrada estava deserta.

A floresta esteve ao seu lado durante toda a madrugada como uma mancha negra e imóvel sob o luar. Depois de três ou quatro horas de caminhada, a lua se escondeu atrás dos montes, e a semiescuridão começou a se dissipar. Os primeiros clarões da alvorada surgiram à sua frente e despertaram o mundo a partir do Oriente. A luminosidade fraca do amanhecer, refletida sobre a neve, criava uma paisagem estranha, com cores cinzentas e irreais.

Não demorou até que Shamesh surgisse bem à sua frente como uma grande bola alaranjada. Quando sua luz tocou a paisagem, rapidamente devolveu o verde vivo das árvores e acendeu o branco gélido da neve depositada ao longo do caminho. Também se espelhou sobre o cinza esbranquiçado do gelo que cobria os recortes quadrados da pavimentação escura da estrada, mas não trouxe calor.

A muralha verde agora enegrecida começou a ficar para trás, mas a floresta permaneceu como uma mancha no oeste, por muitas milhas, enquanto ele seguia sua caminhada em direção ao leste. Tinha a sensação de que os aromas de Ganeden o acompanhavam pela estrada, como se estivessem impregnados em sua roupa. Na verdade, tinha consciência de levar consigo muitas coisas de Ganeden que o acompanhariam por toda a vida.

Enquanto andava, o sol da manhã esquentou timidamente. A armadura que havia recebido de Gever mostrava-se confortável tanto no calor quanto no frio. Era composta de uma couraça leve, de uma cota de malha entrelaçada feita de algum material desconhecido — ao sol brilhava como ouro —, e de um elmo belíssimo, semidourado e pontiagudo, o qual, naquele momento, ao invés de na cabeça, ele preferia carregar nas mãos. Também tinha uma proteção para os quadris e abdômen, de modo que todos os órgãos vitais ficavam cobertos. Mas o material não era espesso, e ele não sabia se era resistente.

Quando já estava cansado de tanto caminhar pela estrada deserta, começou a escutar um barulho de pedras sendo esmagadas na estradinha. Virou-se e percebeu que uma carroça puxada por um único cavalo vinha movendo-se desajeitadamente e levantando um pouco de poeira branca. Ele se animou com a ideia de conseguir uma carona. Fez sinal veemente para que o condutor parasse. Para sua surpresa, a carroça diminuiu a velocidade e parou. Podia ver pela silhueta magra que se tratava de um velho, mas o longo capuz cinzento o impedia de ver as faces. A fisionomia frágil do condutor eliminou qualquer apreensão de ser assaltado.

Ben se aproximou da carroça e, então, o condutor levantou o capuz. A sensação foi atordoante. Foi como levar um golpe.

— Você está atrasado guardião de livros.

Ben reconheceu a barba preta, rente, que se recusava a embranquecer, e também os olhos inteligentes que a idade não esmaecia. Seu rosto estava vermelho, como se tivesse sido queimado pelo gelo.

— Enosh! — Disse atordoado.

— Suba! — Ordenou o velho. — Temos pouco tempo.

Por um momento Ben ficou sem ação. Parecia-lhe inacreditável que Enosh estivesse bem ali, como se fosse uma aparição.

— Suba! — Repetiu sem paciência o velho latash. — Eu já lhe disse que temos pouco tempo.

Atônito, Ben subiu e se acomodou apertadamente ao lado dele, num banco forrado com peles de ovelha que, embora um tanto desconfortável, era pelo menos quente. Mas naquele momento Ben nem percebeu isso. Tentava recuperar algum sentido para os acontecimentos e decifrar quantas voltas o mundo tinha dado para o entregar exatamente no lugar onde Enosh apareceu.

— Você sabe quanto tempo permaneceu nela? — perguntou o latash, apontando para a floresta atrás, enquanto incitava o cavalo para colocar a carroça em movimento na direção contrária. O animal baio atendeu ao comando e começou a deslocar a carroça aos solavancos sobre as pedras cinzentas e perfeitamente recortadas da antiga rota dos peregrinos.

— Ainda não... — disse expressando toda a sua confusão mental. — Parecia muito tempo!

— A julgar por seus cabelos e barba que estão horríveis, você deve ter ficado bastante mesmo — ralhou o velho. — Mas não se preocupe, um ano em Ganeden equivale a um dia fora da floresta.

Ben arregalou os olhos.

— Então significa que...

— Significa que você saiu a tempo de presenciar os maiores acontecimentos deste mundo — respondeu com seu antigo estilo rabugento. — Por que você acha que os irins o treinaram?

Ben tinha tantas perguntas para fazer, mas não sabia por onde começar. O velho açoitou o cavalo tentando ganhar mais velocidade. Ben apiedou-se do animal; se já era difícil puxar um homem, agora ainda tinha peso extra.

— O que aconteceu com o senhor aquele dia em Havilá? — finalmente conseguiu ordenar seus pensamentos. — Quem era aquele homem que ateou fogo no casarão?

— Fui eu quem ateou fogo no casarão — respondeu Enosh abruptamente.

— O senhor!?

— Foi necessário... Eu não podia deixar todo o conhecimento sobre a lapidação das pedras cair nas mãos dos inimigos. Eu precisei me colocar um passo à frente deles.

— O senhor queimou os livros... — a voz de Ben parecia só um gemido diante de tantas revelações.

— Foi o preço. Melhor perder os livros do que perder tudo... Coisas muito maiores estão em jogo, como você certamente já descobriu.

— Como o senhor chegou aqui? Eu o vi sendo arrastado para fora da biblioteca? Como sabia onde eu estava?

Enosh demorou a responder.

— Mercenários. Homens contratados por Naphal. Levaram-me para algum lugar nas montanhas onde pretendiam me aprisionar ou me entregar para os reis vassalos. Eu consegui fugir e andei pelo gelo e pelas florestas durante muito tempo. Precisei me esconder dos cavaleiros-cadáveres, e, em algum momento, descobri que uma comitiva de Olamir seguiu pela rota dos peregrinos em direção ao Yam Kademony. Eu sou um velho, mas ainda sei deduzir muitas coisas. Por sorte o encontrei nesta estrada. Deduzi que havia se perdido em Ganeden. A sua aparência denuncia isso. E se você saiu é porque se encontrou com os irins. Do contrário, jamais sairia.

— Para onde estamos indo? — perguntou Ben, ao perceber que seguiam na mesma direção em que ele estava caminhando antes de Enosh encontrá-lo. *Poderia haver tantas coincidências?*, era a pergunta que desejava fazer.

— Para um lugar onde ainda poderemos fazer alguma diferença nessa guerra — respondeu o latash.

As outras muitas perguntas de Ben precisaram esperar, pois Enosh disse que só responderia mais tarde, quando chegassem ao local e realizassem uma tarefa fundamental.

Durante o restante do dia, não viram uma única alma viva em todo o percurso para o sudeste de Olam, em direção ao Yam Kademony. Aos poucos, o sol, que fazia a neve sumir da estrada, posicionou-se na retaguarda dos viajantes e se aproximou do refúgio no oeste. As sombras rapidamente avançaram sobre a antiga rota dos peregrinos, enquanto as últimas cores do crepúsculo começavam a abandonar aquele lado do mundo.

Enosh continuou exigindo o esforço do cavalo mesmo durante a noite. O guardião de livros cochilou várias vezes apesar dos solavancos da carroça. Era como se não tivesse dormido há muitas noites. Suas pálpebras pareciam ter o peso de uma montanha. Quando se deixava vencer pelo cansaço, eram os sonhos que não lhe davam descanso. Num deles, estava do lado de fora de um quarto, e uma mulher gritava com terríveis dores de parto. Disseram-lhe que ela daria à luz ao filho dele. No sonho, Ben abriu o véu e adentrou o quarto. Então, viu Leannah com uma barriga incrivelmente protuberante. Havia algo errado. No rosto e também na barriga apareciam veias escuras como nas mulheres em Schachat. Os olhos dela eram inexpressivos, como se estivesse morta. Quando o bebê nasceu, Ben imaginou que veria um monstro, mas viu um bebê normal com cabelos castanhos e pele branca, como ele próprio deveria ter sido quando nasceu.

A alvorada despontava no horizonte quando finalmente o cavalo parou. O pobre animal se ajoelhou e não conseguiu mais se levantar.

Ben percebeu que o restante da jornada teria que ser a pé.

Durante todo aquele dia, passaram por vilas de camponeses destruídas. Aquelas vilas antigas há muito tinham deixado de ser prósperas, na verdade, desde que a rota dos peregrinos havia caído em desuso, mas agora estavam totalmente destruídas e consumidas pelo fogo.

— Os cavaleiros-cadáveres destruíram tudo — observou Enosh, exausto pelo esforço de caminhar dificultado pelo ferimento na perna. Ben temia que em algum momento ele também caísse morto como o cavalo.

— Os camponeses seguiram para o norte — lembrou Ben, um pouco aliviado. — Nós os encontramos quando estávamos nos dirigindo para as Harim Keseph.

Ben precisou amparar o velho durante a parte final do percurso. Apesar do orgulho ferido, Enosh consentiu apoiar-se no ombro do guardião de livros.

A noite se aproximava quando avistaram o reflexo cinzento do Yam Kademony testemunhando o ocaso do mundo. Foram recepcionados com baforadas de vento salgado e frio.

A visão do mar trouxe uma sensação esquisita em Ben. Lembrou-se da plataforma sobre as Harim Adomim, o único lugar onde antes havia visto o mar. Lá era o Yam Hagadol e agora estava diante do golfo do mar oriental. Isso significava que haviam atravessado toda a terra de Olam. Em seus sonhos de menino, imaginava que ver aquela cena traria excitação, mas no momento só havia ansiedade e cansaço.

Do alto, ele enxergou a faixa de areia onde ficava o antigo porto. Uma difícil descida era o único modo de chegar até a costa. Ele viu barcos e isso lhe deu alguma esperança de conseguir atravessar para as terras do Além--Mar. Começava a imaginar que Enosh pretendesse atravessar para o outro lado, talvez em busca de ajuda. Ainda não conseguia calcular quanto tempo exatamente havia passado em Olam enquanto ele estivera em Ganeden, mas talvez ainda desse tempo de ajudar seus amigos. Porém, o velho disse que permaneceriam ali.

Ben não esperou mais e fez as perguntas que tanto desejava.

— Como o senhor sabia de todas aquelas coisas? Como sabia que o Olho de Olam estava se apagando? Como sabia do caminho da iluminação?

O velho deixou seu olhar se perder na escuridão do mar distante. Ben reparou que ele olhava fixamente para a linha do horizonte. O guardião de livros acompanhou o olhar, então enxergou o clarão de Yareah surgindo sobre o mar. Logo a esfera dourada e plenamente redonda descolou das águas e subiu.

Enosh contemplou Yareah por alguns instantes, depois começou a mexer em sua bolsa. Ben percebia que havia várias pedras. Ele retirou algumas e começou a preparar um lugar no chão onde as depositou.

Enquanto o velho trabalhava, Ben observava Yareah subir gloriosa no céu do oriente. Então, Ben arregalou os olhos. Uma sombra começou a se projetar sobre ela.

— O eclipse! Está acontecendo agora!

— Chegou a hora de você saber toda a verdade — disse Enosh.

*****
*****

A noite se aproximou como um augúrio da alva muralha de Olamir. Era o dia 15 do mês de Bul, o prazo dado por Naphal havia acabado. O eclipse estava começando no céu de Olam.

Durante todo o dia, as nuvens escuras foram se acumulando ao sul, e os raios e trovões retumbavam na distância ao fragor dos exércitos que marchavam.

O capitão do exército da cidade montava guarda sobre a muralha. Seus olhos em momento algum se desviavam do horizonte escuro. Ele se mantinha empertigado e, mesmo sabendo do tamanho do desafio que estava diante de si, tentava não deixar transparecer o temor que sentia. Seus cabelos ruivos ondulavam com o vento da tempestade que batia nas muralhas altíssimas.

Muita gente havia abandonado Olamir, inclusive a maior parte dos giborins de Olam. Não concordavam com as últimas decisões do Conselho. Parecia que todos haviam enlouquecido dentro da cidade branca.

Os exércitos das trevas marchavam contra Olamir. Os pássaros confirmaram isso quando, em bandos, começaram a deixar a cidade no início da tarde. De longe, vozes terríveis já podiam ser ouvidas, trazidas pelo vento. Logo as criaturas mais horríveis que aquele mundo conhecia estariam diante das muralhas, e qual um mar violento, bateriam como bigorna contra as pedras que sustentavam os muros milenares.

O vento quente empurrado pela tempestade e pelo deslocamento dos exércitos passava sobre a cidade branca como um uivo agoniado. Os soldados malignos ainda não estavam ali, mas o medo e o pavor já haviam chegado. Relâmpagos riscavam o céu, criando um espetáculo assombroso ao crepúsculo.

O capitão fizera o possível para reunir um exército e este estava agora postado sobre as muralhas com arcos, escudos, lanças e espadas. Catapultas de torção, catapultas de lanças e máquinas leva-fogo completavam o arsenal defensivo. Apenas uma parte dessas armas era potencializada pelas pedras shoham. Era muito pouco. A principal atitude defensiva havia sido a desativação do mecanismo que elevava a plataforma sob o portal dos kedoshins. Até mesmo as pedras shoham haviam sido retiradas do instrumento para evitar que um possível ato de traição trouxesse o exército inimigo para dentro da cidade.

Das cidades de Olam, até o momento, apenas uma viera em socorro de Olamir, apesar de os mensageiros terem partido por todo o vale levando a convocação do Grande Conselho. Dois mil soldados da distante Nod haviam chegado no dia anterior, entretanto, a maioria nunca havia enfrentado uma batalha e agora precisaria enfrentar a pior de todas. Somados os dois exércitos, eram pouco mais de dez mil homens.

Muitos acreditavam que os outros exércitos ainda chegariam e, então, o número duplicaria. Havia rumores de que soldados se movimentavam em direção a Olamir, mas Nod era a cidade mais distante, e isso só poderia significar que os outros exércitos não viriam, ou que estavam terrivelmente atrasados.

No dia anterior, por ordens do sumo sacerdote, o Olho foi baixado do alto da torre. Ao fim do dia, foi levantado outra vez. Ninguém soube dizer a razão desse procedimento. O capitão não perguntou. Estava ali para cumprir ordens, não para fazer perguntas.

Quinze dias nunca poderiam ser suficientes para preparar adequadamente um exército para o tipo de batalha que enfrentariam. Ainda assim, os líderes da cidade ficaram debatendo sobre assuntos de ordem enquanto o tempo passava. Detalhes e mais detalhes, leis e mais leis, e o inimigo avançando. Se os mestres-lapidadores tivessem trabalhado durante todo esse período, pelo menos muitas armas poderiam ter sido preparadas. Mas o conselho de sacerdotes não conseguiu se decidir a tempo, os impedimentos legais não foram superados, de modo que muitos estavam ali como soldados primitivos para enfrentar as piores hostes da terra.

Não fosse o depósito de armas antigas que eram guardadas no templo de *El*, seria o mesmo que enfrentar os shedins com pedras e paus. Contrariando ordens expressas, o capitão ordenou a seus soldados que invadissem o templo e pegassem as armas.

Por fim, o próprio Melek havia sido acusado e condenado por traição, rebaixando completamente a moral da cidade. Agora era tarde para fazer qualquer outra coisa. Se o olho não funcionasse, havia grande probabilidade de que virassem cinzas.

O medo no olhar de seus soldados era visível. Naquela noite, eles enfrentariam todos os seus piores temores reunidos.

Um farfalhar de asas chamou a atenção do capitão, e ele viu os batedores do exército das trevas se aproximando, ainda visíveis pela réstia de luz do céu do crepúsculo que se fechava com pesadas nuvens.

— Tannînins! São tannînins! — ouviu um dos soldados gritar e apontar o dedo para a imagem que ele já havia visto.

As criaturas aladas e escuras alcançaram a alta muralha e passaram por cima das estátuas dos kedoshins, lançando suas sombras sobre os altos edifícios. Imediatamente começaram a cuspir fogo sobre as casas e torres.

Os primeiros gritos desesperados se ouviram dentro da cidade, mas o capitão ordenou que os soldados tratassem de apagar rapidamente os incêndios causados. Isso era só um aviso, ainda não era um ataque. Os tannînins contornaram e retornaram para o exército das trevas levando as notícias do que haviam visto: uma cidade pouco guarnecida para o poderio do inimigo.

O capitão calculou que havia vinte ou trinta tannînins. Nenhuma catapulta disparou lanças contra eles. Precisavam economizar as armas para o momento em que todo o exército inimigo estaria diante das muralhas. E isso aconteceria em poucas horas. Só um milagre poderia salvar Olamir.

* * * * *
* * * * *

Dentro do farol de Sinim, os peregrinos de Derek-Or estavam imóveis. Havia uma percepção de estarem diante de algo profundamente sagrado. Lá fora, a sombra começava a se projetar sobre Yareah, que podia ser vista indistintamente por entre as nuvens menos densas da noite de Urim. O eclipse total aconteceria dentro de poucos minutos.

A pequena pedra do farol parecia ser do mesmo tamanho de Halom e tinha também o mesmo formato arredondado. Quando acesa, lançava sua luz pelas janelas para ajudar os barcos perdidos em tempestades a encontrarem o rumo, mas naquele momento estava apagada.

Leannah arfava o peito pela longa subida. Com a ausência de Ben, ela era a portadora de Halom. Por certo lhe cabia a responsabilidade de fazer alguma coisa para completar o caminho da iluminação, mas se sentia amedrontada. Seus sentimentos confusos em relação a Ben criavam dentro dela uma sensação estranha, uma mistura de tristeza pelo fato de ele não estar ali, e também de alívio por saber que não o veria olhando daquele modo fascinado para Tzizah.

Ela se recriminou por deixar aqueles sentimentos a influenciarem. Já havia aprendido que a conclusão do caminho dependeria de um estado de iluminação, e sentimentos conturbados só atrapalhavam. Estavam em busca do maior poder da terra. E esse poder estava ligado a algo fortemente espiritual. Isso era o caminho da iluminação idealizado pelos kedoshins. Um aprendizado, como se fossem degraus que precisavam ser escalados. E agora estavam no último deles. Conhecimento, experiência, intuição... Algo ainda faltava. Apenas ela havia recebido todos os presentes anteriores do antigo povo iluminado. Talvez, por isso, todos a olhassem, esperando que fizesse algo.

A cantora de Havilá segurava a pedra de Ben dentro da mão fechada e tentava encontrar alguma convicção para agir. Haviam atravessado toda a terra de Olam. As dificuldades haviam sido imensas. Estavam no ponto final, e mais do que nunca parecia haver chances de completar o caminho, mas as dúvidas e a indecisão de Leannah nunca foram tão grandes.

Sabia que cada segundo desperdiçado poderia custar caro. Precisava concluir a missão, lapidar a última marca em Halom para que se tornasse o instrumento capaz de reativar o Olho. Assim, poderia trazer Ben de volta, salvar Olamir dos shedins e retornar para Havilá. Em muitos momentos daquela jornada, tudo o que Leannah mais desejou foi voltar para casa e ser apenas a cantora no templo de Havilá. Porém, no seu íntimo, sentia que jamais voltaria para casa. As coisas nunca mais seriam o que eram antes.

— A rainha não vai conseguir deter os soldados por muito tempo... — lembrou Adin, percebendo a indecisão da irmã.

— Nem as sombras sobre Yareah — complementou Kenan, olhando para a lua já coberta pela metade.

Leannah concentrou-se na pequena pedra do farol. Parecia estar apenas encaixada dentro do berço. Era um compartimento semelhante ao que havia sobre o altar dentro do templo dos kedoshins em Bethok Hamaim. Leannah esticou a mão trêmula e tentou retirá-la. Seus dedos finos não encontraram dificuldades. Conseguiram apreender a borda externa da pedra. Ela a fez deslizar para cima. Segundos depois, a pedra do farol estava em sua mão.

Por um momento, contemplou as duas lado a lado, uma em cada mão. Não eram apenas parecidas, eram idênticas, tanto em tamanho quanto na forma como haviam sido lapidadas, com milhares de pequenas faces criadas por incisões de lapidação. Isso era espantoso. Se o farol era um presente dos kedoshins, então, aquela pedra deveria ter sido lapidada por eles. E uma vez idênticas, Halom poderia ser tão antiga quanto a outra. Leannah sabia que o farol não tinha apenas a função de salvar marinheiros perdidos. Ele era um repercussor do Olho em Sinim. Nos tempos antigos, quando ameaças terríveis surgiram do leste, o farol ajudou a deter a escuridão vinda daquele lado também.

As duas pedras só eram diferentes na cor. Halom naquele momento tinha uma cor pálida, quase translúcida. Não havia mais nada do vermelho brilhante de antes. Leannah percebia que o esmaecimento era consequência dos pontos de ativação já completados. Era como se cada mecanismo aplicasse sobre Halom uma marca especial, semelhante a uma marca de lapidação. E agora estavam diante do último ponto. Após a aplicação da última marca, provavelmente Halom ficaria inteiramente branca.

A pedra do farol era branca, porém tinha uma tonalidade tenramente azulada.

— Encaixe a pedra. É simples — indicou Adin ao ver que a irmã continuava relutante.

Aquele era o problema. Simples demais. O fato de serem idênticas sugeria que Halom deveria ser colocada no berço, no lugar da pedra do farol. No entanto, diante de todas as dificuldades e enigmas que precisaram decifrar para chegar até aquele lugar, substituir as pedras parecia algo óbvio. Entretanto, o que mais poderia fazer?

Leannah olhou para o compartimento onde a pedra estivera encaixada e titubeou. Sua mente começou a se encher de dúvidas. E se não fosse daquele modo? E se tomar aquela atitude, em vez de reativar o Olho, apagasse-o de vez? Ela não sabia de onde vinham os pensamentos, mas era como se alguém estivesse atrás dela, sussurrando-os em seus ouvidos. Por um momento, ela se virou, mas viu apenas Tzizah e Adin e, um pouco mais atrás, Kenan e Kohen. Todos exprimiam olhares de expectativa.

Forçando-se a ignorar os pensamentos, ela esticou a mão e fez deslizar a pedra de Ben para dentro do compartimento no berço de pedra. O encaixe foi tão preciso que Halom se acomodou com perfeição. Ouviu-se um clique. Imediatamente, uma forte luz encheu a câmara do farol como se ele tivesse se iluminado para alcançar os barcos perdidos na travessia do canal. Porém, a luz não era azul; era quase branca. Quando a luz enfraqueceu, a já conhecida névoa luminosa começou a se elevar da pedra. O coração de Leannah se alegrou ao vê-la. Das outras vezes, a névoa gelada indicara que o novo ponto do caminho havia sido completado. Talvez o último ponto fosse mesmo o mais fácil. Talvez já tivessem passado em todos os enigmas e testes.

A névoa formou desenhos indistintos sobre o berço. Pouco a pouco, as formas esbranquiçadas se misturaram. A imagem de um ancião começou a aparecer para nova surpresa de todos.

No começo ela pensou que fosse Enosh, do mesmo modo como sua imagem havia aparecido no palácio de Thamam para dar as instruções iniciais sobre o caminho. Quando a imagem se consolidou, parecia mais a figura de Thamam, como quando se comunicaram com ele nas Harim Keseph. Então, imaginaram que o Melek estivesse tentando estabelecer uma conexão de algum lugar. Tzizah até mesmo se adiantou e chamou por seu pai, mas logo todos perceberam que, embora a imagem tivesse uma notável semelhança com o Melek, tratava-se de outra pessoa. Não era alguém do presente que estava falando com eles, mas do passado.

O ancião recitou um verso.

> Quatro etapas a seguir é o caminho da iluminação.
> Para o poder redescobrir, é preciso guardar o coração.
> Uma só verdade a luzir, por um caminho sublime.
> A tarefa não irá se cumprir, até que a alma se ilumine.

Eles reconheceram o verso solitário do mapa do caminho da iluminação. Então, o ancião começou a falar:

— Eu sou Tutham, chamado em tempos antigos de o Nobre. Aqui é o final do caminho da iluminação. As marcas necessárias foram lapidadas sobre a pedra. Em Olamir, no Morada das Estrelas e no Palácio de Gelo coisas importantes foram ensinadas, bem como em todo o percurso desde Schachat. Porém, falta a última marca. Está aqui, no farol de Sinim, o lugar para que ela seja lapidada.

Os cinco ficaram admirados com aquilo. Era uma mensagem deixada dentro da pedra que só agora estava sendo liberada. Devia ter sido colocada mais de dois mil anos atrás, quando Tutham ainda vivia.

— O peregrino que cumpriu todas as etapas deve se aproximar e colocar a mão sobre a pedra. Os sentimentos mais profundos de sua alma serão desvendados. Se forem os sentimentos corretos, significa que o peregrino passou nos testes, acumulou o conhecimento necessário, então, a marca final será lapidada sobre a pedra, e o último presente dos kedoshins será recebido. Só haverá uma tentativa. Se o estado de iluminação não tiver sido alcançado, o processo se reverterá, e o Olho não poderá mais ser reativado.

Instantaneamente, a imagem do antigo rei de Olamir desapareceu, e as luzes dançantes também se extinguiram.

Leannah e Tzizah trocaram olhares assustados. Adin parecia apavorado. Kenan olhava para a pedra com um brilho esquisito nos olhos.

Leannah sabia que era ela quem devia se aproximar e tentar lapidar a última marca. Era a única que havia completado todos os pontos do caminho. Todos a olhavam fixamente, como se insistindo para que fizesse o que precisava ser feito.

Ela balançou negativamente a cabeça.

— Não posso — sussurrou. — Não estou preparada.

Tzizah ia lhe dizer alguma coisa, mas naquele instante Kenan se adiantou e todos olharam assustados para o guerreiro, sem entender o que ele estava planejando fazer.

Resoluto, ele se aproximou do berço.

— Você não completou o caminho! — desesperou-se Tzizah ao perceber as intenções dele, mas Kenan ignorou a advertência. Seu olhar refletia um brilho de fanatismo.

— Olhe para Yareah! — esbravejou Kenan com a mão direta a centímetros de Halom. — Em instantes, o Olho se apagará completamente. Se ela não tem coragem, alguém precisa fazer o que deve ser feito.

Ele esticou a mão para pegar a pedra apesar dos gritos desesperados de Tzizah e Leannah.

Foi quando, Kohen se jogou sobre o giborim. O marinheiro, mesmo menor que o guerreiro, encontrou forças em algum lugar para impedir que Kenan colocasse tudo a perder. Os dois homens caíram pesadamente no chão de pedra, lutando com braços e pernas.

Então, ouviram gritos vindos do exterior e também barulho de soldados batendo os calçados nos degraus.

— Eu vou detê-los! — decidiu-se Adin. — O garoto pegou a funda e se posicionou diante da escadaria.

Tzizah olhou para Leannah e seu olhar era uma súplica para que ela tomasse uma atitude. Leannah baixou a cabeça. Continuava sem coragem. Se errasse, se não tivesse o entendimento correto, tudo estaria perdido.

— Só há uma chance — justificou-se Leannah. — Se eu falhar, nunca mais será reativado. Eu preciso de tempo. Preciso descobrir o que está faltando.

— Só você completou todos os pontos do caminho! — insistiu Tzizah. — Só você pode tentar ativá-lo!

Àquela altura os soldados já estavam do lado de fora da porta da última câmara. Adin arremessou algumas pedras fazendo vários deles rolarem escadaria abaixo. Yareah no céu exibia apenas um fiozinho de luz.

Kenan conseguiu se livrar das mãos do marujo e se levantou. Por um momento, Leannah pensou que ele voltaria a tentar retirar a pedra. Ficou diante da pedra, resoluta a impedi-lo de se aproximar.

— Faça o que precisa ser feito! — disse o giborim, sem se aproximar da pedra.

Kohen permaneceu no chão, exausto e sem forças para se levantar. Leannah olhou para ele com gratidão por ter salvado aquela missão pela segunda vez.

A cantora de Havilá aproximou suas mãos da pedra. Temia tocá-la e nada acontecer. Mesmo assim, se aproximou, parando os dedos quase encostados na shoham. Recitou para si o pequeno poema do livro. Uma vez. Duas vezes.

Eles já haviam percorrido as quatro etapas do caminho da iluminação. No entanto, o poema falava em guardar o coração e em iluminar a alma. Isso só podia dizer respeito ao que deveriam ter aprendido naturalmente ao longo de todo aquele percurso.

Leannah começou a repassar o que haviam aprendido desde o início. Em Olamir, todo o conhecimento da biblioteca dos kedoshins foi colocado instantaneamente à disposição deles. Mesmo sem saber como, havia recebido informações sobre técnicas, teorias, histórias do passado. Ainda não tivera tempo de pensar em tudo, mas sem aquilo não teria conseguido abrir o Morada das Estrelas.

O próximo ponto foi Bethok Hamaim, e, lá, depois de ter conseguido abrir o templo, ela viu o nascimento do universo. Os propósitos do criador foram revelados, ao mesmo tempo em que viu uma dissensão entre as criaturas celestes que resultou em todo o estado caótico do mundo. Lá, ela foi presenteada com um tipo de conhecimento experimental, como se tivesse vivenciado centenas de situações em sua breve vida. Foi enriquecida com tudo aquilo.

Nas Harim Keseph, sem dúvida, enfrentaram o pior teste, quando foram vencidos por um sentimento de cobiça. Ao mesmo tempo, ao falhar no teste, Ben ativou o próximo ponto por meio do mecanismo da coroa. Aquele havia sido o momento mais complexo da jornada. Então, assistiram à queda de Irkodesh. Por meio da visão tomaram ciência da última atitude do príncipe dos kedoshins que permaneceu na cidade lutando sozinho contra as forças das trevas, enquanto seu povo fugia em busca de salvação. Finalmente, foram presenteados com algo especial, um despertamento para que pudessem tomar decisões não apenas com base na teoria ou nas experiências, mas com um conhecimento intuitivo.

Leannah percebia que havia uma sequência, uma ordem nas experiências e também nas visões recebidas. Haviam sido presenteados com conhecimento teórico, experimental e intuitivo. Ao mesmo tempo, haviam sido ensinados a respeito do criador, da criação e da corrupção. Mas Leannah percebia que faltava algo. Ali, dentro do farol, a névoa colorida aparecera, mas não trouxera qualquer visão e nenhuma nova forma de conhecimento. E, por isso, Leannah não sabia o que estava faltando. Tudo o que ela aprendera precisava se concentrar em uma verdade central. Sentia que já a havia aprendido, estava dentro de si, mas não conseguia trazer para a superfície, como se seus olhos estivessem encobertos para enxergar o aspecto decisivo que colocaria todas as experiências na ordem apropriada e finalizaria o caminho da iluminação. Se tocasse a pedra sem compreender o que estava faltando, o Olho jamais seria reativado.

Viu seu irmão soltar um grito de dor e ser arremessado para trás. Abruptamente soldados armados com espadas adentraram a câmara do farol. Logo atrás deles, vinha um homem magro e levemente corcunda vestindo roupas escuras. Seus cabelos eram cinzentos. Eles reconheceram o chefe dos magos de Sinim. Não usava as vestes coloridas de antes. Segurava um cetro com uma pedra escura na ponta. Depois dele, dois soldados entraram empurrando a rainha com as mãos amarradas.

Adin se levantou e tentou girar a funda contra os invasores, mas o homem apontou o cetro para ele, e novamente Adin foi arremessado para trás. Ele bateu a cabeça na parede e ficou fora de ação.

— Acharam que eu permitiria que estragassem tudo? — perguntou o conselheiro com desprezo. — Infelizmente nossa frágil rainha não tem mais condições de tomar decisões para o bem de Sinim. E por isso, há necessidade de medidas drásticas.

Leannah estava ao lado da pedra. Suas mãos praticamente a tocavam. O olhar de Tzizah foi uma súplica para que o fizesse. Ela realmente pensou em fazer, mesmo temendo colocar tudo a perder.

— Eu não faria isso se fosse você — advertiu o conselheiro, apontando o cetro para Leannah.

Leannah sentiu uma pressão muito forte, como se mãos poderosas a estivessem empurrando para trás. Ela se viu caminhando contra sua vontade e se afastando do berço da pedra. Sentiu seu corpo se esmagar contra a parede.

O conselheiro fez outro movimento com o cetro em direção a Tzizah. A princesa de Olam também foi empurrada para o lado. O próximo a ser imobilizado foi o giborim. Debilitado, Kenan ofereceu pouca resistência ao chefe dos magos.

O caminho que levava ao berço ficou livre para o conselheiro.

— Quem diria que, afinal das contas, eu seria o responsável por ativar o todo-poderoso Olho de Olam? — vangloriou-se o homem enquanto se aproximava da pedra. — Eu que sempre fui uma peça sem importância nesta história, agora me tornarei a principal!

— Se você fizer isso irá destruí-lo! — Leannah conseguiu advertir, sentindo seu corpo imobilizado. — Você não completou o caminho da iluminação. Não pode reativá-lo!

Até mesmo falar lhe era difícil. Ela sabia que não havia nada em volta de si. Tudo estava em sua cabeça. De algum modo, a pedra escura do cetro fazia a mente acreditar que estivesse sendo pressionada.

O conselheiro deteve a própria mão. Titubeou. Olhou para a pedra e para Leannah com desconfiança.

— Só há uma tentativa para reativar o Olho — continuou Leannah entre os dentes. Sentia-se cada vez mais esmagada. — Se falhar, o Olho nunca mais poderá ser reativado.

— De um jeito ou de outro eu terei Sinim — disse o conselheiro com um olhar malévolo. — Com ou sem o Olho, Naphal concederá a coroa para mim em troca dessa vitória estrondosa. E vocês e o Olho apagado serão minha moeda de troca.

O homem esticou a mão para pegar a pedra. Mais uma vez Leannah viu que tudo ia se perder. Então, uma cena pareceu se repetir dentro da câmara do farol. Kohen, que estava caído desde que conseguira deter Kenan, levantou-se sem que o conselheiro percebesse e se lançou contra o homem. Mesmo ferido, encontrou forças para afastar o conselheiro do berço. Os braços musculosos do velho marujo imprensaram o homem e, por um momento, ele não conseguiu mover o cetro.

O conselheiro esperneou e gritou furiosamente, mas os braços de ferro o seguravam. Mesmo assim, a pedra negra na ponta do cetro brilhou subitamente, e uma das pernas do marujo se enfraqueceu.

— Solte-me! Eu vou fazê-lo em pedaços! — ameaçou o conselheiro.

Percebendo que não conseguiria segurá-lo por muito tempo, Kohen atravessou a câmara do farol. Arrastava uma das pernas, porém segurava firmemente o conselheiro. Leannah percebeu o que ele ia fazer, mas o grito não saiu da garganta, o cetro do homem a sufocava.

— Essa viagem está custando mais do que dez siclos de ouro! — disse Kohen.

Kohen e o conselheiro atravessaram a abertura que possibilitava a saída da luz. Ambos despencaram do alto do farol para a escuridão das rochas e do mar tempestuoso a quase duzentos metros abaixo. Os gritos raivosos e depois desesperados do chefe dos magos ainda puderam ser ouvidos durante a queda livre, mas logo foram engolidos pelo barulho das ondas do Yam Kademony.

Por um momento, todos ficaram paralisados dentro da câmara. Não devido aos efeitos da pedra escura do conselheiro, mas pelo ocorrido. Então, Adin se levantou e ameaçou os soldados da câmara do farol com a funda. Depois de expulsá-los, fechou mais uma vez a porta. Em seguida, retirou a mordaça da rainha e soltou as cordas que a prendiam, acariciando suavemente aquelas mãos que curaram a ele, a Kenan e ao marinheiro.

A força mental que prendia Leannah se afrouxou, e ela se viu livre. Em seguida, Tzizah e Kenan também estavam libertos.

— Sacrifício — disse Leannah baixinho.

Olhou para Tzizah, mas a princesa lhe devolveu um olhar de incompreensão.

— O líder dos kedoshins... Foi isso o que ele fez. Sacrificou-se por seu povo. Essa era a grande lição do Palácio de Gelo. O príncipe enfrentou as trevas enquanto seu povo fugia. Um padeceu para que os outros fossem livres. Kohen acabou de fazer a mesma coisa.

A expressão no olhar de Tzizah demonstrava que ainda não estava entendendo, mas a urgência em seus olhos indicava que confiava nela.

— O criador, a criação, a corrupção... e a redenção. Essa é a sequência de coisas que eles queriam nos ensinar. É o sacrifício que desfaz a corrupção. Kohen nos ensinou isso esta noite. Ele nos salvou de todas as maneiras possíveis... Você não entendeu? Esse é o caminho da iluminação. Diz respeito a como podemos vencer o mal que há dentro de nós. Só há um caminho...

Quando a cantora de Havilá colocou a mão sobre Halom, a claridade encheu a câmara do farol. Foi tão intensa que a luz branca repercutiu por todas as janelas e alcançou as nuvens e as quatro direções do horizonte, ofuscando momentaneamente a noite.

Naquele momento, Leannah se sentiu tomada por uma força benéfica. Foi como se revivesse aceleradamente todas as etapas percorridas do caminho — as alegrias e as tristezas — e ela se viu bombardeada por imagens e sons impressionantes. Parecia que toda a sua vida estava diante de seus olhos, e mesmo mais do que isso, a vida de muitas pessoas, suas experiências, seus sucessos e seus fracassos. Uma biblioteca, um templo, um palácio e um farol. Quatro presentes dos kedoshins. No final de tudo, a redenção só podia ser um grande ato de renúncia, um sacrifício.

Então ela recebeu o quarto e último presente dos kedoshins. Leannah se sentia como a luz que emanava da pedra, capaz de fluir para fora do farol e alcançar distâncias imensuráveis, até tocar as nuvens altíssimas e iluminar o caminho dos perdidos para o porto seguro. O mundo não apresentava mais mistérios enquanto aquela luz a tomava.

Quando a sensação passou e o brilho diminuiu, Leannah segurava Halom na palma da mão. A pedra estava inteiramente branca, límpida e transparente.

— Você completou o caminho — admirou-se Tzizah. Havia lágrimas em seus olhos. — Agora poderemos salvar Olamir!

Foi quando, Leannah sentiu um forte empurrão, e viu a pedra branca escapulir das mãos.

— Mudança de planos — disse Kenan, pegando Halom. — Eu fico com isso!

— Não! — gritou Tzizah. Mas era tarde demais.

— Até que enfim! — disse Kenan olhando para a pedra branca em suas mãos.

21 A batalha de Olamir

—Há muitos milênios os homens apareceram em Olam — começou Enosh.

Ao ouvir isso, Ben tirou os olhos de Yareah e olhou confuso para o mestre, mas ele fez um gesto imperioso com a mão, querendo dizer que logo tudo faria sentido. — Você só entenderá essa guerra se eu começar do início...

Os olhos de Ben voltaram a focalizar a sombra que se projetava sobre Yareah, enquanto seu coração parecia despencar do penhasco. O eclipse estava em andamento, porém Enosh não demonstrava qualquer reação ao vê-lo. Parecia convencido de que nada havia a ser feito. Será que era tarde demais para fazer algo por Olamir?

O velho havia limpado um lugar no alto no penhasco. Aparentemente pretendia realizar algum tipo de ritual com as pedras.

— Inicialmente, os homens e os kedoshins habitavam em Ganeden — ouviu Enosh continuar. — Naquele tempo a floresta era muito maior e cobria toda a área entre o Hiddekel e as Harim Keseph, e também se estendia ao leste até o grande mar.

Ben tentou prestar atenção às suas palavras, mas elas pareciam sem qualquer importância. A batalha de Olamir, provavelmente, estava sendo iniciada naquele momento. Como podia ficar de fora? Gever o treinara para lutar! Ou será que ainda lutaria?

Não entendia aquela passividade de Enosh. Será que ele não se importava com o que estava acontecendo em Olamir? Talvez estivesse enlouquecido. Por um momento, Ben pensou em abandoná-lo e correr para Olamir mesmo sabendo que levaria semanas para chegar lá.

— Ganeden tem mais participação na história deste mundo do que a maioria das pessoas poderia imaginar... — continuou Enosh, impassível. — Lá um grupo de sacerdotes da mais alta hierarquia dos kedoshins cometeu um terrível ato de traição e decaiu de seu estado original. Como não cresciam em luz, voltaram-se para as trevas, tornando-se criaturas malignas; cada vez mais malignas...

Essa revelação fez com que Ben forçosamente prestasse atenção às palavras dele.

— Então, os shedins...

— Eram kedoshins! — o velho confirmou. — Foram amaldiçoados quando cobiçaram a glória de *El*. Houve guerras terríveis entre o remanescente que permaneceu fiel aos propósitos do criador e o grupo de rebeldes liderados por Helel, o mais poderoso kedoshim que já existiu. Ele se tornou o senhor das trevas. Foram tempos de batalhas como o mundo nunca viu, mas agora parece que as verá outra vez... Irkodesh, a cidade dos kedoshins caiu diante dos rebeldes e, tomada por eles, tornou-se a amaldiçoada Irofel, a cidade das trevas. Mas os irins intervieram e julgaram o mundo antigo. O senhor das trevas e parte dos rebeldes foram condenados e lançados para o Abadom, encerrando aquele período. Os kedoshins rebeldes que ficaram foram amaldiçoados e tornaram-se shedins.

Ele fez uma pausa para reorganizar as ideias. Ben ainda não conseguia entender o que o velho estava querendo explicar. Lembrou-se da visão do palácio de gelo sobre Irkodesh, a cidade santa, e o modo como caiu. Lá, o príncipe kedoshim se sacrificou para salvar seu povo. Só agora se dava conta de que havia muitas semelhanças entre o príncipe kedoshim e Gever.

Seus pensamentos forçosamente se voltaram para Olamir. Agora sabia que ficara dois anos e meio dentro de Ganeden, mas que em Olam somente dois dias e meio haviam se passado.

— Com o enfraquecimento dos shedins, os homens ajudados pelos kedoshins remanescentes fundaram Schachat num vale fértil, onde hoje é o desfiladeiro de Midebar Hakadar — continuou Enosh. — Foi uma cidade gloriosa que quase alcançou os céus. Mas um grupo de homens com intenções perversas mais uma vez aliou-se aos shedins, permitindo a invasão dos exércitos das trevas. Apenas algumas famílias conseguiram escapar e fugiram para a montanha onde hoje é Olamir. Os kedoshins acolheram essas famílias mais uma vez e as ajudaram a construir Olamir sobre o precipício.

O velho fez outra pausa para reordenar os pensamentos. Ben se lembrou de Schachat. Era impressionante como uma cidade tão bela havia se tornado uma desolação. Agora também entendia o que havia acontecido lá.

— Olamir se desenvolveu de modo a alcançar o ápice de sua existência em dois ou três milênios. O primeiro rei de Olamir se chamava Héber e era um dos ancestrais de Thamam... A primeira vez que se tem notícia de que os shedins atacaram Olamir foi há aproximadamente sete mil anos. Nesse tempo reinava Omer em Olamir. Com a ajuda dos kedoshins, após quase cinco séculos de guerra, eles conseguiram derrotar os shedins mais uma vez. Nesse tempo, os kedoshins quiseram dar ao Melek um presente especial. Eles forjaram Herevel e lapidaram as pedras do seu cabo com alguns fragmentos de uma pedra branca perfeita que haviam encontrado. Eles a deram a Omer, e com ela ele reinou em Olamir. Nos milênios seguintes sempre aconteceram incursões e tentativas de invasões dos shedins sobre a terra de Olam, bem como alguns períodos curtos de guerras; todavia, enquanto os kedoshins estavam lá, os shedins foram sempre derrotados. Quando os kedoshins alcançaram o ápice na arte de lapidar as pedras shoham, iniciaram o maior projeto de sua história: lapidar a própria pedra branca, guardada até então. O único exemplar deste mundo que já havia sido encontrado.

— O Olho de Olam — reconheceu Ben.

— Eles já estavam planejando se retirar deste mundo, mas não queriam deixar os homens desamparados. Percebiam que a cortina de trevas avançava sobre Olam e o Olho seria a maneira de impedir esse avanço, e também de impedir que os shedins se movessem livremente em Olam.

O velho respirou mais uma vez. Parecia selecionar partes de uma história muito longa.

— Há pouco mais de dois mil anos aconteceu uma terrível guerra. Parte dos homens se rebelou e seguiu os shedins mais uma vez. Os kedoshins se decepcionaram muito com isso. Eles não viram mais razão para permanecer e lutar, pondo em risco suas vidas imortais, por criaturas que sempre pareciam dispostas a dar espaço para o mal. Nesse tempo reinava em Olamir, Tutham, o Nobre. Ele era realmente um homem justo. Era o décimo quarto descendente de Héber. Ele tentou fazer os kedoshins desistirem de se retirarem de Olam, mas não conseguiu. Os kedoshins resolveram retornar para Ganeden e de lá seguir para algum lugar desconhecido, longe dos homens e de todo conflito. Então, Olamir foi cercada e grande parte de Olam foi encoberta pelas sombras.

— Mas e o Olho? Onde estava o Olho?

O velho fez sinal para que ele esperasse.

— Parte dos kedoshins achava que não deviam deixar o Olho com os homens, pois era muito poderoso, e os homens não eram confiáveis. Eles levaram o Olho para Ganeden. Inconformado, Tutham cavalgou até Ganeden, e mesmo sabendo que se entrasse poderia jamais sair, ele foi atrás dos kedoshins. Após seis meses de jornada, finalmente os encontrou pouco antes de eles atravessarem o último portal e deixarem Olam para sempre. Ele implorou para que retornassem para salvar Olamir, mas eles estavam decididos a ir embora. Entretanto, realizaram um último Conselho dentro de Ganeden. Decidiram fazer um procedimento final de lapidação na pedra branca e a entregaram para Tutham.

— A pedra ainda não estava pronta? — estranhou Ben.

— Estava. Mas para entregá-la, eles fizeram algo para aumentar a segurança caso fosse utilizada por mãos erradas. O Conselho dos Kedoshins só autorizou a doação da pedra mediante esse procedimento. Assim, se o Olho fosse utilizado de maneira indigna, ele se apagaria. Não instantaneamente, mas gradualmente, se escureceria e perderia o poder. Entretanto, o mesmo Conselho revelou a Tutham o meio de reverter o escurecimento, caso viesse a acontecer. Talvez já previssem que isso se daria mais cedo ou mais tarde.

— O caminho da iluminação! — compreendeu Ben.

— Eles entregaram o Olho para Tutham, para que ele expulsasse os shedins de Olam, mas exigiram dele uma promessa solene. Após a vitória, ele precisaria colocá-lo sobre uma alta torre em Olamir, a fim de compartilhar o poder e o conhecimento com todos os homens livres. Tutham se comprometeu, porque sabia que, doutra sorte, o Olho se desativaria.

— Mas, então por que o Olho se apagou?

O velho o olhou enigmaticamente e novamente fez sinal para que aguardasse.

— De posse do Olho de Olam e também empunhando Herevel, Tutham cavalgou para fora de Ganeden e encontrou a maior parte de Olam destruída. A única construção dos kedoshins que ainda resistia fora de Olamir era o templo no meio do ciclo das águas, pois os shedins jamais puderam se aproximar dele.

Algumas cidades, como Ir-Shamesh, estavam intactas porque haviam se aliado aos shedins. Olamir resistia por sua fortaleza natural, pelo escudo de pedras que os kedoshins haviam construído para ela e, também, devido ao poderoso exército armado com instrumentos de guerra potencializados pelas pedras shoham. Porém, estava praticamente em ruínas. A população morria de fome pelos anos de cerco. A escuridão avançava e já estava bem próxima da cidade. Tutham conseguiu reunir um exército formado por guerreiros dos povos de além-mar, rions das montanhas de prata e também pelos povos negros do Oeste. Ele marchou contra os exércitos dos shedins para libertar Olamir do cerco. O Olho de Olam e Herevel combinados foram irresistíveis. À frente do exército, Tutham atacou os shedins pelas costas quando a cidade estava prestes a ser invadida devido à traição de Ir-Shamesh. Milhares de shedins foram mandados para o Abadom. Após a vitória, Tutham cumpriu sua promessa, abdicou de controlar o Olho e o colocou sobre a torre branca que mandou construir em Olamir. Assim, a paz e a prosperidade retornaram a Olam e os shedins nunca mais puderam deixar a terra de Hoshek com suas verdadeiras formas.

— Então é por isso que ele ficou conhecido como Tutham, o Nobre! — disse Ben admirado. — Ele foi mesmo digno desse título.

O velho apenas sorriu com tristeza. Ben percebeu que ainda não havia entendido tudo.

— Duzentos anos depois, os shedins haviam se recomposto e descoberto a maneira de sair da terra de Hoshek com corpos semelhantes a humanos. Sabendo que Tutham havia abdicado do Olho, acreditaram ter alguma chance. Marcharam mais uma vez, como nuvens carregadas, contra Olamir. Porém, aquela foi a batalha mais rápida da história de Olam. Nenhum soldado de Olam precisou pegar em armas. Quando o exército das trevas alcançou as muralhas, Tutham tocou a trombeta de prata e o Olho resplandeceu do alto da torre. Nunca houve cena mais bela e destruidora em toda a história de Olam. O poder repercutiu a partir das pedras shoham retransmissoras que Tutham havia mandado lapidar em Olamir. Era noite, mas a luz do Olho fez a noite virar dia. Os exércitos dos shedins foram fulminados diante do abismo...

Ben se impressionou com a descrição. *Se o Olho foi reativado, será que isso vai acontecer hoje?* Pensou em perguntar, mas Enosh não lhe deu oportunidade.

— Depois disso, nenhum exército shedim ousou atravessar a cortina de trevas. Tutham reinou em paz sobre Olamir por muito tempo, e a cidade foi inteiramente reconstruída. Foram longos anos de paz e prosperidade. Porém no final de sua vida, o Melek cometeu um erro.

Ben olhou surpreso para o velho.

— O que o senhor quer dizer com cometeu um erro?

— Ele quis mais uma vez controlar o Olho. Eu acompanhei seus últimos anos. Ele andava obcecado por essa ideia.

— O senhor?! — admirou-se Ben mais uma vez. — O senhor conheceu Tutham? Enosh olhou com tristeza para Ben, e ele percebeu que ainda havia mais coisas.

— Eu fui discípulo dele. Eu era o mais promissor lapidador de Olamir. Tutham me nomeou mestre dos lapidadores.

— O senhor? Mestre dos lapidadores de Olamir? Como?

— Minhas pesquisas apontavam para a existência de outra pedra shoham branca. Cavamos as Harim Adomim até quase o centro da terra. Por fim encontramos.

— O Olho não era a única pedra branca? — perguntou Ben cada vez mais confuso com todas aquelas informações.

— Era tão rara que as pessoas acreditaram que fosse a única. Porém, a pedra do farol de Sinim também pode ser considerada uma pedra branca, ainda que não inteiramente, pois tem uma tonalidade azulada. A pedra que eu encontrei era inteiramente branca, quase tão branca quanto o Olho. Então, Tutham me convenceu a lapidar aquela pedra de modo a liberar todo o seu poder. Eu levei 250 anos para fazer isso. Imitei a mesma técnica de lapidação que os kedoshins haviam utilizado no Olho. Não envelheci um único dia enquanto lapidava a pedra, pois eu absorvia o poder dela. Ao final, ficou um trabalho muito bom.

— Duas pedras brancas? — Ben estava atônito.

— Tutham queria uma só para si! — Justificou Enosh.

— O senhor concordou com isso?

— No início eu não entendi o que ele planejava. Eu estava empolgado demais com a possibilidade de esculpir aquela pedra. E ele era o Melek. Era Tutham, o Nobre. Imaginei que soubesse o que estava fazendo, pois sempre havia sido um rei muito sábio.

— E o que aconteceu então? — Perguntou Ben começando a antever a resposta.

— Eu completei a lapidação e entreguei a pedra para ele. Ficou realmente muito parecida com o Olho. Brilhava com a mesma intensidade quando era ativada pela trombeta de prata. Era muito poderosa, mas estava longe de ter o poder do Olho verdadeiro. Mesmo assim pensei que ele ficaria satisfeito.

— E ele ficou? O que ele fez com ela?

— Ele trocou as pedras.

— Trocou as pedras — repetiu Ben sem entender as implicações.

— Acreditei que minha pedra seria suficiente para ele, mas ele queria o Olho verdadeiro, lapidado pelos kedoshins. O desejo de controlá-lo mais uma vez o cegou e acho que também o enlouqueceu. Desde o início, o plano era trocar as pedras. Substituindo o Olho, poderia ficar com o verdadeiro só para si mais uma vez.

— Ele ficou com o Olho de Olam? — Ben estava atônito.

— Sim e desapareceu. Ele nunca mais foi visto em Olamir. Mas antes estabeleceu o sistema de Conselho para governar Olam. Ninguém jamais soube o que aconteceu com ele, por isso eu espalhei a lenda de que ele havia sido arrebatado para o lugar onde os kedoshins foram morar...

— Então, o Olho... o Olho sobre a torre branca...

— É a pedra que eu lapidei. Não é o verdadeiro Olho de Olam, por isso, ele enfraqueceu. Provavelmente eu tenha falhado em copiar todos os procedimentos de lapidação dos kedoshins.

Ben estava pasmo. Ele não encontrava palavras para expressar sua confusão mental e muito menos seu assombro.

— Então se os shedins tivessem atacado Olam nesse período...

— É impossível saber o que teria acontecido. A pedra branca, mesmo não sendo o Olho dos kedoshins, é muito poderosa. Mas não sei se o suficiente para resistir a um ataque maciço dos shedins.

— Então, afinal, o que nós estávamos tentando fazer com Halom? Ela poderia devolver o poder à pedra que está sobre a torre em Olamir?

— Halom é o verdadeiro Olho de Olam que se apagou. O caminho da iluminação poderia reativá-lo.

Essa revelação fez com que Ben sentisse uma vertigem.

— O verdadeiro Olho? Como assim? A pedra não é branca?

— Acredito que Halom esteja branca nesse momento. O Olho se escureceu porque Tutham quebrou a promessa feita aos kedoshins e o utilizou da maneira errada. Os kedoshins haviam planejado isso. Lembra-se do procedimento final de lapidação? Tutham estava insano com o poder e o conhecimento do Olho. A longevidade não o saciava mais, pois descobriu que quando se vive muito tempo, mas sem a verdadeira felicidade, a vida fica vazia demais. O Olho lhe dava um conhecimento insuportável para um homem finito, inclusive de suas próprias fraquezas.

Quando eu o encontrei, ele queria ir atrás dos kedoshins, mas nem mesmo o Olho poderia levá-lo para onde eles estavam. Então, Tutham gastou seus últimos anos vagando pela floresta de Ganeden, de posse da pedra, mas completamente enlouquecido. Um pouco antes de seu desaparecimento, ele saiu da floresta e teve um último resquício de lucidez. Resolveu abdicar do Olho. Queria morrer em paz e, de certo modo, voltar a ser Tutham, o Nobre. Enquanto o usava, ele simplesmente não morria e sentia sua alma definhando...

Enosh olhou novamente para Yareah que estava praticamente tomada pelas sombras.

— Ele me encontrou mais uma vez. Ordenou que eu enviasse o Olho de Olam para Olamir explicando como poderia ser reativado. Ele me falou do caminho da iluminação e sobre quatro marcas de lapidação que deviam ser realizadas por meio de quatro presentes dos kedoshins. Ordenou que eu encontrasse o mapa do caminho que estava em um antigo pergaminho e providenciasse que isso fosse feito. Depois disso, ele retornou para a floresta com a intenção de se deixar consumir num paredão de plantas que há lá. A doce morte... Acho que o resto da história você já decifrou.

— O senhor não devolveu o Olho para Olamir! — concluiu Ben em estado de choque, lembrando-se também do motivo pelo qual Halom estava clareando aos poucos durante o caminho da iluminação.

— A pedra branca que eu havia lapidado brilhava fortemente sobre a torre, e o verdadeiro Olho estava desativado, mas ainda me proporcionava longevidade. Então resolvi ficar com ele um pouco mais, convencendo-me de que eu deveria reativá-lo antes de devolvê-lo. E não podia fazer isso sem encontrar o mapa. Eu já havia vivido muito mais do que qualquer homem... Não consegui me desfazer... Estava convencido de que, se o devolvesse antes de reativá-lo, só causaria alarme em Olamir. Você sabe como é, quando a gente quer fazer uma coisa, sempre encontra os motivos...

— Quantos anos o senhor tem?

— Dois mil duzentos e três — disse ele —, graças ao Olho de Olam.

Ben balançava a cabeça, incrédulo.

— E por que o deu para mim?

— Foi meu último resquício de bom-senso. Eu sabia que a qualquer momento algo poderia acontecer comigo. Eu supus que ninguém pensaria que ele estivesse com você, e pelo que vejo isso deu certo. De qualquer modo, manteria o Olho perto de mim, pois você o trazia todos os dias para a biblioteca.

Naquele momento Ben entendeu o motivo pelo qual, de tempos em tempos, o velho pedia Halom de volta, dizendo que precisava fazer alguns ajustes nela.

— Naquela noite eu o chamei para lhe contar a respeito do enfraquecimento do Olho de Olam. Ieled me mostrou que durante o próximo eclipse lunar, a pedra branca que eu lapidei se apagaria totalmente. Então entendi que precisava contar tudo para as autoridades em Olamir. Minha ideia era que você partisse imediatamente levando o Olho e o mapa para Thamam... Como você sabe, as coisas foram um pouco diferentes...

Ben olhou para Enosh, o Velho, sem saber o que deveria sentir por ele naquele momento. Toda aquela história o deixou desorientado. Nada era como ele imaginava. Desde o início eles estavam com o Olho de Olam. Esse pensamento o encheu de assombro.

— Há algo mais que preciso lhe dizer — continuou Enosh.

Ben achava que nada mais poderia surpreendê-lo depois de ouvir aquela história, mas o modo como Enosh proferiu as últimas palavras o deixaram em dúvida.

Enosh titubeou. Por um momento, Ben teve a impressão de que ele não conseguia olhar diretamente para seus olhos. O que poderia ser mais grave do que as coisas que ele já havia dito?

— Eu o escolhi porque conheci seus pais — disse o velho, olhando para o chão. — Eles foram importantes para mim.

As palavras cuidadosas de Enosh deixaram Ben sem reação.

— Por isso eu o escolhi para ser meu ajudante... — continuou o latash.

— Quem foram meus pais? — Ben fez a pergunta que durante tanto tempo quis ter a resposta. Agora, finalmente, ela estava bem diante dele. Na verdade, sempre estivera.

Enosh titubeou mais uma vez.

Ben mostrava por seu olhar que não desistiria de saber.

— Seu pai havia sido meu ajudante muito tempo antes de você nascer — revelou Enosh.

— Meu pai era um latash?

— Um dos melhores...

— Mas o que aconteceu com ele?

— Ele se apaixonou por uma mulher. A mulher errada. E por ela, abandonou tudo. Deixou a vida errante de um latash. Quis construir uma vida normal.

— Eu não entendo...

— Há muitas coisas nessa história que não convém que você saiba. Não lhe traria vantagem alguma... O que posso lhe dizer é que eles fugiram, pois não podiam se casar. Seu pai não tinha nobreza, se é que você me entende. Abriram mão de tudo para viver juntos. Foram morar num lugar próximo das Harim Adomim. E lá tiveram um filho...

— Mas os latashim não são estéreis? — perguntou confuso.

— Milagres acontecem.

Ben não conseguiu conter as lágrimas.

— O que aconteceu com eles? Como eles morreram?

— Para ganhar a vida, eles se tornaram trabalhadores das minas. Era a sina dele nunca se afastar totalmente das pedras shoham...

— Mineiros... — Ben engoliu em seco.

— Há muitos anos, os reinos vassalos promoveram uma grande incursão nas minas das Harim Adomim. O objetivo era roubar pedras shoham. Eles poderiam apenas ter roubado as pedras, mas em sua crueldade, o rei do ferro passou ao fio da espada todos os mineiros. Acho que você nunca ouviu falar desse incidente em Havilá. As autoridades o abafaram para não inquietar as pessoas. Não queriam atrapalhar a extração das pedras. Era mais fácil substituir os mineiros...

— Por isso não puderam me criar... — Então, entendeu por que havia aquela melodia de mineiros que estava sempre com ele, oriunda de algum lugar de sua infância distante.

Como se uma barreira tivesse caído de sua memória, Ben teve a impressão de ver a imagem do jovem casal. Lágrimas desciam sem parar pelo rosto dele, alimentadas por um profundo e doloroso sentimento de tristeza e de perda. Em algum lugar daquele passado obscuro, seus pais se levantavam de madrugada e iam para o trabalho nas minas. Lutavam pela sobrevivência num mundo amaldiçoado, porque decidiram viver um amor impossível.

Ben não tinha mais palavras. O silêncio era a única resposta apropriada àquelas revelações que haviam posto seu mundo de cabeça para baixo. Nada era como ele imaginava.

— Acho que está na hora de sabermos o que está acontecendo em Olamir! — disse o velho, olhando para o eclipse que praticamente dominava Yareah no ponto mais elevado do céu sobre o Yam Kademony.

Ben olhou espantado para Enosh.

— Mas como?

O velho retirou algo do compartimento da carroça atrás deles. O brilho vermelho de Ieled se revelou.

Ben olhou para a grande pedra armazenadora que Enosh havia lapidado em Havilá. Será que as surpresas nunca iam acabar?

— O senhor conseguiu ficar com ela — constatou Ben.

— Tenho meus truques... Só estou vivo por causa dela. Como você acha que eu encontrei você em Ganeden?

Enosh depositou a pedra no centro do círculo que havia limpado no alto do penhasco.

— Ajoelhe-se e coloque sua mão sobre a pedra — ordenou.

Ben obedeceu e subitamente mergulhou num mundo de imagens e sons, como se tivesse sido transportado para outro lugar.

Unido a uma águia condutora, ele contemplou Olamir iluminada e rodeada de exércitos sombrios.

* * * *
* * * * *

As tochas foram surgindo no horizonte como se uma onda de fogo se aproximasse lentamente da cidade branca. Aos poucos, cobriram o deserto fazendo-o parecer uma imensa cidade aos pés do penhasco.

O capitão de Olamir observou os exércitos de Hoshek. Os estandartes tremulavam, os tambores soavam cadenciados, ditando o ritmo das passadas dos soldados, e faziam todos os que estavam dentro das muralhas se encolherem. Brados terríveis de impropérios e maldições mandavam as tropas avançarem e chegavam até o alto das muralhas, estremecendo os defensores cada vez que golpeavam as paredes.

Os sa'irins foram os primeiros a surgir correndo sobre o deserto como um exército de leões famintos. Do alto da muralha, o capitão estimou que fossem milhares.

Também havia um número incontável daqueles homens semimortos de Midebar Hakadar com seus colares de ossos e suas risadas sarcásticas.

Na outra extremidade ele viu os estandartes dos reinos vassalos. Os numerosos exércitos dos reinos de Bartzel se aproximavam após atravessarem os pântanos salgados, com pesadas armaduras, machados e escudos. Traziam maquinário de guerra ambicioso: aríetes, catapultas, sambucas, torres e diversos instrumentos capazes de levantar um cerco e quebrar as resistências de praticamente qualquer cidade. Para piorar, eram armas capacitadas por pedras shoham.

Os cavaleiros-cadáveres cobriam uma grande faixa do deserto com seus mantos negros que escondiam os ossos secos, mas revelavam os olhos amarelados e sedentos de corpos que eles não tinham mais.

Mas o que quase fez as entranhas do capitão entrarem em ebulição foi ver cerca de duas centenas de gigantes. Eram os anaquins das Harim Neguev. As histórias diziam que aqueles homens imensos, que mediam o tamanho de uma árvore, não se envolviam mais nos conflitos dos homens e dos shedins, mas agora era possível ver que isso não era verdade.

Os oboths também se uniram ao grupo de inimigos. Só podiam se envolver diretamente na batalha se conseguissem hospedeiros. Naquele momento utilizavam os preferidos deles, os chacais do deserto. Eram animais carniceiros que, possuídos pelos espíritos, tornavam-se aberrantes e musculosos. Com os olhos vermelhos cheios de ódio, retesavam os músculos, e rosnavam ameaçadoramente com a boca aberta cheia de saliva.

E havia shedins também. Muitos deles, talvez milhares. Alguns montavam cavalos com bocas bizarras, outros estavam sobre bigas puxadas por dois cavalos. Utilizavam a terceira geração de corpos preparados para andar fora da terra de Hoshek. Eram mais altos em relação aos anteriores. Alguns alcançavam quase dois metros e meio de altura. A pele, devido às modificações genéticas, era tão resistente que um golpe de espada não conseguiria atravessar. Por isso, a maioria tinha severas distorções também. As partes mais distorcidas eram, geralmente, as mãos, os pés e a cabeça. Alguns tinham chifres pequenos sobre a cabeça e pelo corpo. Os olhos não eram humanos. A maioria deles tinha escamas pelo corpo e ausência de cabelos. Naquele momento, postavam-se ao longe, só assistindo. Não se aproximariam enquanto não tivessem certeza de que o Olho estava suficientemente enfraquecido.

Naphal havia organizado meticulosamente a tomada da cidade. O primeiro ataque seria pelo ar. Os tannînins cobririam Olamir, despejando fogo maciçamente sobre ela. Também nuvens de pássaros semelhantes ao que Kenan enfrentara no deserto voariam montados por refains. Suas garras arrancariam soldados de dentro das muralhas. Catapultas reforçadas por torção, manejadas pelos soldados dos reinos vassalos, dispararialm grandes lanças e pedras incendiadas para dentro das muralhas, espatifando muitas torres com seu poder de impacto. Mas nada disso faria grande diferença se não conseguissem subir e invadir a cidade. Com a plataforma desativada, precisavam subir pela montanha lateral e levar um aríete para arrombar a porta secundária, liberando a passagem para os sa'irins. Quando os espíritos sombrios conseguissem entrar, a matança seria tão grande que o sangue iria escorrer pelas ruas brancas da cidade.

Durante todo o ataque, Naphal e a maioria dos shedins ficariam apenas olhando e aguardando o momento de adentrarem Olamir para espalhar o terror.

Por um momento, todos estacionaram diante das muralhas brancas. Estabeleceu-se o silêncio que antecede a batalha, quando exércitos se contemplam e uma espécie de antecipação do cheiro da morte se espalha.

Mashchit montava Tehom, o cavalo negro alado. O tartan percebia que Olamir estava desamparada. Ele mesmo havia tomado todas as providências para que a cidade chegasse a essa situação. Há poucos dias ocorrera a última reunião. Líderes de várias cidades de Olam foram convocados para discutir o fim de Olamir. Havia sido um grupo bem heterogêneo. Como num jogo de tabuleiro, aquelas eram as últimas peças a serem movidas. Ainda havia outra peça, talvez a mais importante de todas, mas não comparecera à reunião. Ainda não conheciam a identidade do homem misterioso que, por alguma razão, naquele momento os estava ajudando. Graças ao cashaph, receberam a informação que convenceu o senhor dos anaquins a entrar na guerra. Dizia respeito ao antigo pacto selado entre os anaquins e Olamir. A cura da enfermidade do filho do senhor dos gigantes não era de todo verdadeira. Na verdade, a doença fora causada pelo sacerdote de Olamir que efetuara a cura. Essa informação liberou o senhor dos gigantes do juramento feito.

Também havia sido o misterioso homem quem informara Naphal sobre o enfraquecimento do Olho. Ele dissera que em quinze dias, durante o eclipse, o Olho estaria no nível mais baixo de sua história, talvez até totalmente apagado. Antes que começasse a se reacender, Olamir devia ser atacada. É claro que Naphal testara essa informação. Não era louco de se lançar contra as muralhas de Olamir se o Olho estivesse em sua força máxima. E a informação se revelou verdadeira, pois a cortina de trevas conseguira avançar muito. E também havia sido o cashaph quem os alertara sobre o ataque de Kenan ao nephilim em Salmavet, oferecendo-lhes o pretexto para atacar Olamir.

Sabiam apenas que o cashaph era um sacerdote, ou talvez um lapidador, pois providenciara pedras lapidadas para os reinos vassalos. Provavelmente um dos principais de Olam, uma vez que havia lapidado pedras escuras. A alabarda que o tartan utilizava era uma prova. As pedras escuras só existiam na terra das sombras e ninguém jamais as lapidara, pois a técnica nunca fora dominada.

— Como teremos a garantia de que Naphal respeitará o acordo?

Essa havia sido a dúvida principal do grupo de líderes de Olam presentes à reunião. Quem fizera a pergunta havia sido o herdeiro de um clã que governara uma das grandes cidades de Olam nos tempos antigos. Muitos descendentes dos antigos clãs ainda desejavam o retorno do sistema das cidades-estados que lutavam entre si pela supremacia. Esse homem esperava que, após a queda de Olamir, pudesse reassumir o trono de Ir-Shamesh. O homem loiro de cabelos curtos se chamava Sidom. Ele estava ajudando a contrabandear pedras shoham lapidadas para os reinos vassalos em troca do trono daquela cidade. O filho dele havia sido introduzido em Olamir para facilitar a transação.

— Ao contrário de Olamir, sempre cumprimos nossos acordos — dissera o tartan. — Vocês têm evidências suficientes disso. Olamir nunca cumpriu. Nessa hora crucial ela deixou as demais cidades praticamente sem pedras shoham, guardando as pedras somente para si.

— Mas sem o Olho de Olam — dissera um homem corpulento — não temos garantias de que Naphal não tentará invadir as demais cidades.

O tartan olhara para o sumo sacerdote de Bethok Hamaim e tentara esconder o desprezo que sentia pelo sujeito corpulento. Era evidente que se preocupava mais com boa comida do que com qualquer outra coisa, exceto poder. No caso dele, não havia o menor desejo de restabelecer os antigos clãs. O que ele desejava era autoridade absoluta sobre a cidade, sem a interferência de Olamir. E também havia o antigo ressentimento, pois governava a maior cidade de Olam, mas não lhe era dado o direito de lapidar as próprias pedras. Era humilhante depender do repasse das pedras lapidadas pelos mestres de Olamir.

— O Olho está se apagando — respondera o tartan. — De qualquer modo, vocês não teriam garantias. Estamos propondo algo bem simples: não interfiram em nossa guerra particular contra Olamir e não mexeremos com vocês.

O tartan se lembrava da pausa proposital que fizera naquele momento para observar a reação de seus ouvintes antes de mover a próxima peça, e como ficara satisfeito com o que vira. Sempre se impressionava com o quanto os homens eram facilmente enganados.

— Mesmo sabendo que o Olho está se apagando, não nos movemos contra Olamir durante todo esse tempo — continuou. — Temos tudo do que necessitamos atrás da cortina de trevas. Vocês todos sabem que não podemos viver fora dela.

Essa resposta teria sido suficiente para convencê-los, pois a maioria assentira positivamente, mas ele ainda tinha algo mais, e assim garantiria o sucesso absoluto de sua diplomacia.

— Quando Olamir cair, e isso vai acontecer rápido, deixaremos que vocês dividam os despojos. Não há nada lá que desejemos. Só queremos reparação do ultraje que nos foi cometido em Salmavet.

O tartan ainda ria do brilho de cobiça que viu passar pelos olhos da maioria dos presentes à reunião. Isso havia acontecido cinco dias atrás.

— Até mesmo as pedras shoham?

O tartan se voltara para o homem jovem que havia feito a pergunta. Era da grande cidade de Maor.

Naquele momento, os líderes das cidades haviam visto um arremedo de sorriso, quando o tartan mostrou seus dentes escuros. Seus olhos, entretanto, nunca sorriam.

— Todos vocês sabem que há um grande estoque de pedras shoham lapidadas em Olamir que, devido ao racionamento da distribuição, ficou acumulado. Vocês poderão dividir entre si como desejarem. E também poderão acessar os arquivos, pois nos comprometemos a não destruir a biblioteca e as oficinas de lapidação. Assim, poderão aprender todas as técnicas de lapidação que Olamir desenvolveu desde a antiguidade.

Ele ainda podia ver os olhares de satisfação que vários dos líderes das cidades trocaram ao ouvir aquelas palavras. Não era diferente do que demonstraram os reis vassalos. Também começava a perceber o desejo que crescia em cada um de ter mais pedras e mais conhecimento do que os outros. Se isso realmente acontecesse, logo estariam se matando para controlar a técnica. Mas, pelos planos do tartan, estariam mortos muito antes disso.

No céu de Olam, subjugada pela sombra do eclipse, Yareah mostrava apenas um fiozinho de luz. O tartan olhou para o alto e aguardou paciente que ele também se apagasse.

Quando a escuridão venceu totalmente a luz, Mashchit ordenou o ataque.

— Avancem! Chegou o fim de Olamir! A cidade dos homens cairá hoje, como Irkodesh caiu no passado. Avancem!

Ele apontou a alabarda para as muralhas da mais poderosa cidade de Olam. Então, a onda de fogo e escuridão se moveu em direção à cidade.

No alto da muralha, o capitão do exército de Olamir observava. Ele segurava a longa trombeta prateada feita com chifre de re'im. Foi-lhe dito que esperasse até o último momento antes de fazer o que precisava ser feito. Não entendia a razão. Será que ainda viria ajuda? Será que o Olho responderia ao chamado?

O capitão de Olamir ouviu o piado de uma águia e olhou para o alto. Uma águia condutora observava os exércitos de longe. Será que alguém os observava naquele momento? Quando finalmente chegaria ajuda?

Quando o exército das trevas avançou, ele entendeu que não podia mais protelar. Tomou fôlego e soprou. Um som alto e impressionantemente limpo rasgou a noite e se fez ouvir belo e assustador do alto da muralha.

Naphal e os shedins ainda se lembravam desse som. Tutham, o Nobre, soara aquela trombeta há centenas de anos, e o exército maligno fora dizimado.

Por um momento, o avanço dos soldados foi interrompido. Todos os olhos malignos amarelados, avermelhados e opacos se voltaram para o capitão em pé sobre a muralha. Sua armadura refletia a luz da cidade. Tocando a trombeta ele parecia um ser celeste.

Em resposta ao chamado, o Olho refulgiu sobre a alta torre de Olamir. O brilho foi tão forte que a noite virou dia. As figuras tenebrosas do exército das trevas revelaram suas verdadeiras feições perante a luz e recuaram assustadas.

A energia do Olho, ativada pela trombeta, repercutiu através de todas as torres construídas sobre a muralha onde pedras shoham estavam posicionadas. Um escudo intransponível se formou a partir das cúpulas e cobriu a cidade. O ataque dos tannînins e dos pássaros gigantes se tornou inútil. A muralha se revestiu de uma luminosidade que acentuava sua cor branca.

Em seguida, o capitão voltou a tocar a trombeta, e o Olho explodiu em luz mais uma vez. Foi como se o sol tivesse aparecido sobre Olamir no meio da noite. Um sol branco, mais forte que o do meio-dia. As pedras repercussoras absorveram o incrível poder enquanto a trombeta descarregava seu som terrível para os ouvidos dos shedins.

O poder que se acumulou sobre as pedras repercurssoras anulou completamente a noite por dezenas de milhas em torno da cidade.

Então as pedras repercussoras sobre as muralhas despejaram a luz como um rio branco e avassalador contra o exército das trevas. Por um momento, tudo o que se viu foi uma onda branca de luz engolindo o exército sombrio.

De longe Naphal estava alarmado.

— Eles ativaram o Olho! — bradou para seus comandados. — Fomos enganados!

A parte da frente do exército dos shedins já havia sido fulminada. Parte dos sa'irins estava prostrada sobre a areia do deserto, e os antigos espíritos, desintegrados. Incontáveis refains também haviam sido consumidos pela luz. Dezenas de tannînins caíram do céu, e os pássaros gigantes voaram para longe. As demais criaturas recuaram temerosas, arreganhando os dentes e urrando raivosamente. Os gigantes estavam intactos, pois ainda não haviam avançado contra Olamir.

O exército das trevas ouviu novamente a trombeta terrível e viu outra onda destruidora se formar através do Olho, que refulgiu mais uma vez anulando a noite.

— Recuem! — ordenou o tartan. — Recuem!

Mais um ou dois ataques como aquele e os guerreiros seriam inteiramente dizimados.

A essa altura, o exército dos shedins estava decomposto, quase metade destruído. Os soldados malignos tentavam fugir desordenadamente da nova onda destruidora que cairia sobre eles, pondo fim à batalha antes que começasse.

Foi quando, subitamente, a luz branca piscou e desapareceu. Instantaneamente a noite se recompôs, como se a luz nunca tivesse brilhado.

Todos pararam e olharam para o alto da muralha onde as torres repercussoras estavam apagadas, o escudo protetor, desfeito. No alto da torre do Olho, nenhum brilho se percebia.

Por um momento, ninguém se moveu. Os soldados inimigos pareciam em dúvida sobre o que ia acontecer. Temiam que uma nova onda de luz surgisse, fatal.

A trombeta de prata tentou despertar o Olho mais uma vez. O som límpido ecoou solitário do alto das muralhas até o infinito do deserto. Não houve resposta ao chamado. A escuridão era a única realidade.

— Está apagado! — bradou Naphal com sua voz poderosa. — Ataquem!

— Para dentro das muralhas! — ordenou o tartan em resposta à ordem de Naphal.

Então, o que se viu foi uma onda de fogo se movendo vertiginosamente outra vez contra as muralhas de Olamir.

Pelo alto, os refains montando as aves gigantes retornaram e despejaram pedras como chuva sobre os moradores da cidade em caos. Os tannînins que haviam sobrevivido ao ataque do Olho também retornaram e cuspiram fogo em todos os alvos possíveis, espalhando o pânico e a destruição. Até mesmo as nuvens tempestuosas pareceram avançar, desferindo raios estrondosos contra as bases da muralha e lançando chuva forte misturada com granizo.

Arafel ordenou que o pesado aríete com boca de fogo fosse impulsionado contra o primeiro portal, aos pés da montanha. O caminho sinuoso para o alto, através da montanha lateral, foi facilmente liberado. Após estraçalhar o restante do portal inferior com seus pesados manguais, os anaquins começaram a carregar o aríete para cima, em direção ao portal secundário.

— Destruam a ponte! — o capitão gritou ao ver que o primeiro portal cedera.

Não tinha tempo para pensar no que havia acontecido com o Olho. Estava apagado. De qualquer maneira, ele havia conseguido causar severas baixas no exército shedim. Mas se o inimigo atravessasse a ponte sobre o abismo, haveria poucas chances de sobrevivência.

Nas quatro bases da ponte que a sustentavam entre as montanhas, pedras do sol haviam sido posicionadas. Estavam carregadas com carga máxima e envoltas por capas pretas. Os quatro arqueiros tomaram posição sobre a muralha e se prepararam para disparar flechas também potencializadas por pedras shoham.

— Atirem! — ordenou o capitão ao ver a velocidade com que o inimigo subia a montanha. Em instantes alcançariam a ponte. Aí seria tarde demais.

Os quatro arqueiros se posicionaram, e o capitão implorou a *El* que eles fossem bem-sucedidos. Eles precisavam acertar as quatro pedras simultaneamente. Só uma explosão perfeita garantiria a destruição total da ponte. Evidentemente isso não era algo difícil para arqueiros de elite.

As quatro flechas zuniram ao seu comando e mergulharam, acompanhando seu gesto com a mão. Nova explosão anulou a noite fazendo mais uma vez o exército inimigo interromper a invasão, como se o Olho tivesse ressurgido.

Para desespero do capitão, apenas duas pedras foram atingidas, e a ponte foi só parcialmente destruída.

— Não é possível! — alarmou-se o comandante, temendo que houvessem sido traídos mais uma vez.

O exército inimigo alcançou a ponte naquele momento e iniciou a travessia. As pedras do sol que não haviam sido explodidas foram removidas e agora a ponte não poderia mais ser destruída daquele modo.

Tinham apenas conseguido retardar um pouco a invasão, pois a ponte atingida apenas dificultava que a massa de guerreiros cruzasse o abismo, embora desse a impressão de que cairia a qualquer momento.

Quando soldados das trevas estavam se apinhando diante do portal principal, flechas choveram sobre eles. Cada flecha potencializada por pedras shoham causava grande estrago no exército inimigo. Também tinham de lidar com o ataque aéreo dos tannînins que davam cobertura aos invasores. Lanças partiram de catapultas buscando os dragões. Dois ou três foram atingidos e despencaram das alturas.

Ao comando do capitão, uma pesada catapulta foi empurrada para perto da muralha. Uma pedra incandescente foi posicionada. A catapulta de torção era a única em Olamir potencializada por pedras shoham. Instantes depois, a pedra incendiada subiu, atravessou a muralha e desceu como um meteoro para atingir o que havia restado da ponte. Com um grande estrondo, a ponte foi destruída e seus pedaços desceram para o abismo, desligando Olamir daquele mundo tenebroso, e levando dezenas de cavaleiros-cadáveres e outros soldados juntos.

O exército das trevas parou diante do abismo, sem poder atravessar para o outro lado.

Dentro das muralhas, os soldados de Olamir e Nod comemoraram a segunda vitória da noite. Os soldados malignos que haviam conseguido atravessar a ponte foram dizimados diante do portal secundário. Flechas choveram sobre eles e também água fervente e metal derretido.

Então, o capitão orientou os lanceiros que voltassem a atacar os tannînins que continuavam a despejar fogo sobre Olamir. As catapultas foram apontadas para o alto. Lanças perseguiram os dragões. Cinco foram atravessados e despencaram para o abismo. Um caiu dentro das muralhas e foi logo cercado por soldados que o estocaram com lanças. O animal ainda estava vivo, mas não conseguiu escapar, embora lançasse fogo em todas as direções.

Aquelas vitórias fizeram os soldados de Olamir se animarem. O capitão do exército parecia um guerreiro ressurgido dos tempos antigos. Suas ordens eram precisas. Sua visão do combate aguçada. Ele estava fazendo toda a diferença na noite. E os soldados o admiravam e o obedeciam cegamente.

Mesmo sem o Olho de Olam, agora parecia haver chances de resistir. A cidade estava isolada do mundo, o exército das trevas diminuído pela metade, e os soldados de Olamir e Nod dispostos a lutar até o fim. A única preocupação eram os dragões e os pássaros gigantes. Mas tinham condições de se defender. Talvez houvesse tempo para que chegasse ajuda.

Enquanto Olamir contra-atacava os tannînins fazendo as lanças subirem, o capitão percebeu que o exército das sombras não havia desistido. Isso também era esperado. Ele mandou que os arqueiros com os arcos potencializados se posicionassem sobre a muralha e cobrissem o exército depois do abismo com uma saraivada.

As flechas iluminadas atravessaram o abismo e dizimaram incontáveis soldados que estavam do outro lado da montanha.

Foi quando, o capitão percebeu que estavam transportando alguma coisa muito grande montanha acima. Por um momento, acreditou que fosse o aríete gigantesco e quase riu pensando que seria totalmente inútil com a ponte destruída. Mas logo, tomado de horror, ele entendeu o que pretendiam.

— Eles... Eles têm uma ponte?

Era de metal. Tinha diversas dobraduras. Era imensa. Os gigantes a estavam transportando montanha acima. Cinquenta anaquins gemiam sob o peso colossal. O objeto subia muito lentamente enquanto os gigantes se revezavam na tarefa.

O capitão ordenou que todas as forças de Olamir fossem direcionadas para o objeto. Flechas, lanças, pedras incandescentes e tudo o que era possível arremessar foi lançado para o outro lado do abismo, mas a subida do instrumento não parou. A força dos gigantes o empurrava para o alto. Então, o capitão percebeu que os anaquins fariam a diferença na batalha, para o mal de Olamir.

Carregar o objeto para cima pelo íngreme acesso tomou metade da noite. A alva tentava inutilmente lançar seus primeiros raios melancólicos sobre o oriente quando os anaquins cobriram o vão abissal entre as montanhas e pavimentaram o caminho para o portal secundário da cidade.

Depois disso, não houve força que pudesse impedir os estrondos do aríete que explodiram o portal, desguarnecendo Olamir diante do exército maligno. A cidade foi invadida.

Quando o exército das trevas entrou como um rio revolto, os valorosos guerreiros de Olamir os esperavam em formação. Diante deles, o capitão montava um cavalo branco, parecendo um príncipe celeste. Estavam decididos a resistir até que o último homem estivesse em pé. E foi o que fizeram.

Os gigantes alargaram a porta de entrada com seus manguais, arrombando a muralha em redor. Os primeiros a avançar contra os soldados foram os sa'irins com suas longas lanças. Então, uma nuvem escura de cavaleiros-cadáveres os seguiu. E todo tipo de criaturas das trevas adentrou a cidade, sedentos de morte e destruição. Escudos foram partidos, espadas foram quebradas, lanças se envergaram, e o desespero reinou dentro das muralhas.

Os soldados de Olamir resistiram bravamente. Detiveram o avanço dos malignos por muito mais tempo do que alguém poderia acreditar que fosse possível. Os sa'irins os estocavam com suas lanças e os chacais possuídos pelos oboths devoravam partes de seus corpos. As espadas de Olam pareciam possuídas pelos espíritos dos antigos guerreiros. Afinal, nenhum deles ficou em pé.

Então, a nuvem escura subiu irresistível pelas ruas pacatas e milenares de Olamir, arrasando tudo o que havia diante de si. Homens foram mortos, crianças pisadas, mulheres violadas, cadáveres devorados, e todas as casas e torres foram incendiadas e destruídas. O branco luminoso da cidade se tornou em cinza opaco.

Diante da torre onde o Olho falso repousava apagado, Har Baesh, vestido com a estola sacerdotal e a fina coroa real de Thamam, aguardava a chegada do exército das trevas. Ele segurava o cajado de sumo sacerdote em uma das mãos e uma pedra shoham noutra. Tinha uma chama de fanatismo em seu olhar.

Quando os exércitos das trevas que vinham destruindo tudo diante de si chegaram ao local, por um momento todos pararam diante do homem.

Então, Mashchit se aproximou do sumo sacerdote de Olamir.

— Você é o cashaph? — perguntou o tartan.

Vestido com suas roupas sacerdotais, ele era o único ponto claro em meio à nuvem escura do exército das trevas.

— Pelas leis de Olamir! — bradou Har Baesh erguendo seu cajado e a pedra shoham. — Eu lhes ordeno que se prostrem! O artigo décimo terceiro e o décimo quarto do código da cidade diz que o Melek deve ser reconhecido como único soberano de Olam.

Foi quando Mashchit atravessou o homem com a alabarda. Os chacais possuídos pelos oboths o abocanharam e o devoraram diante da torre branca onde o Olho falso repousava.

* * * *
* * * * *

Ben retirou a mão de Ieled. Imediatamente se desconectou da águia condutora. As imagens da invasão de Olamir desapareceram de seus olhos, mas não de sua mente. Ele não precisava continuar assistindo para saber que Olamir havia caído e, com ela, uma Era.

Epílogo

Dois dias depois

Era alta madrugada quando finalmente conseguimos alcançar o lugar exato no penhasco junto ao Yam Kademony. Local onde eu pretendia realizar algo que poderia começar a reverter o rumo que os acontecimentos haviam tomado. Pelo menos, era o que eu esperava.

Ainda abalado pelas cenas da queda de Olamir que havia visto através de Ieled, Ben me observava enquanto eu terminava de preparar o ritual. Na mente do guardião de livros, as lembranças das ruas pacatas e dos edifícios brancos e imponentes que não existiam mais, traziam pesar e dor. Ele se lembrava daquele dia em Olamir, quando passeou com Tzizah pelas ruas e bosques, deliciando-se com a beleza dela e da cidade. Lembrava-se, principalmente, do beijo rápido debaixo das bétulas... Agora, nada mais havia...

Eu percebia uma revolta profunda no íntimo dele. Não podia exigir que ele entendesse...

Precisaríamos esperar os outros chegarem para dar início ao ritual. Abaixo, nas profundezas, as ondas marretavam as rochas, espalhando uma espuma branca que contrastava lugubremente com a noite.

Observando o guardião de livros eu me recriminava porque, mesmo naquele momento, eu não tivera a coragem de dizer toda a verdade sobre a família e o passado dele. Por isso, de improviso inventei aquelas coisas ridículas sobre seus pais serem mineiros... Estava preparado para lhe dizer tudo, mas algo nos olhos dele fez com que eu fraquejasse mais uma vez.

Um dia ele entenderá a verdadeira razão pela qual lhe dei Halom... Acho que, se eu contasse naquele momento, ele não suportaria. Porém, nem tudo era invenção. Uma parte verdadeira na história que lhe contei é que a sobrevivência dele havia sido um ato de amor e sacrifício. Um grande sacrifício que eu havia feito. E você leitor, também precisará perdoar este meu lapso.

Era evidente que ele não sabia o que iríamos fazer àquela hora da madrugada, como provavelmente, você também não possa imaginar, e deve estar se perguntando a razão de meu súbito reaparecimento no final desta história. Terei que pedir que espere um pouco mais. Assim como no caso do guardião de livros, temo que se eu contasse tudo agora, poderia transmitir uma impressão negativa dos fatos. Perdoe-me por isso também...

Quanto a Ben, parecia-lhe que não havia mais nada a ser feito. Olamir havia caído, e com ela todas as esperanças de Olam. Aquela era terminara.

— Har Baesh era mesmo o cashaph — disse Ben.

Lembro-me de que ele não conseguiu conter o desprezo ao falar da tola morte do sumo sacerdote e mestre dos lapidadores.

O vento gelado da madrugada agitava seus cabelos longos. Ele havia aparado a barba com uma faca.

— De um modo ou de outro, ele serviu aos propósitos do mal, mas era um homem bem-intencionado — respondi.

— Então, ele não era o cashaph? — Ben perguntou espantado.

— Não. Ele não era o cashaph.

— Mas tudo o que ele fez? As manipulações, a suspensão do envio de pedras para as cidades que reforçou a decisão de não enviar tropas para Olamir, e por fim a própria condenação de Thamam...

— Acho que jamais saberemos realmente tudo o que aconteceu. Mas Har Baesh era um fanático, não um cashaph. Ele fez tudo o que fez pensando ser a coisa certa. Por isso os fanáticos são tão perigosos.

— Mas então quem é o cashaph?

— Talvez fosse mesmo Thamam.

— O Melek? — perguntou Ben, incrédulo. — Não pode ser! Não faz sentido.

— Ele era o único que tinha conhecimento suficiente de todos os eventos... E tinha motivos para querer o Olho de Olam para si... Vingança. Não se esqueça de que ele é o descendente de Tutham, o único homem que manipulou o Olho... A existência do Grande Conselho sempre o limitou...

— Se isso for verdade, então Har Baesh é um herói! — disse Ben com ironia.

— Eu não diria isso, embora os verdadeiros heróis nem sempre sejam os óbvios.

— Eu não entendo — desabafou Ben. — O senhor disse que estávamos indo para um lugar onde poderíamos fazer diferença nessa guerra. Mas não há nada aqui. E a guerra já acabou...

— Essa foi apenas a primeira batalha, meu jovem — eu disse com um ânimo incompreensível para ele. — Outras maiores virão. Essa guerra ainda está longe de terminar.

— Olamir caiu! — ele disse, como se precisasse me lembrar do fato.

— Talvez ela merecesse cair... Havia se tornado uma cidade orgulhosa e legalista. Já não fazia jus a usar o poder do Olho.

— Eu não entendo! O senhor fala como se tivesse sido uma cidade qualquer... Uma Havilá! Estamos falando de Olamir. A maior cidade que os homens já construíram... Dez milênios de história... Se ela caiu, não há mais esperança.

O silêncio foi o único tributo que eu pude prestar às suas palavras. Eu sabia que ele tinha razão. No entanto...

— O que pode ser feito agora? — insistiu Ben. — Naphal venceu!

— O exército das sombras venceu a primeira batalha meu caro guardião de livros, mas ainda há três poderes muito grandes que não entraram nessa guerra: o Olho, Leviathan, e Herevel.

— Halom era o Olho de Olam — disse Ben, como se precisasse me lembrar daquilo também. — Por que Leannah, Adin, Tzizah e Kenan não conseguiram reativá-lo?

— O Olho foi reativado — revelei, embora eu mesmo não entendesse bem aquela parte da história naquele momento. — Do contrário a cortina de trevas já teria avançado sobre Olam. Seus amigos conseguiram, mas alguma coisa não saiu como imaginado. Outros fatores desconhecidos mudaram o rumo dessa história.

— E como nós descobriremos o que de fato aconteceu no farol de Sinim?

Lembro-me de, naquele momento, ter olhado significativamente para ele, mas ele jamais poderia imaginar o que eu tinha em mente.

— Em algum momento nós acabaremos descobrindo... — limitei-me a dizer. — Isso agora não é a coisa mais importante.

— Tem certeza de que não há nada em Ieled que possa nos ajudar? — insistiu Ben.

— A única coisa é que eles atravessaram esse canal para as terras do Além-Mar. Lá não há pedras, nem águias condutoras, por isso Ieled não tem onde buscar informações.

— O que estamos fazendo neste penhasco? — Finalmente Ben fez a pergunta que há um bom tempo desejava. Ele havia parado bem perto do precipício. O vento estava forte e trazia cheiro de peixes mortos. Aspirei por um momento, tentando identificar se havia algo diferente no vento, algum sinal de mudança, um motivo de esperança... Não havia nenhum. Mesmo assim eu tinha de continuar...

— Faremos algo necessário — respondi sem dar mais explicações.

Eu precisava contar com a pureza dos pensamentos dele. E com a surpresa também. Se lhe dissesse o que faríamos, provavelmente não daria certo.

Então me aproximei e me sentei sobre a rocha, enquanto Ben contemplava a imensidão do mar da cor do chumbo. As cores esmaecidas do amanhecer ainda não eram fortes o bastante para emprestarem às águas do Yam Kademony a cor do céu. A paisagem era triste. Mas logo a luz renasceria. Precisava renascer.

Ben apenas assistiu desanimado enquanto abri a pequena bolsa e retirei diversas pedras shoham. O brilho amarelado de duas entre elas chamou a atenção do guardião de livros, como já era esperado. Tenho a certeza de que, por um momento, ele se perguntou até onde iam as surpresas com aquele velho que ele pensava conhecer, mas que, a cada instante se tornava mais enigmático.

Fiz um círculo com as pedras vermelhas dentro do círculo que eu já havia limpado. Posicionei as duas amarelas nos lados opostos do círculo. Tive a certeza de que ele entendeu que eu estava preparando o ritual para seu juramento como latash. Percebi inicialmente alguma indecisão, mas vi lá no fundo de sua mente que ele estava disposto a aceitá-lo. Entendia que era seu destino. Os estrondos do Yam Kademony modelando as rochas lá embaixo testemunhavam que a força do destino sempre vencia.

A certeza do guardião de livros se confirmou quando ele viu o grupo se aproximando. Todos vestiam capuzes cinzentos. Eu os olhei e vi que eram nove. Fiquei satisfeito ao perceber que todos haviam vindo para o ritual.

— O conselho cinzento... — Ben deixou escapar as palavras. Era a primeira vez que ele via os latashim sem estar escondido em algum lugar do velho casarão nos espionando.

Os últimos nove latashim de Olam se aproximaram e se posicionaram em volta do círculo. Eu percebi que Ben olhou para os rostos estranhos que apareciam parcialmente sob os capuzes e arregalou os olhos ao reconhecer um deles.

— Anamim! — ele deixou escapar a exclamação.

O jovem príncipe de Ir-Shamesh apenas sorriu timidamente.

— Mas você é um aprendiz de lapidador... — disse Ben, começando a entender uma parte de toda aquela história. — Você estava em Olamir!

— Anamim é o mais recente integrante do nosso pequeno grupo — expliquei. — Ele fez o juramento de latash há pouco mais de um ano. Desde então se tornou um aprendiz de lapidador entre os vermelhos. Nós precisávamos ter alguém em Olamir...

Ben apenas olhava para o conselho cinzento sentindo uma espécie de desespero crescer dentro de si. Quando fixou novamente os olhos em mim, eu lhe fiz a pergunta.

— Você está disposto a cumprir seu destino?

— Estou... — ele respondeu resignado depois de um curto silêncio de indecisão.

Voltando ao ritual, coloquei Ieled bem no centro do círculo. Então fiz sinal para que Ben o adentrasse.

— Você precisa ficar em pé diante de Ieled — orientei. — Precisa conseguir enxergar o mar lá embaixo.

Ele relutou um pouco. Era normal. Sabia do que precisava abrir mão para se tornar um verdadeiro latash.

Ieled me mostrava claramente seus pensamentos, quase como se ele estivesse falando em voz alta. E é óbvio que eram confusos. Tzizah foi a primeira imagem que passou em sua mente. A jovem princesa de Olamir com seu sorriso radiante sob as bétulas brancas era para ele uma lembrança bonita e, ao mesmo tempo, dolorosa. Representava um mundo de anseios e expectativas que o desafiavam, mas que não parecia que ele estivesse à altura. Ou será que agora já estava?

Então ele pensou em Leannah. Uma emoção estranha perpassou sua mente, lembrando-se dela — meiga e ingênua —, andando pelas ruas de Havilá. E depois, com toda a sabedoria que ela acumulou ao longo do caminho da iluminação, e os muitos mistérios que passaram a envolvê-la como um halo.

Sentimentos conturbados militavam em seu interior, e ele sabia que, talvez, o melhor remédio fosse mesmo abrir mão de ambos.

O juramento faria isso por ele.

Com esse pensamento, ele se posicionou no centro do círculo. Sua mente ainda estava cheia de perguntas, mas percebeu que não era o momento de fazê-las. Fiquei grato por isso.

O conselho cinzento fechou o círculo ao redor dele. Cada um segurava uma pedra shoham. Precisaríamos de todo o poder das pedras para fazer aquilo.

— Na noite em que Mashchit derrotou Kenan — expliquei. — Ele jogou Herevel para as profundezas deste penhasco. Não podia tocá-la, mas a enlaçou com o chicote e a enviou para dentro do mar. Achou que assim estaria se livrando dela para sempre. E estaria mesmo, se Ieled e o conselho cinzento não existissem... Invoque-a! — ordenei. — Ela será sua! Esse é seu destino.

Atônito, Ben não entendeu o que eu estava querendo dizer. Ele ainda era muito ingênuo naquele tempo.

— Chame-a para si! — incentivei. — Reclame seu poder! E Herevel lhe pertencerá!

Então Ben sentiu um campo de energia se formando à sua volta através das pedras nas mãos dos latashim. As pedras no chão em volta do círculo e as duas pedras amarelas dentro do círculo também brilhavam. E Ieled aos seus pés, no centro, era uma bola de fogo vermelho.

— Herevel! — ele gritou e sua voz trêmula e indecisa ecoou nos penhascos, sem força para alcançar o mar. O barulho das ondas nas rochas abafava tudo.

— Mais forte! — ordenei. — Vá atrás dela!

Ben enxergava apenas a imensidão do mar lá embaixo e, por um momento, sentiu-se impulsionado em direção às águas tumultuosas. Ele soltou um grito de horror ao se sentir mergulhando nas águas geladas do Yam Kademony.

Na escuridão que o engolfou, ele viu um brilho no fundo do mar. Eram os pequenos fragmentos brancos do Olho de Olam que brilhavam em Herevel.

— Herevel! — ele bradou e agora sua voz saiu firme. — Eu invoco seu antigo poder!

É claro que ele não sabia como estava conseguindo falar embaixo da água.

Então a espada veio para sua mão.

Ben abriu os olhos e percebeu que não estava no fundo do mar, mas no alto do penhasco, dentro do círculo das pedras, de onde nunca havia saído.

Herevel estava em sua mão. A água escorria pelo seu cabo.

O conselho cinzento abriu o círculo.

— Herevel! — ele bradou mais uma vez. Agora muito mais forte e convicto. — Vença as trevas!

Então me convenci de que, de fato, ele aprendia rápido, apesar de ser filho de quem era. Não era seu destino se tornar um latash, mas um guerreiro. O maior de todos.

Naquele momento, o sol começou a aparecer ao leste. A luz de Shamesh tocou a ponta de Herevel, e um forte brilho branco resplandeceu sobre o penhasco.

Em resposta ao poder desperto de Herevel, no mar, lá embaixo, um vulto sinuoso gigante se moveu.

* * * *
* * * * *

Por isso eu disse lá no início, e você deve se lembrar, que, às vezes, histórias que já deveriam ter terminado, subitamente recomeçam.

O mundo é de fato um lugar mágico. Uma batalha perdida poderia ser o renascer de uma era? Quem poderia imaginar o que ainda estava por vir?

Glossário dos principais termos hebraicos

Abadom: **Abismo.** Um lugar subterrâneo de tormento.
Aderet: **Capa.** Veste rica, ornamentada, implicando esplendor e beleza.
Admoni: **Ruivo, vermelho.** Adin (abreviação).
Anaquim: **Na Bíblia Hebraica, gigante.**
Arafel: **Escuridão.**
Bahur: **Jovem.**
Bartzel: **Ferro.**
Behemot: Uma criatura invencível que o livro de Jó descreve (Jó 40.15-24). Algumas versões traduziram como hipopótamo, mas claramente se trata de um animal muito maior e mais feroz.
Ben: **Filho.**
Bethok Hamaim: Literalmente: "no meio das águas".
Boker: **Manhã.**
Bul: Oitavo mês do ano, segundo a contagem pré-exílica.
Cashaph: **Feiticeiro.**
Chozeh: **Aquele que tem a visão.**
Derek-Or: **Caminho da luz.**
El: O título mais comum atribuído a Deus na Bíblia Hebraica. Abreviação de Elohim.

Elyom: Altíssimo. Um dos títulos de Deus no Antigo Testamento.

Enosh: Homem.

Erev: Crepúsculo.

Ethanim: Sétimo mês do ano, segundo a contagem pré-exílica da Bíblia Hebraica (1Rs 8.2).

Evrá: Penugem, penas de águia.

Ganeden: Literalmente: "jardim do Éden".

Gever: Homem como um ser poderoso. Deve ser lido como "Guever".

Giborim: Plural de herói. Traduzido como "valente" em Gênesis 6.4. O referido texto fala nos "giborins de Olam", os heróis da antiguidade. Deve ser lido como "guiborins".

Halom: Sonho.

Har Baesh: Monte em fogo. Uma referência ao monte da lei em Deuteronômio 5.23.

Harim Adomim: Literalmente: "montanhas vermelhas".

Harim Keseph: Literalmente: "montanhas de prata".

Harim Levanim: Montanhas brancas.

Harim Neguev: Literalmente: "montanhas secas".

Hartummîm: Magos. Palavra que descreve algum tipo de ocultista, tanto no hebraico quanto no aramaico.

Havilá: Nome de uma região citada em Gênesis 2.11-12 onde havia ouro, bdélio e as pedras shoham.

Herevel: Junção de duas palavras hebraicas. Literalmente "Espada de El".

Helel: Estrela da manhã. Citado em Isaías 14.12. É o nome que já foi traduzido como Lúcifer em algumas versões.

Hiddekel: Rio Tigre. Significado: rápido. Um dos rios do Éden.

Hoshek: escuridão, sombras, trevas.

Ieled: Criança.

Irins: Termo aramaico: vigilantes. São mencionados no livro de Daniel (4.13, 17, 23), como anjos santos. Os vigilantes têm autoridade para decretar acontecimentos. O rei de Babilônia foi alvo do decreto que o fez se tornar um animal. O conceito dos vigilantes foi desenvolvido e elaborado nos livros apócrifos. No Livro dos Jubileus, eles são anjos enviados para instruir os justos. Em Enoque, os vigilantes são arcanjos e anjos caídos que se relacionaram com mulheres.

Irkodesh: Literalmente: "cidade santa".

Irofel: Literalmente: "cidade das trevas".

Ir-Shamesh: Literalmente: "cidade do sol".

Kadim: Vento oriental.

Kedoshim: Santos. Título também aplicado aos anjos na Bíblia Hebraica.

Kenan: Possessão.

Kohen: Sacerdote, aquele que serve como um ministro, que oferece sacrifício.

Lahat-Herev: Literalmente: "espada refulgente". Em Gênesis 3.24 é uma espada flamejante que se move em todas as direções, manejada por um querubim.

Latash: Cortador, lapidador. Em Gênesis 4.22 Tubalcaim é chamado de latash, um artífice de todo instrumento cortante. Latashim plural

Layelá: Noite.

Leannah: Um desconhecido e antigo instrumento musical hebraico; plural: Leannoth. Título do Salmo 88.

Leviathan: Aparece diversas vezes na Bíblia Hebraica. O livro de Jó o descreve como um grande e invencível dragão (Jó 41). Obviamente não se trata de um crocodilo, como algumas versões traduzem o termo, pois solta fogo pela boca (Jó 41.18-21).

Maor: Luz, iluminar, usado para se referir ao candelabro do tabernáculo.

Mashchit: Destruidor. Anjo destruidor em Êxodo 12.23 e 1Crônicas 21.15.

Melek: rei.

Midebar Hakadar: Literalmente: "deserto cinzento".

Mineha: Oferta.

Naphal: Assírio napalu. Cair, caído.

Nasî: Poderoso, um príncipe, um guerreiro.

Nedér: Um compromisso, um voto.

Nehará: Luz do dia.

Nephilim: Caídos.

Nod: Terra onde, segundo a Bíblia Hebraica, Caim habitou após ser amaldiçoado por *El* (Gn 4.16). Nod significa andante, peregrino ou errante.

Oboths: Do hebraico Ov; são espíritos invisíveis e não corpóreos. É um termo feminino, plural.

Olam: Termo hebraico com significado amplo que pode significar antiguidade, mundo ou eternidade. Tem relação com o tempo passado ou mesmo com o futuro. Daí a noção de algo que é eterno.

Olamir: Construção de duas palavras hebraicas: Ir (cidade) Olam (eternidade), literalmente "cidade eterna".

Or: Luz.

Perath: Eufrates. Significado: frutífero. O maior rio do oeste da Ásia. Nasce de duas fontes nas montanhas armênias e deságua no Golfo Pérsico. Nos dias de Olam, era um rio muito maior, com muito mais volume de água.

Raave: Citado como um dragão marinho no Salmo 89.10.

Re'im: Acádio: "runu". Descrito em Jó 39.9-12 como um jumento selvagem, um animal com um único chifre: unicórnio.

Refaim: Em assírio, "rapu" significa "fraco". Aplicado aos mortos.

Revayá: Saúde, transbordante, riqueza (Sl 23.5).

Sa'irim: Demônio em Levítico 17.7. A palavra sa'ir literalmente significa "bode" ou "peludo". Traduzido como sátiro em Isaías 13.21.

Salmavet: Sombras da morte. (Sl 23.4, Jó 3.5, Jó 10.22).

Saraph: Serpente voadora (Is 14.28).

Satan: Acusador, adversário.

Schachat: Palavra que significa desolação, dissolução, corrupção. Ocorre em Gênesis 6.13,17, 9.11,15 para indicar a corrupção do gênero humano e também a destruição física de tudo o que havia sobre a terra.

Shamesh: Sol.

Shahar: buscar cedo, procurar sinceramente.

Shedim: Assírio "sedu", espírito. Demônio em Deuteronômio 32.17 e Salmo 106.37. Espíritos decaídos.

Sheol: Inferno ou lugar de tormento. Também pode significar simplesmente sepultura.

Shoham: As pedras shoham eram abundantes em Havilá (Gn 2.12 traduz shoham por ônix). É a mais antiga pedra preciosa descrita na Bíblia Hebraica. Ninguém sabe ao certo de que tipo de pedra se tratava; a tradução como ônix não é convincente. Também não é possível dizer se, no tempo em que essas pedras foram colocadas na estola sacerdotal do sumo sacerdote, tinham alguma função especial (Êx 25.7). Essa pedra foi mencionada em Ezequiel 28.13 como uma das pedras com que um suposto querubim caído se enfeitava ainda no tempo do Éden.

Sinim: Terras distantes e desconhecidas, citadas em Isaías 49.12.

Susish: Literalmente: "cavalo-homem".

Tartan: comandante, general.

Tannîn: Traduzido como dragão, mostro marinho e serpente (Jó 7.12). Plural: tannînin

Tehom: Abismo, sheol, lugar dos mortos.

Terafim: Em assírio "tarpu", um espectro. Na Bíblia Hebraica, aplicado a falsos deuses.

Thamam: Perfeição, íntegro, justo, simples, pleno (Gn 6.9, 17.1).

Tzizah: De Ziz: flor. (Is 28.4).

Tzillá: Sombra. (Gn 4.19).

Urim: Tem o sentido de Oriente, região da luz (Is 24:15).

Yam Hagadol: Literalmente: "mar grande".

Yam Hamelah: Literalmente: "mar salgado". É o título do mar Morto, que na ficção é maior.

Yam Kademony: Literalmente: "mar ocidental". Na ficção, tem semelhanças com o Golfo Pérsico, mas adentrava o continente de modo muito mais extenso.

Ya'ana: avestruz ou coruja.

Yarden: Transliterado como Jordão. O significado é: "o que desce".

Yareah: Lua.

Yarok: coisa verde.

Yayin: Vinho forte.

Zamar: Palavra amplamente usada nos salmos hebraicos. Significa: cantar louvores, alegria.